LE RÊVE LE PLUS DOUX

Du même auteur aux Éditions J'ai lu :

DORIS

Lessing

LE RÊVE LE PLUS DOUX

ROMAN

Traduit de l'anglais par
Isabelle D. Philippe

Titre original :
The Sweetest Dream

Éditeur original : Harper*Collins*Publishers Ltd

Note de l'auteur

Je ne livre pas le troisième volume de mon autobiographie parce que je risquerais de blesser des êtres vulnérables. Ce qui ne veut pas dire que j'aie romancé ce qui relève de l'autobiographique. Dans cet ouvrage, il n'existe pas de parallèles avec des personnes réelles, à une exception près, un personnage très mineur. J'espère avoir réussi à restituer, en particulier, l'esprit des années soixante, époque contrastée, qui, avec le recul, et par comparaison avec ce qui a suivi, paraît incroyablement innocente. Elle n'avait, en effet, pas grand-chose du mauvais goût des années soixante-dix, ou de la froide cupidité des années quatre-vingt.

Certains événements décrits comme ayant eu lieu à la fin des années soixante-dix et au début des années quatre-vingt se sont produits, en réalité, une décennie plus tard. La Campagne pour le désarmement nucléaire dénonçait le gouvernement pour n'avoir rien tenté afin de préserver la population des effets d'une attaque ou d'un accident nucléaire, voire de possibles retombées radioactives, alors que la protection de ses citoyens est indubitablement la première responsabilité de tout gouvernement. Ceux qui pensaient que la population devait être protégée étaient traités en ennemis, accablés d'injures, « fascistes » étant le minimum, parfois même agressés physiquement. Menaces de mort, substances déplaisantes glissées dans les boîtes aux lettres... Toute la gamme des méthodes d'intimidation des voyous. Jamais il n'y eut campagne plus hystérique, plus tapageuse et irrationnelle. Les étudiants en dynamique des mouvements de masse trouveront tout cela dans les archives de presse. J'ai reçu d'eux bien des lettres, du style : « Mais c'était fou ! De quoi s'agissait-il exactement ? »

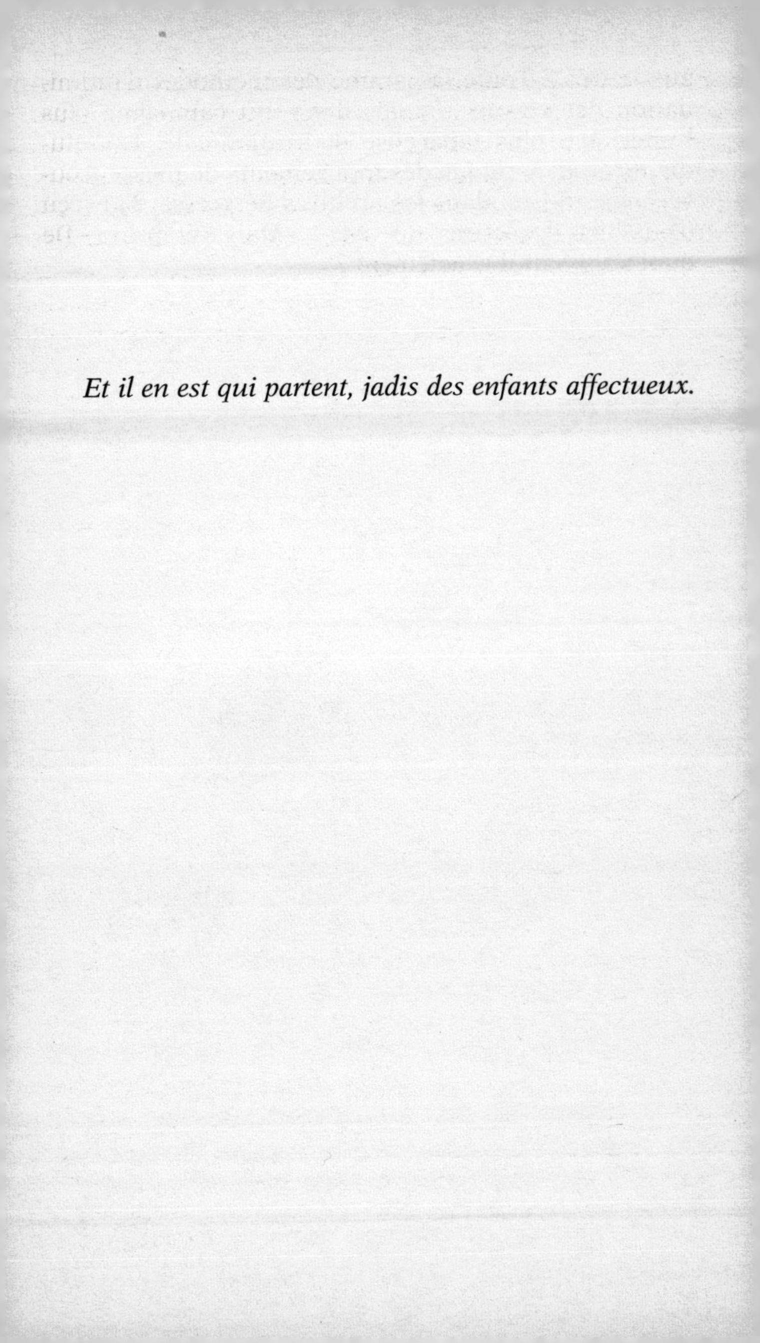

Et il en est qui partent, jadis des enfants affectueux.

Un début de soirée d'automne. La rue en contrebas offrait un décor de petites lumières jaunes, évocatrices d'intimité, et de gens déjà habillés chaudement pour l'hiver. Dans son dos, la pièce se remplissait d'une fraîche obscurité, mais rien ne pouvait l'atteindre : elle était sur un petit nuage, aussi heureuse qu'un enfant qui venait de faire ses premiers pas. La raison de cette légèreté inhabituelle était un télégramme de son ex-mari, Johnny Lennox – le camarade Johnny – reçu trois jours plus tôt. SIGNÉ CONTRAT POUR FILM SUR FIDEL TE RÈGLE DIMANCHE TOTALITÉ ARRIÉRÉS ET MOIS EN COURS. Aujourd'hui, on était dimanche. Le recours à l'expression « totalité arriérés » s'expliquait, elle en était sûre, par une sorte d'exaltation fébrile, proche de ce qu'elle-même ressentait en ce moment : il n'était pas question qu'il lui paie la « totalité », ce qui devait, à l'heure actuelle, représenter une telle somme qu'elle ne se donnait même plus la peine d'en tenir la comptabilité. Mais il devait certainement attendre un joli paquet pour se montrer si sûr de lui. À ce moment-là, un léger trouble – l'appréhension ? – la saisit. L'assurance était son... Non, elle ne devait pas dire son fonds de commerce, même si elle avait eu souvent cette sensation dans sa vie. Mais l'avait-elle jamais vu décontenancé, ou même dépassé, par les circonstances ?

Sur le bureau derrière elle, deux lettres reposaient côte à côte, symbole des juxtapositions dramatiques, improbables mais si fréquentes, de la vie. L'une d'elles lui proposait un rôle au théâtre. Frances Lennox était une comédienne de second plan, régulière, fiable, et on ne lui avait jamais rien demandé d'autre. Ce rôle, donc, était dans une nouvelle pièce géniale, un huis clos à deux, et le personnage masculin devait être interprété par Tony Wilde, qui jusque-là lui avait paru tellement supérieur à elle que Frances n'aurait jamais eu l'ambition de voir leurs deux noms accolés en haut de l'affiche. Et c'était lui qui avait insisté pour qu'on lui proposât le rôle ! Deux ans auparavant ils avaient travaillé sur le même spectacle, où, comme d'habitude, elle jouait les utilités. À la fin d'une série limitée de représentations – la pièce n'avait pas été un succès –, elle avait entendu, le soir de la dernière, alors qu'ils allaient et venaient d'un pas sautillant pour les rappels : « Bravo ! c'était très bien. » Le Ciel me sourit, c'est ce qu'elle avait pensé, consciente toutefois que Tony lui avait témoigné des signes d'intérêt. Mais voilà qu'à présent elle se voyait caresser toutes sortes de rêves fiévreux, sans que ce fût exactement une surprise : elle ne savait que trop bien à quel point elle était coincée, à quel point son moi érotique était sous contrôle, mais elle ne pouvait s'empêcher de s'imaginer que son don pour la drôlerie (elle pensait le posséder encore), pour le plaisir insouciant même, trouverait bien un jour sa place, et qu'elle pourrait en même temps montrer ce dont elle était capable sur scène si on lui donnait sa chance. Mais elle ne gagnerait pas beaucoup d'argent dans un petit théâtre, avec une pièce qui était un pari. Sans ce télégramme de Johnny, elle n'aurait pas eu les moyens de dire oui.

L'autre lettre lui proposait un créneau bien payé et sans risque, la rubrique du courrier du cœur (titre encore à choisir) dans *The Defender*. Ce serait la continuation de l'autre facette de sa vie professionnelle, journaliste pigiste, l'activité qui lui permettait de vivre.

Frances écrivait sur toutes sortes de sujets depuis des années. Au début, elle avait gagné ses galons dans des feuilles de chou et des gazettes de province, n'importe quelle parution qui lui rapportait un peu d'argent. Puis elle s'était retrouvée à se documenter pour des articles sérieux, qui, eux, paraissaient dans la presse nationale. Elle avait la réputation d'être l'auteur de contributions solides et équilibrées, qui donnaient souvent un éclairage original et inattendu sur un événement d'actualité.

Elle s'en acquittait bien. À quoi d'autre son expérience l'avait-elle préparée, sinon à jeter un regard froid sur les problèmes d'autrui ? Mais accepter ce travail ne lui procurerait aucun plaisir, ne lui donnerait nullement la sensation que de nouvelles ailes lui poussaient. Au contraire, il lui faudrait faire le gros dos, avec un raidissement intérieur proche du bâillement étouffé.

Comme elle était lasse de tous les problèmes, des âmes meurtries, des enfants abandonnés ! Comme il serait merveilleux de leur dire : « Bon, prenez-vous donc un peu en charge, moi je vais être au théâtre tous les soirs, et les trois quarts de la journée aussi ! » (Là, nouveau petit pincement glacé : As-tu perdu la tête ? Oui, et chaque minute était un délice depuis.)

La cime d'un arbre encore dans sa frondaison d'été chatoyait, bien que déjà un brin dépenaillée. La lumière tombée de deux étages plus haut, des appartements de la vieille, avait arraché le feuillage à l'obscurité pour le rendre mouvant, vivant, presque vert : la couleur n'était que suggérée. Julia était rentrée, alors. Repenser à sa belle-mère – à son ex-belle-mère – déclencha une appréhension familière, à cause du poids de la désapprobation qui filtrait du haut de la maison jusqu'à elle, mais il y avait autre chose dont Frances n'avait pris conscience que récemment. Julia avait dû aller à l'hôpital, elle aurait pu mourir et

Frances devait reconnaître enfin combien son sort dépendait du sien. À supposer que Julia ne soit plus là, que deviendrait-elle ? Que deviendraient-ils tous ?

En attendant, tout le monde l'appelait « la vieille », Frances aussi jusqu'à ces derniers temps. Mais pas Andrew. Et elle avait remarqué que Colin avait commencé à l'appeler Julia. Les trois pièces au-dessus des siennes, à l'étage supérieur à celui où elle se tenait actuellement, donc sous celui de Julia, étaient occupées par son aîné, Andrew, et son cadet, Colin, les fils qu'elle avait eus de Johnny Lennox.

Frances aussi disposait de trois pièces : une chambre, un bureau et une troisième, toujours réquisitionnée par un visiteur ou une visiteuse du soir, mais elle avait entendu Rose Trimble insinuer : « Et pourquoi lui faut-il trois pièces ? Elle est vachement égoïste ! »

Mais personne ne disait : « Pourquoi Julia a-t-elle besoin de quatre pièces ? » La maison était à elle. Cette demeure bruyante et pleine à craquer de gens qui allaient et venaient, dormaient par terre, amenaient des amis dont elle ignorait souvent le nom, avait, à son faîte, une zone étrangère qui n'était qu'ordre et beauté, et où l'air semblait d'un mauve délicat, parfumé à la violette, avec des armoires bourrées de chapeaux vieux de plusieurs décennies, ornés de voilettes, de strass ou de fleurs, et d'ensembles d'une coupe ou d'un tissu introuvables de nos jours. Julia Lennox descendait l'escalier, longeait la rue le dos bien droit, les mains gantées – elle avait de pleins tiroirs de gants –, portait toujours des chaussures, des chapeaux, des manteaux impeccables, violets, gris ou mauves, et une aura d'essences florales flottait autour d'elle. « Mais où déniche-t-elle ces fringues ? » avait encore demandé Rose, avant de comprendre cette vérité d'antan, à savoir que les vêtements pouvaient être conservés des années, au lieu d'être jetés une semaine après leur acquisition.

Au-dessous de l'étage de Julia, un grand salon courait de la façade de derrière à celle de devant. C'est là, en général sur un énorme canapé rouge, que les adolescents, deux par deux, échangeaient leurs confidences passionnées ; ou encore si elle ouvrait la porte doucement, elle pouvait apercevoir jusqu'à une demi-douzaine de « gamins », blottis dessus comme une portée de chiots.

Ce salon ne servait pas assez pour justifier la monopolisation d'un tel espace au cœur de la maison. La vie domestique, en effet, se concentrait dans la cuisine. Cette pièce ne retrouvait son sens que s'il y avait une fête, mais les fêtes étaient rares, parce que les jeunes fréquentaient les discothèques et les concerts pop. Même s'il leur semblait difficile de s'arracher de la cuisine et de sa très grande table, que Julia avait utilisée jadis, en repliant un des abattants, pour les dîners du temps où elle « recevait », comme elle disait.

La table était désormais toujours ouverte en grand, avec parfois seize ou vingt chaises et tabourets autour.

L'appartement en sous-sol était spacieux, et souvent Frances ne savait même pas qui y campait. Sacs de couchage et duvets jonchaient le sol comme des détritus après l'orage. Y descendre lui donnait l'impression d'être une espionne. Mis à part son insistance pour que ses occupants tiennent les lieux propres et en ordre – ils étaient pris de rares crises de ménage, dont il était difficile de voir si elles faisaient une grande différence... –, elle ne s'en mêlait pas. N'ayant pas ce type d'inhibitions, Julia, elle, descendait le petit escalier et embrassait du regard le tableau des dormeurs, qui n'étaient parfois pas encore levés à midi ou même plus tard, les tasses sales par terre, les piles de disques, les postes de radio, les vêtements jetés en vrac, puis se retournait lentement, image de la sévérité malgré ses voilettes et ses gants, où une rose pouvait être piquée à un des poignets, et après avoir vu, à la rigidité d'un dos ou à une tête anxieusement dressée, que sa présence avait été remarquée, elle remontait tout aussi lentement l'escalier, laissant derrière elle, dans l'air qui sentait le renfermé, un parfum de fleurs et de luxueuse poudre de riz.

Frances se pencha par la fenêtre pour voir si de la lumière éclaboussait le perron de la cuisine : oui, ils étaient tous là alors, et attendaient le dîner. Qui donc, ce soir ? Elle le saurait assez tôt. À cet instant précis, la petite Beetle de Johnny surgit au coin de la rue, se gara adroitement, et Johnny en descendit. Instantanément trois jours de rêves fous se volatilisèrent, tandis qu'elle pensait : J'étais cinglée, j'étais dingue ! Qu'est-ce qui m'a pris d'imaginer que tout allait changer ? S'il y avait réellement un film, alors il n'y aurait pas d'argent pour elle et les garçons, comme d'habitude... mais il avait bien dit que le contrat était signé, non ?

Le temps qu'elle mit pour se diriger à pas lents vers le bureau, s'arrêter devant afin de contempler les deux lettres fatidiques, atteindre la porte, toujours sans se presser, commencer à descendre, c'était comme si ces trois derniers jours n'avaient jamais eu lieu. Elle n'allait pas jouer la pièce, jouir de la dangereuse intimité du théâtre avec Tony Wilde, et était quasiment sûre qu'elle allait écrire demain au *Defender* pour accepter sa proposition.

S'étant ressaisie peu à peu au pied de l'escalier, elle se tint en souriant dans l'encadrement de la porte de la cuisine. Johnny était planté contre la fenêtre, les bras tendus pour s'appuyer au rebord, toute bravade et – même s'il n'en était pas conscient – justification. Autour de la table s'entassaient une collection de jeunes, et Andrew et Colin étaient là, l'un et l'autre. Tous dirigeaient leurs regards vers Johnny, qui avait péroré sur un sujet quelconque, et tous étaient admiratifs, sauf ses fils. Ils souriaient bien avec les autres, mais leur sourire était anxieux. Comme elle, ils savaient que l'argent promis pour aujourd'hui s'était évanoui au pays des songes. (Pourquoi diable leur en avait-elle parlé ? Elle savait pourtant à quoi s'en tenir !) Ce n'était pas la première fois que cela arrivait. Et tout comme elle, ils savaient qu'il avait débarqué à ce moment précis, alors que la cuisine était pleine de jeunes gens, afin de ne pas risquer d'être accueilli par des crises de rage, des larmes ou des reproches... Mais c'était le passé, il y avait longtemps.

Avec un rictus douloureux, Johnny ouvrit les bras, ses paumes de main tournées vers elle, et lança :

— Le film est annulé... la CIA...

Devant l'expression de Frances, il renonça et se tut, en regardant anxieusement ses deux garçons.

— Ne te donne pas cette peine, répondit Frances. Je ne m'attendais vraiment pas à autre chose.

À ces mots, les garçons tournèrent la tête vers Frances ; leur intérêt pour elle lui donnait encore plus de remords.

Elle s'était réfugiée près du four, où divers plats attendaient de connaître leur moment de vérité. Johnny, comme absous par le dos de Frances, entonna une vieille antienne sur la CIA dont les machinations, cette fois-ci, avaient été responsables de l'échec de son projet de film.

Colin, poussé par le besoin d'un point d'ancrage objectif, l'interrompit pour demander :

— Mais, papa, je croyais que le contrat...

Johnny répondit précipitamment :

— Trop de tracasseries. Tu ne peux pas comprendre... Ce que la CIA veut, la CIA l'obtient.

Un regard prudent, jeté par-dessus son épaule, montra à Frances que le visage de Colin était noué de rage, de stupéfaction et de ressentiment mêlés. Andrew, comme toujours, semblait insouciant, amusé même, bien qu'elle sût combien il était loin de l'être. La même scène ou une proche variante s'était déjà répétée tout au long de leur enfance.

L'année de la déclaration de guerre, en 1939, deux jeunes gens, ignorants et pleins d'espoir – comme ceux attablés ce soir-là à la cuisine –, étaient tombés amoureux, à l'instar de millions de leurs pareils dans les pays belligérants, et se serraient l'un contre l'autre pour trouver du réconfort en ce monde cruel. Mais il y entrait aussi de l'excitation, symptôme le plus dangereux de la guerre. Johnny Lennox l'avait présentée à la Young Communist League[1], au moment même où il quittait celle-ci pour devenir adulte, sinon soldat. C'était un peu une vedette, le camarade Johnny, et il brûlait de le lui faire savoir. Elle s'était installée dans les dernières rangées de salles combles pour l'entendre expliquer que c'était là une guerre impérialiste, que les forces progressistes et démocratiques devaient boycotter. Peu après, pourtant, en uniforme, et dans les mêmes salles, il s'adressait aux mêmes publics pour les exhorter à payer de leur personne, car c'était désormais une guerre contre le fascisme, conséquence de l'attaque allemande contre l'Union soviétique. Aux fidèles se mêlaient aussi chahuteurs et contestataires ; on entendait des huées et de gros rires sonores. Johnny était un objet de risée pour monter à la tribune expliquer tranquillement la nouvelle ligne du parti, comme s'il n'avait pas soutenu jusque-là exactement le contraire. Son calme avait impressionné Frances : par sa posture, bras tendus, paumes vers le ciel, il acceptait, provoquait même l'hostilité, expiait les dures nécessités du temps. Il portait l'uniforme de la RAF. Il avait voulu être pilote, mais sa vue n'était

1. Équivalent anglais des Jeunesses communistes révolutionnaires. (Toutes les notes sont du traducteur.)

pas suffisante, aussi était-il caporal-chef, ayant refusé pour des raisons idéologiques d'être officier. Il devait se retrouver dans l'administration.

Voilà quelle avait été l'initiation de Frances à la politique, ou plutôt à la politique de Johnny. Être jeune à la fin des années trente et ne pas s'intéresser à la politique représentait peut-être un certain exploit, mais c'était ainsi. Elle était la fille d'un notaire du Kent. Le théâtre avait été pour elle une fenêtre sur le glamour, l'aventure et le vaste monde, d'abord grâce aux pièces scolaires, puis par les groupes d'art dramatique amateur. Elle avait toujours joué les jeunes premières, mais était prisonnière de ce rôle à cause de sa beauté typiquement anglaise. Sauf qu'à présent elle aussi était en uniforme, une des jeunes femmes attachées au ministère de la Guerre, principalement pour piloter les officiers supérieurs. Or les jolies jeunes femmes en uniforme s'amusaient bien dans son type de mission, même si l'on tend à minimiser cet aspect de la guerre par tact, et peut-être même par pudeur envers les morts. Elle dansait beaucoup, dînait dehors, prêtait son cœur à de séduisants Français, Polonais, Américains, mais n'oubliait pas Johnny, ni leurs nuits d'amour passionnées et tourmentées. C'était une répétition de leur future ardeur mutuelle.

Dans l'intervalle, lui était au Canada pour s'occuper des aviateurs de la RAF qui suivaient leur instruction là-bas. Il était déjà officier et se débrouillait bien, comme ses lettres le lui laissaient clairement comprendre ; puis il rentra en Angleterre comme aide de camp d'une huile, avec le grade de capitaine. Il était si beau avec son uniforme, et elle si charmante avec le sien ! Cette semaine-là, ils se marièrent, et Andrew fut conçu ; ce fut la fin du bon temps pour Frances : enfermée dans une chambre avec son bébé, elle était seule et terrifiée à cause des bombardements. Elle avait hérité d'une belle-mère, la redoutable Julia, qui, l'air d'une femme du monde sortie d'une revue de mode des années trente, descendit de sa demeure de Hampstead – cette même demeure – pour montrer son horreur devant l'endroit où logeait Frances et lui proposer une place dans sa maison. Frances refusa. Elle avait beau peut-être ne pas être politisée, elle partageait de toutes ses fibres le fervent désir d'indépendance de sa génération. Quand elle avait quitté sa famille, ç'avait été pour une chambre meublée. Et maintenant, réduite à n'être guère autre chose que la femme de Johnny et la mère d'un nourrisson, elle restait quand même indépendante et pouvait se reconnaître dans cette pensée, s'y raccrocher. Ce n'était pas grand-chose, mais c'était à elle.

Les jours et les nuits se succédaient ; Frances était aussi loin de la vie brillante qu'elle avait connue que si elle n'avait jamais quitté la maison familiale du Kent. Les deux dernières années de la guerre furent rudes, misérables, effroyables. La nourriture était mauvaise. Les bombes qui semblaient avoir été conçues pour briser les nerfs des gens affectaient aussi les siens. Les vêtements étaient difficiles à trouver et affreux. Elle n'avait pas d'amies, rencontrait seulement d'autres mères de tout-petits. Par-dessus tout, elle craignait qu'en rentrant à la maison, Johnny ne fût déçu par elle, cette jeune mère fatiguée avec des kilos en trop, sans grand rapport avec l'élégante jeune fille en uniforme dont il avait été éperdument amoureux. Et c'est ce qui arriva.

Johnny s'était bien comporté pendant la guerre, ce qui lui avait valu d'être remarqué. Nul ne pouvait nier qu'il était intelligent et vif, et son engagement politique était courant pour l'époque. On lui proposa de bonnes situations dans le Londres en reconstruction d'après guerre. Il les déclina. Il n'allait quand même pas se laisser acheter par le système capitaliste ; sa vision du monde, sa foi n'avaient pas changé d'un iota.

De retour à la vie civile, le camarade Johnny Lennox avait pour unique préoccupation « La Révolution ».

Colin était né en 1945. Deux enfants en bas âge, dans un appartement misérable de Notting Hill, alors un quartier délabré et défavorisé de Londres. Johnny n'était pas souvent là. Il œuvrait pour le Parti. Déjà il faut expliquer que, par le Parti, on désignait le Parti communiste, et que ce qu'on était censé entendre, c'était LE PARTI. Quand deux inconnus se rencontraient, voici à quoi pouvaient ressembler leurs échanges : « Tu es au Parti aussi ? — Oui, bien sûr. — Je me disais que tu devais y être. » Ce qui signifiait : « Tu es quelqu'un de bien, tu me plais, et tu dois donc, comme moi, être au Parti. »

Frances n'adhéra pas au Parti, même si Johnny le lui avait demandé. C'était mauvais pour lui, se plaignait-il, d'avoir une femme qui refusait d'adhérer.

— Mais qui peut le savoir ? s'enquit Frances, ajoutant au mépris de son mari, parce qu'elle n'avait pas la fibre politique et ne devait jamais l'avoir.

— Le Parti, lui, le sait, répondit Johnny.

— Dommage, répliqua Frances.

Ils ne s'entendaient absolument pas, et le Parti n'avait pas grand-chose à voir là-dedans, bien qu'il représentât un grand sujet d'irritation pour Frances. Le couple vivait dans un grand dénuement, pour ne pas dire une misère noire. Lui y voyait un signe de grâce intérieure. Au retour d'un séminaire de week-end, par exemple « Johnny Lennox sur la menace de l'agression américaine », il la trouvait occupée à étendre les vêtements d'enfant sur un dispositif branlant de poulies et de perches précairement vissé au mur extérieur de la fenêtre de la cuisine, ou en train de revenir du parc, un bambin cramponné à sa main, le second dans sa poussette. Le filet de la poussette était rempli de provisions, et un livre qu'elle avait eu l'espoir de lire pendant que les petits jouaient était caché dans le dos du dernier.

— Tu es une vraie prolétaire, Fran, la complimentait-il.

S'il était ravi, sa mère ne l'était pas. Quand elle venait, toujours après avoir écrit d'abord, sur un papier blanc épais avec lequel on pouvait se couper, elle se perchait d'un air dégoûté au bord d'un fauteuil probablement barbouillé de vestiges de biscuit ou d'orange.

— Johnny, cette situation ne peut pas durer, déclarait-elle.

— Et pourquoi non, *Mutti* ?

Il l'appelait *Mutti* parce qu'elle détestait ce terme.

— Vos petits-enfants, persiflait-il, feront honneur à la Grande-Bretagne populaire.

Frances n'osait pas croiser le regard de Julia en pareils moments, parce qu'elle n'allait quand même pas être déloyale. Elle avait l'impression que sa vie, toute sa vie, et elle avec, était vulgaire, laide, épuisante, et que les inepties de Johnny en faisaient simplement partie. Tout cela aurait une fin, elle en était sûre. Il le fallait.

Et il y eut une fin, parce que Johnny annonça qu'il était tombé amoureux d'une authentique camarade, membre du Parti, et qu'il se mettait en ménage avec elle.

— Et moi, comment vais-je vivre ? s'enquit Frances, qui savait déjà à quoi s'en tenir.

— Je te verserai une pension alimentaire, bien sûr, répondit Johnny, qui ne tint jamais parole.

Elle trouva une garderie municipale et décrocha un job dans une société qui fabriquait des décors et des costumes de théâtre. C'était mal payé, mais elle se débrouillait. Julia débarqua pour se plaindre que les enfants étaient négligés et leurs vêtements une honte.

— Peut-être devriez-vous vous adresser à votre fils ? suggéra Frances. Il me doit une année de pensions.

Puis ce fut deux ans, trois ans...

Julia demanda si elle toucherait des allocations familiales décentes, dans l'hypothèse où elle démissionnerait de son job pour s'occuper des enfants.

Frances répondit que non.

— Mais je ne me mêlerai pas de vos affaires, reprit Julia. Je vous le promets.

— Vous ne comprenez pas, balbutia Frances.

— Non, je ne comprends pas. Mais vous allez peut-être tout m'expliquer ?

Johnny quitta la camarade Maureen pour revenir avec elle, Frances, en prétendant avoir commis une erreur. Elle lui rouvrit sa porte. Elle était seule, sexuellement en manque, et savait que les garçons avaient besoin d'un père.

Il la laissa une nouvelle fois pour une autre authentique camarade. Quand il lui revint une deuxième fois, elle lui dit : « Dehors ! »

Elle travaillait à temps complet dans un théâtre, ne gagnait pas grand-chose, mais assez pour vivre. Les garçons avaient alors dix et huit ans. Les problèmes étaient incessants à l'école, et ils avaient de mauvaises notes.

— Qu'espériez-vous ? avait dit Julia.

— Je n'espère jamais rien, avait répondu Frances.

Ensuite, les choses avaient évolué de manière spectaculaire. Frances fut stupéfaite d'entendre que le camarade Johnny avait admis qu'Andrew devait fréquenter un bon établissement. Julia proposa Eton, parce que son mari y avait été élève. Frances s'attendait à ce que Johnny refusât Eton, puis fut informée que Johnny aussi y était allé et avait réussi à cacher ce déplorable épisode toutes ces années. Julia n'en avait pas parlé non plus parce que son séjour à Eton avait été peu glorieux pour lui comme pour ses parents. Il y était resté trois ans, mais avait fugué pour participer à la guerre civile espagnole.

— Tu veux dire que tu es heureux qu'Andrew entre dans cet établissement ? lui demanda Frances au téléphone.

— Enfin, au moins on y reçoit une bonne éducation, riposta Johnny d'un ton dégagé.

Elle capta le sous-entendu : Regarde ce qu'Eton a fait de moi...

Aussi, avec l'aide financière de Julia, Andrew quitta le logement sordide où habitaient sa mère et son frère pour Eton, passa ses vacances avec ses condisciples et devint un étranger poli.

Frances se rendit à Eton pour une réunion de fin de trimestre, dans une tenue qu'elle avait achetée pour coller à ce qu'elle imaginait être de circonstance, et coiffée du premier chapeau qu'elle eût jamais osé. Elle avait eu raison, pensa-t-elle, et remarqua qu'Andrew était soulagé en la voyant.

À ce moment-là, on vint lui demander des nouvelles de Julia, la veuve de Philip et belle-fille du père de Philip : un vieil homme se souvenait de lui en culottes courtes. Il semblait que les Lennox entraient naturellement à Eton. On la questionna sur Johnny ou Jolyon.

— Intéressant..., murmura un monsieur qui avait été un des professeurs de Johnny. Un choix de carrière intéressant.

Par la suite, Julia assista aux réceptions officielles, où l'on faisait grand cas de sa personne, ce qui la surprit : en se rendant à Eton au cours des trois brèves années de scolarité que Jolyon y avait passées, elle s'était toujours vue comme la femme de Philip, quelqu'un qui ne comptait guère.

Colin refusa Eton, à cause d'une profonde et complexe loyauté envers sa mère qu'il avait vue se démener pendant toutes ces années. Cela ne voulait pas dire qu'il ne se disputait pas avec elle, ne s'opposait pas à elle, ne discutait pas ; d'autre part, il travaillait si mal à l'école que Frances avait la conviction intime qu'il le faisait exprès pour la blesser. Mais il était froid et désagréable avec son père, chaque fois que Johnny débarquait pour dire qu'il était terriblement désolé, mais qu'il n'avait vraiment pas d'argent à leur donner. Il accepta d'entrer dans un lycée alternatif, Saint-Joseph, toujours aux frais de Julia.

Johnny fit alors une proposition que Frances enfin ne refusa pas. Julia leur laissait, à elle et aux garçons, le bas de la maison. Elle n'avait pas besoin de tout cet espace, c'était ridicule...

Frances pensa à Andrew qui revenait à diverses adresses sordides ou ne revenait pas, en tout cas n'amenait jamais d'amis à la maison. Elle pensa à Colin qui ne cachait pas la haine qu'il vouait à leur mode de vie. Elle dit oui à Johnny, oui à Julia, et se retrouva dans la grande demeure qui était la propriété de Julia et devait toujours le rester.

Sauf qu'elle savait ce que cela lui coûtait. Tout ce temps elle avait gardé son indépendance, payé pour les garçons et elle, sans accepter d'argent de Julia ni de ses parents, qui eussent été trop heureux de pouvoir l'aider. Voilà où elle en était maintenant, et c'était une dernière capitulation : ce qui pour les autres constituait « une décision raisonnable » était une défaite. Elle n'était plus elle-même, elle était un appendice de la famille Lennox.

En ce qui concernait Johnny, il avait fait tout ce qu'on pouvait attendre de lui. Lorsque sa mère lui avait remontré qu'il devait subvenir aux besoins de ses fils, trouver un travail qui lui rapportât un salaire, il lui avait hurlé à la figure qu'elle était un membre typique de la classe dominante, obsédé par l'argent, alors que lui se dévouait pour l'avenir du monde entier. Ils se chamaillaient, souvent et bruyamment. En les écoutant, Colin blêmissait, s'enfermait dans le mutisme et quittait la maison des heures ou des jours durant. Andrew, lui, gardait son sourire amusé et désinvolte, son assurance. Il était souvent à la maison désormais et amenait même des amis.

Entre-temps, Johnny et Frances avaient divorcé parce qu'il avait voulu se remarier dans les règles, officiellement, avec une cérémonie à laquelle avaient assisté les camarades et aussi Julia. La nouvelle élue s'appelait Phyllida et ce n'était pas une camarade, mais il soutenait que c'était une bonne recrue et qu'il en ferait une communiste.

Cette petite histoire était la raison pour laquelle Frances tournait le dos aux autres et remuait un ragoût qui n'avait pas réellement besoin d'être remué. Réaction retard : ses genoux tremblaient, sa bouche lui semblait pleine d'acide, car c'était à présent son corps qui encaissait la mauvaise nouvelle, un peu après son esprit. Elle était en colère, elle le savait, et avait le droit de l'être, mais elle était plus en colère contre elle-même que contre Johnny. Si elle s'était permis de passer trois jours dans la bulle d'un rêve, très bien ! Mais comment avait-elle pu entraîner les garçons ? C'était pourtant Andrew qui avait apporté le télégramme, attendu qu'elle le lui montrât et observé : « Frances, ton mari errant va enfin prendre la bonne décision. » Posé légèrement au bord d'un fauteuil, c'était un séduisant jeune homme blond, qui ressemblait plus que jamais à un oiseau prêt à s'envoler. Il était grand, et cela lui donnait un air encore plus dégingandé, avec son jean qui flottait autour de ses jambes interminables, et ses élégantes longues mains osseuses posées sur ses genoux, paumes vers le ciel. Il lui souriait, et elle savait qu'il voulait être gentil. Ils se donnaient du mal pour s'entendre, mais il l'intimidait encore, à cause de toutes ces années où il l'avait rejetée. Il avait dit « ton mari », il n'avait pas dit « mon père ». Il se montrait amical avec la nouvelle femme de Johnny, tout en racontant par-derrière qu'au total elle était casse-pieds.

Il avait félicité sa mère pour son dernier rôle et s'était poliment moqué de ses rubriques de cœur.

Colin aussi s'était montré affectueux, chose rarissime pour lui, et avait téléphoné à ses amis pour leur parler de la nouvelle pièce.

C'était complètement négatif pour tous les deux. C'était affreux, vraiment affreux, mais, somme toute, juste un petit coup dur de plus après des années et des années de coups durs, comme elle se disait, en attendant que ses genoux eussent retrouvé leur force, pendant qu'elle se cramponnait au bord d'un tiroir d'une main et remuait le ragoût de l'autre, les yeux clos.

Dans son dos, Johnny dissertait sur la presse capitaliste et ses mensonges sur l'Union Soviétique, sur Fidel Castro, et la manière dont celui-ci était caricaturé.

Que Frances n'eût été guère entamée par des années de critiques de Johnny, ou son vocabulaire, était évident à la manière dont, après une récente conférence, elle avait murmuré :

— Il a l'air de quelqu'un de très intéressant.

— Je ne crois pas t'avoir rien appris, Frances, l'avait rembarrée Johnny. Tu es réfractaire à tout enseignement.

— Oui, je sais, je suis idiote.

Cela avait été une répétition du grand moment, primal et en même temps final, où Johnny lui était revenu pour la deuxième fois, s'attendant à ce qu'elle le reprenne à la maison : il avait vociféré qu'elle était une débile politique, une petite bourgeoise bornée, une ennemie de classe.

— C'est vrai, je suis idiote, lui avait-elle répondu. Maintenant va-t'en.

Elle ne pouvait pas continuer à rester plantée là, sachant que les garçons l'épiaient anxieusement, blessés à cause d'elle, même si les autres fixaient Johnny avec des yeux brillant d'amour et d'admiration.

— Sophie, donne-moi un coup de main, dit-elle.

Aussitôt des mains secourables apparurent. Celles de Sophie, de tout le monde, apparemment. Les plats furent disposés au milieu de la table. Des odeurs délicieuses se répandirent, une fois les couvercles retirés.

Contents de s'asseoir, elle et ses fils s'installèrent au haut bout de la table, sans regarder Johnny. Toutes les chaises étaient occupées, mais d'autres étaient alignées contre le mur, et s'il voulait, il n'avait qu'à en prendre une et s'attabler avec eux. Allait-il le faire ? Cela lui arrivait souvent, ce qui la mettait en fureur, même s'il croyait, c'était évident, que c'était un compliment. Non, pas ce soir. Après avoir fait son petit effet et obtenu son content d'admiration (si c'était le cas !), il allait partir, non ? Mais il ne partait pas. Tout autour de la table, les verres étaient pleins. Johnny avait apporté deux bouteilles de vin : Johnny, qui avait le cœur sur la main et n'allait jamais nulle part sans faire ses libations... Elle était incapable de retenir cette bile, ces mots amers, qui lui venaient involontairement aux lèvres. Va-t'en, l'implorait-elle intérieurement. Pars.

Elle avait préparé un énorme, un copieux ragoût d'hiver, du bœuf aux châtaignes, d'après une recette d'Elizabeth David, dont *La Cuisine française du terroir* était posé ouvert, quelque part dans la cuisine. (Bien des années plus tard, elle devait se dire : Mon Dieu, sans le savoir j'ai participé à une révolution culinaire !) Elle était convaincue que ces jeunes ne s'alimentaient « correctement » qu'à cette table. Andrew distribuait de la purée de pommes de terre au céleri. Sophie servait le ragoût à la louche. Les épinards à la crème et les carottes Vichy étaient sous la responsabilité de Colin. Toujours debout, Johnny observait, réduit momentanément au silence parce que personne ne le regardait.

Pourquoi ne partait-il donc pas ?

Ce soir-là, autour de la table, il y avait ceux qu'elle considérait comme les habitués ou, du moins, certains d'entre eux. À sa gauche, se trouvait Andrew, qui s'était servi généreusement, mais contemplait en ce moment son assiette comme s'il ne la reconnaissait pas. Son voisin était Geoffrey Bone, le condisciple de Colin, qui avait passé toutes ses vacances avec eux du plus loin qu'elle se souvenait. Il ne s'entendait pas avec ses parents, d'après Colin. Mais qui s'entendait avec ses parents, après tout ? À côté de lui, Colin avait déjà tourné son visage lunaire et empourpré vers son père, toute angoisse accusatrice, sa fourchette et son couteau en suspens dans ses mains. Après Colin, était assise Rose Tremble, qui avait été la petite amie d'Andrew, bien que fugitivement : un attrait obligé pour le marxisme avait entraîné ce dernier dans un séminaire de week-end intitulé « L'Afrique brise ses chaînes ! », et Rose y était. Leur histoire de cœur (en était-ce une ? elle avait seize ans...) était terminée, mais Rose venait toujours chez eux, semblait même en réalité s'être installée. En face de Rose, il y avait Sophie, une jeune fille juive dans tout l'éclat de sa beauté : svelte, des yeux noirs et brillants, des cheveux tout aussi noirs et brillants. En la voyant, on ne pouvait qu'être assailli par des réflexions, en un premier temps, sur l'injustice intrinsèque du destin, puis sur les canons de la Beauté et ses droits. Colin était amoureux d'elle. Andrew aussi. Comme Geoffrey. Près de Sophie, et l'exact opposé, à tous égards, de Geoffrey, qui était si beau et si correct, britannique, courtois, bien élevé, se tenait le torturé et ombrageux Daniel, qui venait d'être menacé d'expulsion de Saint-Joseph pour vol à l'étalage. Il était chef de classe adjoint, et

Geoffrey, lui, était chef de classe et avait dû faire comprendre à Daniel qu'il lui fallait s'amender, sinon... Menace vaine, sûrement, émise dans le but de faire comprendre aux autres la gravité d'un acte familier à tous. Ce petit événement, commenté ironiquement par ces enfants qui savaient tout sur tout, confirmait, si besoin était, l'injustice inhérente au monde, étant donné que Geoffrey volait sans arrêt, mais qu'on avait du mal à associer sa physionomie ouverte et extrêmement polie à de mauvaises actions. Et il s'ajoutait un autre ingrédient : Daniel adorait Geoffrey, l'avait toujours adoré. Recevoir une réprimande de son héros était plus qu'il ne pouvait supporter.

Après Daniel, il y avait une demoiselle que Frances n'avait jamais vue, mais elle espérait être éclairée en temps utile. C'était une jeune fille soignée, qui présentait bien et avait l'air de s'appeler Jill. À droite de Frances se trouvait Lucy, qui n'était pas élève de Saint-Joseph : souvent là, elle venait de Dartington et était la petite amie de Daniel. Lucy, qui, dans un établissement normal, eût été certainement parfaite, étant motivée, intelligente, responsable et née pour commander, prétendait que les lycées alternatifs, Dartington en tout cas, convenaient bien à certaines personnes, mais que d'autres avaient besoin de discipline, et qu'elle-même regrettait de ne pas être dans un lycée classique, avec des règles, des règlements et des contrôles à préparer. Daniel soutenait que Saint-Joseph était une merde hypocrite, qui prônait la liberté mais en fin de compte serrait la vis.

— Je n'irai pas jusqu'à dire « serrer la vis », expliqua aimablement Geoffrey à tout le monde, protégeant son acolyte, il s'agit plutôt de marquer les limites.

— Pour certains ! s'obstina Daniel.

— Ce n'est pas juste, je te l'accorde, admit Geoffrey.

Sophie déclara qu'elle adorait Saint-Joseph, qu'elle adorait aussi Sam, le proviseur. À cette nouvelle, les garçons tâchèrent de rester de marbre.

Colin continuait de rater si régulièrement ses contrôles que sa petite vie tranquille témoignait de la célèbre tolérance de l'établissement.

Parmi ses nombreux griefs contre l'existence, Rose se plaignait surtout de ne pas avoir été envoyée dans un lycée alternatif, et quand les mérites ou les défauts de ce type d'établissement étaient l'objet de débats animés, ce qui arrivait fréquemment, elle demeurait silencieuse, sa figure déjà rubiconde encore plus rouge de fureur. Ses infâmes salauds de parents l'avaient inscrite dans un lycée classique de jeunes filles de Sheffield, mais bien qu'elle eût apparemment abandonné ses études et semblât vivre là, ses accusations ne faiblissaient pas, et elle avait tendance à fondre en larmes, en reprochant aux autres de ne pas connaître leur chance. En fait, Andrew avait rencontré les parents de Rose, qui étaient tous deux employés de la mairie locale. « Et qu'est-ce qui ne va pas chez eux ? » avait demandé Frances, espérant entendre du bien sur eux, car elle souhaitait le départ de Rose, puisqu'elle n'aimait pas beaucoup la jeune fille. (Et pourquoi ne disait-elle pas à Rose de prendre ses cliques et ses claques ? Cela n'eût pas été dans l'air du temps.)

— Je crains qu'ils ne soient tout simplement normaux, répondit Andrew avec le sourire. Ce sont des provinciaux conformistes, et je crois vraiment qu'ils sont un peu dépassés avec Rose.

— Ah ! murmura Frances, voyant s'éloigner la possibilité du retour de Rose au bercail.

Et puis il y avait aussi autre chose. N'avait-elle pas elle-même reproché à ses parents d'être rasoirs et conformistes ? Ce n'est pas qu'ils étaient des fumiers de fascistes, mais elle les aurait peut-être décrits ainsi, si ces épithètes lui avaient été aussi familières qu'à Rose. Comment pouvait-elle critiquer la jeune fille de vouloir quitter des parents qui ne la comprenaient pas ?

Une seconde ration venait déjà remplir les assiettes. Toutes sauf celle d'Andrew. Il avait à peine touché à son contenu. Frances feignit de n'avoir rien remarqué.

Andrew avait des problèmes, mais de quelle gravité, c'était difficile à dire.

Il s'était très bien adapté à Eton, avait noué des amitiés, ce qu'elle avait cru comprendre qu'on attendait des élèves, et entrait à Cambridge l'an prochain. Cette année, disait-il, il se reposait. Et c'était vraiment le cas. Il dormait parfois jusqu'à quatre ou cinq heures de l'après-midi, avait l'air malade et se cachait – lui et quoi d'autre ? – derrière son charme, son urbanité.

Frances savait qu'il était malheureux, mais ce n'était pas nouveau que ses fils fussent malheureux. Il fallait faire quelque chose. C'était Julia qui était descendue d'un étage pour lui dire :

— Frances, avez-vous mis les pieds dans la chambre d'Andrew ?

— Je ne me permettrais pas d'entrer dans sa chambre sans le lui demander.

— Mais vous êtes sa mère, je crois.

Mis en lumière par cet échange, l'abîme qui les séparait eut pour conséquence, comme toujours, que Frances jeta un regard désespéré à sa belle-mère. Elle ne savait quoi dire. Silhouette immaculée, Julia attendait tel le Jugement dernier, et Frances se sentit redevenir une écolière qui avait envie de se dandiner d'un pied sur l'autre.

— On n'y voit pas à deux mètres dans sa chambre tant il y a de fumée, poursuivit Julia.

— Oh, je vois ! vous voulez parler du hasch... de la marijuana ? mais Julia, beaucoup d'entre eux en fument !

Elle n'osa pas confier qu'elle-même l'avait essayée.

— Ainsi, ce n'est rien pour vous ? Ce n'est pas important ?

— Je n'ai pas dit ça.

— Il dort toute la journée, il se grise avec cette drogue, il ne mange rien...

— Julia, que voulez-vous que je fasse ?

— Que vous alliez lui parler.

— Je ne peux pas... C'est impossible... Il ne m'écouterait pas.

— Alors, c'est moi qui vais lui parler.

Et Julia de pivoter sur ses petits talons cliquetants, en laissant un parfum de rose dans son sillage.

Julia et Andrew parlèrent, effectivement. Peu après, Andrew se mettait à rendre visite à Julia dans ses appartements, ce à quoi personne ne s'était risqué jusque-là, et en ressortait souvent muni d'informations censées aplanir les difficultés et mettre de l'huile dans les rouages.

— Elle n'est pas aussi méchante que tu le crois. En réalité, c'est même plutôt un amour.

— Ce n'est pas le mot qui me viendrait immédiatement à l'esprit.

— Enfin, moi je l'aime bien.

— Moi, j'aimerais bien qu'elle descende de temps en temps. Elle pourrait manger avec nous...

— Elle ne voudra pas. Elle n'a pas une très bonne opinion de nous, lança Colin.

— Elle nous corrigerait peut-être...

Frances tentait de prendre la chose avec humour.

— Ha, ha ! Mais pourquoi ne l'invites-tu pas ?

— Julia me terrifie ! s'exclama Frances, l'avouant pour la première fois.

— C'est elle qui a peur de toi ! protesta Andrew.

— Oh ! Mais c'est ridicule. Je suis sûre qu'elle n'a jamais eu peur de personne...

— Écoute, maman, tu ne comprends pas. Elle a connu une vie si protégée. Elle n'est pas habituée à nos manières de sauvages. Tu oublies que, jusqu'à la mort de grand-père, elle n'a même pas dû se faire cuire un œuf à la coque, alors que, toi, tu affrontes des hordes affamées et que tu parles leur langue. Tu ne le vois pas ?

Il avait dit « leur », pas « notre ».

— Tout ce que je sais, c'est qu'elle est assise là-haut en train de grignoter un doigt de hareng fumé et deux quignons de pain avec un malheureux verre de vin, pendant que nous nous empiffrons en bas. On pourrait peut-être lui monter un plateau...

— Je vais lui poser la question, dit Andrew.

Et il avait tenu vraisemblablement parole, mais rien n'avait changé.

Frances s'obligea à gravir l'escalier menant à la chambre de son fils. Six heures, et la nuit tombait déjà. Cela se passait quinze jours plus tôt. Elle frappa à la porte, même si ses jambes avaient failli redescendre toutes seules.

Après un moment d'attente, elle entendit :

— Entrez.

Frances entra donc. Andrew était couché tout habillé sur son lit, en train de fumer. Derrière lui, la fenêtre était embuée par une pluie glacée.

— Il est six heures, annonça-t-elle.

— Je sais qu'il est six heures.

Frances s'assit sans y être invitée. La pièce était spacieuse, encombrée de meubles anciens massifs et de quelques belles lampes chinoises. Andrew semblait un occupant de passage, et Frances ne put s'empêcher de penser au mari de Julia, le diplomate, qui aurait certainement été à sa place ici.

— Tu es venu me sermonner ? Ne te donne pas cette peine, Julia a déjà payé de sa personne.

— Je me fais du souci, répondit Frances, la voix tremblante.

Des années, des décennies de soucis se bousculaient dans sa gorge.

Andrew leva sa tête de l'oreiller pour la dévisager. Pas avec hostilité, mais plutôt avec lassitude.

— Je m'inquiète moi-même, acquiesça-t-il. Mais je crois que je vais me prendre en main.

— C'est vrai, Andrew ? C'est vrai ?

— Après tout, ce n'est pas comme si c'était de l'héroïne, de la coke ou... Regarde, il n'y a pas de bouteilles vides qui roulent ici et là, cachées sous le lit.

En fait, il y avait quelques petits cachets bleus éparpillés à la ronde.

— Qu'est-ce que c'est, ces petits cachets bleus, alors ?

— Ah ! les petits cachets bleus... Des amphétamines. Ne te polarise pas là-dessus.

— Et puis, reprit Frances en le citant, se voulant ironique sans y parvenir, il n'y a pas de dépendance, on peut les arrêter quand on veut...

— Je n'en sais rien. Je pense que je suis accro... mais au hasch. Ça adoucit la réalité, il n'y a pas de doute. Pourquoi ne l'essaies-tu pas ?

— Mais je l'ai essayé. Ça ne me fait rien.

— Dommage ! murmura Andrew. Je dirais que tu as trop de réalité sur les bras...

Il n'ajouta rien d'autre. Elle patienta donc un peu, puis se leva pour partir et entendit en refermant la porte :

— Merci d'être venue, maman. Repasse me voir.

Était-il possible qu'il souhaitât son « ingérence » ? qu'il eût attendu sa visite, eût envie de lui parler ?

Au cours de ce dîner particulier, elle sentit les liens qui l'unissaient à ses deux fils, mais c'était trop affreux : tous les trois étaient proches, ce soir-là, à cause de leur déception, du coup qui leur avait été porté à l'endroit sensible.

Sophie avait la parole.

— Tu es au courant du magnifique nouveau rôle de Frances ? demandait-elle à Johnny. Elle va être une star. C'est formidable ! Tu as lu la pièce ?

— Sophie, intervint Frances, je ne joue pas dans cette pièce finalement.

Sophie la dévisagea, ses grands yeux déjà pleins de larmes.

— Qu'est-ce que tu veux dire ? Tu ne peux pas... mais c'est... ce n'est pas possible !

— Je ne la jouerai pas, Sophie.

Ses deux fils regardaient Sophie, lui donnaient même des coups de pied sous la table : Tais-toi.

— Oh ! souffla la ravissante jeune fille, enfouissant son visage dans ses mains.

— Il y a eu des changements, reprit Frances. Je ne peux pas vous expliquer.

À ce moment-là, les deux garçons portèrent un regard accusateur sur leur père. Celui-ci changea légèrement de position, fit mine de lever les épaules, se contint, sourit, puis lâcha tout à trac :

— Il y a autre chose que je suis venu te dire, Frances.

Voilà pourquoi il n'était pas parti, mais était resté là, mal à l'aise, sans s'asseoir : il n'avait pas vidé tout son sac.

Frances s'arma de tout son courage et vit que Colin et Andrew faisaient de même.

— J'ai un grand service à te demander, poursuivit Johnny, s'adressant directement à sa femme bafouée.

— Lequel ?

— Tu as entendu parler de Tilly, bien sûr ? Tu sais, la fille de Phyllida...

— Bien sûr que j'ai entendu parler d'elle.

Andrew, qui était allé voir Phyllida, avait laissé entendre que ce n'était pas un foyer harmonieux et que l'enfant donnait du fil à retordre à ses parents.

— Apparemment, Phyllida est incapable de s'occuper de Tilly.

À ces mots, Frances s'esclaffa, car elle devinait déjà la suite.

— Non, répondit-elle. Ce n'est tout simplement pas possible. Il n'en est pas question !

— Oui, Frances, mais réfléchis. Elles ne s'entendent pas. Phyllida ne sait plus que faire. Et moi non plus. J'aimerais que tu gardes Tilly ici. Tu es si douée pour...

Frances eut le souffle coupé par la rage, remarqua que les deux garçons avaient blêmi ; assis sur leurs chaises, tous les trois échangèrent des regards en silence.

— Oh, Frances ! s'exclama Sophie. Tu es si gentille. Mais c'est merveilleux !

Geoffrey, qui, après tout, séjournait depuis si longtemps dans cette maison qu'il pouvait, en toute justice, être considéré comme un membre de la famille, renchérit :

— Terrible, comme idée !

— Minute, Johnny ! riposta Frances. Tu me demandes de prendre la fille de ta deuxième femme à la maison parce que vous deux êtes incapables de vous occuper d'elle ?

— C'est à peu près ça, reconnut Johnny avec le sourire.

Un long, très long silence s'écoula. Malgré leur enthousiasme, il était venu à l'idée de Sophie et de Geoffrey que Frances ne prenait pas les choses avec l'esprit du généreux idéalisme universel qu'ils lui avaient d'abord prêté : l'esprit de « Tout est pour le mieux dans le meilleur des mondes possibles », qui devait un jour symboliser « les années soixante ».

Frances parvint à articuler :

— Tu as peut-être l'intention de contribuer financièrement à son entretien ? – et s'avisa qu'en disant cela elle acceptait.

À cette question, Johnny parcourut les visages juvéniles du regard, pour voir s'ils étaient aussi choqués que lui par tant de mesquinerie.

— L'argent n'a vraiment rien à voir ici, répondit-il d'un air supérieur.

Une fois de plus, Frances fut réduite au silence. Elle se leva de table, se dirigea vers le plan de travail voisin de la cuisinière, garda le dos tourné à la tablée.

— J'aimerais amener Tilly dans cette maison, reprit Johnny. En fait, elle est là. Elle est dans la voiture.

Colin et Andrew se levèrent aussi de table et allèrent se poster de part et d'autre de leur mère. Leur geste permit à celle-ci de se retourner pour faire face à Johnny, à l'autre bout de la pièce. Elle était incapable de parler. Et Johnny, voyant son ex-femme flanquée de ses deux fils, trois personnes en fureur aux visages blêmes et accusateurs, fut à son tour réduit au silence, mais juste un instant.

Puis il reprit le dessus, tendit les bras, mains ouvertes, et déclara :

— « À chacun selon ses capacités, à chacun selon ses besoins [1] » – puis laissa retomber ses bras.

— Oh ! comme c'est beau, s'exclama Rose.

— Terrible, renchérit Geoffrey.

La nouvelle venue, Jill, laissa échapper :

— Oh, c'est joli !

Tous les regards étaient désormais braqués sur Johnny, situation qu'il maîtrisait bien. Immobile, il recevait traits critiques et flèches d'amour, et leur souriait. Il était de haute taille, le camarade Johnny, avec des cheveux déjà grisonnants coupés au bol, « toujours prêt », et portait un jean noir serré et une veste

1. Cf. *Les Manuscrits de 1844* de Karl Marx, Éditions sociales, 1962 (traduction d'Émile Beottigelli).

de cuir Mao, noire aussi, créée spécialement pour lui par un camarade admiratif qui était dans la confection. Son style préféré était austère, qu'il sourît ou non, car un sourire ne pouvait jamais être plus qu'une concession temporaire. Sauf que Johnny souriait effrontément en ce moment.

— Tu veux dire, lança Andrew, que Tilly attend dehors, dans la voiture, depuis tout ce temps ?

— Mon Dieu ! murmura Colin. Typique...

— Je vais aller la chercher, dit Johnny, qui sortit à grands pas en frôlant son ex-femme, Colin et Andrew sans les regarder.

Personne ne broncha. Frances se dit que, si ses fils n'avaient pas été si proches et ne l'avaient pas entourée de leur soutien, elle serait tombée. Tous les visages de la table étaient tournés vers eux : que ce fût un très mauvais moment, ils l'avaient au moins compris.

Ils entendirent la porte d'entrée s'ouvrir – Johnny, bien sûr, détenait une clé de la maison de sa mère – et puis, dans l'embrasure de la porte de la cuisine, apparut une petite silhouette effarouchée dans un énorme duffel-coat, tremblant de froid, qui esquissa un sourire mais finit par laisser échapper une grande plainte en regardant Frances, dont on lui avait dit qu'elle était gentille et s'occuperait d'elle, « jusqu'à ce que les choses se tassent ». C'était un petit oiseau battu par la tempête, et Frances traversa la pièce dans sa direction pour la serrer dans ses bras.

— Tout va bien, chut ! murmura-t-elle. Tout va bien.

Puis elle se souvint que ce n'était plus un bébé, mais une jeune fille de quatorze ou quinze ans, et que sa première impulsion, s'asseoir pour prendre cette enfant abandonnée sur ses genoux, n'était pas de mise.

Pendant ce temps, Johnny, juste derrière l'adolescente, marmonnait :

— Je crois que le lit est indiqué – puis parlant à la cantonade : Il faut que je file.

Mais il ne partait toujours pas.

La jeune fille jetait des regards suppliants à Andrew, qui, après tout, était le seul qu'elle connaissait parmi tous ces étrangers.

— Ne t'inquiète pas, je m'en occupe.

Andrew prit Tilly par la taille et se retourna pour sortir de la cuisine.

— Je vais l'installer au sous-sol, reprit-il. Il fait bien chaud en bas.

— Oh ! non, non, non, je vous en prie ! s'écria la jeune fille. Pas ça, je ne peux pas rester seule, je ne peux pas, ne me forcez pas...

— Bien sûr que non, si tu ne veux pas, acquiesça Andrew – puis, à l'intention de sa mère : Je vais installer un lit dans ma chambre pour ce soir.

Et il emmena Tilly. Tous se tinrent cois en l'écoutant la cajoler pour l'entraîner dans l'escalier.

Johnny était face à face avec Frances, qui lui dit à voix basse, espérant que les autres n'entendraient pas :

— Va-t'en, Johnny. Sors d'ici.

Il ébaucha un sourire charmeur, croisa le regard de Rose, qui lui rendit son sourire – mais elle était perplexe –, soutint les vifs reproches de Sophie, adressa un signe de tête grave à Geoffrey, qu'il connaissait depuis des années, et disparut. La porte d'entrée se referma. La portière de la voiture claqua.

Colin rôdait alors derrière Frances, lui effleurait le bras, l'épaule, ne sachant quoi faire.

— Viens, dit-il, montons.

Ils sortirent ensemble. Frances se mit à jurer dans l'escalier, d'abord doucement, pour ne pas être entendue par les jeunes, puis à haute voix :

— Je l'emmerde, je l'emmerde, je l'emmerde, ce salaud, ce salaud intégral !

Une fois dans son salon, elle s'écroula sur un fauteuil en pleurant, pendant que Colin, embarrassé, songea enfin à lui apporter des mouchoirs en papier, puis un verre d'eau.

Dans l'intervalle, Julia avait appris d'Andrew ce qui se passait. Elle descendit, ouvrit la porte de Frances sans frapper et entra d'un pas énergique.

— Je vous en prie, dit-elle, expliquez-moi. Je ne comprends pas. Pourquoi le laissez-vous se comporter ainsi ?

Julia von Arne était née dans une province particulièrement riante de l'Allemagne, près de Stuttgart, une région de coteaux de vignobles, arrosés de cours d'eau. Elle était la seule fille et le troisième enfant d'une aimable famille aristocratique. Son père était diplomate, sa mère musicienne. En juillet 1914, Philip Lennox, prometteur troisième secrétaire de l'ambassade britannique à Berlin, vint leur rendre visite. Que notre Julia de quatorze ans dût tomber amoureuse du beau Philip – il avait vingt-cinq ans – n'avait rien de surprenant, mais lui aussi tomba amoureux d'elle. Elle était ravissante, menue, avec des anglaises dorées, et portait des robes que son amoureux romantique comparait à des fleurs. Elle avait reçu une éducation stricte de ses gouvernantes anglaises et françaises et, pour lui, le moindre geste qu'elle esquissait, le moindre sourire ou mouvement de tête, semblaient académiques, imposés, comme si elle exécutait un ballet. À l'instar de toutes les jeunes filles qui avaient appris à être conscientes de leur corps en raison des terribles dangers de l'impudeur, ses yeux parlaient pour elle, pouvaient, d'un regard, aller droit au cœur, et quand elle baissait ses paupières délicates sur ces invitations bleues à l'amour, il se sentait rejeté. Philip avait des sœurs, qu'il avait vues quelques jours plus tôt dans le Sussex : des garçons manqués espiègles, qui profitaient de ce superbe été, célébré dans tant de mémoires et de romans. Une amie d'une de ses sœurs, Betty, avait été l'objet de taquineries parce qu'elle rentrait dîner avec des bras fermes et hâlés, où des égratignures blanches montraient qu'elle avait beaucoup joué dans le foin avec les chiens. Ses parents l'avaient observé pour voir s'il était attiré par cette jeune fille, qui ferait une épouse convenable, et il avait été préparé à y réfléchir. Mais cette petite demoiselle allemande lui semblait aussi charmante qu'une beauté aperçue dans un harem, toute promesse et volupté cachée, et il s'imaginait que si un rayon de soleil la frappait, elle fondrait comme un flocon de neige. Elle lui donna une rose rouge du jardin, et il comprit qu'elle lui offrait son cœur. Il se déclara au clair de lune et, le lendemain, parla à son père. Oui, il savait que quatorze ans c'était trop jeune, mais il sollicitait la permission solennelle de faire sa demande dès qu'elle aurait seize ans. Et ils se séparèrent donc en 1914, pendant que l'Europe entrait en ébullition, mais, à l'image de nombreuses personnes posées et libérales, il paraissait ridicule aux Lennox comme aux von Arne que l'Allemagne et l'Angleterre pussent entrer en guerre. À la déclaration de guerre, Philip avait quitté son amour en larmes à peine quinze jours plus tôt. À cette époque, les gouvernements semblèrent obligés de proclamer que les hostilités devaient être terminées à Noël. Les amants étaient sûrs de se revoir prochainement.

Presque immédiatement, la xénophobie empoisonna l'amour de Julia. Sa famille ne voyait aucun inconvénient à ce qu'elle aimât son Anglais – leurs monarques respectifs ne s'appelaient-ils pas cousins ? – mais les voisins se livraient à des commentaires, tandis que les domestiques chuchotaient et cancanaient. Durant les années de guerre, des rumeurs poursuivirent Julia ainsi que ses proches. Ses trois frères se battaient dans les tranchées, son père était au ministère de la Guerre et sa mère participait à l'effort de guerre, mais ces quelques jours fiévreux de juillet 1914 les désignèrent tous aux gloses et aux soupçons. Julia ne perdit jamais sa foi dans son amour et en Philip. Il fut blessé, deux fois ; elle l'apprit par des moyens détournés et pleura sur lui. La gravité de ses blessures n'avait aucune importance, criait le cœur de Julia, elle l'aimerait toujours. Il fut démobilisé en 1919. Elle l'attendait, sachant qu'il venait la chercher, quand entra, dans la pièce où ils avaient flirté cinq ans avant, un homme qu'elle avait la sensation de devoir connaître. Une manche vide était rabattue sur sa poitrine avec une épingle, et ses traits étaient tendus et marqués. Elle avait alors près de vingt ans. De son côté, il vit une longue jeune femme – elle avait grandi de plusieurs centimètres –, avec des cheveux blonds remontés sur le sommet de sa tête et retenus par une grosse flèche de jais, et qui portait le deuil de deux frères. Un troisième frère, un enfant – il n'avait pas encore vingt ans – avait également été blessé et se tenait assis, encore en uniforme, une jambe raide posée devant lui sur un tabouret. Les deux ennemis d'hier se dévisagèrent mutuellement. Puis Philip, impassible, s'avança la main tendue. Le jeune homme eut un mouvement involontaire de recul, assorti d'une grimace, mais il se ressaisit et la civilisation reprit ses droits au moment où il sourit. Les deux hommes se serrèrent la main. Cette scène, qui au demeurant s'est répétée depuis sous diverses formes, n'était pas alors aussi pesante qu'elle le serait aujourd'hui. L'ironie, qui célèbre la part que nous nous obstinons à bannir de notre vision des choses, eût été pour eux plus qu'ils n'en pouvaient supporter : nous sommes devenus d'une trempe plus vulgaire.

Et voilà que ces deux amants qui ne se seraient pas reconnus en se croisant dans la rue devaient décider si leurs rêves mutuels au long de toutes ces terribles années étaient assez forts pour leur permettre de se marier. Il ne restait rien de la charmante petite demoiselle maniérée, ni de l'homme sentimental qui avait conservé une rose rouge séchée contre son cœur jusqu'à ce que celle-ci tombât en poussière. Les grands yeux bleus étaient tristes, et lui, tout comme le jeune frère, était enclin à s'enfermer dans de longs silences, au souvenir de choses qu'il ne pouvait partager qu'avec d'autres soldats.

Ces deux-là s'étaient mariés discrètement ; l'époque n'était guère aux grands mariages germano-anglais. À Londres, la fièvre de la guerre était retombée, même si l'on parlait encore de Boches et de Huns. Les gens étaient courtois envers Julia. Pour la première fois elle se demanda si le choix de Philip n'avait pas été une erreur, mais elle croyait quand même à leur amour, et puis tous deux affirmaient qu'ils étaient des êtres sérieux par nature et que leur mélancolie n'était pas inguérissable. Et pourtant la guerre s'éloignait dans le temps et la pire des haines guerrières s'effaçait. Julia, qui avait souffert en Allemagne pour son bel amant anglais, s'efforçait désormais de devenir anglaise par un acte de volonté. Elle connaissait la langue déjà assez bien, mais reprit des cours et ne tarda pas à s'exprimer mieux qu'aucun anglophone, dans un anglais d'une subtile perfection, en séparant bien tous les mots. Elle savait que ses manières étaient guindées et tâchait de se montrer plus désinvolte. Sa façon de s'habiller : parfaite aussi, mais après tout elle était femme de diplomate et se devait de garder les apparences, comme disent les Anglais.

Ils entamèrent leur vie conjugale dans une petite maison de Mayfair, où elle recevait, comme elle y était tenue, avec l'aide d'une cuisinière et d'une bonne, et créait une atmosphère proche des mœurs qu'elle se rappelait de son pays natal. Entre-temps, Philip avait découvert qu'épouser une Allemande n'avait pas été la panacée pour une carrière sans nuages. Des discussions avec ses supérieurs lui révélèrent que certains postes lui seraient barrés, en Allemagne par exemple, et qu'il pouvait se faire chasser peu à peu de la voie royale qui menait au sommet pour se retrouver dans des endroits tels que l'Afrique du Sud ou l'Argentine. Il décida d'éviter les déceptions et se tourna vers l'administration. Il aurait une belle carrière, mais sans rien du prestige des Affaires étrangères. De temps à autre, il rencontrait dans la maison d'une de ses sœurs la Betty qu'il aurait pu épouser – et qui n'était toujours pas mariée à cause du nombre de jeunes gens morts à la guerre – et songeait à quel point sa vie eût pu être différente.

À sa naissance, en 1920, Jolyon Meredith Wilhelm Lennox eut une nourrice, puis une nurse. C'était un enfant mince et longiligne, avec des boucles d'or et des yeux bleus critiques et batailleurs, souvent dirigés sur sa mère. Il n'avait pas mis longtemps à apprendre de sa nurse qu'elle était allemande ; il avait fait une colère et s'était montré difficile pendant quelques jours. On l'emmena en visite dans sa famille maternelle, mais ce ne fut pas une réussite : il eut de l'aversion pour le lieu et les usages, différents de ceux de son pays – au moment des repas, quand il ne mangeait pas, il devait garder les mains sur la table, de part et d'autre de son assiette, parler seulement quand on lui adressait la parole et claquer des talons quand il avait une requête à formuler. Il refusa d'y retourner. Julia affronta Philip sur la question d'envoyer leur fils en pension à l'âge de sept ans. Cela n'a rien d'extraordinaire de nos jours, mais, à l'époque, Julia fut courageuse. Philip lui rétorqua que tous les représentants de leur classe agissaient ainsi, et regardez-le, d'abord ! Lui-même était bien parti en pension à sept ans. Oui, il se souvenait s'être un peu ennuyé de sa famille... N'importe, cela passait. Mais cet argument, « Regardez-moi ! », censé écraser toute opposition, en raison de la conviction que le locuteur avait de sa supériorité ou, du moins, de son bon droit, ne convainquit pas Julia. Chez Philip, il y avait une part qui lui était à jamais barrée, une réserve, une froideur, qu'elle attribua au début à la guerre, aux tranchées, aux secrètes cicatrices psychologiques du soldat. Mais elle avait ensuite commencé à douter : elle n'avait jamais été suffisamment intime avec les femmes des collègues de son mari pour leur demander si elles aussi avaient connu cette « cité interdite » chez leurs époux, la zone marquée VERBOTEN, Défense d'entrer, mais elle observait beaucoup, notait pas mal de choses. Non, pensa-t-elle, si l'on devait enlever un enfant aussi jeune à sa mère... Elle perdit la bataille et, avec elle, son fils, qui se montra par la suite poli, aimable, bien que souvent impatient.

Autant qu'elle pût en juger, il travaillait bien à l'école élémentaire, mais Eton ne lui réussit pas. Ses bulletins n'étaient pas bons. « Ne se lie pas facilement. » « Un peu solitaire. »

Elle l'interrogea lors d'une période de vacances, en manœuvrant pour le mettre dans une position d'où il ne pourrait s'échapper facilement, car il fuyait les questions et les situations frontales.

— Dis-moi, Jolyon, ma qualité d'Allemande t'a-t-elle créé des problèmes ?

Les yeux de son fils semblèrent papilloter, cherchèrent à se dérober, mais il lui fit face avec son beau sourire poli.

— Non, mère, pourquoi m'en aurait-elle créé ?

— Je m'interrogeais, c'est tout.

Elle demanda à Philip s'il voulait bien « parler » à Jolyon, ce qui signifiait, bien sûr : Je t'en prie, fais quelque chose, il me brise le cœur.

— Il cache bien son jeu, telle fut la réponse de son mari.

Les soucis de Julia, en réalité, trouvaient leur apaisement dans l'existence d'Eton, dans son existence et son poids, établissement pourvoyeur d'excellence et garantie de succès. Elle avait livré son fils – son enfant unique – au système éducatif anglais et en espérait une contrepartie : que Jolyon réussisse, comme son père, et, en temps utile, suive ses traces, sans doute dans la carrière diplomatique.

À la mort de son père, suivie peu après de celle de sa mère, Philip souhaita emménager dans l'hôtel particulier de Hampstead. C'était la demeure familiale et lui, le fils, se devait d'y vivre. Julia aimait bien la petite maison de Mayfair, si facile à gérer et à entretenir, et n'avait aucune envie d'habiter dans la grosse bâtisse aux pièces innombrables. Mais c'est ce qu'elle fit bien malgré elle. Elle n'opposait jamais sa volonté à celle de Philip. Ils ne se disputaient jamais. Ils s'entendaient bien parce qu'elle n'insistait pas sur ses goûts personnels. Elle se comportait comme elle avait vu sa mère le faire, en cédant à son père. Enfin, selon le point de vue de Julia, il fallait bien que l'un des deux cédât, peu importait lequel. L'important, c'était la paix du ménage.

Le mobilier de la petite maison, dont les trois quarts provenaient d'Allemagne, s'intégra assez facilement dans l'immeuble de Hampstead, où, de fait, Julia semblait loin de recevoir autant qu'avant, alors qu'il y avait tant de place pour tout. D'abord, Philip n'était pas vraiment un homme très sociable : il avait juste un ou deux amis intimes, qu'il voyait souvent tout seul. De son côté, Julia supposait qu'elle devait vieillir et perdre de son entrain, parce que les réceptions ne l'amusaient plus autant. Mais il y avait des dîners, auxquels participaient souvent des personnages importants, et elle était contente de s'en tirer si bien et d'être la fierté de Philip.

Elle retourna en Allemagne, en visite. Ses parents, qui se faisaient vieux, étaient très heureux de revoir leur fille, et elle chérissait son frère, désormais le seul qui lui restait. Mais revenir au pays était inquiétant, effrayant même. La pauvreté et le chômage, les communistes et les nazis étaient omniprésents, et des bandes rôdaient dans les rues. Et puis il y avait Hitler. Les von Arne méprisaient à titre égal les communistes et Hitler, et croyaient que ces deux phénomènes déplaisants finiraient simplement par disparaître. Ce n'était pas leur Allemagne, disaient-ils. Ce n'était certainement pas non plus l'Allemagne des souvenirs de Julia, à condition, bien entendu, d'oublier les colporteurs de rumeurs haineuses pendant la guerre. D'espionne, on l'avait traitée. Pas des gens sérieux, bien sûr, pas des gens instruits... Enfin, si, il y en avait bien un ou deux. Elle décida qu'elle n'aimait pas beaucoup visiter l'Allemagne à cette époque, et le décès de ses parents lui facilita les choses.

Les Anglais étaient un peuple raisonnable dans l'ensemble, elle devait en convenir. Nul n'imaginait possible d'autoriser des batailles rangées entre communistes et fascistes dans les rues. Bon, il y avait bien quelques échauffourées, mais il ne fallait pas exagérer, il n'y avait rien qui ressemblât à Hitler.

Une lettre arriva d'Eton pour les prévenir que Jolyon avait disparu, en laissant un mot où il disait partir pour la guerre d'Espagne et signé « Camarade Johnny Lennox ».

Philip utilisa toutes ses relations pour localiser leur fils. Les Brigades internationales ? Madrid ? La Catalogne ? Personne ne savait rien. Julia était encline à comprendre son garçon, parce qu'elle avait été choquée de la manière dont le gouvernement élu d'Espagne avait été traité par les Britanniques et les Français. Son mari, qui était diplomate après tout, défendait son gouvernement et son pays, mais, seul à seul avec elle, il avait honte. Il n'admirait pas la politique qu'il défendait et menait.

Les mois passèrent. Puis tomba un télégramme de leur fils leur réclamant de l'argent, avec, pour adresse, une maison dans l'East End de Londres. Julia comprit immédiatement que c'était une demande déguisée de venir le voir, sinon il eût désigné une banque où retirer l'argent. Philip et elle se rendirent ensemble dans une masure d'une rue misérable et trouvèrent Jolyon soigné par une brave fille, que Julia considéra aussitôt comme une possible domestique. Il était dans une chambre à l'étage et souffrait d'une hépatite, attrapée sans doute en Espagne. Par la suite, en parlant avec cette femme, qui se faisait appeler camarade Mary, il devint peu à peu évident qu'elle ne connaissait rien à l'Espagne, puis que Jolyon n'était jamais allé en Espagne, mais était resté ici, dans cette maison, malade.

— Ça m'a pris un bout de temps pour voir qu'il avait une dépression, déclara la camarade Mary.

Ils étaient dans le dénuement. Philip libella un gros chèque pour s'entendre dire, en termes polis, qu'ils n'avaient pas de compte bancaire, avec l'insinuation, un tantinet sarcastique, que les comptes bancaires étaient pour les nantis. Étant donné qu'ils n'avaient pas une telle somme sur eux, Philip promit que l'argent leur serait porté le lendemain, et il en fut ainsi. Jolyon – mais il insistait pour qu'on l'appelle Johnny – était si maigre que l'ossature de son visage évoquait une tête de mort et, bien qu'il ne cessât de répéter que la camarade Mary et sa famille étaient le sel de la terre, il consentit sans difficulté à rentrer à la maison.

Ce fut la dernière fois que ses parents entendirent parler de l'Espagne. Mais pour la Young Communist League, où il tenait désormais la vedette, il était un héros de la guerre civile espagnole.

Dans la grande demeure, Johnny eut sa chambre et puis son étage, où il passait beaucoup de monde qui gênait ses parents et rendait Julia vivement malheureuse. Ils étaient tous communistes, en général très jeunes, et entraînaient toujours Johnny à des réunions, des rassemblements, des week-ends d'études, des défilés. Elle répétait à Johnny que, s'il avait vu les rues allemandes pleines de bandes rivales, il n'aurait aucun rapport avec des gens pareils et, résultat de la dispute qui s'ensuivait, il disparaissait. Il anticipait des types de comportement ultérieurs en habitant dans les maisons des camarades, dormant par terre ou partout où il y avait un coin pour lui, et demandait de l'argent à ses parents. « Après tout, j'imagine que vous ne voulez pas me voir mourir de faim même si je suis communiste... »

Julia et Philip n'apprirent l'existence de Frances qu'après que Johnny l'eut épousée, à l'occasion d'une permission, même si Julia connaissait assez bien ce qu'elle entendait par « ce genre de fille ». Elle avait observé les élégantes petites effrontées qui s'occupaient des officiers supérieurs ; certaines étaient attachées au service de son mari. Elle s'était interrogée : « Est-ce bien de s'amuser autant au milieu de cette guerre effroyable ? » Eh bien, personne au moins ne pouvait dire que c'étaient des hypocrites. (Une vieille dame, plantée mélancoliquement devant la glace pour vaporiser de la laque sur ses boucles blanches, devait murmurer des décennies plus tard : « Oh, nous nous sommes tellement amusés, oui, tellement amusés. C'était si romantique ! Tu comprends ? »)

La guerre de Julia eût pu être vraiment effroyable. Son nom avait été inscrit sur la liste de ces Allemands qui furent envoyés au camp d'internement de l'île de Man. Philip lui avait bien affirmé : « Il n'a jamais été question de t'interner, c'était une simple erreur administrative. » Mais erreur ou non, il avait fallu l'intervention de Philip pour retirer son nom. Cette guerre accabla Julia des souvenirs de la dernière ; elle n'arrivait pas à croire que des nations censées être amies dussent de nouveau être en guerre. Elle ne se sentait pas bien, dormait mal, avait des crises de larmes. Philip était gentil, il avait toujours été un homme gentil. Il prenait Julia dans ses bras et la berçait : « Allons, ma chérie, allons. » Il pouvait enlacer Julia parce qu'il était équipé d'un de ces ingénieux nouveaux bras artificiels, capables de tout faire. Enfin, presque tout. Le soir, il enlevait sa prothèse et l'accrochait à son support. Alors il ne pouvait plus tenir Julia aussi bien, c'était plutôt elle qui le serrait.

Les Lennox ne furent pas invités au mariage de leur fils Jolyon avec Frances. Ils apprirent la nouvelle par un télégramme, juste au moment où il repartait pour le Canada. Au début, Julia ne pouvait pas accepter qu'il les traitât ainsi. Philip la pressa contre lui.

— Tu ne comprends pas, Julia, murmura-t-il.

— Non, je ne comprends pas, je ne comprends plus rien...

Avec un humour qui rendait sa voix grinçante, il reprit :

— Nous sommes des ennemis de classe, ne vois-tu pas ? Non, ne pleure pas, Julia, il grandira, j'espère...

Mais il fixait le vide par-dessus son épaule, le visage figé dans une expression de détresse, la même qu'elle ressentait – de plus en plus souvent et de plus en plus fort au fil des jours. Une détresse générale, mouillée, larmoyante, dont elle ne parvenait à se défaire.

Ils savaient que Johnny « se débrouillait bien » au Canada. Mais qu'est-ce que voulait dire « bien se débrouiller » dans ce contexte ? Peu après son retour là-bas, une lettre arriva, avec une photographie de lui et de Frances sur les marches du bureau d'état civil. Tous deux étaient en uniforme, celui de la nouvelle mariée la moulait comme un corset. Elle-même était une blonde pétulante, apparemment en train de glousser de rire. « Une sotte », jugea Julia, rangeant la lettre et la photo. La lettre portait le tampon de la censure, comme si elle était défendue, ce qui était l'impression de Julia. Ensuite, Johnny écrivit un mot : « Vous pouvez passer voir comment va Frances. Elle attend un bébé. »

Julia ne se déplaça pas. Puis elle reçut un aérogramme, annonçant la naissance d'un petit garçon. Johnny avait le sentiment que le moins que Julia puisse faire, c'était de rendre visite à la jeune mère. « Il s'appelle Andrew », précisait le post-scriptum. Une réflexion après coup, visiblement. Et Julia revit les faire-part de naissance de Jolyon, expédiés dans de grandes et épaisses enveloppes blanches, et sur une carte pareille à de la porcelaine fine, les élégants caractères noirs du nom, *Jolyon Meredith Wilhelm Lennox.* Aucun des destinataires ne pouvait douter que c'était un important nouvel ajout à l'espèce humaine.

Julia se promit d'aller voir sa belle-fille, repoussa sa visite et, une fois rendue à l'adresse fournie par Johnny, trouva porte close. C'était une rue sinistre, dont une maison en ruine s'était écroulée, à cause d'une bombe. Julia fut contente de ne devoir entrer dans aucune des masures environnantes, mais elle fut alors dirigée vers une autre qui lui parut encore pire. C'était à Notting Hill. Une femme négligée vint lui ouvrir sans un sourire et lui dit de frapper à une porte un peu plus loin, celle à la lucarne étoilée.

Elle frappa donc.

— Un instant, cria une voix agacée. Très bien, entrez.

La pièce était vaste, sombre, et les fenêtres sales. Rideaux en satin vert défraîchis et tapis effrangés. Dans la pénombre verdâtre trônait une imposante jeune femme, les jambes écartées et sans bas, un nourrisson à plat ventre sur la poitrine. Elle tenait un livre dans une main, au-dessus de la tête du bébé. Une petite tête qui s'activait en cadence, les mains étendues qui s'ouvraient puis se refermaient tour à tour sur la chair nue. Opulent et ballottant, le sein dénudé laissait couler du lait par à-coups.

La première pensée de Julia fut qu'elle s'était trompée de maison, parce que cette jeune femme ne pouvait pas être celle de la photo. Pendant qu'immobile à la même place, elle se forçait à admettre qu'elle avait bien sous les yeux Frances, la femme de Jolyon Meredith Wilhelm Lennox, la jeune mère lança :

— Asseyez-vous donc.

On eût dit que l'obligation où elle se trouvait de prononcer ces paroles, de contempler même la présence de Julia, était un comble ! Elle fronça le sourcil en soulageant son sein ; la bouche du bébé se détacha brusquement du mamelon et un liquide blanchâtre coula sur le téton jusqu'à la taille distordue. Frances remit doucement son mamelon en place, le nouveau-né émit un cri étouffé, puis recommença à téter avec ce petit mouvement saccadé de la tête que Julia avait observé chez les chiots alignés sous les tétines d'une chienne qui allaitait, son petit teckel de compagnie d'autrefois. Frances posa un linge, un lange aurait juré Julia, sur l'autre sein.

Les deux femmes se regardèrent fixement, avec une aversion mutuelle.

Julia ne s'assit pas. Il y avait une chaise, mais le siège présentait des taches suspectes. Elle pouvait toujours s'installer sur le lit, qui n'était pas fait, mais ne se donna pas cette peine.

— Johnny a écrit pour me demander de venir voir comment vous alliez.

La voix froide, légère, presque traînante, modulée sur une mesure ou une gamme connue seulement de Julia, eut pour effet que la jeune femme écarquilla une nouvelle fois les yeux. Puis elle éclata de rire.

— Je vais bien, comme vous voyez, répondit Frances.

Julia céda à la panique. Elle trouvait cet endroit horrible, le fin fond de la misère. La maison où Philip et elle avaient trouvé Johnny à l'époque de la mésaventure de la guerre civile espagnole avait été modeste, avec des murs fins comme du papier et une sensation de provisoire, mais elle était propre, et Mary, la propriétaire, une brave personne. Mais, ici, Julia se sentait engluée dans un cauchemar. Cette jeune femme impudique et à demi dévêtue, avec ses grosses mamelles suintantes, les bruits de succion du bébé, une vague odeur de vomi ou de couches souillées... Julia avait l'impression que Frances la forçait, avec la plus grande brutalité, à regarder en face une source de vie indécente et sale qu'elle-même n'avait jamais eu à connaître. Son propre bébé lui avait été présenté sous la forme d'un paquet immaculé, après avoir été allaité par la nourrice. Julia avait refusé de lui donner le sein, trouvant cela trop bestial, mais sans oser le dire. Avec tact, les médecins et les infirmières s'étaient accordés pour reconnaître qu'elle n'était pas en mesure d'allaiter... sa santé... Julia avait souvent joué avec son petit garçon, qui déboulait dans le salon chargé de ses jouets, et elle allait même jusqu'à s'asseoir par terre pour lui tenir compagnie une heure, mesurée à la minute près par la nourrice. Elle se souvenait de l'odeur de savon et de talc. Elle se souvenait avoir humé la petite tête de Jolyon avec un tel plaisir...

De son côté, Frances pensait : C'est incroyable, elle est incroyable, et se retenait de s'esclaffer d'un rire de dérision.

Julia se tenait au milieu de la pièce. Boutonné jusqu'au col, où une écharpe de soie apportait une touche de mauve, son élégant ensemble en crêpe de laine gris ne présentait pas le moindre faux pli. Ses mains étaient recouvertes de gants de chevreau gris perle et, bien que complètement protégées des surfaces malpropres environnantes, esquissaient de légers mouvements nerveux de rejet et de désapprobation embarrassée. Ses chaussures ressemblaient à des merles luisants, avec des boucles de cuivre qui évoquaient des serrures à Frances, comme pour s'assurer que ces jolis petits pieds ne puissent s'envoler, ou même se mettre à tenter quelques pas de danse guindés. Son chapeau, également gris, s'ornait d'une petite voilette de tulle qui ne cachait en rien ses yeux horrifiés et était relevée elle aussi par une boucle de métal. C'était une femme en cage et, aux yeux de Frances, soumise aux rigueurs de la solitude, de la pauvreté et de l'angoisse, son apparition dans cette pièce, qu'elle détestait et dont elle ne rêvait que de s'échapper, était comme une insulte, un pied de nez délibéré.

— Que dois-je dire à Jolyon ?

— À qui ?... Ah, oui ! Mais... (À ce moment-là, Frances se redressa avec énergie, une main en coupe pour soutenir la tête du bébé, l'autre qui maintenait le linge sur son sein nu.) Ne me dites pas que Johnny vous a demandé de me rendre visite...

— Eh bien, si. Il me l'a demandé.

Les deux femmes partagèrent alors un instant d'incrédulité, et leurs yeux se croisèrent avec une expression interrogatrice. Lorsque Julia avait lu la lettre de son fils qui la mettait en demeure de rendre visite à sa femme, elle avait dit à Philip :

— Mais je croyais qu'il nous détestait... Si nous n'étions pas assez bons pour assister à son mariage, alors pourquoi m'ordonne-t-il d'aller voir sa femme ?

Philip avait répondu, pince-sans-rire, mais lointain aussi, parce que, comme toujours, il était absorbé par ses obligations de temps de guerre :

— Je vois que tu attendais une attitude cohérente. C'est en général une erreur, à mon point de vue.

Quant à Frances, elle n'avait jamais entendu Johnny traiter ses parents autrement que de fascistes, d'exploiteurs, au mieux de réactionnaires. Alors comment pouvait-il...

— Frances, j'aimerais tellement vous venir en aide financièrement...

Une enveloppe surgit de son sac à main.

— Oh, non merci. Je suis sûre que Johnny ne serait pas content. Il n'accepterait jamais d'argent de...

— Je pense que vous vous apercevrez que si.

— Oh, non, non ! Je vous en prie, Julia.

— Très bien, alors. Au revoir.

Julia ne revit pas Frances avant la démobilisation de Johnny. Philip, qui était déjà malade et devait succomber peu après, dit qu'il s'inquiétait pour Frances et les enfants. Étant donné le souvenir qu'elle gardait de sa première visite, Julia protesta qu'elle était certaine que Frances ne voulait pas la voir, mais Philip insista :

— S'il te plaît, Julia. Pour que j'aie la conscience en repos.

Julia retourna à la maison de Notting Hill, laquelle avait été choisie, elle en était sûre, pour la laideur et l'aspect sordide du quartier. Les enfants étaient deux désormais. Celui qu'elle avait déjà vu, Andrew, était un bambin bruyant et plein de vie, et il y avait un autre nourrisson, Colin. Frances allaitait de nouveau. Elle était énorme, sans forme, négligée, et le logement, Julia l'aurait juré, avait tout d'un nid à microbes. Un garde-manger était fixé au mur ; dedans, on apercevait une bouteille de lait et du fromage. Le treillis métallique du garde-manger avait été peint et la peinture avait cloqué : l'air ne pouvait donc plus y circuler librement. Des vêtements de bébé étaient étendus à sécher sur de fragiles échafaudages en bois qui semblaient près de s'écrouler. « Non, dit Frances, d'une voix glacée où perçaient l'hostilité et la critique. Non, elle ne voulait pas d'argent, non merci. »

Julia resta figée sur place, inconsciemment tout implorante, les mains palpitantes, les yeux pleins de larmes.

— Mais Frances, pensez aux enfants.

C'était comme si Julia avait versé intentionnellement de l'acide sur une plaie déjà douloureuse. Oh, oui ! Frances pensait souvent à la manière dont ses propres parents, sans parler de ceux de Johnny, devaient la voir, ainsi qu'aux conditions dans lesquelles elle vivait avec les enfants.

— Il me semble que je ne pense à rien d'autre qu'à mes enfants, répliqua-t-elle d'une voix tendue.

Son ton sous-entendait : Comment osez-vous !

— Je vous en prie, laissez-moi vous aider, je vous en prie... Johnny est toujours si obstiné, il l'a toujours été, et puis ce n'est pas juste pour les petits.

L'ennui, c'est que Frances était déjà entièrement d'accord avec elle sur l'obstination de Johnny. Ses dernières illusions s'étaient évaporées, laissant un résidu d'exaspération insoluble contre lui, les camarades, la Révolution, Staline, oncle Tom Cobbleigh et les autres [1]. Mais ce qui était en question ici, ce n'était pas Johnny, c'était elle-même, un minuscule et précaire sentiment d'identité et d'indépendance. Voilà pourquoi le « Pensez aux enfants » de Julia avait porté tel un projectile empoisonné. Quel droit avait-elle, Frances, de se battre pour son indépendance, son être propre, au prix de... ? mais ils ne souffraient pas, non, ils ne souffraient pas, elle en était sûre.

---

1. Personnage d'une chanson populaire anglaise du XVIIIe siècle, *Widdicombe Fair*. [« *Tom Pearse, Tom Pearse, lend me your grey mare,/All along, down along, out along, lee,/For I want to go to Widdicombe Fair./ Wi Bill Brewer, Jan Stewer, Peter Gurney, Peter Darry, Dan'l Whiddon, Harry Hawk,/Old Uncle Cobbleigh and all.* » Refrain : « *Old Uncle Cobbleigh and all.* » Cf. *The Oxford Book of Ballads* (1910)] D'après le dictionnaire de Cambridge, cette formule désigne « tout le monde y compris celui qui est le moins important et le moins célèbre ».

Julia repartit, rendit compte de sa démarche à Philip et tâcha de ne plus penser au taudis de Notting Hill.

Plus tard, en apprenant que Frances était allée travailler dans un théâtre, Julia se dit : Un théâtre ! Bien sûr, cela ne m'étonne pas d'elle ! Puis Frances devint comédienne et Julia songea : Joue-t-elle des rôles de servante, alors ?

Elle se rendit au théâtre, s'assit tout au fond, avec l'espoir d'être invisible, et regarda Frances dans un rôle mineur d'une très jolie petite comédie. Bien qu'encore massive, sa belle-fille avait minci et ses cheveux blonds étaient artistiquement ondulés. Elle campait une propriétaire d'hôtel de Brighton. Julia ne reconnaissait absolument pas le boute-en-train d'avant guerre dans son uniforme moulant, mais la jeune femme tenait quand même assez bien son emploi, et Julia se sentit rassérénée. Frances savait que Julia était dans la salle, parce que c'était un petit théâtre, et que Julia portait un de ses inimitables chapeaux à voilette et que ses mains gantées reposaient sur ses genoux. Aucune autre femme n'avait de chapeau dans le public. Et ces gants. Oh ! ces gants ! quelle rigolade !

Pendant toute la guerre, surtout dans les mauvais moments, Philip avait chéri le souvenir d'un certain petit gant en mousseline, dont les pois, blancs sur blanc, et le petit ruché du poignet, lui semblaient une exquise frivolité, proche de l'autodérision, ainsi que la promesse du prochain retour de la civilisation.

Peu après Philip mourait d'une crise cardiaque. Julia n'en fut guère surprise. La guerre l'avait usé. Il n'avait pas d'heures et, le soir, rapportait même du travail à la maison. Elle savait qu'il avait été mêlé à toutes sortes d'entreprises téméraires et périlleuses, et aussi qu'il se désolait pour ceux qu'il avait exposés au danger, parfois au péril de leur vie. Pendant la guerre, il était devenu un vieil homme. Et puis, comme elle, cette guerre le forçait à revivre la précédente : elle le savait aux petites remarques caustiques qu'il laissait échapper. Ces deux êtres, qu'avait unis un amour si fatal, avaient toujours vécu dans une tendresse endurante, comme s'ils avaient décidé de protéger leurs souvenirs, telle une meurtrissure, de tout contact brutal, refusant même de les contempler de trop près.

Désormais, Julia était seule dans la vaste demeure. Johnny vint lui dire qu'il voulait la récupérer et qu'elle devait prendre un appartement. Pour la première fois de sa vie, Julia tint bon et refusa. Elle allait vivre ici et n'escomptait pas que Johnny ou quiconque la comprenne. Son vrai chez-soi, la maison des von Arne, avait changé de mains. Son jeune frère avait été tué au cours de la Seconde Guerre mondiale. La propriété avait été vendue et le montant de la vente était revenu à Julia. Cet hôtel de Hampstead, où elle avait tant répugné à habiter, était désormais son bien, le seul lien avec cette Julia qui possédait jadis une maison, qui espérait en avoir une nouvelle et qui se définissait par un lieu chargé de souvenirs. Elle était Julia Lennox et c'était sa maison.

— Tu es égoïste et cupide comme tous ceux de ta classe, hurla Johnny.

— Vous pouvez venir habiter ici, toi et Frances, mais j'y suis, j'y reste.

— Merci beaucoup, *Mutti*, mais nous refusons.

— Pourquoi *Mutti* ? Tu ne m'as jamais appelée ainsi quand tu étais enfant...

— Cherches-tu à dissimuler le fait que tu es allemande, *Mutti* ?

— Non, je ne pense pas.

— Moi si. Hypocrite ! C'est ce qu'on attend de gens comme toi...

Il était vraiment furieux. Son père ne lui avait rien laissé, tout était allé à Julia. Il avait prévu d'habiter cette maison et de la remplir de camarades en mal de logement. Après la guerre, tout le monde était pauvre et vivait au jour le jour. Lui-même subsistait grâce aux indemnités de son dévouement au Parti, dont une part était illégale. Il avait été furieux contre Frances pour avoir refusé les subsides de Julia. Quand Frances lui avait rétorqué : « Mais, Johnny, je ne comprends pas comment tu peux accepter l'argent de l'ennemi de classe ! », Johnny l'avait frappée pour la première et la dernière fois de leurs vies. Elle lui avait rendu la pareille, en plus fort. Sa question n'était pas un sarcasme ni une critique, elle désirait sincèrement avoir une explication.

Julia était aisée, mais pas riche. Payer les doubles frais de scolarité, ceux d'Andrew et de Colin, était dans ses moyens, mais si Frances n'avait pas accepté d'emménager dans la grande maison, elle avait prévu d'en louer une partie. Maintenant sa politique d'économie aurait fait rire Frances, si elle avait été au courant. Julia n'achetait plus de nouvelles toilettes. Elle congédia l'intendante qui occupait le sous-sol, s'appuya sur une femme qui venait deux fois par semaine et se chargea elle-même de l'essentiel de son ménage. (Cette dame, Mrs Philby, dut être choyée, flattée et gâtée pour continuer à venir travailler après que Frances eut débarqué avec ses mauvaises manières.) Elle ne faisait plus ses courses chez Fortnum, mais elle s'apercevait, à présent que Philip était mort, que ses goûts personnels étaient frugaux et que le mode de vie exigé de la part de l'épouse d'un représentant du Foreign Office n'avait jamais été vraiment le sien.

L'arrivée de Frances, qui devait investir toute la maison à l'exception du dernier étage, réservé à Julia, fut un soulagement pour celle-ci. Elle n'avait toujours pas beaucoup d'affection pour Frances, qui semblait bien décidée à la choquer, mais elle adorait les garçons et avait la ferme intention de les protéger de leurs parents. En réalité, ils la craignaient, au moins au début, mais elle ne s'en aperçut jamais. Elle croyait que Frances la tenait à l'écart d'eux, sans savoir que c'était sa belle-fille qui les exhortait à rendre visite à leur grand-mère. « S'il vous plaît, elle est si bonne pour nous. Et elle aimerait tant vous voir. — Oh, non ! C'est trop fort. Il le faut vraiment ? »

Frances se rendit au journal pour prendre son poste et comprit combien elle avait eu raison de préférer le théâtre. En tant que journaliste pigiste, elle avait eu peu d'expérience des institutions et ne voyait pas d'un bon œil de devoir travailler en collectivité. Dès qu'elle eut mis les pieds dans le bâtiment qui abritait *The Defender*, elle reconnut l'ambiance régnante : c'était bien un *esprit de corps** [1]. La vénérable histoire de *The Defender*, qui remontait au XIXe siècle, en tant que défenseur de moult grandes causes, se perpétuait, tel était le sentiment général, et en particulier du personnel qui y collaborait ; cette période, les années soixante, pouvait se comparer à n'importe lequel des grands moments du passé. Frances fut accueillie dans le sérail par une certaine Julie Hackett. C'était une femme douce, pour ne pas dire féminine, avec des paquets d'épais cheveux noirs retenus çà et là par une collection de barrettes et d'épingles, une figure résolument démodée, parce qu'elle voyait dans la mode un esclavage des femmes. Elle observait tout ce qui l'entourait dans le but de relever les erreurs pratiques ou subjectives, et critiquait les hommes à chacune de ses phrases, considérant comme allant de soi, ainsi que tendent à le faire les croyants, que Frances était d'accord avec elle sur tout. Elle avait tenu Frances à l'œil, lu des articles d'elle à droite et à gauche, ainsi que

1. Tous les mots ou membres de phrases en italiques et signalés par un astérisque sont en français dans le texte.

dans *The Defender*, mais l'un d'entre eux l'avait décidée à l'intégrer dans l'équipe : c'était un papier satirique mais bon enfant sur Carnaby Street, qui était en passe de devenir un symbole de la Grande-Bretagne dans le vent et attirait la jeunesse du monde entier, sans parler des éternels jeunes de cœur. Frances avait écrit qu'ils devaient tous souffrir d'une forme d'hallucination collective, étant donné que la rue en question était sale, moche, et que si les fringues étaient attractives – certaines d'entre elles –, elles ne valaient pas mieux que d'autres vendues dans des rues auxquelles n'étaient pas associées les syllabes magiques Carnaby. Hérésie ! une hérésie courageuse, estima Julie Hackett, qui voyait une âme sœur en Frances.

Frances visita un bureau où une secrétaire triait du courrier adressé à tante Vera et le mettait en tas, puisque même les cas humains les plus difficiles peuvent se répartir dans des catégories bien reconnues. Mon mari est infidèle, alcoolique, il me bat, ne me donne pas assez d'argent, me quitte pour sa secrétaire, me préfère ses copains du pub. Mon fils est alcoolique, drogué, a mis une fille enceinte, ne veut pas partir de la maison, mange de la vache enragée à Londres, gagne sa vie mais refuse de contribuer à la subsistance de la famille. Ma fille... Retraites, allocations, le comportement des fonctionnaires, problèmes médicaux... mais c'était un médecin qui répondait à ceux-là. Plus banales, ces lettres-ci étaient traitées par la secrétaire, qui signait tante Vera, et c'était une nouvelle rubrique florissante de *The Defender*. La mission de Frances consistait à parcourir ces lettres, afin de cerner un thème ou un pôle d'intérêt prédominant, et puis d'utiliser ce dernier pour un article de fond, un long, qui aurait une place en vue dans le journal. Frances avait toute liberté pour rédiger ses articles et mener à bien son travail de documentation à domicile.

Elle collaborerait à *The Defender*, mais en externe, et elle était reconnaissante de ce statut.

Quand elle ressortit du métro pour rentrer à la maison, elle fit les courses et descendit la côte, chargée de sacs.

Postée devant sa haute fenêtre, Julia contemplait la rue quand elle vit arriver Frances. Ce manteau élégant était au moins un progrès par rapport à son habituel duffel-coat. On pouvait peut-être espérer qu'elle portât autre chose que son éternel jean avec un pull ? Elle marchait pesamment, l'air d'une bête de somme aux yeux de Julia. Non loin de leur immeuble, elle s'arrêta et Julia remarqua que sa belle-fille était allée chez le coiffeur : ses cheveux qui tiraient sur le blond, tombaient raides comme la justice, séparés par une raie au milieu. C'était la mode.

De quelques maisons qu'elle avait longées gerbaient les battements, le martèlement de la musique, aussi forts que ceux d'un cœur emballé. Mais Julia avait prévenu qu'elle ne tolèrerait pas la musique à plein volume, elle ne pouvait pas le supporter, aussi, quand on en écoutait, c'était en sourdine. D'habitude, de la chambre d'Andrew provenaient les sonorités assourdies de Palestrina ou de Vivaldi, de celle de Colin du jazz classique, du salon, où se trouvait la télévision, des bruits de voix et des fragments musicaux hachés, et du sous-sol le beat dont les « gamins » avaient besoin.

Toute la maison était éclairée – pas une seule fenêtre obscure – et semblait émettre la lumière par ses murs comme par ses ouvertures. Elle exsudait la lumière et la musique !

Frances distingua la silhouette de Johnny sur les rideaux de la cuisine ; instantanément, sa bonne humeur retomba. Il était en pleine harangue, elle le voyait à la gesticulation de ses bras, et quand elle parvint à la cuisine, c'était un flot de paroles. Encore

Cuba. Une flopée de jeunes étaient réunis autour de la table, mais elle n'eut guère le temps de voir qui était là. Andrew, oui. Rose, oui... Le téléphone sonnait. Elle lâcha ses lourds paquets, décrocha. C'était Colin qu appelait de son lycée.

— Maman, tu as écouté les nouvelles ?

— Non, quelles nouvelles ? Ça va, Colin ? Tu es parti seulement ce matin...

— Oui, oui, on vient juste de l'apprendre aux informations. Kennedy est mort.

— Qui est mort ?

— Le président Kennedy.

— Tu en es sûr ?

— On l'a abattu. Allume la télé.

Par-dessus son épaule, elle cria :

— Le président Kennedy est mort. Il a été abattu.

Silence général, tandis qu'elle tendait le bras vers la radio pour l'allumer. Rien à la radio. En se retournant, elle vit tous les visages frappés de stupeur, celui de Johnny aussi. Il était réduit au silence par la nécessité de trouver la « bonne formule » et, la minute d'après, réussissait à sortir :

— Nous devons évaluer la situation... – mais ne put continuer.

— La télévision, suggéra Geoffrey Bone.

Et comme un seul homme les gamins se levèrent de table, sortirent de la cuisine et grimpèrent au salon.

Frances et Johnny se retrouvèrent seuls, en tête à tête.

— J'imagine que tu es passé prendre des nouvelles de ta belle-fille ? s'enquit-elle.

Johnny donna des signes d'impatience : il brûlait d'envie de monter regarder le journal de six heures, mais il avait d'abord quelque chose à lui dire. Adossée aux étagères à côté de la cuisinière, elle songea : Voyons, laisse-moi deviner... Et comme elle s'y attendait, il finit par cracher :

— C'est Phyllida, j'ai peur...
— Oui ?
— Elle n'est pas bien.
— C'est ce que m'a dit Andrew.
— Je pars pour Cuba dans deux jours.
— C'est mieux que tu l'emmènes avec toi, alors.
— Je crains que les fonds ne me le permettent pas et puis...
— Qui paie ?
À ce moment-là apparut le regard exaspéré « Qu'est-ce que tu espères ? », d'après lequel elle pouvait toujours évaluer son degré personnel de stupidité.
— Tu ne devrais pas être assez bête pour poser la question, camarade.
Une fois qu'elle s'était enlisée dans un marais d'humiliation et de culpabilité, avec quelle facilité alors il pouvait lui donner la sensation d'être idiote !
— Je te la pose quand même. Tu sembles oublier que j'ai des raisons de m'intéresser à tes finances.
— Et combien es-tu payée pour ton nouveau boulot ?
Elle lui sourit.
— Pas assez pour subvenir aux besoins de tes fils, et maintenant de ta belle-fille aussi !
— Et tenir table ouverte pour oncle Tom Cobbleigh et tous tes pique-assiette...
— Comment ? Tu ne voudrais quand même pas que je renvoie des recrues potentielles pour la Révolution ?
— Ce sont des fainéants et des junkies, répliqua-t-il. De la racaille.
Mais il préféra s'en tenir là et, changeant de ton, fit appel à son bon cœur de camarade :
— Phyllida n'est pas bien, vraiment.
— Et qu'est-ce que tu attends de moi ?
— J'aimerais que tu gardes un œil sur elle.
— Non, Johnny.

— Alors Andrew peut te remplacer. Il n'a rien de mieux à faire...

— Il s'occupe déjà de Tilly. Elle est vraiment malade, tu sais ?

— Elle cherche surtout à se rendre intéressante.

— Alors pourquoi t'en es-tu déchargé sur nous ?

— Et merde ! s'exclama le camarade Johnny. Les troubles psychologiques ne sont pas ma spécialité, plutôt la tienne.

— Mais elle est malade, vraiment malade. Et combien de temps pars-tu ?

Il baissa les yeux, fronça les sourcils.

— Je dirais six semaines. Mais avec ces nouveaux événements... (Se rappelant lesdits événements, il reprit :) Je vais voir les nouvelles.

Et de sortir en courant de la cuisine.

Frances réchauffa la soupe, une fricassée de poulet, du pain à l'ail, prépara une salade, empila des fruits dans une coupe, disposa des fromages. Elle pensait à cette pauvre petite Tilly. Le lendemain de son arrivée, Andrew avait débarqué dans le bureau de sa mère.

— Maman, s'était-il écrié, est-ce que je peux installer Tilly dans la chambre d'ami ? Elle ne peut quand même pas dormir dans la mienne, même si c'est ce qu'elle voudrait, je crois...

Frances s'était attendue à cette requête. Son étage comptait en fait quatre pièces : sa chambre, son bureau, un boudoir et une petite pièce qui était une chambre d'ami, du temps où Julia était la maîtresse de maison. Frances avait l'impression que cet étage était à elle, un refuge, où elle demeurait à l'abri de toutes les pressions, de tous les autres. Désormais Tilly et son mal être seraient de l'autre côté du petit palier. Et la salle de bains...

— Très bien, Andrew. Mais je ne peux pas m'en occuper, ni répondre à sa demande affective.

— Non, c'est moi qui m'en occuperai. Je vais lui trouver une petite place. (Puis au moment de se tourner pour grimper l'escalier, il reprit doucement, avec insistance :) Elle est vraiment mal en point.

— Oui, je sais bien.

— Elle a peur qu'on la mette chez les fous.

— Mais bien sûr que non, elle n'est pas folle.

— Non, acquiesça-t-il avec un petit sourire contracté, plus implorant qu'il n'en avait conscience. Mais c'est peut-être moi qui suis fou...

— Je ne pense pas.

Elle entendit Andrew redescendre avec la jeune fille. Tous deux entrèrent dans la chambre d'ami. Silence. Elle devinait ce qui se passait. La jeune fille était couchée en chien de fusil sur le lit ou par terre, et Andrew la berçait, l'apaisait, lui chantait même une chanson, elle l'avait déjà entendu.

Et puis, ce matin-là, elle avait surpris cette scène. Elle préparait le repas du soir, pendant qu'Andrew etait attablé avec Tilly, enveloppée dans un burnous de bébé qu'elle avait déniché dans une commode et s'était approprié. Devant elle il y avait un bol de lait et de corn flakes, et il y en avait un autre à la place d'Andrew. Il jouait au papa :

— Une cuillerée pour Andrew... une pour Tilly... encore une pour Andrew...

À « une pour Tilly », celle-ci ouvrit la bouche, en regardant fixement Andrew de ses grands yeux bleus angoissés. On aurait dit qu'elle ne savait pas battre des paupières. Andrew inclina la cuillère, et elle garda les lèvres fermées, mais sans déglutir. Andrew se força à avaler sa propre bouchée et recommença le même manège.

— Une cuillerée pour Tilly... une pour Andrew...

D'infimes fragments de nourriture arrivaient jusqu'à la bouche de Tilly, mais Andrew absorbait au moins quelque chose.

Andrew s'adressa à sa mère :

— Tilly ne veut pas manger. Non, non, c'est bien plus grave que moi. Elle ne mange rien du tout.

C'était avant que le mot « anorexie » ne fût dans toutes les bouches, comme « sexe » et « sida ».

— Pourquoi ne mange-t-elle pas ? Tu le sais, toi ?

Ce qui signifiait : Je t'en prie, dis-moi pourquoi tu as tant de mal à manger ?

— Dans son cas, je dirais que c'est sa mère.

— Pas dans ton cas, alors ?

— Non, dans mon cas, je dirais que c'est mon père.

Le dénigrement ironique, le charme irrésistible de cette personnalité faite au moule d'Eton, semblèrent en cet instant s'être décalés de son véritable soi pour se transformer en un enchaînement de bouffonneries, comme autant de masques déplacés. Les yeux d'Andrew la fixaient, sombres, anxieux, suppliants.

— Qu'allons-nous faire ? s'écria Frances, aussi désespérée que son fils.

— Juste patienter, patienter un peu, c'est tout. Tout va s'arranger.

Quand les « gamins » – elle devait vraiment arrêter d'utiliser cette expression – redescendirent en masse pour venir à table, impatients de manger, Johnny n'était pas avec eux. Tout le monde écoutait sagement la dispute qui avait lieu en haut de la maison. Cris, imprécations, on ne distinguait pas les paroles.

— Il voudrait que Julia aille s'installer dans son appartement pour veiller sur Phyllida pendant son séjour à Cuba, résuma Andrew.

Ils la regardèrent pour voir sa réaction. Elle riait.

— Oh, mon Dieu ! s'écria-t-elle. Il n'est vraiment pas possible...

Ils échangèrent alors des regards désapprobateurs. Tous, c'est-à-dire sauf Andrew. Ils l'admiraient et trouvaient Frances mesquine.

— Il n'en est tout simplement pas question ! leur dit Andrew. Ce n'est pas bien de solliciter Julia.

Le haut de la maison, où Julia avait installé ses pénates, était souvent objet de moqueries, et Julia avait même été surnommée « la vieille ». Mais depuis qu'Andrew était revenu à la maison et s'était rapproché de sa grand-mère, les autres calquaient leur attitude sur la sienne.

— Pourquoi devrait-elle encore se charger de Phyllida ? reprit Andrew. Elle nous a déjà sur les bras.

Cette nouvelle vision de la situation provoqua un silence songeur.

— Elle n'aime pas Phyllida, renchérit Frances, venant au secours d'Andrew.

Mais elle garda pour elle : Et elle ne m'aime pas non plus, elle n'a jamais aimé les femmes de Johnny.

— Qui le pourrait ? intervint Geoffrey.

Frances lui jeta un regard interrogateur : Ça alors, c'était nouveau !

— Phyllida est passée ici cet après-midi, poursuivit Geoffrey.

— Elle te cherchait, précisa Andrew.

— Ici ? Phyllida ?

— Elle a perdu la boule, déclara Rose. J'étais là. Elle est cinglée, complètement toquée.

Et elle gloussa de rire.

— Que voulait-elle ? s'enquit Frances.

Là-haut, les portes claquèrent, Johnny vociféra. Il descendit l'escalier quatre à quatre, suivi de cet unique épithète de Julia :

— Imbécile !

Il réapparut, étincelant de colère.

— Vieille garce ! grinça-t-il. Sale fasciste !

Les « gamins » cherchèrent de l'aide auprès d'Andrew. Il était pâle et avait l'air souffrant. Des éclats de voix, une scène, c'était trop pour lui.

— C'est vraiment trop ! murmura Rose, en admiration devant la cacophonie générale.

— Tilly va être encore bouleversée, déclara Andrew.

Il se leva à moitié de table, mais Frances le supplia, de peur qu'il ne saisît ce prétexte pour ne pas manger :

— Je t'en prie, Andrew, rassieds-toi.

Il obtempéra, et Frances fut surprise qu'il lui eût obéi.

— Vous saviez que votre... que Phyllida était passée ? lança Rose à Johnny avec un gloussement.

— Comment ! s'exclama Johnny, cinglant, avec un rapide coup d'œil à Frances. Elle est passée ici ?

Personne ne répondit.

— Je vais lui dire deux mots, gronda Johnny.

— Elle n'a pas ses parents ? demanda Frances. Elle pourrait retourner chez elle pendant que tu es à Cuba.

— Elle les déteste et elle a de bonnes raisons. Ce sont des fumiers dégénérés.

Rose plaqua le dos de sa main contre sa bouche pour contenir son hilarité.

Dans l'intervalle, Frances promenait ses regards à la ronde pour voir qui était présent ce soir-là. En dehors de Geoffrey – enfin, bien sûr, d'Andrew et de Rose – il y avait Jill et Sophie, qui pleurait. Il y avait aussi un garçon, un nouveau.

À cet instant, le téléphone sonna. C'était encore Colin.

— J'ai réfléchi, annonça-t-il. Sophie est là ? Elle doit être terriblement choquée. Laisse-moi lui parler.

Ce qui rappela à tous que Sophie devait en effet être choquée, parce que son père était mort du cancer l'année précédente. La raison de sa présence parmi eux presque tous les soirs, c'était que, chez elle, sa mère pleurait sans arrêt et se raccrochait à sa fille dans son chagrin. Naturellement, la mort de Kennedy devait...

Au téléphone Sophie sanglotait, puis ils entendirent :

— Oh ! Colin, merci. Oh ! merci, tu me comprends. Colin, oh ! je savais que je pouvais compter sur toi. Oh ! tu viens. Oh ! merci, merci...

Elle reprit sa place à table en marmonnant :

— Colin va prendre le dernier train, ce soir.

Elle enfouit son visage dans ses mains. Des mains fines et élégantes, aux extrémités laquées de la nuance exacte de rose prescrite cette semaine-là par les arbitres de la mode de Saint-Joseph, dont elle était élève. Ses longs cheveux noirs brillants ruisselèrent sur la table, comme une visualisation de la pensée qu'elle n'aurait plus jamais à souffrir longtemps toute seule.

— Nous sommes tous désolés pour Kennedy, non ? observa aigrement Rose.

Jill ne devait-elle pas être en cours ? Mais les élèves de Saint-Joseph allaient et venaient librement, peu respectueux des horaires, des classements ou des contrôles. Lorsque les enseignants suggéraient une approche un peu plus rigoureuse, ils pouvaient toujours se voir rappeler les principes fondateurs de l'établissement, dont la clé était l'autodiscipline. Parti au lycée le matin même, Colin était déjà sur le chemin du retour. Geoffrey avait parlé d'y aller peut-être demain : oui, il se souvenait qu'il était chef de classe. Sophie avait-elle aussi « abandonné ses études » ? On ne pouvait pas nier qu'elle avait l'air plus souvent ici qu'en cours. Jill était en bas, au sous-sol, avec son sac de couchage, et remontait pour les repas. Elle avait confié à Colin, qui l'avait répété à Frances, qu'elle avait besoin d'une pause. Daniel était retourné aussi au lycée, mais on pouvait s'attendre à le voir rappliquer, si Colin lui montrait l'exemple : n'importe quelle excuse serait la bonne. Ils étaient persuadés qu'à peine ils avaient le dos tourné, toutes sortes d'événements délicieusement dramatiques se succédaient, elle le savait.

Au bout de la table, il y avait une tête inconnue qui souriait placidement à Frances, attendant ses questions : « Qui es-tu ? Qu'est-ce que tu fais ici ? » Mais elle se contenta de poser une assiette de soupe devant le nouveau venu avec un sourire.

— Je m'appelle James, souffla-t-il en rougissant.

— Eh bien, salut, James, répondit-elle. Sers-toi en pain... ou en tout ce que tu veux.

Une grande main se déplia avec gaucherie pour attraper un gros morceau de pain complet (bon pour la santé). Sans le lâcher des doigts, son propriétaire regarda autour de lui avec un plaisir évident.

— James est mon ami. Enfin, en fait, c'est mon cousin, expliqua Rose, réussissant à être à la fois intimidée et agressive. Je lui ai dit que ce serait d'accord s'il venait... je veux dire, pour dîner, je veux dire...

Frances comprit que c'était un autre transfuge d'une « famille dégueulasse » et dressait déjà mentalement la liste des provisions à acheter le lendemain.

Ce soir-là, ils n'étaient que sept à table, elle comprise. Johnny était au port d'armes devant la fenêtre. Il attendait qu'on le prie de s'asseoir. Il y avait une place de libre. S'il croyait qu'elle allait le lui demander ! Elle se fichait pas mal que sa réputation auprès des « gamins » en souffre...

— Avant de partir, lança-t-elle, dis-nous qui a tué Kennedy.

Johnny haussa les épaules, pour une fois désemparé.

— C'étaient peut-être les Soviétiques ? suggéra le nouveau, osant s'imposer au milieu d'eux.

— C'est absurde, répliqua Johnny. Les camarades soviétiques ne donnent pas dans le terrorisme.

Le pauvre James était confus.

— Alors, c'est peut-être Castro ? avança Jill. (Johnny la fixait déjà froidement.) Je veux dire, la baie des Cochons, je veux dire...

— Lui non plus ne donne pas dans le terrorisme, trancha Johnny.

— Passe-moi un coup de fil avant ton départ, dit Frances. Dans deux jours, tu as dit ?

Mais il ne s'en allait toujours pas.

— C'était un dingue, dit Rose. Un dingue lui a tiré dessus.

— Qui a commandité le dingue ? riposta James, qui avait repris du poil de la bête, même si l'effort de s'affirmer lui faisait monter le sang au visage.

— On ne doit pas exclure la CIA, observa Johnny.

— On ne doit jamais les exclure ceux-là, renchérit James, s'attirant un sourire et un hochement de tête approbateurs de la part de Johnny.

C'était un jeune homme imposant, massif, et sûrement plus âgé que Rose. Plus âgé même que tous les autres, à l'exception peut-être d'Andrew. Rose vit que Frances inspectait James et réagit au quart de tour : elle était toujours attentive aux critiques.

— James est politisé. C'est l'ami de mon frère aîné. C'est un marginal.

— Eh bien, tu m'en diras tant ! persifla Frances. Quelle surprise...

— Elle blague, intervint Andrew, se faisant l'interprète de sa mère, s'en portant garant pour ainsi dire.

— À propos de blagues, reprit Frances. (Quand ils avaient tous couru à l'étage regarder le journal télévisé, elle avait remarqué par terre deux gros sacs en plastique bourrés de livres. Elle les montra à Geoffrey, qui ne put dissimuler un sourire de fierté.) Le butin a été bon aujourd'hui, je vois...

Tout le monde éclata de rire. La plupart d'entre eux volaient à l'étalage sur un coup de tête, mais, chez Geoffrey, c'était une activité scientifique. Régulièrement, il faisait la tournée des librairies pour chaparder. Des manuels scolaires si possible, tout ce qui lui tombait sous la main. Il appelait cela « libérer » les bouquins. C'était une blague de la Seconde Guerre mondiale, ainsi qu'un lien sentimental avec son père, qui avait été pilote de bombardiers. Geoffrey avait confié à Colin qu'il pensait que son père ne s'était plus vraiment intéressé à quoi que ce soit depuis la fin de la guerre. « En tout cas, pas à ma mère ni à moi. » Pour tout le bien que sa famille en avait retiré, son père eût pu aussi bien mourir au combat. « Bienvenue au club, avait répondu Colin. La guerre, la révolution, quelle différence ? »

— Dieu bénisse la librairie Foyle ! ironisa Geoffrey. Là-bas, j'en ai libéré plus que partout ailleurs à Londres. Foyle's est un bienfaiteur de l'humanité. (Mais il jeta un coup d'œil inquiet à Frances.) Frances ne m'approuve pas, acheva-t-il.

Ils savaient fort bien que Frances ne les approuvait pas. « C'est ma regrettable éducation, répétait-elle souvent. J'ai été élevée dans l'idée que voler, c'est mal. » Maintenant, chaque fois qu'elle ou quiconque critiquait les autres ou n'était pas d'accord, ils scandaient : « C'est ta regrettable éducation. » Puis Andrew avait déclaré : « Cette vanne est un peu éculée. » Il s'en était ensuivi une folle demi-heure de variations sur les vannes éculées dotées de regrettables éducations.

Alors Johnny entonna son sermon habituel.

— C'est juste, on prend tout ce qu'on peut tirer des capitalistes. Ce sont eux qui vous ont tout volé en premier lieu.

— Ça m'étonnerait qu'ils nous aient volés, nous !

Andrew défiait son père.

— Ils ont volé les travailleurs, les gens ordinaires. Prenez-leur tout ce que vous voulez, à ces salauds !

Andrew, qui n'avait jamais volé à l'étalage, comportement qu'il jugeait dégradant, digne seulement des ploucs, passa à la provocation directe :

— Tu ne devrais pas aller retrouver Phyllida ?

Johnny pouvait ignorer Frances, mais le reproche de son fils le poussa vers la porte.

— N'oubliez pas, les sermonna-t-il en bloc. Vous devez confronter tous vos actes, vos paroles, vos pensées avec les besoins de la Révolution.

— Alors, qu'est-ce que tu as récolté aujourd'hui ? demanda Rose à Geoffrey, qu'elle admirait presque autant que Johnny.

Geoffrey sortit des livres de ses sacs en plastique et les empila sur la table.

Les autres applaudirent. Mais pas Frances, ni Andrew.

Frances, de son côté, sortit de son porte-documents une des lettres adressées au journal qu'elle avait rapportées à la maison. Elle lut à haute voix :

— « *Chère tante Vera* »... c'est moi, tante Vera... « *Chère tante Vera, j'ai trois enfants, tous scolarisés. Chaque soir, ils rentrent à la maison avec de la marchandise volée, en général des bonbons et des gâteaux...* (Là, l'assistance gémit.) *Mais cela peut être n'importe quoi, des manuels scolaires aux...* (Les sales gosses applaudirent.) *Aujourd'hui, mon aîné, le garçon, est même revenu avec une paire de jeans hors de prix.* (Nouveaux applaudissements.) *Je ne sais plus quoi faire. Quand on sonne à la porte, je me dis que c'est la police.* (Frances leur laissa le temps de pousser un autre gémissement.) *Et puis j'ai peur pour eux. Je vous serais très reconnaissante de vos conseils, tante Véra. Je suis désemparée.* »

Elle rangea la lettre.

— Et que vas-tu lui conseiller ? demanda Andrew.

— Toi, Geoffrey, tu devrais peut-être me dire quoi lui répondre. Après tout, un chef de classe doit être calé dans ces matières...

— Oh ! ne sois pas comme ça, Frances, protesta Rose.

— Oh ! gémit aussi Geoffrey, la tête entre les mains, soulevant ses épaules comme si celles-ci étaient secouées par les sanglots. Elle prend les choses au sérieux.

— Je les prends même très au sérieux, riposta Frances. C'est du vol. Vous êtes des voleurs, dit-elle à Geoffrey, avec la liberté que lui octroyait le fait qu'il vivait pratiquement chez eux depuis des années. Tu es un voleur. C'est tout. Je ne suis pas Johnny.

Là-dessus, silence et consternation. Rose gloussa de rire. Le visage écarlate de James, le nouveau venu, était un aveu.

— Mais, Frances, s'écria Sophie, je ne savais pas que tu nous désapprouvais autant !

— Eh bien, si ! répondit Frances, dont la voix et le visage se radoucirent, parce que c'était Sophie. Alors, maintenant, vous le savez.

— C'est sa regrettable éducation..., commença Rose, avant de s'arrêter sur un regard d'Andrew.

— À présent, je vais regarder les nouvelles, et puis il faut que je travaille. (Elle sortit en lançant à la cantonade :) Dormez bien, les petits.

Donnant ainsi sa bénédiction à tout le monde. À James, par exemple, qui espérait peut-être rester pour cette nuit.

Elle regarda les nouvelles, en vitesse. Apparemment, c'était un déséquilibré qui avait abattu Kennedy. En ce qui la concernait, un autre politicien était mort. Sans doute le méritait-il. Elle ne se serait jamais permis d'exprimer cette pensée, si éloignée de l'air du temps. Parfois, elle avait l'impression que la seule chose utile qu'elle eût apprise au cours de sa longue association avec Johnny, c'était comment taire ses opinions.

Avant de se mettre au travail, ce qui lui vaudrait, ce soir, de parcourir la centaine de lettres qu'elle avait emportées à la maison, elle ouvrit la porte de la chambre d'ami. Silence et obscurité. Sur la pointe des pieds, Frances s'approcha du lit et se pencha au-dessus d'une forme blottie sous les couvertures qui eût pu être celle d'une enfant. Et oui, Tilly suçait son pouce.

— Je ne dors pas, dit une petite voix.

— Tu me donnes du souci, répondit Frances, entendant sa propre voix chevroter. (Elle s'était promis de ne pas s'investir affectivement, car à quoi cela servirait-il ?) Tu aimerais que je te prépare une tasse de chocolat chaud ?

— Je peux toujours faire un effort.

Frances prépara le chocolat dans son bureau, où elle avait une bouilloire et des provisions de première nécessité, et l'apporta à la jeune fille qui balbutia :

— Je ne veux pas que tu me croies ingrate.

— Dois-je allumer la lumière ? Tu veux essayer de le boire maintenant ?

— Tu n'as qu'à le poser par terre.

Frances l'écouta, sachant qu'il y avait de fortes chances pour que la tasse soit toujours là, intacte, le lendemain matin.

Elle travailla tard. Elle entendit Colin rentrer. Puis lui et Sophie se réfugièrent sur le grand canapé, où ils s'assirent pour discuter – elle les entendait ou plutôt elle entendait leurs voix juste au-dessous d'elle : le vieux canapé rouge était exactement à la verticale de son bureau. Et exactement au-dessus de celui-ci se trouvait le lit de Colin. Elle entendit leurs messes basses, puis des bruits de pas feutrés juste au-dessus de sa tête. Enfin, elle était sûre que Colin savait prendre ses précautions ; c'est ce qu'il avait répondu haut et fort à son frère, qui le chapitrait sur le sujet.

Sophie avait seize ans. Frances avait envie de la serrer dans ses bras pour la protéger. Voyons, elle n'avait jamais ressenti quelque chose d'approchant pour Rose, Jill, Lucy ou les autres petites minettes qui allaient et venaient dans cette maison. Alors pourquoi

Sophie ? Elle était si belle, voilà pourquoi ! C'était ça qu'elle voulait garder en lieu sûr. Mais quelle absurdité ! Elle, Frances, aurait dû avoir honte. Elle avait honte de pas mal de choses, ce soir. Elle ouvrit la porte, tendit l'oreille. En bas, à la cuisine, il n'y avait pas seulement Andrew, Rose et James, semblait-il... Mais cela pouvait attendre demain.

Elle dormit mal, traversa deux fois le palier pour voir comment Tilly allait. La première fois, elle avait trouvé la pièce plongée dans l'obscurité et un silence total, où surnageait une vague odeur de chocolat froid. Plus tard, elle vit Andrew remonter à l'étage après une mission analogue et retourna se coucher. Elle resta étendue, éveillée. Le problème, c'était le vol à l'étalage. Quand Colin était entré à Saint-Joseph après un passage médiocre au collège, des objets qu'elle savait fort bien ne pas être à lui commencèrent à apparaître à la maison. Pas grand-chose : un tee-shirt, des paquets de stylos-billes, un disque. Elle se souvint avoir été épatée qu'il eût volé une anthologie de poésie. Elle l'avait sermonné. Il protesta que tout le monde le faisait et qu'elle retardait. Ne vous imaginez pas que les choses en étaient restées là. C'était un établissement alternatif ! Une de ses condisciples de la première vague, qui entrait et sortait, mais beaucoup moins librement, puisque, malgré tout, ils étaient alors plus jeunes, une certaine Petula, informa Frances que Colin était un « voleur d'amour », c'est ce qu'avait dit le directeur. Ce sujet fut bruyamment débattu au dîner. Non, il ne volait pas l'amour de ses parents à elle, mais celui du directeur, qui avait remonté les bretelles à Colin pour une chose ou une autre ! Geoffrey, qui faisait déjà plus ou moins partie du mobilier à cette époque, cinq ans auparavant ou plus, était fier de ce qu'il chapardait dans les magasins. Elle avait été choquée, mais s'était contentée d'un conseil : « Bon, alors ne te fais pas prendre ! » Si elle ne lui avait pas dit d'arrêter, c'est parce qu'elle n'aurait pas été obéie, mais aussi parce qu'elle ne se doutait absolument pas à l'époque combien le vol à l'étalage allait devenir courant. Et puis aussi, et c'est ce qui l'empêchait actuellement de dormir, elle avait bien aimé se sentir une des leurs, ces jeunes dans le vent qui étaient les nouveaux arbitres des mœurs et de la morale. Incontestablement, il régnait – il avait régné – un esprit de « tous unis contre le monde entier ». Petula, cette petite délurée (actuellement dans un lycée de Hong Kong réservé aux enfants de diplomates), avait affirmé que voler sans se laisser attraper était un rite d'initiation et que les adultes devaient le comprendre.

Ce jour-là, Frances devait rédiger un long article, sérieux et pondéré, sur ce sujet même. Elle regrettait vraiment d'avoir accepté ce nouvel emploi. Elle allait devoir prendre position sur quantité de problèmes ; or il était dans sa nature d'envisager des points de vue opposés et de refuser de se prononcer autrement que par un « ce n'est pas si simple ».

Récemment, elle en était venue à voir le vol comme nettement répréhensible. Et non pas à cause de sa regrettable éducation, mais à force d'entendre des années durant Johnny prôner toutes sortes de conduites antisociales, un peu à la manière d'un chef de guérilla. « Frappe et sauve-toi. » Un jour, une vérité toute simple était apparue à Frances. Il voulait tout « renverser sur lui-même », tel Samson[1]. Voilà ce qui était en jeu. La Révolution, dont lui et ses copains ne cessaient de parler, reviendrait à braquer un lance-flammes sur toutes choses, laissant la terre brûlée. Et puis – élémentaire ! – lui et ses copains reconstruiraient le monde à leur image. Une fois qu'on avait compris, c'était évident, mais on se trouvait alors

1. Après avoir été livré par Dalila, Samson retrouve sa force et renverse le temple de Dagon sur lui-même et sur les Philistins (*Juges*, XIII-XVI).

devant le problème suivant : comment des êtres incapables de gérer leur propre vie, qui vivaient dans un chaos permanent, pouvaient-ils construire quoi que ce soit de valable ? Cette pensée séditieuse – et c'était des années avant son avènement, au moins dans tous les cercles où elle avait été introduite – cohabitait avec une émotion dont elle soupçonnait à peine l'existence. Elle prenait Johnny pour... inutile d'épeler le mot... elle était devenue très lucide sur ses propres pensées, mais en même temps elle se reposait sur l'aura d'optimisme et d'espoir qui émanait de lui, de ses camarades et de toutes leurs activités. Elle croyait fermement – mais presque à son insu – que le monde allait toujours s'améliorant, qu'ils se trouvaient tous sur l'escalator du Progrès, que les maux présents devaient peu à peu disparaître et que les peuples du monde entier connaîtraient un jour des temps de bonheur et de bonne santé. Et quand elle officiait à la cuisine, préparait de bons petits plats pour les « gamins », voyait tous ces visages juvéniles, entendait leurs voix assurées et irrévérencieuses, elle avait le sentiment d'être garante de leur avenir par une promesse tacite. D'où cette promesse provenait-elle ? De Johnny, elle en avait hérité du camarade Johnny. Et alors que son esprit était déterminé à le critiquer chaque jour davantage, elle s'appuyait affectivement, sans le savoir, sur Johnny et ses chers « meilleurs des mondes ».

Dans quelques heures, elle se poserait pour rédiger son article et dire quoi ?

Si elle n'avait pas pris position contre le vol, dans son propre foyer, et encore après en être venue à le désapprouver avec la dernière des énergies, alors quel droit avait-elle de conseiller les autres ?

Et comme ces pauvres gosses étaient paumés ! Au moment où elle avait quitté la cuisine la veille au soir, elle les avait entendus rire, mais d'un air gêné, elle avait même entendu la voix de James résonner plus fort que celles des autres, parce qu'il désirait tant être accepté de tous ces esprits libres. Pauvre garçon ! Comme elle jadis, il avait fui des parents mortellement provinciaux pour les charmes du Swinging London et une maison présentée par Rose comme le Paradis de la Liberté – elle adorait l'expression –, mais où il avait eu droit exactement à la même réprobation – il était obligé de voler, c'était la mode – à laquelle il avait eu droit de la part de ses parents.

Il était déjà neuf heures, ce qui était tard pour elle. Frances devait se lever. Elle ouvrit la porte du palier et vit Andrew assis par terre, là d'où il pouvait surveiller la porte de la chambre occupée par la jeune fille. Elle était ouverte. Il lui dit en remuant les lèvres : « Regarde, mais regarde. »

Un pâle soleil de novembre entrait dans la chambre d'en face, où une silhouette menue, auréolée de cheveux blonds et vêtue d'un peignoir – d'une robe d'intérieur ? – rose démodé, était perchée bien droite sur un tabouret de bar. Si Philip avait pu avoir cette vision, comme il eût été facilement convaincu que c'était Julia jeune, son amour d'antan ! Sur le lit, toujours enroulée dans son burnous de bébé, Tilly était adossée aux oreillers et fixait la vieille dame de son regard qui ne cillait pas.

— Non, leur parvint la voix calme et précise de Julia. Non, tu ne t'appelles pas Tilly. C'est un surnom bébête. Quel est ton vrai nom ?

— Sylvia, zozota la jeune fille.

— Alors, pourquoi te fais-tu appeler Tilly ?

— Je n'arrivais pas à dire Sylvia quand j'étais petite, alors je disais Tilly.

Ils ne l'avaient jamais entendue prononcer autant de mots à la fois.

— Très bien, je t'appellerai Sylvia.

Julia tenait à la main une grande tasse remplie de quelque chose, une cuillère plantée dedans. Avec des gestes attentionnés et gracieux, elle prit alors une quantité appropriée du contenu de la tasse à l'aide de la cuillère – une odeur de soupe flottait dans l'air – qu'elle porta aux lèvres de Tilly, ou de Sylvia. Qui étaient hermétiquement closes.

— Allons, écoute-moi bien. Je ne vais pas te laisser te tuer par bêtise. Je ne le permettrai pas. Et maintenant tu dois ouvrir la bouche et manger.

Les lèvres pâles tremblèrent légèrement, mais s'entrouvrirent, et pendant tout ce temps la jeune fille fixait Julia, manifestement hypnotisée. La cuillère trouva son chemin et son contenu disparut. Les témoins attendirent, retenant leur souffle, pour voir si elle allait avaler. Elle avala.

Frances baissa les yeux vers son fils et remarqua qu'il déglutissait par solidarité.

— Tu vois, poursuivit Julia, en rechargeant sa cuillère, je suis ta belle-grand-mère. Je ne permets pas à mes enfants et à mes petits-enfants de se conduire aussi bêtement. Tu dois me comprendre, Sylvia... – la cuillère pénétra dans sa bouche, une gorgée de plus, suivie d'une nouvelle déglutition d'Andrew. Tu es une jeune fille très intelligente...

— Non, je suis horrible, entendit-on monter des oreillers.

— Je ne te crois pas. Mais si tu as décidé d'être horrible, tu le seras et, moi, je ne le permettrai pas.

La cuillère continua sa navette. Mouvement de déglutition.

— D'abord, je vais te remettre d'aplomb, puis tu reprendras les cours pour passer ton examen. Après, tu iras à l'université suivre des études de médecine. Bon, je regrette de ne pas avoir été médecin, mais tu peux l'être à ma place...

— Je ne peux pas, je ne peux pas reprendre les cours.

— Pourquoi non ? Andrew m'a dit que tu étais bonne élève, avant d'avoir ta crise de bêtise. Et maintenant prends cette tasse et bois le reste toute seule.

Les observateurs n'osaient pas respirer en cet instant de crise probable. Et si Tilly-Sylvia refusait la tasse avec sa soupe fortifiante pour remettre son pouce dans sa bouche ? Et si elle gardait les lèvres fermées ? Julia pressa la tasse contre la main qui n'étreignait pas le burnous.

— Prends-la.

La main trembla, mais s'ouvrit. Julia glissa prudemment la tasse à l'intérieur et referma les doigts autour. La main leva la tasse, celle-ci atteignit les lèvres et, par-dessus le bord, un chuchotement se fit entendre :

— Mais c'est si dur...

— Je sais que c'est dur.

La main tremblante maintint la tasse à hauteur de la bouche, pendant que Julia la calait. La jeune fille prit une gorgée, l'avala.

— Je vais vomir, chuchota-t-elle.

— Non, tu ne vas pas vomir. Arrête, Sylvia.

Frances et son fils retenaient toujours leur souffle. Sylvia ne vomissait pas, même si elle avait dû réprimer un haut-le-cœur quand Julia lui avait dit d'arrêter.

Entre-temps, Colin et, derrière lui, Sophie descendaient de l'« étage des garçons ». Tous deux s'immobilisèrent. Colin était cramoisi, et Sophie riait et pleurait à moitié, l'air prête à remonter en courant. Finalement, elle se dirigea vers Frances, la prit dans ses bras en murmurant : « Chère, chère Frances » et dévala à toute vitesse le reste de l'escalier en pouffant.

— Ce n'est pas ce que tu crois, balbutia Colin.

— Je ne crois rien, protesta Frances.

Andrew se borna à sourire, gardant son opinion pour soi.

Colin découvrit la petite scène par la porte, comprit tout son sens, souffla : « Bravo, grand-mère ! » et descendit quatre à quatre.

Julia, qui ne s'était pas aperçue qu'elle avait un public, se laissa glisser à bas de son tabouret et lissa ses jupes. Elle reprit la tasse à la jeune fille.

— Je reviens te voir dans une heure pour voir comment tu vas, lança-t-elle. Et puis je t'emmènerai dans mon cabinet de toilette, et tu pourras mettre des vêtements propres. Tu vas aller mieux en un rien de temps, tu verras.

Elle ramassa la tasse de chocolat froid posée la veille par Frances, sortit de la pièce et tendit l'objet à son ex-belle-fille.

— Je crois que c'est à vous, lui dit-elle, avant de s'adresser à Andrew : Et, toi aussi, tu peux mettre un terme à tes bêtises.

Elle laissa la porte de la chambre ouverte et remonta à l'étage, en relevant d'une main son peignoir rose, qui froufrouta.

— Alors, tout va bien, commenta Andrew à l'intention de sa mère. Bravo, Sylvia, lança-t-il à la jeune fille, qui sourit bien que faiblement.

Il grimpa à l'étage en courant. Frances entendit une porte se fermer, celle de Julia, puis une autre, celle d'Andrew. Dans la chambre d'en face, une tache de soleil tombait sur un oreiller ; Sylvia, car il n'y avait pas de doute que c'était sa nouvelle identité désormais, y passait la main, la tournait et la retournait afin de l'examiner.

À cet instant, on entendit des coups violents dans la porte d'entrée. La sonnette retentit à maintes reprises, et une voix féminine vociférait. La jeune fille assise au soleil sur son lit poussa un cri et plongea sous ses couvertures.

Au moment où quelqu'un alla ouvrir, le hurlement « Laissez-moi entrer » résonna dans toute la maison. Une voix hystérique, enrouée.

— Laissez-moi entrer ! Mais laissez-moi entrer !

La porte d'Andrew s'ouvrit à toute volée. Il dégringola l'escalier en disant :

— Je m'en occupe. Oh, Seigneur ! Ferme la porte de Tilly.

Frances ferma la porte, tandis que Julia criait d'en haut :

— Qu'est-ce que c'est ? Qui est-ce ?

Andrew lui répondit, mais à mi-voix :

— Sa mère, la mère de Tilly.

— Alors je suis au regret de vous dire que Tilly aura une rechute, prédit Julia, qui resta plantée en faction à la même place.

Frances était encore en chemise de nuit. Elle rentra dans sa chambre pour enfiler un jean et un pull et dévala l'escalier vers le lieu de l'altercation.

— Où est-elle ? Je veux voir Frances, braillait Phyllida, pendant qu'Andrew répétait doucement :

— Chut ! ne criez pas, je vais aller la chercher.

— Je suis là, dit Frances.

Phyllida était une grande femme, maigre comme un clou, avec une crinière de cheveux rouges mal teints et des ongles longs comme des aiguilles, laqués de violet vif. Elle tendit agressivement une main épaisse en direction de Frances.

— Je veux ma fille, hurla-t-elle. Tu m'as volé ma fille.

— Ne dites pas de bêtises, répondit Andrew, planant au-dessus de cette hystérique tel un insecte tentant de décider où il allait piquer.

Il posa une main apaisante sur l'épaule de Phillyda, mais celle-ci se dégagea et Andrew lui cria, soudain hors de ses gonds et surpris lui-même de sa réaction :

— Arrêtez !

Il s'adossa à un mur pour se calmer. Il en tremblait.

— Et moi alors ? demanda Phyllida. Qui va s'occuper de moi ?

Frances s'aperçut qu'elle aussi tremblait ; son cœur battait la chamade, elle avait du mal à respirer. Andrew et elle étaient sensibles à cette pile d'énergie affective. En fait, Phyllida, dont les yeux fixaient le vide comme ceux d'une figure de proue et qui se tenait là, triomphante, droite comme un I, semblait plus calme qu'eux.

— Ce n'est pas juste, reprit Phyllida, pointant ses griffes violettes vers Frances. Pourquoi devrait-elle venir vivre ici et pas moi ?

Andrew s'était remis.

— Voyons, Phyllida, dit-il, ayant retrouvé le petit sourire narquois qui le protégeait. Phyllida, c'est impossible, vous le savez bien.

— Pourquoi serait-ce impossible ? rétorqua-t-elle, lui accordant son attention. Pourquoi aurait-elle une maison et pas moi ?

— Mais vous avez une maison, objecta Andrew. Je vous y ai rendu visite, vous ne vous rappelez pas ?

— Mais il s'en va et il me laisse. (Élevant de nouveau la voix, elle répéta :) Il s'en va et me laisse toute seule. (Puis, plus calmement, à l'intention de Frances :) Tu étais au courant ? Alors, tu l'étais ? Il va me quitter comme il t'a quittée...

Cette observation sensée parut démontrer à Frances combien l'intruse lui avait communiqué son hystérie : elle tremblait et avait les jambes en coton.

— Enfin, pourquoi ne dis-tu rien ?

— Je ne sais pas quoi dire, proféra Frances. Je ne comprends pas la raison de ta présence ici.

— La raison de ma présence ? Tu as le culot de me demander la raison de ma présence ? (Et de se mettre à crier :) Tilly, Tilly, où es-tu ?

— Laissez-la tranquille, intervint Andrew. Vous vous plaignez toujours de ne pas savoir la prendre, alors permettez-nous de tenter notre chance.

— Mais elle est ici. Elle est ici ! Et moi ? Qui va s'occuper de moi ?

Cela tournait au cercle vicieux.

Andrew parlait doucement, mais sa voix tremblait.

— Vous n'espérez quand même pas que Frances s'occupe de vous ? Pourquoi le devrait-elle ?

— Mais qu'est-ce que je deviens dans l'histoire, moi ? Qu'est-ce que je deviens ? (Ses paroles tenaient désormais davantage de la lamentation.) Ce n'est pas comme si tu étais Brigitte Bardot, hein ? Alors pourquoi vient-il ici tout le temps ?

Cette question jetait un éclairage inattendu sur les événements. Frances en resta coite.

— Il vient ici parce que nous sommes ici, Phyllida, riposta Andrew. Nous sommes ses fils, rappelez-vous, Colin et moi... Vous nous aviez oubliés ?

C'était le cas, visiblement. Soudain, après avoir tenu le siège quelques minutes, elle baissa son doigt accusateur et cligna des yeux, comme si elle se réveillait d'un songe. Puis elle leur tourna le dos, sortit et claqua la porte.

Frances eut la sensation que tout son être se détendait. Elle tremblait tellement qu'elle dut s'adosser au mur. Andrew était mollement planté là, un sourire pathétique aux lèvres. En se disant qu'il était trop jeune pour gérer ce genre de situation, elle se dirigea en titubant vers la porte de la cuisine, s'y cramponna pour pouvoir entrer, et vit Colin et Sophie attablés autour de toasts.

Colin était visiblement d'humeur à faire son procès. Sophie avait eu une nouvelle crise de larmes.

— Eh bien, lança Colin, en proie à une colère froide. Qu'est-ce que tu attends ?

— Que veux-tu dire ? répondit Frances, absurdement, mais elle cherchait à gagner du temps.

Elle se laissa glisser sur sa chaise et s'assit la tête entre les bras. Elle savait bien ce qu'il voulait dire.

C'était une accusation générale : qu'elle et son père avaient tout gâché, qu'elle n'était pas la mère consolatrice classique, comme d'autres mères. Et puis il y avait aussi cette famille bohême, qu'il rejetait violemment par moments, tout en admettant qu'il l'aimait bien.

— Elle débarque ici, répondit Colin, elle s'amène pour faire un esclandre et maintenant il faut s'occuper de Tilly !

— Elle désire qu'on l'appelle Sylvia, corrigea Andrew qui les avait rejoints à table.

— Son nom m'est complètement égal, répliqua Colin. Pourquoi est-elle là ?

Le voilà en pleurs, l'air d'un petit hibou ébouriffé, avec ses lunettes cerclées de noir. Si Andrew était maigre et tout en longueur, Colin, lui, était rondouillard, avec un visage doux et ouvert, actuellement tuméfié par les larmes. Frances comprit alors que, la nuit précédente, ces deux-là, Colin et Sophie, avaient probablement pleuré dans les bras l'un de l'autre, elle pour son père disparu, lui pour son mal-être. Enfin, pour tout !

Andrew, qui, comme sa mère, était encore glacé et tremblant, protesta :

— Pourquoi t'en prendre à maman ? Ce n'est pas de sa faute !

Si rien n'était fait, les deux frères allaient recommencer à se chamailler, ce qui leur arrivait souvent, et toujours parce qu'Andrew défendait Frances, alors que Colin la mettait en accusation.

— Sophie, dit Frances, prépare-moi un thé s'il te plaît. Je suis sûre qu'Andrew en voudra aussi.

— Bon Dieu, oui ! s'exclama Andrew.

Sophie se leva d'un bond, ravie de pouvoir se rendre utile. Colin, qui avait perdu le soutien de sa présence juste en face de lui, clignait distraitement des yeux, si malheureux que Frances brûlait de le prendre dans ses bras. Mais il ne le tolèrerait jamais.

— J'irai voir Phyllida plus tard, reprit Andrew. Elle se sera calmée d'ici là. Elle n'est pas si méchante quand elle n'est pas dans tous ses états. (Puis il sauta à son tour sur ses pieds.) Seigneur ! J'ai oublié Tilly, je veux dire Sylvia, et elle a dû tout entendre. Elle perd les pédales quand sa mère lui tombe dessus...

— Ce qui est sûr, c'est que, moi aussi, je perds les pédales, dit Frances. Je ne peux pas m'arrêter de trembler.

Andrew sortit en courant de la cuisine, mais ne réapparut pas. Julia était descendue s'asseoir auprès de Sylvia, qui se cachait sous ses couvertures en geignant : « Je ne veux pas la voir, je ne veux pas la voir ! », pendant que Julia lui répétait : « Chut, calme-toi. Elle va partir dans une minute. »

Frances but son thé en silence pendant que ses tremblements diminuaient. Si elle avait lu dans un livre que l'hystérie était communicative, elle aurait dit : « Bon, oui, ce n'est pas idiot ! » Mais c'était une expérience nouvelle. Si c'est ce que Tilly a connu, pas étonnant qu'elle soit déboussolée, songea-t-elle.

Sophie s'était rassise à côté de Colin et tous les deux se serraient dans les bras l'un de l'autre comme des orphelins. Peu après, ils partaient prendre le train pour aller au lycée. Colin adressa un petit sourire contrit à sa mère avant le départ. Sophie l'étreignit.

— Oh, Frances ! Je ne sais pas ce que je deviendrais si je n'avais pas mes entrées ici.

Maintenant, Frances devait s'atteler à son article.

Elle mit de côté les lettres sur le vol et choisit un autre thème : *Chère tante Vera, je suis si inquiète que je ne sais plus quoi faire.* La fille de cette dame, âgée de quinze ans, couchait avec un garçon qui en avait dix-huit. *Ces jeunes gens, ils se prennent pour la Sainte Vierge et le Saint-Esprit et croient que ça n'arrive qu'aux autres*. Elle conseilla à la mère anxieuse d'initier sa fille à la contraception. « Allez consulter votre médecin de famille, écrivit-elle. Les jeunes commencent à avoir des rapports sexuels bien plus tôt que nous. Vous pourriez vous renseigner sur la nouvelle pilule contraceptive. Mais il risque d'y avoir des problèmes. Tous les adolescents ne sont pas des êtres responsables, et cette pilule révolutionnaire doit être prise régulièrement tous les jours. »

Voilà comment le premier papier de Frances provoqua une tempête d'indignation morale. Des lettres de parents effrayés arrivèrent par paquets et Frances s'attendait à être renvoyée, mais Julie Hackett était contente. Frances faisait ce pour quoi elle avait été engagée, comme l'on pouvait s'y attendre d'un être assez libre pour affirmer que Carnaby Street était un miroir aux alouettes.

Les vagues de réfugiés qui échouèrent à Londres pour fuir Hitler puis Staline étaient démunis, souvent râpés, et vivaient d'une traduction par-ci, d'une critique littéraire par-là, de cours de langue. Ils travaillaient comme brancardiers, sur les chantiers de construction, faisaient des ménages. Quelques cafés et restaurants aussi misérables qu'eux répondaient à leur besoin nostalgique de s'attabler pour boire un café et discuter politique et littérature. Ils venaient de toutes les universités d'Europe et étaient des intellectuels, mot garanti pour déclencher des ondes de suspicion dans la poitrine des Britanniques xénophobes et philistins, qui ne voyaient pas nécessairement un bon point dans l'aveu que ces nouveaux arrivants étaient beaucoup plus instruits qu'eux. Un café, en particulier, servait du goulasch, des boulettes de viande, des soupes épaisses et d'autres nourritures substantielles à ces immigrants ballottés par la tempête qui ne devaient pas tarder, à bien des égards, à ajouter plus-value et lustre à la culture autochtone. À la fin des années cinquante et au début des années soixante, ils étaient éditeurs, écrivains, journalistes, artistes. Il y avait même un lauréat du prix Nobel, et un étranger entrant au Cosmo pensait que ce devait être l'endroit le plus en vogue du nord de Londres, car tout le monde y arborait l'uniforme anticonformiste du moment : cols roulés, jeans de marque, vestes Mao ou blousons de cuir, cheveux hirsutes ou coupes au bol toujours populaires. Il y avait là des filles aussi, quelques-unes en minijupes, en général les petites amies de ces messieurs, qui s'imprégnaient des séduisantes mœurs étrangères en dégustant le meilleur café de Londres et des pâtisseries viennoises.

Frances avait pris l'habitude de prendre ses quartiers au Cosmo pour travailler. À l'étage de la maison qu'elle avait cru lui être réservé, à l'abri des invasions, elle entendait maintenant les bruits de pas de Julia ou d'Andrew, car tous deux passaient souvent voir Sylvia pour lui administrer des tasses de ceci ou de cela et insistaient pour que sa porte restât ouverte parce que la jeune fille était claustrophobe. Et puis Rose rôdait sans arrêt dans la maison. Une fois, Frances l'avait trouvée en train de fouiner dans les papiers entassés sur son bureau ; Rose avait gloussé en s'écriant gaiement : « Oh, Frances ! » et s'était sauvée. Elle avait même été surprise dans les appartements de Julia par leur occupante. Elle ne volait pas, ou pas grand-chose, mais c'était une espionne par nature. Julia avait dit à Andrew que Rose devrait être priée de prendre ses cliques et ses claques. Andrew avait répété à Frances les propos de Julia, et Frances, soulagée parce qu'elle trouvait la jeune fille antipathique, avait informé Rose qu'il était temps pour elle de retourner chez ses parents. Effondrement de Rose. Des rumeurs étaient montées du sous-sol où Rose nichait (« C'est ma piaule »), comme quoi elle pleurait dans son lit et avait l'air malade. Les choses s'étaient tassées et Rose était réapparue à table pour dîner, défiante, fâchée mais conciliante.

On peut toujours soutenir que se plaindre de ces dérangements mineurs chez soi pour choisir ensuite de s'installer dans un coin du Cosmo, qui résonnait en permanence de débats et de discussions, était sûrement un brin pervers. Surtout quand les propos captés par hasard étaient immanquablement contestataires. Tous ces gens étaient en effet des spécimens de révolutionnaire, même si ce qu'ils avaient fui, c'étaient les conséquences de la révolution. Les trois quarts étaient des représentants d'une phase donnée du Grand Rêve et se montraient capables d'ergoter des heures durant sur ce qui s'était passé dans tel ou tel meeting en Russie en 1905 ou en 1917, ou à Berchtesgaden, ou encore quand les troupes allemandes avaient envahi la Russie soviétique, ou même sur la situation des gisements pétroliers roumains en 1940. Ils discouraient sur Freud et Jung, Trotski, Boukharine, Arthur Koestler et la guerre civile d'Espagne. Et Frances, qui se bouchait les oreilles dès que Johnny entamait une de ses harangues, trouvait tout cela plutôt reposant, même si elle n'écoutait pas attentivement. C'est vrai qu'un café bruyant et rempli de fumée de cigarette (alors un accessoire indispensable de l'activité intellectuelle) est plus intime qu'une maison où des individus défilent sans arrêt pour discuter. Andrew adorait cet endroit, Colin aussi. Ils soutenaient qu'il était bourré d'énergie, sans parler des bonnes vibrations.

Johnny le fréquentait pas mal, mais il se trouvait à ce moment-là à Cuba, alors elle était tranquille.

Frances n'était pas la seule de *The Defender*. Un journaliste politique y prenait aussi ses quartiers, que Julie Hackett lui avait présenté en ces termes : « Voici notre politisé en chef, Rupert Boland. C'est un intello, mais ce n'est pas un mauvais bougre, même si c'est un homme... »

En temps normal ce n'était pas quelqu'un qu'on remarquait au premier coup d'œil, mais ici il faisait tache parce qu'il portait une cravate et un costume marron assez terne. Il avait un visage agréable et écrivait ou prenait des notes au stylo-bille, exactement comme elle. Ils échangèrent un sourire et un hochement de tête et, à cet instant précis, un homme de haute taille en veste Mao se leva pour partir. Seigneur ! c'était Johnny. Il endossa un long manteau afghan teint en bleu, le dernier cri à Carnaby Street, puis sortit. Et là-bas, quelques tables plus loin, dans un coin, se trouvait Julia, qui, visiblement, ne voulait pas être vue (probablement de Johnny). Elle était en grande conversation avec... C'était certainement un ami intime. Son petit ami ? Récemment, Frances s'était rendu compte que Julia n'avait guère plus de soixante ans. Mais non, Julia ne pouvait pas avoir d'aventure (le mot qu'elle emploierait était sans doute « liaison » !) dans une demeure bourrée de jeunes toujours aux aguets. Cette éventualité était aussi risible que pour Frances.

En renonçant au théâtre, ce qu'elle avait fait sans doute pour toujours, Frances avait eu l'impression de fermer la porte au romantisme ou à une histoire d'amour.

Et Julia... Frances pensait que Julia devait être très solitaire, toute seule au sommet de cette maison bruyante surpeuplée, où les jeunes la traitaient de vieille, voire de vieille fasciste. Elle écoutait de la musique classique à la radio et lisait beaucoup. Mais elle sortait parfois pour venir ici, apparemment.

Julia portait un ensemble bleu vaporeux, avec un chapeau mauve orné, bien sûr, d'une petite voilette. Ses gants étaient posés sur la table. Son ami, un gentleman aux cheveux gris, bien conservé, était aussi élégant et démodé qu'elle. Il se leva, se pencha sur la main de Julia, et ses lèvres se joignirent dans les airs au-dessus. Elle sourit, puis inclina la tête, et il s'en alla. Au moment de son départ, elle composa son visage et prit une expression que Frances comprit être du stoïcisme. Julia avait profité d'une heure de liberté et allait maintenant rentrer ou peut-être faire quelques courses toutes simples. Qui gardait donc un œil sur Sylvia ? Cela signifiait qu'Andrew devait être à la maison. Sans être retourné dans sa chambre, Frances était sûre qu'il y passait de longues heures solitaires à lire et à fumer.

On était vendredi. Ce soir-là, elle pouvait s'attendre à ce que les chaises soient serrées les unes contre les autres autour de la table. Ce serait une occasion et tout le monde le savait, la bande de Saint-Joseph aussi, parce que Frances avait téléphoné à Colin pour lui annoncer que Sylvia descendait dîner avec eux. Pouvait-il veiller à ce que les autres l'appellent Sylvia ?

— Et demande-leur d'avoir du tact, Colin.

— Merci d'avoir si peu confiance en nous, avait-il rétorqué.

Dans l'intervalle, son attitude protectrice envers Sophie s'était muée en amour, et tous deux étaient connus pour former un couple à Saint-Joseph. « Un couple de tourtereaux », avait même dit Geoffrey, magnanime, étant donné qu'il était forcément jaloux. De Geoffrey on pouvait toujours attendre un comportement courtois, même s'il volait à l'étalage... même si c'était un filou. Ce qui était plus qu'on pouvait dire de Rose, dont la jalousie envers Sophie irradiait de ses yeux et de son minois méprisant.

Chère tante Vera,

Nos deux enfants disent qu'ils ne veulent pas retourner à l'école. Notre fils a quinze ans, notre fille seize. Ils séchaient les cours depuis des mois sans que nous le sachions. Puis la police nous a appris qu'ils passaient leur temps avec de mauvais sujets. Aujourd'hui ils ne rentrent presque jamais à la maison. Que devons-nous faire ?

Sophie avait déclaré qu'elle ne retournerait pas au lycée après Noël, mais elle changerait peut-être d'avis pour suivre Colin. Sauf que lui prétendait ne pas être au niveau et ne pas vouloir se présenter à son examen de fin d'année prévu pour l'été prochain. Il avait dix-huit ans. Il alléguait que les examens étaient stupides et qu'il était trop vieux pour aller en cours. Rose – ce n'était pas sa faute – avait « abandonné ses études ». James aussi. Sylvia n'était pas allée en classe depuis des mois. Geoffrey travaillait bien, avait toujours bien travaillé, et il donnait l'impression de devoir être le seul à passer son baccalauréat. Daniel le passerait aussi, à cause de Geoffrey, mais il n'était pas aussi brillant que son idole. Jill était plus souvent là qu'en cours. Lucy, qui venait de Dartington, se présenterait elle aussi à son examen et le réussirait brillamment, c'était évident.

En fille docile, Frances était allée au lycée, avait toujours été ponctuelle, avait passé son bac et serait entrée à l'université s'il n'y avait pas eu la guerre et Johnny. Elle ne comprenait pas où était le problème. Sans aimer beaucoup l'école, elle avait vu dans le système scolaire un mal nécessaire. Il lui faudrait un jour gagner sa vie, là était le problème. On aurait dit que ces jeunes n'y pensaient jamais !

Actuellement, elle rédigeait la lettre qu'elle aimerait envoyer, mais, bien entendu, n'enverrait pas.

Chère Mrs Jackson,

Je ne sais absolument pas quoi vous conseiller. Il semblerait que nous ayons engendré une génération qui attend tranquillement que cela lui tombe tout cuit dans le bec sans qu'elle ait à travailler. Avec mes sincères regrets, tante Vera.

Julia se levait. Elle rassembla son sac, ses gants, un journal et, au moment de passer devant Frances, inclina la tête. Frances, trop tard, se leva à son tour pour lui offrir de s'asseoir, mais Julia était déjà partie. Si elle avait su mieux s'y prendre, Julia se serait arrêtée à sa table. Il y avait eu un court instant de flottement. Et elle se serait peut-être enfin rapprochée de sa belle-mère.

Frances se rassit, commanda un autre café, puis une soupe. Andrew avait raconté que, si l'on avait la chance de demander un goulasch au bon moment, on avait droit au fond de la marmite, le meilleur comme dans les ragoûts. Quand il arriva, son goulasch provenait à l'évidence du milieu de la marmite.

Elle manquait d'idées pour son troisième papier. Le second parlait de la marijuana. C'était facile. L'article était décontracté et informatif, voilà tout, et reçut un abondant courrier en réponse.

Quelle séduisante assemblée, la clientèle du Cosmo, ces gens venus de toute l'Europe et, bien sûr, déjà à ce moment-là, le type de Britanniques qu'ils attiraient ! Beaucoup d'entre eux étaient juifs, mais pas tous.

— J'ai le malheur d'être une Allemande qui n'est pas juive, avait lancé Julia devant les « gamins », après que l'un d'eux lui eut demandé si elle était une ancienne réfugiée.

Stupeur et indignation. La qualité de fasciste de Julia était ainsi confirmée, même si tous employaient le terme de fasciste avec autant de facilité qu'ils disaient con ou merde, sans nécessairement y voir autre chose qu'une personne qui ne leur plaisait pas.

Sophie s'était plainte que Julia lui donnait la chair de poule, comme tous les Allemands.

Au sujet de Sophie, Julia avait remarqué :

— Elle possède la beauté de la jeune Juive, mais elle finira en vieille harpie, comme nous toutes...

Si Sylvia-Tilly descendait dîner, alors il fallait que le menu lui plût. On ne pouvait pas lui présenter un plat différent des autres, et pourtant elle ne se nourrissait que de pommes de terre. Qu'à cela ne tienne, Frances préparerait un gros hachis Parmentier, et les filles qui voulaient maigrir n'auraient qu'à laisser la purée et manger le reste. Il y aurait des petits légumes. Rose refusait les légumes, mais raffolait de la salade. Geoffrey, lui, ne prenait jamais de poisson ni de petits légumes. Dire qu'elle s'inquiétait du régime de Geoffrey depuis des années, alors qu'il n'était même pas son fils ! Que pensaient ses parents du fait qu'il ne rentrait presque jamais chez lui, venait toujours chez eux... ou plutôt chez Colin ? Elle lui avait posé la question et il avait répondu qu'ils étaient très contents qu'il eût un endroit où aller. Tous deux travaillaient dur, semblait-il. Des quakers, pratiquants. Une famille pesante, apparemment. Elle s'était attachée à Geoffrey, mais voulait bien être pendue si elle devait passer son temps à s'inquiéter pour Rose ! Attention, Frances. S'il y avait bien une chose qu'elle avait apprise, c'était à ne pas dire « Fontaine, je ne boirai pas de ton eau », le destin ayant toujours son mot à dire.

Mais peut-être le destin de chacun réside-t-il dans son tempérament, lequel attire invisiblement les êtres et les événements. Sans doute inconsciemment, dans leur jeunesse, jusqu'au moment où force leur est de conclure que c'est leur caractère, il y a des gens qui montrent une certaine passivité envers la vie : ils attendent de voir ce qui va se présenter dans leur assiette, passer à leur portée ou leur crever les yeux – « Qu'est-ce qui ne tourne pas rond chez toi ? Tu es aveugle ? » – et puis, cherchant moins à saisir la chose qu'à la guetter, la laissent évoluer, se révéler. Alors la tâche est de s'en accommoder du mieux possible, de tenter ce qu'on peut.

Aurait-elle imaginé à dix-neuf ans, en épousant Johnny, alors qu'il n'y avait aucune raison d'espérer autre chose que la guerre et des épreuves, qu'elle se retrouverait dans la peau d'une responsable de groupe ? Sauf que l'expression actuelle était plutôt « mère nourricière ». À quel endroit du chemin aurait-elle dû dire (si elle avait été résolue à éviter ce destin) : « Non, je ne veux pas » ? Elle avait combattu la demeure de Julia, mais il eût sans doute mieux valu qu'elle eût succombé beaucoup plus tôt, eût dit oui, oui, à ce qui arrivait et l'eût dit en conscience, qu'elle eût accepté ce qui s'était présenté, comme c'était aujourd'hui sa philosophie. Dire non, c'est souvent comme ces gens qui ne divorcent de leur partenaire que pour en épouser un(e) autre exactement semblable d'aspect et de caractère : nous portons en nous-mêmes des modèles invisibles aussi inéluctablement personnels que nos empreintes digitales, mais nous ne n'en prenons conscience qu'après avoir regardé autour de nous et reconnu leurs reflets.

— Nous savons ce que nous sommes... – Que non, nous ne le savons pas ! –... mais pas ce dont nous sommes capables.

Autrefois, elle aurait eu du mal à croire qu'elle pouvait vivre dans la chasteté, sans homme à l'horizon... N'empêche qu'elle nourrissait encore le fantasme de rencontrer, dans sa vie, un partenaire qui ne serait pas un égotiste forcené comme Johnny. Mais quel homme accepterait-il de prendre en charge une tribu de jeunes, tous « perturbés » pour une raison ou une autre ? Voilà qu'on les complimentait d'habiter le Swinging London et qu'ils se voyaient promettre tout ce que les publicitaires d'au moins deux continents pouvaient inventer ! Cependant, si les « gamins » swinguaient – et ils swinguaient, ils allaient à un grand concert de jazz dimanche, demain donc ! – dans ce cas ils étaient paumés. Et deux d'entre eux, leurs fils, à cause d'elle et de Johnny. Et de la guerre, bien sûr.

Frances reprit son fardeau, des sacs en plastique lourdement chargés, paya l'addition et grimpa la butte pour rentrer à la maison.

Un brouillard iridescent post-Clean Air Act[1] ondoyait derrière les carreaux et perlait sur les cheveux et les cils des « gamins » qui entraient dans la maison avec des rires, en s'embrassant les uns les autres tels des survivants. Des duffel-coats humides encombraient les rampes d'escalier, et toutes les chaises autour de la table étaient occupées, à l'exception de deux à la gauche de Frances. Colin, qui s'était assis à côté de Sophie, s'aperçut qu'il serait voisin de son frère, à qui la troisième chaise de libre était réservée, et émigra en vitesse vers le bout de la table où il se posta près de Geoffrey, lequel se trouvait en face de Frances. En ce moment même, Colin s'appropriait cette place stratégique après en avoir éjecté Geoffrey d'un coup de fesses. Un jeu de potaches brutaux et mal dégrossis, trop puéril pour leur statut quasi adulte. Sans un regard à Colin, Geoffrey vint alors s'asseoir à la droite de Frances. Sophie ne supportait pas les conflits ; elle se leva pour se diriger vers Colin, se pencha pour glisser un bras autour de ses épaules et déposer un baiser sur sa joue. Il s'efforçait de rester de marbre, mais ne put retenir quand même un petit sourire tendre à son intention, qui dès lors inclut les autres. Tous éclatèrent de rire. Rose... James... Jill... Ces trois-là semblaient bien installés au sous-sol. Daniel était à côté de Geoffrey, le chef de classe et son adjoint. Lucy, qui était revenue de Dartington pour passer le week-end ici, avec Daniel, était sa voisine de table. Douze convives. Et tous piaffaient, se bourraient

1. En anglais, la loi sur l'assainissement de l'air, qui fut promulguée en 1956, en réponse au grand smog de Londres de décembre 52, et réactualisée en 1968.

de pain, humaient les odeurs émanant de la cuisinière. À la fin, Andrew entra dans la cuisine, tenant Sylvia par les épaules. Elle avait toujours son burnous de bébé, mais portait un jean propre, qui flottait sur elle, et un pull appartenant à Andrew. Ses cheveux clairs et fins avaient été brossés en arrière, ce qui lui donnait un air encore plus enfantin. Mais elle souriait, même si ses lèvres tremblaient.

Colin, à qui sa présence déplaisait souverainement, se leva avec le sourire pour la saluer.

— Bienvenue, Sylvia, dit-il.

Et des larmes montèrent aux yeux de Sylvia devant leur concert de « Salut, Sylvia ».

Elle prit place près de Frances, et Andrew la flanqua de l'autre côté. Le repas pouvait commencer. En un instant, les plats investirent tout le milieu de la table. Colin se releva pour servir le vin, devançant Geoffrey, qui avait eu la même intention, pendant que Frances remplissait les assiettes. Moment délicat : elle était arrivée à Andrew, et la prochaine à servir serait bientôt Sylvia.

— Laisse-moi, dit Andrew.

Là, commença tout un petit rituel. Dans sa propre assiette, il déposa une carotte, puis, dans celle de Sylvia, une autre carotte. Il était grave, sourcilleux, judicieux, et Sylvia commençait déjà à pouffer, même si ses lèvres ébauchaient encore de petits mouvements nerveux et douloureux. Dans l'assiette d'Andrew, une petite cuillerée de choux, et une aussi pour elle. Il ignora la main qui s'était levée instinctivement pour l'arrêter. Pour lui, un soupçon de hachis, et la même chose pour elle. Et puis, d'un air téméraire, une assez grosse portion de pommes de terre pour elle comme pour lui. Tous riaient. Sylvia fixait son assiette, mais Andrew, avec un regard décidé du genre « Finissons-en ! », avait pris une cuillerée de purée et attendait qu'elle l'imite. Elle l'imita... et avala.

À ce moment-là, tâchant de ne pas regarder ce qui se passait pendant qu'Andrew et Sylvia luttaient contre eux-mêmes, Frances leva son verre de rioja – sept shillings la bouteille, car ce vin gouleyant restait encore à découvrir – et porta un toast à l'Éducation alternative, une vieille blague qu'ils adoraient tous.

— Mais où est Julia ? s'enquit la petite voix de Sylvia.

Silence inquiet. Puis Andrew répondit :

— Elle ne prend pas ses repas avec nous.

— Pourquoi donc ? Mais pourquoi ? C'est si agréable avec vous.

C'était là une véritable percée, ainsi qu'Andrew décrivit le moment plus tard à Julia – « Nous avons gagné, Julia, oui, c'est vrai ! » Frances était contente ; elle en avait les larmes aux yeux. Andrew passa un bras autour de Sylvia et, souriant à sa mère, acquiesça :

— Oui, c'est agréable. Mais Julia préfère manger seule là-haut.

Ayant involontairement dressé un tableau de ce que devait être la solitude, il en fut frappé et se leva d'un bond en disant :

— Je vais monter lui poser la question.

Ce dérivatif lui permettait en partie d'échapper au poids et au défi de son assiette, encore presque intacte. Au moment où il sortit pour monter chez Julia, Sylvia reposa sa cuillère.

Andrew fut de retour en un instant et se rassit.

— Elle m'a dit qu'elle descendrait peut-être plus tard.

Cette nouvelle provoqua un semblant de panique. Malgré les efforts déployés par Andrew pour sa grand-mère, tous avaient tendance à voir en Julia une espèce de vieille sorcière, objet de leurs moqueries. La bande de Saint-Joseph ne pouvait pas savoir à quel point Julia s'était battue pendant une semaine ou deux avec la maladie de Sylvia, à rester auprès d'elle, à la laver, à lui faire prendre des bouchées de ceci ou des gorgées de cela. Julia avait à peine fermé l'œil. Et voilà sa récompense : Sylvia reprenait sa cuillère, en regardant Andrew soulever la sienne, comme si elle avait oublié comment on s'en servait.

Ce moment difficile une fois passé, les jeunes comblèrent leur appétit d'adolescents, et Frances mangea plus que d'habitude, pour montrer l'exemple à ses deux voisins de gauche. C'était une soirée merveilleuse, aux tendres résonances, à cause de Sylvia et du souci qu'ils se faisaient tous pour elle. C'était comme s'ils la tenaient collectivement dans leurs bras pendant qu'elle déglutissait une bouchée derrière l'autre. Andrew compris.

Et puis ils la virent blêmir et se mettre à trembler.

— Mon père..., chuchota-t-elle. Je veux dire, mon beau-père...

— Ah, non ! s'exclama Colin. Tout va bien, il est allé à Cuba.

— J'ai bien peur que non, répliqua Andrew, se levant d'un bond pour intercepter Johnny, qui se trouvait déjà dans le couloir de la cuisine.

Andrew ferma la porte, mais tout le monde entendit la voix brusque, assurée, raisonnable de Johnny, puis son fils :

— Non, papa, non, tu ne peux pas entrer, je t'expliquerai plus tard.

Éclats de voix, suivis de chuchotements. Andrew réapparut, laissant la porte ouverte, et revint se glisser aux côtés de Sylvia. Rouge de colère, il étreignit sa fourchette comme une arme.

— Mais pourquoi n'est-il pas à Cuba ? s'écria Colin avec rage, comme un enfant.

Les frères se regardèrent, soudain unis, échangeant de tacites connivences.

— Il n'est pas parti, expliqua Andrew, mais j'espère que c'est pour bientôt. (Il ajouta, encore furieux :) En fait, je crois qu'il va à Zanzibar... ou au Kenya. (Un silence, pendant lequel les frères communièrent, avec leurs yeux et leurs sourires forcés.) Il n'est pas seul, il a amené un Noir... un gars de là-bas, un camarade africain.

Cette adaptation à l'air du temps fut attentivement suivie par l'assemblée. Ils avaient pris l'Afrique à cœur, les établissements alternatifs y avaient veillé, et même Rose qui était bien loin de l'éducation alternative, choisit ses mots avec soin :

— Nous devons être gentils avec les personnes de couleur, c'est mon opinion.

Alors James, qui était perdu, et cela se comprenait, demanda :

— Mais pourquoi va-t-il en Afrique plutôt qu'à Cuba ?

Sa question provoqua l'hilarité des deux frères, et ce n'était pas gentil, tandis que Frances se retenait de les imiter, même si elle en mourait d'envie. Elle s'était toujours efforcée de ne pas critiquer Johnny en public.

À la manière d'un orateur, Colin répondit :

— Maintenons le suspense !

Frances, entendant son commentaire, fut obligée de rire.

— Voilà, renchérit Andrew. Maintenons le suspense.

— Pourquoi riez-vous ? s'enquit Sylvia. Qu'y a-t-il de si drôle ?

Andrew arrêta net son persiflage et reprit sa cuillère. Mais c'était fini. Leur repas, le sien et celui de Sylvia.

— Johnny arrive, lui dit-il. Il prend juste quelque chose dans la voiture. Si tu veux l'éviter...

— Oh, oui ! je préfère, oui, s'il te plaît, répondit la belle-fille de Johnny, qui se leva, soutenue par le bras d'Andrew.

Tous les deux sortirent de la cuisine. Au moins, ils avaient avalé quelque chose.

Frances cria dans leur dos :

— Dites à Julia de ne pas descendre, sinon ils vont encore se disputer...

Le repas se poursuivit, en sourdine.

La bande de Saint-Joseph parlait d'un livre que Daniel avait volé chez un bouquiniste, *Richard Feverel*[1]. Il l'avait dévoré, soutenait que c'était terrible et que le père tyrannique était le portrait craché du sien. Il l'avait conseillé à Geoffrey, qui lui fit le plaisir de confirmer que c'était une excellente lecture. Ensuite, le roman avait émigré du côté de Sophie, qui déclara que c'était le meilleur bouquin qu'elle eût jamais eu entre les mains et qu'elle en avait pleuré. En ce moment, c'était Colin qui le lisait.

— Pourquoi je ne peux pas le lire, moi ? pesta Rose. Ce n'est pas juste.

— Ce n'est pas l'unique exemplaire au monde, protesta Colin.

— J'en ai un exemplaire, intervint Frances. Je te le prêterai.

— Oh, Frances, merci ! Tu es si gentille pour moi...

Ce qui signifiait, comme tout le monde le savait : J'espère que tu continueras à être gentille pour moi.

— Je vais aller te le chercher, proposa Frances, saisissant ce prétexte pour quitter cet endroit qui n'allait pas tarder à tanguer sous l'effet de courants contraires.

Tout s'était pourtant si bien passé jusque-là... Elle monta dans la pièce juste au-dessus de la cuisine, le salon, trouva *Richard Feverel* dans un mur entier de livres, se retourna et aperçut Julia assise là, toute seule dans la pénombre. Depuis qu'elle s'était installée dans le bas de la maison, Frances n'avait jamais croisé Julia en ce lieu. Maintenant, l'idéal serait qu'elle prît le

1. George Meredith, Éditions Gallimard, Paris, 1938.

temps de s'asseoir pour se réconcilier avec sa belle-mère, mais elle était pressée, comme toujours.

— J'allais descendre vous retrouver, dit Julia, mais j'apprends que Johnny vient d'arriver.

— Je ne vois pas comment je pourrais l'empêcher de passer, se défendit Frances, qui tendait l'oreille pour savoir ce qui se passait en bas, dans la cuisine. Est-ce que tout allait bien ? pas de disputes ? En haut... Sylvia était-elle à l'abri ?

— Il a un chez-lui, rétorqua Julia. Mais il n'y est pas souvent, me semble-t-il.

— Voyons, ironisa Frances. Si Phyllida y est, qui peut le lui reprocher ?

Elle avait espéré que sa réflexion aurait au moins arraché un sourire à Julia, au lieu de quoi celle-ci reprit :

— Je dois dire que c'est... – et Frances s'attendit à recevoir sa dose de reproches. Vous êtes si faible avec Johnny. Il vous a traitée de manière abominable...

Alors, pourquoi lui donner la clé de la maison ? songea Frances, même si elle savait qu'une mère pouvait difficilement dénier à son fils le droit d'avoir la clé d'une maison qu'il considérait comme la sienne. D'ailleurs, il y avait aussi les garçons.

— Peut-être pourrions-nous changer les serrures ? lança-t-elle pour plaisanter.

Mais Julia la prit au sérieux.

— Je n'y manquerais pas si je ne pensais pas que vous lui donneriez immédiatement une nouvelle clé.

Julia se leva et Frances, qui avait eu le projet de s'asseoir, vit une autre occasion de s'éloigner.

— Julia, articula Frances, vous me critiquez toujours, vous ne me soutenez pas.

Et qu'entendait-elle par là, sinon que, face à Julia, elle se sentait une écolière faible en tout ?

— Qu'est-ce que vous dites ? s'exclama Julia. Je ne comprends pas.

Elle était vexée. Et blessée.

— Je ne veux pas dire... vous avez été si bonne... vous êtes toujours si généreuse... Non, tout ce que j'ai voulu dire, c'était...

— Je ne crois pas avoir failli à mes responsabilités envers les miens, riposta Julia.

Incrédule, Frances avait cru percevoir des larmes dans la voix de sa belle-mère. Elle avait blessé Julia, et c'était cette possibilité objective qui la fit balbutier :

— Julia... mais Julia... vous vous trompez. Je ne voulais pas... (Et puis :) Oh, Julia ! – d'un ton différent, qui poussa Julia à s'arrêter sur le chemin de la sortie pour la dévisager, comme si elle était prête à être touchée, atteinte.

Prête même à tendre elle-même la main.

Mais une porte claqua en bas, et Frances s'exclama de désespoir :

— Le voilà, c'est Johnny !

— Oui, c'est bien le camarade Johnny, acquiesça Julia, se réfugiant à l'étage.

Frances redescendit à la cuisine et trouva Johnny à son poste habituel, tournant le dos à la fenêtre. Avec lui se trouvait un beau garçon noir, d'une élégance tapageuse. Il sourit, au moment où Johnny le présentait :

— Voici le camarade Mo, d'Afrique orientale.

Frances s'assit à table, poussant le roman vers Rose, de l'autre côté de la table, mais cette dernière bavait d'admiration devant le camarade Mo et Johnny, lequel reprit son discours sur l'histoire de l'Afrique orientale et des Arabes, destiné à impressionner son compagnon.

Frances était maintenant confrontée à un dilemme. Elle ne voulait pas proposer à Johnny de s'asseoir. Elle lui avait demandé – même si Julia ne la croirait jamais – de ne pas passer à l'heure des repas et de téléphoner avant de venir. Mais il y avait cet invité et, bien sûr, elle devait...

— Vous voulez manger quelque chose ? s'enquit-elle.

Le camarade Mo se frotta les mains, éclata de rire et avoua qu'il mourait de faim. Sur-le-champ, il s'installa sur la chaise voisine de la sienne. Johnny, invité à prendre place, répondit qu'il se contenterait d'un verre de vin. Il avait apporté une bouteille. Là où, quelques instants plus tôt, étaient encore assis Andrew et Sylvia, siégeaient désormais les camarades Mo et Johnny. Les deux hommes empilèrent dans leurs assiettes tout ce qui restait du hachis et des petits légumes.

Frances était fâchée au point d'en être déprimée. De toute façon, à quoi bon être fâchée contre Johnny ? Il n'avait pas mangé depuis plusieurs jours, c'était évident : il se bourrait de pain, avalait de grandes lampées de vin, remplissait encore son verre et celui du camarade Mo entre deux bouchées. Les jeunes voyaient des appétits encore plus aiguisés que les leurs.

— Je vais servir le pudding, annonça Frances, la voix blanche de colère.

Sur la table apparurent alors des assiettes de délices poisseux achetés dans les boutiques chypriotes, des préparations à base de miel, d'amandes et de fine pâte feuilletée, des coupes de fruits et son fameux pudding au chocolat, prévu spécialement pour « les gamins ».

Après avoir regardé fixement son père, puis sa mère – Pourquoi lui as-tu permis de s'installer ? Pourquoi le lui permets-tu... ? –, Colin se leva de table, reculant sa chaise avec un raclement avant de la repousser brutalement contre le mur. Il sortit de la cuisine.

— J'ai l'impression d'être comme chez moi, commenta le camarade Mo, attaquant le pudding au chocolat. Mais je ne connais pas ce gâteau. C'est comme certaines pâtisseries que nous devons à la cuisine arabe ?

— Chypriote, corrigea Johnny. Très certainement influencée par l'Orient...

Et de se lancer dans une tirade sur les gastronomies méditerranéennes.

Ils l'écoutaient tous, fascinés : nul ne pouvait dire que Johnny était insipide quand il ne parlait pas politique, mais c'était trop beau pour durer. Peu après, il revenait à l'assassinat de Kennedy et au rôle probable de la CIA et du FBI. De là, il passa au projet américain de s'implanter en Afrique et, en guise de preuve, leur raconta que le camarade Mo s'était vu proposer d'énormes sommes d'argent par la CIA. Toutes dents et gencives dehors, le camarade Mo confirma ses dires avec fierté. Un agent de la CIA de Nairobi l'avait approché en offrant de financer son parti, en échange de renseignements. « Et comment saviez-vous qu'il était de la CIA ? » voulut savoir James. Le camarade Mo répondit que « tout le monde savait » que la CIA rôdait en Afrique, tel un lion à la recherche d'une proie. L'air ravi, il éclata de rire, regardant autour de lui pour quêter l'approbation des autres.

— Vous devriez tous nous rendre visite ! Venez voir par vous-mêmes et prendre du bon temps, conclut-il, ayant à peine idée qu'il décrivait un avenir radieux. Johnny, lui, m'a promis de faire le voyage.

— Oh ! moi qui croyais qu'il devait partir maintenant... tout de suite ! s'exclama James.

À ce moment-là, le camarade Mo roula des yeux interrogateurs en direction de Johnny

— Le camarade Johnny est toujours le bienvenu, déclara-t-il.

— Alors, tu n'as pas dit à Andrew que tu partais pour l'Afrique ? insista Frances, pour tirer de lui la réponse habituelle « Maintenons le suspense. »

Et, avec le sourire, Johnny cita son aphorisme préféré :

— Toujours les maintenir dans le suspense.

— Qui ? voulut savoir Rose.

— Rose ! la CIA, évidemment, répondit Frances.

— Ah, oui ! la CIA, bien sûr, renchérit James.

Il absorbait des informations, comme l'y poussaient sa nature et sa pensée.

— Les maintenir dans le suspense, répéta Johnny. (Et de son air le plus sévère à son fidèle disciple :) En politique, la main gauche doit ignorer ce que fait la main droite.

— Ou peut-être aussi ce que fait la main gauche, ironisa Frances.

Ignorant son ex-femme :

— Il faut toujours brouiller les pistes, camarade James. On ne doit pas faciliter les choses à l'ennemi.

— Je devrais peut-être te suivre à Cuba, suggéra Mo. Le camarade Fidel encourage les liens avec les pays africains libérés.

— Et même non libérés, ajouta Johnny, les initiant aux secrets de la politique.

— Dans quel but allez-vous à Cuba ? demanda Daniel, réellement curieux de le savoir, défiant Johnny avec ses cheveux roux ardent, ses taches de son et un regard toujours tendu par sa conscience de n'être pas digne de lécher les bottes de Geoffrey, par exemple. Ou de Johnny.

— On ne doit pas poser ce genre de question, le rabroua James, quêtant l'approbation de Johnny.

— Exactement, acquiesça Johnny.

Il sortit de table et reprit sa place de tribun, le dos à la fenêtre, sûr de lui, mais en éveil.

— Je voudrais voir un pays qui n'a connu que l'esclavage et l'asservissement construire la liberté, bâtir une nouvelle société. Fidel a déjà accompli des miracles en cinq ans, mais les cinq prochaines années apporteront un véritable changement. Je suis impatient d'emmener Andrew et Colin, d'emmener mes fils voir par eux-mêmes... Où sont-ils passés, à propos ?

Car il n'avait même pas remarqué leur absence jusque-là.

— Andrew est avec Sylvia, répondit Frances. C'est ainsi qu'il faudra l'appeler dorénavant.

— Pourquoi ? Elle a changé de nom ?

— Mais c'est son vrai nom ! s'écria Rose, renfrognée.

Elle répétait à l'envi qu'elle détestait le sien et aurait voulu s'appeler Marilyn.

— Je l'ai toujours connue sous le nom de Tilly, avoua Johnny d'un air ahuri qui rappela fugitivement Andrew. Bon, alors, où est Colin ?

— En train de faire ses devoirs, lança Frances.

Un alibi vraisemblable, même si Johnny ne devait jamais rien en savoir. Mais il ne tenait pas en place. Ses fils étaient son public préféré, et il ne se doutait pas à quel point celui-ci était critique.

— Et on peut aller à Cuba comme ça, en touriste ? s'enquit James, désapprouvant visiblement les touristes et leur superficialité.

— Il n'y va pas en touriste, intervint le camarade Mo qui, ne se sentant pas à sa place à table, pendant que son compagnon d'armes affrontait les autres debout, se leva à son tour et rejoignit nonchalamment Johnny. Fidel l'a invité.

C'était une première pour Frances.

— Et il vous a invitée aussi, ajouta le camarade Mo.

Johnny était contrarié, c'était clair ; il eût préféré que cela ne se sache pas.

— Un ami de Fidel se trouve au Kenya pour les commémorations de l'indépendance, insista le camarade Mo, et c'est lui qui m'a dit que Fidel voulait inviter Johnny et sa femme.

— Il devait parler de Phyllida.

— Non, c'était de vous. Il a parlé du camarade Johnny et de la camarade Frances.

Johnny était furieux.

— À l'évidence, le camarade Fidel ignore l'indifférence de Frances aux affaires du monde...

— Non, objecta le camarade Mo, sans remarquer, apparemment, que Johnny était à deux doigts d'exploser à ses côtés. Il a dit avoir appris que c'était une célèbre comédienne et qu'elle était la bienvenue pour créer un groupe théâtral à La Havane. Et j'ajouterai notre invitation à la sienne. Vous pourriez créer un théâtre révolutionnaire à Nairobi.

— Oh, Frances ! souffla Sophie, joignant les mains, les yeux fondant de plaisir. C'est magnifique, absolument magnifique !

— La spécialité de Frances, c'est plutôt le courrier du cœur, persifla Johnny. (Mettant fermement un terme à ces absurdités, il éleva la voix pour s'adresser aux jeunes :) Votre génération a de la chance, leur dit-il. Vous allez bâtir un monde nouveau, jeunes camarades. Vous avez la capacité de démasquer toutes les vieilles impostures, les mensonges, les illusions. Vous pouvez anéantir le passé, en faire table rase pour reconstruire sur de nouvelles bases... Ce pays a deux visages. D'un côté, il est riche, avec des infrastructures solides et bien assises, mais, de l'autre, il déborde d'attitudes dépassées et déshumanisantes. Voilà le problème. Votre problème. J'aperçois déjà la Grande-Bretagne du futur, libre, riche, la pauvreté éradiquée, l'injustice plus qu'un souvenir du passé...

Il continua un moment dans cette veine, martelant ses exhortations qui sonnaient comme des promesses. C'est à VOUS de transformer le monde... C'est sur les épaules de VOTRE génération que retombe la responsabilité... L'avenir est entre VOS mains... VOUS vivrez assez longtemps pour voir l'avènement d'un monde meilleur, radieux, en sachant que c'est le produit de

VOS efforts... C'est formidable d'avoir VOTRE âge aujourd'hui, VOUS avez tout dans les mains...

Les minois et les yeux juvéniles brillaient, en adoration devant lui et ce qu'il leur disait. Dans son élément, Johnny s'imprégnait de leur admiration. Il avait la posture de Lénine, une main tendue en avant vers l'avenir, tandis qu'il pressait l'autre sur son cœur.

— C'est un grand homme, conclut-il d'une voix douce et révérencieuse, en les fixant sévèrement. Fidel est un authentique grand homme. Il nous montre la voie du futur.

Un des minois n'était pas exactement aligné sur celui de Johnny : James, qui admirait Johnny autant que ce dernier pouvait le souhaiter, était saisi par un besoin de savoir.

— Mais, camarade Johnny...,. tenta-t-il, levant la main comme en classe.

— Eh bien, bonsoir la compagnie, conclut Johnny. J'ai une réunion. Et le camarade Mo ci-présent aussi.

Son signe de tête peu souriant bien qu'amical excluait son ex-femme, à qui il décocha un regard glacé. Il partit, suivi du camarade Mo, qui lança à Frances :

— Merci, camarade. Vous m'avez sauvé la vie. J'étais affamé. Et maintenant on dirait que j'ai une réunion.

Assis en silence, ils écoutèrent la Beetle de Johnny démarrer et s'éloigner.

— Vous pourriez peut-être vous mettre tous à la vaisselle, suggéra Frances. J'ai du travail. Bonne nuit.

Elle prit son temps pour voir qui répondrait à son appel. Geoffrey, bien sûr, le gentil petit garçon. Jill, qui était manifestement amoureuse du beau Geoffrey. Daniel, parce qu'il était lui aussi amoureux de Geoffrey, mais probablement sans le savoir. Lucy... enfin, tous, vraiment. Et Rose ?

Rose était toujours sur sa chaise. Si les autres croyaient qu'ils allaient se servir d'elle !

Le jour de Noël, cette fête réfractaire, fit sentir son influence consternante dès le soir du 12 décembre quand, à sa vive surprise, Frances s'aperçut qu'elle buvait à l'indépendance du Kenya. James leva son verre, rempli à ras bords de rioja, et s'écria :

— À Kenyatta [1], au Kenya, à la liberté !

Comme toujours, sous sa crinière de cheveux noirs, sa bouille chaleureuse et amicale, bien qu'officielle, émettait des signaux de réserves illimitées de largeur de vue. Regards exaltés, visages fervents : les récentes harangues de Johnny vibraient encore en eux.

Un énorme repas avait été englouti, dont une parcelle par Sylvia, assise comme d'habitude à la gauche de Frances. Au fond de son verre, une tache de rouge. Andrew lui avait conseillé de boire un peu de vin, c'était bon pour elle, et Julia avait soutenu son petit-fils. La fumée de cigarettes était encore plus opaque qu'à l'accoutumée ; ce soir-là, il semblait que tout le monde fumait en l'honneur de la libération du Kenya. Mais pas Colin, qui agita les bras pour chasser les volutes bleuâtres au moment où celles-ci gagnaient sa figure.

— Vous n'aurez plus de poumons, prédit-il.

— Allez, ce n'est qu'un soir, protesta Andrew.

— Je vais à Nairobi pour Noël, annonça James en regardant autour de lui, fier mais mal à l'aise.

— Oh ! tes parents y vont aussi ? s'enquit Frances sans réfléchir.

Un silence lourd de reproche accueillit sa question.

1. Kamau Johnston, dit aussi Jomo, homme politique du Kenya (Nairobi, 1893 - Monbasa, 1978). Secrétaire général du parti nationaliste du Kenya, il participa aux combats pour l'indépendance de son pays, proclamée en 1963, et devint Premier ministre en 1963. Il fut président de la République de 1964 à sa mort.

— Elle est bien bonne ! ricana Rose, qui écrasa sa cigarette pour en allumer rageusement une autre.

James la rembarra :

— Mon père s'est battu au Kenya. Il était dans l'armée. Il dit que c'est un beau pays.

— Oh ! Alors tes parents vivent là-bas ? Ou projettent de s'y installer ? Tu vas les voir ?

— Non, ils ne vivent pas là-bas, grinça Rose. Son père est inspecteur des impôts à Leeds.

— Et alors, c'est un crime ? demanda Geoffrey.

— Ce sont de tels croulants, rétorqua Rose. Vous ne le croiriez pas.

— Ils ne sont pas si méchants, protesta James, à qui le tour de la conversation ne plaisait guère. Mais nous devons montrer de l'indulgence envers les gens qui n'ont pas encore de conscience politique.

— Oh ! alors tu vas donner une conscience politique à tes parents ! s'exclama Rose. Laisse-moi rire.

— Je n'ai pas dit ça, répliqua James, qui se détourna de sa cousine pour affronter Frances. J'ai vu des photos de Nairobi prises par papa. C'est terrible ! C'est pour ça que j'y vais.

Frances comprit qu'il n'était pas nécessaire d'exprimer des considérations aussi vulgaires que : T'es-tu procuré un passeport ? Un visa ? Avec quoi vas-tu payer ton voyage ? Et tu n'as que dix-sept ans...

James se laissait bercer dans les bras d'un rêve d'adolescent qui ne s'appuyait pas sur de vulgaires réalités. Comme par magie, il allait se retrouver dans la grande rue de Nairobi... Là, il tomberait sur le camarade Mo... serait membre d'une cellule de camarades affectueux, où il deviendrait rapidement un dirigeant, auteur de discours fougueux. Et puis, comme il avait dix-sept ans, il y aurait une fille aussi. Comment voyait-il cette fille ? Noire ou blanche ? Il n'en avait aucune idée. James continua à pérorer sur les souvenirs paternels du Kenya. La dure réalité de la guerre avait été gommée, et tout ce qu'il restait, c'étaient les ciels bleu vif, les grands espaces et un brave garçon (corrigé en « brave type ») qui avait sauvé la vie de son père. Un Noir. Un Askari[1], qui avait risqué la mort pour le soldat britannique.

Quel avait été le rêve équivalent de Frances, non pas à seize ans, elle était alors une lycéenne studieuse, mais à dix-neuf ? Oui, elle était à peu près certaine d'avoir eu le fantasme d'être infirmière, à cause de l'implication de Johnny dans la guerre civile espagnole. Où ? dans un paysage rocheux, où il y avait du vin et des olives. Mais où ? Les rêves d'adolescent ne s'embarrassent pas de repères géographiques.

— Tu ne peux pas aller au Kenya, revint à la charge Rose. Tes parents t'en empêcheront.

Redescendu sur terre, James tendit le bras pour saisir son verre, qu'il vida.

— Puisque le sujet est sur le tapis, enchaîna Frances, je voudrais vous parler de Noël.

Entourée de visages d'ores et déjà empreints d'appréhension, Frances se sentit dans l'incapacité de poursuivre. Ils savaient ce qu'ils allaient entendre parce qu'Andrew les avait déjà prévenus.

— Vous voyez, expliqua ce dernier, on ne fêtera pas Noël ici cette année. Moi, je vais chez Phyllida pour le déjeuner de Noël. Elle m'a téléphoné pour me dire qu'elle n'avait pas de nouvelle de mon... de Johnny, et m'a confié avoir horreur des fêtes de fin d'année.

— Qui n'en a pas horreur ? intervint Colin.

— Oh, Colin ! protesta Sophie. Ne sois pas comme ça...

Colin reprit sans regarder personne :

— Je vais chez Sophie, à cause de sa mère. Elle ne peut quand même pas rester seule le jour de Noël.

1. En swahili, langue officielle du Kenya (et de la Tanzanie), « garde ».

— Mais je croyais que tu étais juive, lança Rose à Sophie.

— Nous avons toujours fêté Noël, murmura Sophie. Du vivant de papa...

Elle se tut, en se mordillant les lèvres, et ses yeux se remplirent de larmes.

— Et Sylvia accompagne Julia chez une de ses amies, ajouta Andrew.

— Quant à moi, dit Frances, j'ai bien l'intention d'ignorer complètement Noël.

— Mais Frances, implora Sophie, c'est affreux, tu ne peux pas...

— Ce n'est pas affreux, c'est formidable, la coupa Frances. Tiens, Geoffrey, ne crois-tu pas que tu devrais rentrer chez toi pour Noël ? Tu devrais vraiment, tu sais...

Le visage poli de Geoffrey, toujours attentif à ce que l'on pouvait attendre de lui, exprima son accord par un sourire.

— Oui, Frances, je sais. Tu as raison, je vais rentrer chez moi. Et puis ma grand-mère est mourante, ajouta-t-il du même ton.

— Alors, moi aussi je vais rentrer à la maison, dit Daniel. (Sa tignasse rousse flamboyait, et sa figure devint encore plus cramoisie tandis qu'il murmurait :) Je passerai te voir à ce moment-là.

— Comme tu veux, répliqua Geoffrey, révélant par ces mots peu amènes qu'il espérait peut-être passer les vacances sans Daniel.

— James, reprit Frances, je t'en prie, retourne chez tes parents.

— Tu me mets à la porte ? lança ce dernier avec bonne humeur. Je ne t'en veux pas. J'ai abusé de ton hospitalité ?

— Pour le moment, oui, répondit Frances, qui était par nature incapable d'interdire définitivement sa porte à quiconque. Mais tes études, James ? Tu ne vas pas terminer tes études ?

— Bien sûr que si, la rassura Andrew, indiquant ainsi qu'il avait dû y avoir une explication. (Le fait qu'il fût leur aîné de quatre ans lui en donnait le droit.) C'est grotesque, James, poursuivit-il, s'adressant directement à lui. Il te reste un an pour présenter le bac. Ça ne te tuera pas.

— Tu ne connais pas mon lycée, objecta James, mais le désespoir entrait désormais dans l'équation. Si tu le connaissais...

— Tout le monde peut patienter un an, déclara Andrew. Ou même trois ou quatre, murmura-t-il, jetant un coup d'œil coupable à sa mère.

Il apportait des révélations.

— O.K., céda James. Je patienterai. Mais... – et il regarda alors Frances – sans la liberté qui règne dans la maison de Frances, je ne pense pas que j'aurais pu survivre...

— Tu peux passer, suggéra Frances. Il y a toujours les week-ends.

Il ne restait plus que Rose et l'énigmatique Jill, la petite blonde toujours impeccable, bien coiffée, bien élevée, qui n'ouvrait presque jamais la bouche mais écoutait les autres. Comme elle savait bien écouter...

— Je ne rentre pas à la maison, déclara Rose. Je n'irai pas.

— Tu te rends compte que tes parents pourraient m'attaquer en justice pour leur avoir aliéné ton affection ? s'emporta Frances. Enfin, ce genre de truc...

— Ils se fichent de moi, affirma-t-elle. Ils s'en foutent !

— Ce n'est pas vrai, insista Andrew. Tu ne les aimes peut-être pas, mais ils s'inquiètent certainement pour toi. Ils m'ont écrit. Ils ont l'air de penser que j'ai une bonne influence sur toi.

— C'est de la blague, riposta Rose.

Les arrière-plans de cette petite escarmouche n'échappaient pas aux autres, témoin les regards qu'ils échangeaient.

— J'ai dit que je n'irai pas, répéta Rose.

Elle leur jetait des coup d'œil affolés à tous : ils étaient peut-être ses ennemis.

— Écoute, Rose, reprit Frances, avec l'intention de ne pas laisser percer dans sa voix l'aversion que lui inspirait la jeune fille. Le Paradis de la liberté ferme à Noël.

Elle n'avait pas précisé pour combien de temps.

— Je peux rester dans l'appartement au sous-sol, non ? Je ne gênerai personne...

— Et comment vas-tu... ? – mais Frances s'interrompit.

Andrew touchait une rente de sa grand-mère et il avait donné de l'argent à Rose. « Elle pourrait m'accuser de l'avoir maltraitée, avait-il expliqué. Enfin, elle se plaint quand même, elle raconte à tout le monde que je lui ai menti ! Comme dans l'histoire du châtelain et de la gardienne de vaches. Le problème, c'est qu'elle était folle de moi, mais je ne l'étais pas d'elle. » Frances avait pensé : Ou folle du séduisant élève d'Eton et de ses relations ?

— Je crois que son arrivée dans cette maison est la cause de tout, avait conclu Andrew. Ça a été une telle révélation pour elle ! C'est un univers assez limité... mais ses parents sont très gentils...

— Et tu vas – vous allez, toi et Julia, la garder indéfiniment ?

— Non, répondit Andrew. J'ai dit « Assez ! » Après tout, elle a su très bien profiter d'un baiser ou deux au clair de lune...

Mais ils se trouvaient désormais confrontés à une invitée qui refusait de partir !

Rose donnait l'impression d'être menacée de prison ou de torture. Un animal enfermé dans une cage trop petite aurait peut-être eu cet air-là, aurait jeté des regards furieux à la ronde comme elle.

Tout cela était démesuré, ridicule... Frances enfonça le clou, même si la violence de la jeune fille lui donnait des battements de cœur :

— Rose, rentre chez toi juste pour Noël, c'est tout. Fais-le. Tes parents doivent être fous d'inquiétude. Et puis il faut que tu leur parles de ta scolarité...

À ces derniers mots, Rose explosa et bondit hors de sa chaise en disant :

— Oh, merde ! Il ne manquait plus que ça...

Et de se ruer hors de la pièce en braillant, dans une volée de larmes. Ils l'écoutèrent descendre lourdement l'escalier menant au sous-sol.

— Eh bien, commenta élégamment James, quelle histoire !

— Mais son lycée doit être épouvantable pour qu'elle le déteste autant, remarqua Sylvia.

Elle-même avait accepté de reprendre les cours pendant qu'elle habitait ici, « chez Julia », comme elle disait. Et c'était une promesse : elle s'accrocherait et suivrait des études de médecine.

Ce qui dévorait Rose, ce qui la rongeait avec l'acidité de l'envie, c'était que Sylvia – « Et elle n'est même pas de la famille, c'est juste la belle-fille de Johnny ! » – avait le droit d'habiter cette maison et que Julia payait son entretien. Rose, semblait-il, croyait qu'en toute justice Julia devait payer son inscription dans un établissement alternatif et la garder ici autant de temps que cela lui chantait.

— Tu penses que ma grand-mère est richissime ? lui avait objecté Colin. C'est beaucoup pour elle de prendre en charge Sylvia. Elle paie déjà pour Andrew et moi.

— Ce n'est pas juste, avait été la réponse de Rose. Je ne vois pas pourquoi cette fille devrait avoir tout.

Ne restait plus que Jill, qui n'avait pas dit un mot. Se sentant le point de mire de tous, elle murmura :

— Je ne rentre pas chez moi, mais je vais aller chez ma cousine, à Exeter, pour Noël.

Le lendemain matin, Frances trouva Jill à la cuisine. Elle avait mis la bouilloire sur le feu pour le thé. Étant donné que la cuisine du sous-sol ne manquait de rien, cela voulait peut-être dire que Jill cherchait l'occasion de discuter.

— Asseyons-nous pour prendre le thé, proposa Frances, qui joignit le geste à la parole.

Jill s'attabla tout au bout. À l'évidence, cela ne ressemblerait en rien à une confrontation avec Rose. La jeune fille observait Frances sans hostilité, mais elle était triste, grave même, et serrait ses bras autour d'elle, comme si elle était glacée.

— Jill, commença Frances, tu te rends bien compte que tu me mets en porte à faux avec tes parents.

— Oh ! souffla la jeune fille. Moi qui croyais que vous alliez dire que vous ne voyez aucune raison de me garder... D'accord. Mais...

— Je n'allais pas dire ça. Mais, vraiment, tu ne vois pas que tes parents doivent être aux cent coups ?

— Je ne leur ai pas caché où j'étais. J'ai dit que j'étais ici.

— Tu songes à quitter le lycée ?

— Je ne vois pas l'utilité d'y aller.

Elle ne travaillait pas bien en classe, mais, à Saint-Joseph, ce n'était pas un argument rédhibitoire.

— Et tu ne vois pas non plus que je m'inquiète pour toi ?

À ces mots, la jeune fille parut s'animer, abandonner sa réserve craintive, et se pencha en avant :

— Oh, Frances, non ! s'écria-t-elle. Tu ne dois pas. C'est si bien ici. Je me sens en sécurité.

— Et tu ne te sens pas en sécurité chez toi ?

— Ce n'est pas ça. C'est que... ils ne m'aiment pas.

Et elle rentra dans sa coquille, se pelotonnant en boule et se frictionnant les bras comme si elle avait vraiment froid.

Frances remarqua que, ce matin-là, Jill avait souligné ses yeux de deux grands traits noirs. Une nouveauté, chez cette petite jeune fille B.C.B.G. Et puis elle portait une des minirobes de Rose.

Frances aurait aimé prendre cette petite dans ses bras pour la serrer contre elle. Elle n'avait jamais eu ce genre d'impulsion avec Rose : elle aurait voulu que Rose décampe tout simplement ! Donc elle aimait bien Jill, mais pas Rose. Et alors, où était la différence, puisqu'elle les traitait exactement de la même façon ?

Frances était assise seule à la cuisine, et la table qu'elle avait récurée et cirée brillait comme un miroir. En réalité, songea-t-elle, c'était une très belle table, maintenant qu'on la voyait bien. Pas une assiette ni une tasse. Personne. C'était le jour de Noël et elle avait crié au revoir d'abord à Colin et à Sophie, tous deux habillés pour le déjeuner de Noël, même Colin qui n'était pas coquet. Puis ç'avait été le tour de Julia, dans un ensemble de velours gris, accessoirisé d'une sorte de cloche, avec une rose dessus et une voilette bleutée. Sylvia portait une robe que lui avait achetée Julia. Frances était contente que les adeptes des jeans et des tee-shirts ne l'aient pas vue : elle n'avait aucune envie qu'ils se moquent de Sylvia, qui aurait très bien pu aller à la messe cinquante ans plus tôt avec ses smocks bleus. Mais elle avait refusé de mettre un chapeau. Ensuite, Andrew partit consoler Phyllida. Il avait passé la tête à la porte pour dire à sa mère :

— Nous t'envions tous, Frances. Enfin, tous sauf Julia, elle est contrariée que tu restes seule. Et tu peux t'attendre à un petit cadeau. Elle n'a pas osé t'en parler.

Frances était seule. Dans tout le pays, des femmes étaient aux fourneaux, arrosaient de sauce plusieurs millions de dindes, pendant que les puddings de Noël cuisaient à l'étuvée. Les choux de Bruxelles exhalaient leurs vapeurs sulfuriques. Des lits de pommes de terre étaient écrasés sous les volailles. La mauvaise humeur régnait, mais, elle, Frances, trônait comme une reine, seule. Il n'y a que ceux qui ont connu la pression d'adolescents excessifs ou de « handicapés » affectifs qui mangent, exigent et vous sucent le lait, pour savoir apprécier la pure jouissance d'être libre, ne fût-ce qu'une heure. Frances se sentait le corps léger, elle était comme un ballon, prête à s'envoler dans les airs. Et l'on n'entendait pas un bruit. Dans d'autres maisons, les chants de Noël exultaient ou résonnaient lourdement, mais ici, dans cette demeure, pas de télévision, pas même une radio... Mais attendez, y avait-il quelque chose au sous-sol ? Cette Rose de malheur était-elle en bas ? Mais elle avait dit qu'elle accompagnait Jill chez ses cousins. La musique devait venir de chez les voisins.

Donc dans l'ensemble silence. Elle inspira, puis expira. Oh, bonheur ! Elle avait à ne s'inquiéter absolument de rien, à ne penser même à rien pendant plusieurs heures. La sonnette retentit. Après un juron, elle alla ouvrir à un jeune homme souriant, en uniforme rouge, à cause de Noël, qui lui tendit, avec une courbette, un plateau enveloppé de mousseline blanche, entortillée au centre et maintenue par une rosette, également rouge.

— Joyeux Noël et bon appétit ! dit-il, avant de repartir en sifflant *Good King Wenceslas*[1].

Frances posa le plateau au milieu de la table. Un carton y était joint, annonçant que le colis venait d'un restaurant élégant, du genre cossu, et une fois la

1. Chant de Noël vieux de 130 ans, dont le héros est le duc de Bohême, assassiné par son frère cadet.

mousseline ouverte, un petit festin apparut, avec une nouvelle carte : « Meilleurs vœux de Julia. » Meilleurs vœux. C'était la faute de Frances si Julia ne pouvait pas écrire « Affectueusement », mais quelle importance ! Elle n'allait pas se mettre martel en tête en ce jour.

Tout était si ravissant qu'elle n'avait pas envie d'y toucher.

Un bol en porcelaine blanche contenait un potage vert frappé, saupoudré de copeaux de glace, dont un doigt sondeur lui apprit que c'était un velouté, mélange d'onctuosité et d'acidité. Qu'est-ce que c'était ? De l'oseille ? Sur une assiette bleue, décorée de serpentins de laitue verte en guise d'algues, des coquilles Saint-Jacques, avec, à l'intérieur, les fameux mollusques finement émincés et garnis de petits champignons. Deux cailles étaient couchées côte à côte sur un lit de céleri sauté. À côté, un carton conseillait : « Réchauffer dix minutes, S.V.P. » Un petit pudding de Noël au chocolat était orné de houx. Il y avait une coupe de fruits auxquels Frances n'avait jamais goûté et qu'elle ne connaissait que de nom : groseilles du Cap, lychees, fruits de la passion, goyaves. Il y avait même une portion de Stilton. Des bouteilles miniature de champagne, de bourgogne et de porto entouraient le festin. De nos jours, on ne verrait rien de remarquable dans ce spirituel petit gueuleton, qui rendait hommage au repas de Noël tout en le parodiant, mais, à l'époque, c'était un aperçu des espaces célestes, une hirondelle échappée de la corne d'abondance de l'avenir. Frances ne parvenait pas à s'y attaquer, çeût été un crime. Elle resta assise à le contempler, en se disant que Julia devait bien l'aimer, tout compte fait.

Frances pleurait. À Noël, on pleure toujours. C'est obligatoire. Elle pleurait à cause de la gentillesse de sa belle-mère envers elle et ses fils, à cause du charme de ce repas fin, une invitation à la gourmandise, et à cause de son incrédulité devant ce à quoi elle avait réussi à survivre. Et puis, en allant vraiment au fond des choses, elle pleurait sur les avanies des Noël passés. Oh, mon Dieu ! ces Noël où les garçons étaient petits et où ils logeaient dans ces pièces atroces, où tout était affreux et où ils avaient souvent froid...

Puis elle sécha ses larmes et demeura à la même place, seule. Une heure, deux heures. Pas une âme dans la maison... cette radio venait bien d'en bas, pas de chez les voisins, mais elle préféra l'ignorer. Elle était peut-être restée allumée, après tout. Quatre heures. Une fois de plus, les compagnies de gaz et d'électricité devaient être soulagées d'avoir su faire face au déjeuner de Noël national. De la pointe de la Cornouaille aux îles Orcades, des maîtresses de maison lasses et irascibles devaient s'asseoir en disant : « Maintenant, à vous la vaisselle ! » Eh bien, bonne chance à elles !

Dans leurs fauteuils et sur leurs canapés, beaucoup devaient s'assoupir, et le discours de la reine serait écouté seulement par intermittence, ponctué par les suites de leurs excès de table. La nuit tombait déjà. Frances se leva, tira hermétiquement les rideaux, alluma la lumière. Elle se rassit. Elle commençait à avoir faim, mais ne pouvait se résoudre à toucher à son repas cadeau. Elle mangea un bout de pain avec du beurre, se servit un verre de xérès, du Tio Pepe. À Cuba, Johnny devait discourir devant son auditeur du moment. Sur la situation de l'Angleterre, sans doute.

Elle pouvait peut-être monter se reposer au fond, elle n'en avait guère souvent l'occasion. Mais la porte d'entrée s'ouvrit, puis la porte de la cuisine. Entra Andrew.

— Tu as pleuré, diagnostiqua-t-il, s'installant à côté d'elle.

— Oui, j'ai pleuré un peu. C'est agréable.

— Je n'aime pas pleurer, déclara-t-il. Ça m'effraie parce que j'ai peur de ne plus pouvoir m'arrêter.

Immédiatement, il rougit.

— Oh, mon Dieu ! gémit-il.

— Oh, Andrew..., dit Frances. Je suis désolée.

— De quoi ? Mince ! comment pouvais-tu penser...

— Tout aurait pu être différent, j'imagine...

— Comment ? Qu'est-ce qui aurait pu être différent ? Oh ! bon Dieu !

Il se servit du vin, enfonça la tête dans les épaules, un peu comme Jill quelques jours plus tôt.

— C'est Noël, reprit Frances. C'est tout. Le grand réveil des mauvais souvenirs...

Il écarta, pour ainsi dire, cette pensée d'une main qui signifiait : Assez, arrête ! et se pencha en avant pour examiner le présent de Julia. Comme Frances tout à l'heure, il trempa un doigt dans le velouté. Une mimique appréciatrice. Puis il goûta un morceau de coquille Saint-Jacques.

— Je me sens terriblement hypocrite, Andrew. J'ai renvoyé tout le monde, comme des enfants sages, mais, moi, je ne suis presque jamais revenue à la maison après en être partie. Je rentrais pour le jour de Noël et repartais le lendemain matin ou même dans l'après-midi.

— Je me demande s'ils rentraient chez eux pour Noël. Tes parents...

— Vos grands-parents.

— Ah, oui ! Je suppose que ce sont... c'étaient mes grands-parents.

— Je ne sais pas. Je sais si peu de choses d'eux. Il y a eu la guerre, comme une sorte d'abîme dans ma vie, et de l'autre côté, cette vie-là. Et maintenant ils sont morts. Quand je suis partie de la maison, je pensais le moins possible à eux. J'étais tout simplement incapable de les affronter. Donc je ne les ai plus revus et maintenant je m'acharne sur Rose quand elle ne veut pas rentrer chez elle...

— Je parie que tu avais quinze ans quand tu es partie ?

— Non, dix-huit.

— Et voilà ! Tu es hors de danger.

Cette absurdité les fit rire. Une extraordinaire complicité : comme elle s'entendait bien avec son aîné ! Enfin, c'était vrai depuis qu'il était grand, il n'y avait pas si longtemps que cela, en fait. Quel plaisir c'était, quelle consolation pour...

— Et Julia, elle ne devait pas retourner souvent chez elle, n'est-ce pas ?

— Mais comment aurait-elle pu, en étant ici ?

— Quel âge avait-elle à son arrivée à Londres ?

— Vingt ans, je pense.

— Comment ? (Il alla jusqu'à plaquer ses mains sur sa bouche et le bas de son visage, puis les laissa retomber pour murmurer :) Vingt ans, c'est l'âge que j'ai. Et quelquefois j'ai l'impression de ne pas savoir encore nouer mes lacets...

Silencieusement, ils s'imaginèrent une très jeune Julia.

— Il existe une photographie, je l'ai vue. Une photo de mariage. Elle porte un chapeau si chargé de fleurs qu'on distingue à peine son visage.

— Pas de voilette ?

— Pas de voilette.

— Mon Dieu ! venir jusqu'ici toute seule, chez nous, ces pisse-froid d'Anglais ! À quoi ressemblait grand-père ?

— Je ne l'ai pas connu. Johnny ne leur plaisait pas beaucoup. Et moi, encore moins. (S'efforçant de trouver des raisons à l'énormité de la situation, elle poursuivit :) C'était la guerre froide, vois-tu ?

Il avait maintenant les bras croisés sur la table et s'y appuyait pour la dévisager, les sourcils froncés, tâchant de comprendre.

— La guerre froide, répéta-t-il.

— Mon Dieu ! s'exclama-t-elle, frappée. Bien sûr, j'avais oublié. Mes parents n'aimaient pas Johnny. Ils m'ont même écrit une lettre comme quoi j'étais une ennemie de mon pays. Une traîtresse... Oui, je crois qu'ils ont dit ça. Ensuite, ils ont changé d'avis et sont venus me voir. Vous étiez tout petits alors, toi et Colin. Johnny était là et les a traités de rebuts de l'histoire.

Elle semblait au bord des larmes, mais c'était le souvenir de son exaspération d'alors.

Les sourcils d'Andrew s'arquèrent, son visage lutta contre le rire, perdit la partie. Son fils agita les bras comme pour abolir son hilarité.

— C'est drôle, tenta-t-il de s'excuser.

— J'imagine que c'est drôle, oui.

Il cacha sa tête dans ses bras, soupira, resta une longue minute dans cette position. À travers ses bras résonnèrent les mots :

— Je ne crois pas avoir l'énergie pour...

— Quoi ? L'énergie pour quoi ?

— D'où tirez-vous toute votre assurance ? Crois-moi, je suis un être très faible en comparaison. Je suis peut-être un rebut de l'histoire...

— Comment ? Qu'est-ce que tu veux dire ?

Il releva la tête, qu'il avait rouge et couverte de larmes.

— Bon, rien. (Il agita de nouveau les mains pour chasser les mauvaises pensées.) Tu sais, je pourrais facilement goûter à ton repas de gastronome...

— Tu n'as pas eu droit à ton déjeuner de Noël ?

— Phyllida était dans tous ses états. Elle pleurait, criait et tombait en syncope, roulée en boule. Tu sais, elle est vraiment folle. Je veux dire, vraiment !

— Eh bien, oui.

— Julia dit que c'est parce qu'on l'a envoyée – Phyllida – au Canada au début de la guerre. Apparemment, elle n'a pas eu de chance, ce n'était pas une famille très gentille. Elle les a tous pris en haine. Et quand elle est rentrée en Angleterre, ce n'était plus la même enfant, d'après ses parents. Ils ne se reconnaissaient plus. Elle avait dix ans quand elle était partie, et près de quinze à son retour.

— Alors, pauvre Phyllida, j'imagine.

— Je pense, oui. Et regarde le marché qu'elle a passé avec le camarade Johnny.

Il tira le plateau à lui, se leva pour aller chercher une cuillère, une fourchette et un couteau, se rassit et venait de plonger sa cuillère dans le velouté quand la porte d'entrée claqua et celle de la cuisine s'ouvrit brutalement pour laisser passer Colin, qui apportait avec lui un courant d'air glacé, un relent de ténèbres extérieures et, tel un acte d'accusation, son visage malheureux.

— Est-ce que je vois de quoi manger ? Vraiment de quoi manger ?

Il s'assit et, se servant de la cuillère qu'Andrew venait de sortir, attaqua le velouté.

— Toi non plus, tu n'as pas eu de déjeuner de Noël ?

— Non, la mère de Sophie est revenue aux traditions juives et prétend qu'elle n'a rien à faire de Noël, alors qu'ils ont toujours fêté Noël. (Il avait terminé le velouté.) Pourquoi ne nous sers-tu pas des plats de ce genre ? reprocha-t-il à Frances. Ça, c'est de la soupe...

— Combien de cailles crois-tu qu'il me faudrait pour chacun d'entre vous, avec vos appétits de morfals ?

— Attends une minute, dit Andrew. Il faut être juste.

Il porta une assiette sur la table, puis une deuxième pour Colin, ainsi qu'une autre paire de couverts. Il déposa une caille sur son assiette.

— Tu es censé les réchauffer dix minutes, objecta Frances.

— Qu'est ce que ça peut faire ? Délicieux.

Les deux frères rivalisaient pour avoir fini le premier. Après être venus à bout de leurs cailles, leurs couverts planèrent ensemble au-dessus du pudding. Qui disparut en deux ou trois bouchées.

— Pas de pudding de Noël ? s'enquit Colin. Pas de pudding de Noël à Noël ?

Frances se leva, alla attraper une boîte de pudding de Noël sur l'étagère du haut, où il se bonifiait tranquillement, et en un tour dc main, le mit à cuire à la vapeur sur la gazinière.

— Combien de temps cela va-t-il prendre ? demanda Colin.

— Une heure.

Elle posa du pain sur la table, puis du beurre, du fromage, des assiettes. Ils expédièrent le Stilton et passèrent aux choses sérieuses, une fois le plateau vandalisé mis de côté.

— Maman, reprit Colin, nous devons proposer à Sophie de venir habiter ici.

— Mais elle vit déjà pratiquement ici.

— Non, pas vraiment. Ça n'a rien à voir avec moi... Je veux dire, je ne dis pas que Sophie et moi faisons partie des meubles, ce n'est pas ça. Mais elle ne peut pas retourner chez elle. Tu ne croirais pas au comportement de la mère de Sophie. Elle pleure, se cramponne à sa fille et crie qu'elles doivent se jeter toutes les deux d'un pont ou avaler des cachets. Tu t'imagines vivre avec ça ? (On aurait dit qu'il l'accusait, elle, Frances, et, s'entendant, il continua d'un ton différent, contrit même :) Si seulement tu pouvais tâter de cette maison, c'est comme d'entrer dans le cachot de Calcutta...

— Tu sais combien j'aime Sophie. Mais je ne la vois pas vraiment partager le sous-sol avec Rose ou le premier venu. Je présume que tu n'espères pas qu'elle s'installe dans ta chambre ?

— Eh bien, non, ce n'est pas... il n'en est pas question. Mais elle pourrait camper dans le séjour, on n'y va jamais.

— Si tu ne sors plus avec Sophie, tu me donnes la permission de tenter ma chance ? s'enquit Andrew. Je suis fou amoureux de Sophie, comme tout le monde le sait.

— Mais je n'ai pas dit...

À ce moment-là, les deux jeunes gens régressèrent au stade potache, commencèrent à se bousculer, coude contre coude, genou contre genou.

— Joyeux Noël ! lança Frances.

Et ils s'arrêtèrent.

— En parlant de Rose, où est-elle ? s'informa Andrew. Elle est rentrée chez elle ?

— Bien sûr que non, répondit Colin. Elle est en bas, elle pleure toutes les larmes de son corps et se remaquille tour à tour.

— Comment le sais-tu ? s'étonna Andrew.

— Tu oublies les avantages d'un lycée alternatif. Je sais tout sur les femmes.

— J'aimerais bien être comme toi. Alors que ma formation est meilleure que la tienne sous tous les rapports, j'échoue lamentablement dans le département humain.

— Tu te débrouilles pourtant assez bien avec Sylvia, observa Frances.

— Oui, mais ce n'est pas une femme, si ? Plutôt le fantôme d'un petit enfant assassiné.

— C'est horrible ! s'exclama Frances.

— Mais combien vrai, insista Colin.

— Si Rose est vraiment en bas, on devrait lui proposer de monter, je pense, reprit Frances.

— C'est nécessaire ? protesta Andrew. C'est si agréable d'être *en famille** pour une fois.

— J'y vais, dit Colin. Sinon elle va prendre une overdose et puis elle dira que c'est de notre faute.

Il se leva d'un bond et disparut dans l'escalier. Les deux autres se contentèrent d'échanger un regard sans rien dire, en entendant le gémissement qui monta d'en bas, vraisemblablement de bienvenue, et la voix sonore et raisonnable de Colin. Puis Rose fit son entrée, poussée par Colin.

Elle était lourdement maquillée : yeux redessinés au crayon, faux cils noirs, fard à paupières violet. Elle était fâchée, accusatrice, implorante et, visiblement, prête à éclater en larmes.

— Il va y avoir du pudding de Noël, dit Frances.

Mais Rose avait repéré les fruits sur le plateau et les triait pour en choisir un.

— Qu'est-ce que c'est ? demanda-t-elle d'un ton agressif. Mais qu'est-ce que c'est ?

Elle tenait un lychee.

— Tu dois y avoir déjà goûté, on en mange en dessert après un repas chinois, expliqua Andrew.

— Quel repas chinois ? Je ne mange jamais chinois !

— Laisse-moi faire.

Colin décortiqua le lychee. Les fragments cassants de la coquille aux fines indentations révélèrent l'amande d'une transparence nacrée, pareil à un petit œuf de lune. Après en avoir retiré le noyau noir et luisant, il la tendit à Rose, qui la goba.

— Ce n'est pas grand-chose, ça ne mérite pas toutes ces histoires.

— Il faut le laisser fondre sur ta langue, laisser son intérieur parler à ton intérieur, expliqua Colin.

Il se permit de prendre sa tête de hibou numéro un, l'air d'un juge débutant à qui il ne manquait plus que la perruque, pendant qu'il perçait la coquille d'un autre lychee et tendait celui-ci à Rose, délicatement, entre le pouce et l'index. Elle le garda dans la bouche, comme un enfant qui refuse de déglutir, puis l'avala.

— C'est de l'escroquerie, conclut-elle.

Sur-le-champ les deux frères tirèrent l'assiette de fruits de leur côté et la divisèrent entre eux. Rose resta assise, bouche bée, les yeux fixes. Voilà qu'elle allait pleurer pour de bon.

— Ooooh ! gémit-elle. Vous êtes horribles. Ce n'est pas de ma faute si je n'ai jamais mangé chinois...

— Allons, tu as déjà mangé du pudding de Noël et c'est ce que tu vas avoir bientôt, intervint Frances.

— J'ai tellement faim, pleurnicha Rose.

— Alors tu n'as qu'à prendre du pain avec du fromage.

— Du pain avec du fromage à Noël ?

— C'est tout ce que je possède, dit Frances. Maintenant tais-toi, Rose.

Rose s'arrêta au beau milieu d'un gémissement, dévisagea Frances avec incrédulité et leur offrit toute la gamme de l'adolescence incomprise : regard flamboyant, bouche boudeuse et poitrine oppressée.

Andrew coupa un bout de pain, le tartina de beurre, puis de fromage.

— Tiens, dit-il.

— Je vais grossir avec tout ce beurre !

Andrew garda son offre pour lui et se mit à la manger. Le visage gonflé par les larmes, Rose bouillait d'indignation sur sa chaise. Personne ne la regardait. Alors elle tendit la main vers le pain, se coupa une tranche fine, étala dessus une pointe de beurre, rajouta quelques miettes de fromage. Elle ne mangeait pas pour autant, mais fixait sa tartine d'un air de dire : Regardez mon repas de Noël.

— Je vais vous chanter un chant de Noël en attendant le pudding, proposa Andrew.

Il entonna *Douce nuit* et Colin s'écria :

— Tais-toi, Andrew ! c'est plus que je ne peux supporter. Vraiment...

— Le pudding est déjà probablement mangeable, dit Frances.

L'énorme masse noire et luisante du pudding fut donc servie sur un très beau plat bleu. Frances sortit des petites assiettes, des cuillères, et resservit du vin. Elle piqua le brin de houx du cadeau de Julia dans le pudding et trouva une boîte de crème anglaise.

Ils se restaurèrent.

Peu après, le téléphone sonnait. Sophie, en larmes. Aussi Colin monta-t-il à l'étage pour lui parler longuement, très longuement, puis il redescendit leur dire qu'il allait retourner chez Sophie pour y passer la nuit, cette pauvre Sophie était dépassée. À moins qu'il ne la ramène peut-être ici.

À ce moment-là, on entendit le taxi de Julia devant la porte. Sylvia entra, toute rose, souriante, ravissante. Qui eût cru cela possible quelques semaines plus tôt ? Elle leur fit une petite révérence dans sa robe de petite fille modèle, à la fois ravie et amusée par son col de dentelle, ses poignets également en dentelle et ses broderies anglaises. Julia était sur ses talons.

— Oh, Julia ! s'écria Frances, je vous en prie, prenez place avec nous.

Mais Julia avait aperçu Rose, qui se bourrait de pudding de Noël, l'air d'un clown maintenant que son maquillage avait coulé avec les larmes.

— Une autre fois, dit Julia.

Il était visible que Sylvia serait bien restée avec Andrew, mais elle suivit Julia dans les étages.

— Quelle robe gnangnan ! lança Rose.

— Tu as raison, répliqua Andrew. Ce n'est pas du tout ton style.

Frances se souvint alors qu'elle n'avait pas remercié Julia et, choquée de son propre comportement, se rua dans l'escalier. Elle rattrapa Julia sur le dernier palier.

À présent elle pouvait la serrer sur son cœur. Elle avait juste à prendre cette vieille dame rigide et critique dans ses bras et l'embrasser. Mais elle en était incapable, ses bras refusaient de se lever, ils refusaient de se tendre pour saisir Julia.

— Merci, balbutia Frances. C'était une attention si adorable. Vous ne pouvez pas savoir ce que j'ai ressenti...

— Je suis contente que cela vous ait plu, répondit Julia, se tournant pour entrer dans sa chambre.

— Merci, merci beaucoup, répéta Frances dans son dos, se sentant superficielle, ridicule.

Sylvia, elle, n'avait aucun problème pour embrasser Julia, se laisser embrasser et étreindre par elle. Elle s'asseyait même sur ses genoux.

On était en mai. Les fenêtres étaient ouvertes sur une agréable soirée printanière où les oiseaux s'égosillaient, couvrant le bruit de la circulation. Une bruine légère étincelait sur les feuilles et les premiers crocus.

La gent féminine autour de la table évoquait des girls de comédie musicale, parce que toutes portaient des tuniques blanches à rayures horizontales bleues sur des jambes de pantalon noires et serrées. Frances, elle, arborait des rayures noires et blanches, dans l'idée que ce détail pouvait servir à affirmer sa différence. Les garçons, eux, avaient les mêmes rayures par-dessus leurs jeans. Les cheveux leur arrivaient – il ne pouvait en être autrement – bien au-dessous des oreilles, une véritable déclaration d'indépendance, et les filles avaient toutes des coupes à l'Evansky. Une coupe à l'Evansky, tel était le désir secret de toute jeune fille dans le vent et, coûte que coûte, elles l'avaient réalisé. Cette coiffure tenait de la coupe à la garçonne et du carré classique, avec une frange jusqu'aux sourcils. Raide, cela va sans dire. Les cheveux frisés étaient out. Même les cheveux de Rose, sa crinière noire crêpelée, étaient signés Evansky. Des petites têtes bien nettes, des petites poupées, des petites créatures charmantes, et les garçons pareils à des poneys à poils longs, tous avec des rayures bleues et blanches inspirées des marinières et assorties aux tasses bleu et blanc qui servaient au petit déjeuner. Quand le *geist* parle, le *zeit* doit obéir. Voilà les filles et les garçons de la révolution sexuelle, même s'ils ne savaient pas encore que c'était ce qui ferait leur gloire !

Il y avait une exception à l'impératif Evansky, tout aussi catégorique que celui de Vidal Sassoon. Mrs Evansky, une dame décidée, avait refusé de couper la chevelure de Sophie. Plantée derrière la jeune fille, elle avait soulevé la masse noire et satinée, l'avait laissée glisser entre ses doigts, puis avait rendu son verdict : « Je suis désolée, je ne peux pas. » Ajoutant même devant les protestations de Sophie : « D'ailleurs, vous avez le visage allongé. Cela ne vous irait pas. » Sophie était restée sur son siège, se sentant rejetée, exclue. Et puis Mrs Evansky lui avait dit : « Rentrez chez vous pour réfléchir, et si vous y tenez tant... mais ce serait un crève-cœur de couper cette splendeur. »

Aussi Sophie était-elle la seule des filles à toujours avoir ses tresses noires et brillantes et se sentait-elle une sorte de monstre.

Le tourbillon du temps s'était emballé depuis quatre mois. Mais qu'était-ce, quatre mois ? Rien, et pourtant tout avait changé.

D'abord, Sylvia. Elle aussi s'était conformée au goût du jour. Sa coupe de cheveux, mendiée à Julia, ne lui allait pas vraiment, mais tout le monde savait que c'était important pour elle de se sentir normale, comme les autres. Elle s'alimentait, bien que pas très correctement, et obéissait en tout à Julia. La vieille dame et la très jeune fille passaient des heures ensemble dans le petit salon de Julia, pendant que cette dernière préparait des petits plats à sa protégée, la gavait de chocolats qui lui avaient été offerts par son admirateur Wilhelm Stein et lui racontait des histoires sur l'Allemagne d'avant guerre, d'avant la Première Guerre mondiale. Une fois, Sylvia lui avait demandé gentiment, car pour rien au monde elle n'eût voulu blesser Julia : « Tout se passait toujours bien, alors ? » Julia était restée interdite, puis avait éclaté de rire : « Même si tout ne se passait pas toujours bien, je ne le reconnaîtrais jamais ! » Mais, sincèrement, elle n'avait aucun mauvais souvenir. Dans cette demeure pleine de musique et de gens aimables, son enfance lui semblait un paradis. Mais existait-il aujourd'hui quelque part quelque chose de comparable ?

Andrew avait promis à sa mère et à sa grand-mère d'intégrer Cambridge à l'automne, mais entre-temps il ne quittait guère la maison. Il traînait, lisait ou fumait dans son antre. Sylvia lui rendait visite, après avoir cérémonieusement tapé à la porte, rangeait sa chambre et lui faisait la leçon : « Si je peux y arriver, toi aussi tu le peux. » Parlant maintenant de la manie du haschisch. Pour elle, qui s'était déglinguée si gravement et reconstruite avec tant de difficulté, tout était une menace : l'alcool, le tabac, le hasch, les éclats de voix. Au bruit d'une dispute, elle replongeait sous ses couvertures, en se bouchant les oreilles avec les doigts. Elle allait au lycée et travaillait déjà bien. Tous les soirs, Julia l'aidait pour ses devoirs.

Geoffrey, qui était brillant, décrocherait son bac et entrerait ensuite à la London School of Economics pour suivre des études – voyons, bien sûr – de sciences politiques et économiques. Il disait ne pas vouloir s'embêter avec la philosophie. Daniel, l'ombre de Geoffrey, déclara qu'il irait aussi à la L.S.E. et choisirait le même cursus.

Jill avait subi un avortement et retrouvé sa place habituelle, en apparence inentamée par cette expérience. Le plus impressionnant, c'était que « les gamins » s'étaient débrouillés tout seuls, sans les adultes. Ni Julia ni Frances n'avaient été mises au courant, pas plus qu'Andrew, qui, apparemment, était considéré comme trop adulte et, donc, comme un ennemi potentiel. C'était Colin qui était allé chez les parents de la jeune fille – elle-même avait trop peur – pour leur annoncer qu'elle était enceinte. Ils crurent que Colin était le père et n'acceptèrent pas ses dénégations. Qui était-ce ? Personne ne le savait ni ne le saurait jamais, même si on soupçonnait fortement Geoffrey : il était si beau qu'on l'accusait toujours de briser les cœurs et de rompre ses serments.

Colin soutira l'argent de l'avortement aux parents de Jill et alla voir le médecin de famille, qui suggéra enfin un numéro de téléphone opportun. Ce n'est qu'après, une fois que Jill eut réintégré saine et sauve l'appartement du sous-sol, que Julia, Frances et Andrew furent informés. Mais les parents de Jill arguèrent que leur fille ne pouvait pas retourner à Saint-Joseph, s'il pouvait y arriver ce genre de choses.

Sophie et Colin s'étaient séparés. Sophie, qui ne devait jamais faire les choses à moitié dans la vie, avait épuisé Colin : elle l'aimait à en mourir, ou du moins au point de se rendre malade. « Va-t'en ! lui avait-il même hurlé à la fin. Laisse-moi tranquille ! » Et il n'avait plus voulu sortir de sa chambre pendant plusieurs jours. Puis il avait couru à la maison de sa dulcinée pour lui demander pardon, tout était de sa faute, il était juste « un peu paumé », « S'il te plaît, reviens à la maison, s'il te plaît, tu nous manques à tous, et puis Frances n'arrête pas de demander où est Sophie. » Et quand Sophie était revenue, toute excuse, comme si c'était elle la coupable, Frances l'avait serrée dans ses bras.

— Sophie, Colin et toi, c'est une chose, lui dit-elle, mais tu viens quand tu veux...

Le week-end, Sophie descendait à Londres avec la bande de Saint-Joseph, passait le vendredi après-midi en sa compagnie et rentrait chez sa mère, qui, prétendait-elle, allait mieux. « Même si ce n'est pas évident. Elle traîne avachie et a une mine épouvantable... » La dépression, sans parler de dépression clinique, n'avait pas encore pénétré le vocabulaire et la conscience générale. On disait encore : « Oh, mon Dieu ! je suis tellement déprimée ! », ce qui signifiait qu'on était de mauvaise humeur. Sophie, fille dévouée dans la mesure de ses forces, rentrait chez elle pour y passer la nuit du samedi mais n'y restait pas dans la journée. Le samedi et le dimanche soir, elle était à sa place à la grande table.

Il lui était arrivé une chose merveilleuse. Elle descendait souvent à pied la butte en direction de Primrose Hill, puis traversait Regent's Park pour se rendre à ses cours de danse et de chant. Là, dans une clairière verdoyante remplie de plates-bandes se trouve une statue de jeune fille, accompagnée d'un chevreau, et le groupe s'appelle *La Protectrice des sans-défense*. Cette demoiselle en pierre attirait Sophie, qui se surprit à déposer un feuillage sur le socle, puis une fleur, et puis un petit bouquet. Peu de temps après, elle apportait un bout de biscuit et reculait pour regarder des moineaux ou un merle voleter au pied de la statue et emporter les miettes. Une fois, elle posa même une couronne champêtre sur la tête du chevreau. Puis, un jour, sur le socle, apparut un petit livre intitulé *Le Langage des fleurs*, auquel une botte de lilas et de roses rouges était attachée par un ruban. Elle ne vit aucun coupable vraisemblable à proximité, juste des gens qui se promenaient dans les jardins. Consciente d'avoir été observée, Sophie était alarmée. Au dîner, elle raconta son histoire, en se moquant d'elle-même et de sa passion pour la demoiselle de pierre, et sortit *Le Langage des fleurs* pour que tout le monde puisse y jeter un coup d'œil. Le lilas signifiait les Premiers émois amoureux, et une rose l'Amour.

— Tu ne vas pas lui répondre ? s'écria Rose, furieuse.

— Chère Rose, répliqua Colin, bien sûr qu'elle va répondre.

Et tous de se pencher sur le livre pour composer un message pertinent. Mais ce que Sophie avait envie de dire, c'était : Oui, je suis intéressée, mais n'en tirez pas des conclusions trop hâtives. Rien dans l'opuscule ne semblait pertinent. À la fin, ils se mirent tous d'accord sur le perce-neige, à cause de l'Espoir – mais la saison en était déjà passée –, et la pervenche, l'Amitié de jeunesse. Sophie déclara qu'elle pensait qu'il y en avait quelques-unes dans le jardin de sa mère. Et quoi d'autre ?

— Oh, allons donc ! dit Geoffrey. Vis dangereusement. Le muguet, le Retour du bonheur. Et le phlox, l'Accord...

Sophie déposa son petit bouquet sur le socle de la statue et s'attarda, partit, revint et constata la disparition de ses fleurs. Mais quelqu'un d'autre pouvait les avoir ramassées ? Non, car lorsqu'elle repassa le lendemain, il y avait un jeune homme qui affirma l'épier « depuis une éternité » et être trop timide pour avoir osé l'aborder sans l'aide du langage des fleurs. La belle histoire ! car timide, il ne l'était pas. Comédien, il suivait les cours du conservatoire, où elle avait l'intention de s'inscrire à l'automne. C'était Roland Shattock : beau, avec un côté farouche et dramatique en toute situation, il était vaguement trotskiste. Il venait souvent s'attabler avec eux pour dîner et se trouvait donc là ce soir-là. Plus âgé que les autres, plus vieux même d'un an qu'Andrew, il affichait un air désabusé et une veste en daim teinte en violet, ornée de franges. Sa présence était vécue comme une visitation du monde adulte et une sorte de billet d'entrée pour celui-ci. Si lui ne les considérait pas comme des « gamins », alors... Ils étaient si idéalistes qu'il ne leur vint jamais à l'esprit que leur nouvel ami était souvent en quête d'un bon repas.

Quand Roland se trouvait parmi eux, Colin avait tendance à rester silencieux et montait même de bonne heure dans sa chambre, surtout les fois où Johnny débarquait. En effet, les discussions entre le jeune trotskiste et le vieux stalinien étaient bruyantes, passionnées et souvent déplaisantes. Sylvia fuyait aussi dans les étages pour se réfugier chez Julia.

Johnny était allé à Cuba et s'était débrouillé pour tourner un petit film. « Mais il ne nous rapportera pas beaucoup d'argent, j'en ai bien peur, Frances. » Dans l'intervalle, il était parti visiter la Zambie indépendante, en compagnie du camarade Mo.

Rose, à présent. Ces quatre derniers mois, semblait-il, il n'y avait pas eu un jour sans son lot de difficultés. Elle ne voulait pas retourner à son lycée, elle ne voulait pas non plus rentrer chez elle. Mais elle était prête à fréquenter Saint-Joseph, à condition de pouvoir être basée ici, dans cette maison. Andrew s'était déplacé pour revoir ses parents. Ils croyaient que ce jeune homme charmant et si distingué avait des vues sur leur fille, et cela leur permit de donner plus facilement leur accord, non pour Saint-Joseph, qui était au-dessus de leurs moyens, mais pour un lycée en externat à Londres. Ils paieraient tous ses frais de scolarité et lui verseraient de quoi s'habiller. Mais ils n'allaient pas prendre en charge la pension complète de Rose. Ils laissèrent entendre qu'il incombait à Andrew d'entretenir leur fille. C'est-à-dire à Frances, en réalité.

Peut-être pouvait-on lui demander un service en échange, par exemple, un peu de ménage, car ce n'était pas simple de garder les lieux propres, malgré la Mrs Philby de Julia, qui se contentait les trois quarts du temps de passer l'aspirateur.

— Ne sois pas si bête, objecta Andrew. Tu imagines Rose lever le petit doigt ?

Un établissement de nature alternative fut contacté à Londres, et Rose accepta toutes les conditions. « Si elle pouvait juste rester là, elle ne serait plus un souci. » Par la suite, Andrew vint trouver Frances pour lui annoncer qu'il y avait un gros problème. Rose avait peur de prévenir Frances. Et Jill était en cause aussi. Les filles s'étaient fait prendre sans ticket dans le métro, or c'était la troisième fois pour toutes les deux. Elles étaient convoquées devant le responsable des mineurs, dans les bureaux de la police des Transports. Elles allaient écoper certainement d'une amende, et le foyer de Borstal n'était pas à écarter. Frances était trop en colère, sentiment auquel elle était malheureusement habituée avec Rose – un découragement mêlé de dégoût, proche de la dyspepsie chronique – pour l'affronter, mais elle pria Andrew de dire aux filles qu'elle les accompagnerait à leur entretien. Le matin fixé, en descendant, elle trouva les deux adolescentes maussades en train de fumer à la cuisine, unies dans leur haine pour le monde extérieur. Leur maquillage les faisait ressembler toutes les deux à des pandas, avec leurs yeux fardés de blanc et cernés de noir, et leurs ongles également laqués de noir. Elle portaient des minirobes de chez Biba, volées bien sûr. Bref, elles n'auraient pas pu trouver une apparence plus susceptible de prévenir les autorités contre elles.

— Si vous voulez vraiment vous en tirer avec un simple sermon, vous pouvez aller vous laver la figure !

Elle se demandait si les filles n'étaient pas résolues à lui rendre les choses aussi difficiles que possible. Peut-être nourrissaient-elles même l'ambition d'être envoyées à Borstal... Ce que, bien sûr, Frances n'aurait pas volé ! on n'usurpe pas l'autorité parentale sans, à un moment donné, s'exposer à une punition qui est, en fait, dirigée contre des parents défaillants.

— Je ne vois pas pourquoi j'irais, se rebiffa aussitôt Rose.

Frances attendit avec curiosité la réaction de Jill. Cette jeune fille jadis sans histoires, gentille, conformiste, qui pouvait rester souriante toute une soirée sans ouvrir la bouche, était à peine reconnaissable sous son fard et ses airs furibonds.

S'alignant sur Rose, elle renchérit :

— Moi non plus je ne vois pas pourquoi.

Elles prirent le métro ; Frances acheta des tickets pour elles toutes et remarqua, à cette occasion, leurs sourires sarcastiques. Peu après, elles se trouvaient dans le bureau où les mineurs fraudeurs connaissaient leur sort en la personne de Mrs Kent, laquelle avait un uniforme bleu marine de nature à exprimer la majesté de l'Administration. Son visage, toutefois, était bienveillant, même s'il avait une expression sévère, propre à inspirer le respect.

— Je vous en prie, asseyez-vous, dit-elle.

Frances s'installa d'un côté, tandis que les filles, après être restées plantées, telles des juments têtues, assez longtemps pour montrer leur point de vue, s'affalèrent sur leurs sièges d'une façon qui était censée suggérer qu'on les y avait poussées.

— C'est très simple, reprit Mrs Kent, bien que son soupir, dont elle n'avait certainement pas eu conscience, laissât entendre le contraire. Vous avez déjà reçu deux avertissements, l'une et l'autre. Vous saviez que le troisième serait le dernier. Je pourrais vous envoyer devant le juge, et il lui incomberait alors de décider de vous placer ou non dans un foyer. En revanche, si vous voulez bien me donner des garanties de bonne conduite, vous en serez quittes pour une amende, mais vos parents, ou votre parent ou représentant légal, devront se porter responsables pour vous.

Elle prononçait ces paroles ou d'autres équivalentes si souvent que son stylo-bille trahissait son ennui et son exaspération en griffonnant des motifs dentelés sur un bloc-notes. Ayant terminé, elle sourit à Frances.

— Êtes-vous la mère d'une de ces deux jeunes filles ?

— Non.

— Leur tutrice ? À un quelconque titre légal ?

— Non, mais elles habitent chez moi... dans notre maison, et c'est de là qu'elles vont au lycée.

Si elle savait que ç'allait être le cas pour Rose, elle n'en était pas aussi sûre pour Jill. Elle racontait donc un mensonge.

Mrs Kent regarda longuement les adolescentes qui boudaient sur leurs chaises, les jambes écartées ou croisées très haut, les genoux saillants, dévoilant leurs collants noirs jusqu'à l'entrejambe. Frances s'aperçut que Jill tremblait ; elle n'en aurait pas cru capable cette fille sans-gêne.

— Pourrais-je vous dire un mot en privé ? dit Mrs Kent à Frances. (Elle se leva et s'adressa aux filles :) Nous n'en aurons que pour une minute.

Elle conduisit Frances à la porte et la suivit dans une petite pièce fermée au public, manifestement son refuge loin de la tension engendrée par ce type d'entretiens.

Mrs Kent alla à la fenêtre, imitée de Frances. Elles embrassèrent du regard un petit jardin où deux amoureux léchaient à tour de rôle un cornet de glace.

— Votre article sur la délinquance juvénile m'a bien plu. Je l'ai même découpé.

— Merci.

— Les raisons de leur acte me dépassent. Nous comprenons quand ce sont des jeunes défavorisés, et une politique d'indulgence est prévue dans les cas difficiles. Mais ils défilent dans mon bureau, garçons et filles, déguisés à la mode d'aujourd'hui, et j'ai du mal à saisir. L'autre jour, l'un d'eux m'a dit – il était scolarisé dans un bon établissement, figurez-vous – que ne pas payer de tickets était une question de principe. Je lui ai demandé quel principe et il m'a répliqué qu'il était marxiste. Il voulait détruire le capitalisme, affirmait-il.

— J'ai déjà entendu ça.

— Quelle garantie pouvez-vous me donner que je ne retrouverai pas ces demoiselles face à moi dans une semaine ou deux ?

— Aucune, répondit Frances, absolument aucune. Toutes deux sont en bagarre avec leurs parents et ont atterri chez moi. Toutes deux ont abandonné leurs études, mais je ne désespère pas de les remettre sur les rails.

— Je comprends. Un ami de mon fils – un condisciple – est plus souvent chez nous qu'il ne rentre à la maison.

— Est-ce qu'il dit que ses parents sont des ordures ?

— Ils ne le comprennent pas, se plaint-il. Mais je ne le comprends pas non plus. Dites-moi, vous avez dû faire beaucoup de recherches pour votre papier ?

— Pas mal.

— Mais vous n'apportez pas de réponses.

— Je ne les connais pas. Pouvez-vous m'expliquer pourquoi une jeune fille – je parle de la brune dans votre bureau, Rose Trimble – qui vient de régler tous ses problèmes doit choisir juste ce moment-là pour commettre un acte dont elle sait fort bien qu'il peut tout gâcher ?

— J'appelle ça jouer avec le feu, déclara Mrs Kent. Les jeunes aiment tester les limites. Ils marchent sur un fil, mais espèrent toujours qu'on les retiendra. Et vous, vous les retenez, n'est-ce pas ?

— J'imagine que oui.

— Vous seriez surprise du nombre de fois où j'entends la même histoire.

Les deux femmes se tenaient côte à côte devant la fenêtre, unies par une forme de désespoir.

— J'aimerais savoir ce qui s'est passé, murmura Mrs Kent.

— Comme nous tous.

Elles retournèrent dans le bureau où les contrevenantes, qui ricanaient et gloussaient de rire aux dépens de leurs aînées, redevinrent muettes et reprirent leurs airs boudeurs.

— Je vais vous donner encore une chance, dit Mrs Kent. Mrs Lennox me dit qu'elle vous aidera. Mais, en réalité, je sors du cadre de mes attributions. Vous comprenez toutes les deux, j'espère, que vous l'avez échappé belle. Vous avez bien de la chance d'avoir une amie comme Mrs Lennox.

Cette dernière observation était une erreur, même si Mrs Kent ne pouvait pas le deviner. Frances entendait presque les filles bouillir de dépit, Rose au moins. Non, elles ne devaient rien à personne.

Une fois ressorties du bâtiment, sur le trottoir, elles annoncèrent qu'elles partaient courir les magasins.

— Si je vous interdisais de voler, lança Frances, est-ce que vous m'écouteriez ?

Mais elles s'en furent sans un regard.

Ce soir-là, elles se vantèrent au dîner d'avoir piqué les deux robes Biba ou de style Biba qu'elles portaient, toutes deux si exiguës qu'elles ne pouvaient avoir été choisies qu'avec l'intention de choquer ou de provoquer les critiques.

Sylvia osa même dire qu'elle les trouvait trop courtes, dans un effort pour s'imposer qui lui coûta énormément.

— Trop courtes pour quoi ? ricana Rose.

Elle n'avait pas regardé Frances une seule fois de toute la soirée, et la crise du matin aurait pu ne jamais avoir lieu. Mais Jill balbutia d'une voix précipitée, qui alliait la politesse à l'agressivité :

— Merci, Frances, un million de fois merci.

Andrew dit aux filles qu'elles avaient eu de la veine de s'en sortir, et Geoffrey, le voleur à l'étalage accompli, leur expliqua que c'était facile de ne pas se faire prendre si on était prudent.

— On ne peut pas être prudent dans le métro ! objecta Daniel, qui voyageait sans payer pour imiter son idole, Geoffrey. C'est une question de chance. On se fait choper ou non...

— Alors ne prends pas le métro sans ticket, répliqua Geoffrey. Pas plus de deux fois. C'est débile.

Rembarré en public par Geoffrey, Daniel devint tout rouge et affirma prendre le métro « depuis des années » sans ticket et ne s'être fait attraper que deux fois.

— Et la troisième fois ? insista Geoffrey, le sermonnant.

— La troisième fois, c'est pas de chance, répondit en chœur l'assemblée.

Ce fut la même semaine où Jill se permit de tomber enceinte. Non, chercha à tomber enceinte.

Tous ces menus drames s'étaient déroulés dans les quatre mois qui suivirent Noël. Et, comme si de rien n'était, voilà les protagonistes, voilà les filles et les garçons assis autour de la table, un soir de printemps, occupés à dresser des plans pour l'été.

Geoffrey affirmait qu'il allait partir pour les États-Unis rejoindre les partisans de l'égalité raciale « sur les barricades ». Une expérience profitable pour le département d'économie politique de L.S.E.

Andrew, lui, disait qu'il resterait ici pour lire.

— Pas *Richard Feverel* ! s'exclama Rose. Quelle merde !

— Si, même celui-là, riposta Andrew.

Sylvia, invitée avec Jill chez les cousins de celle-ci à Exeter (« C'est un endroit terrible, ils ont des chevaux »), déclina l'invitation : elle resterait ici aussi pour lire.

— Julia me pousse à lire davantage. J'ai déjà dévoré quelques-uns des livres de Johnny. Vous ne le croiriez jamais, mais jusqu'à ce que j'entre dans cette maison, j'ignorais qu'il existait des livres qui ne parlaient pas de politique.

En d'autres termes, comme tout le monde le savait, Sylvia était inséparable de Julia : elle se sentait trop fragile pour voler de ses propres ailes.

Colin avança qu'il allait peut-être faire les vendanges en France, ou encore s'essayer à un roman. Cette dernière hypothèse provoqua un gémissement général.

— Pourquoi n'écrirait-il pas un roman ? s'écria Sophie, qui prenait toujours la défense de Colin parce qu'il l'avait si terriblement peinée.

— Je vais peut-être écrire un roman sur Saint-Joseph, reprit Colin. Je nous y mettrai tous dedans...

— Ce n'est pas juste ! protesta immédiatement Rose. Tu ne peux pas m'y mettre puisque je ne suis pas à Saint-Joseph...

— Mais c'est vrai ! s'exclama Andrew.

— À moins que je ne te consacre un roman à toi toute seule, enchaîna Colin. *Rose Feverel*. Qu'est-ce que vous en pensez ?

Rose le fixa, puis promena un regard suspicieux à la ronde. Tous la regardaient gravement. Tourmenter Rose était devenu un sport bien trop partagé. Frances tenta de désamorcer la crise, qui menaçait de se terminer par des larmes.

— Et quels sont tes projets, Rose ? s'enquit-elle.

— Je vais aller chez les cousins de Jill. Ou peut-être visiter le Devon en stop. À moins que je reste ici..., ajouta-t-elle, tenant tête avec défi à son interlocutrice.

Elle savait bien que Frances serait ravie de la voir partir, mais sans penser que c'était à cause de certains côtés déplaisants de sa personnalité. Elle n'avait pas conscience d'être antipathique. En général, elle était rejetée et croyait que la raison en était l'injustice foncière du monde. Non qu'elle-même eût employé le terme de « rejetée » ou y eût seulement songé. On s'en prenait à elle, on se défoulait sur elle. Les gens qui sont gentils, beaux ou charmants ou les trois à la fois, ceux qui ont confiance dans les autres, ne peuvent pas avoir la moindre idée des petits enfers endurés par un être comme Rose.

James, lui, les informa qu'il participait à un camp d'été, recommandé par Johnny, afin d'étudier la sénescence du capitalisme et les contradictions internes de l'impérialisme.

D'un petit air triste, Daniel annonça qu'il lui faudrait rentrer à la maison.

— Ne t'inquiète pas ! l'été ne dure pas éternellement, dit gentiment Geoffrey.

— Si, s'entêta Daniel, le visage cramoisi d'émotion.

Roland Shattock annonça qu'il allait emmener Sophie en randonnée en Cornouailles. Relevant des signes d'appréhension sur certains visages – celui de Frances, celui d'Andrew... – il ajouta :

— Oh ! pas de panique, elle sera en sécurité avec moi. Je crois que je suis homo.

Cette déclaration, qui serait accueillie aujourd'hui par un simple « Vraiment ? », ou peut-être par des soupirs de la part des femmes, était alors trop dégagée pour avoir du tact. Le malaise fut général.

Aussitôt Sophie se récria que cela lui était bien égal, qu'elle aimait juste être avec Roland. Andrew eut l'air élégamment piteux ; on l'entendit presque penser que lui au moins n'était pas une tapette.

— Oh ! enfin, je ne le suis peut-être pas, rectifia Roland. Après tout, Sophie, je suis fou de toi. Mais n'aie pas peur, Frances, je ne suis pas du genre à enlever des mineures...

— J'ai presque seize ans ! protesta Sophie avec indignation.

— Je t'ai crue beaucoup plus âgée quand je t'ai vue rêver avec tant de grâce dans le parc.

— Mais je suis beaucoup plus âgée, insista Sophie.

Avec sincérité. Elle faisait allusion à la maladie de sa mère, à la mort de son père, et puis aux mauvais traitements auxquels Colin l'avait soumise.

— La belle rêveuse, murmura Roland, lui baisant la main, mais dans une parodie du baisemain à la française, qui salue l'air au-dessus d'un gant ou, comme dans le cas présent, de doigts encore légèrement odorants, à cause du salmis de volaille qu'elle avait remué pour aider Frances. Mais si je vais en prison, c'en aura valu la peine !

Quant à Frances, elle espérait quelques semaines paisibles et productives.

La missive incendiaire était adressée à « J... (illisible)... Lennox » et fut décachetée par Julia, qui, ayant vu que c'était pour Johnny, « Cher camarade Johnny Lennox », et que la première phrase disait : « J'aimerais que tu m'aides à ouvrir les yeux des gens pour qu'ils voient la vérité », la lut, puis la relut et, une fois ses pensées ordonnées, téléphona à son fils.

— J'ai ici pour toi une lettre d'Israël, d'un certain Reuben Sachs.

— Un brave type, commenta Johnny. En tant que marxiste non aligné, il a gardé une position indéfectiblement progressiste et préconise des relations pacifiques avec l'Union soviétique.

— Quoi qu'il en soit, il voudrait que tu organises une réunion de tes amis et camarades pour l'écouter parler de son expérience des geôles tchèques.

— Il a dû avoir de bonnes raisons pour y séjourner !

— Il a été arrêté comme agent sioniste à la solde de l'impérialisme américain. (Johnny garda le silence.) Il a été emprisonné quatre ans, torturé et traité avec sauvagerie, puis finalement libéré... Je te serais reconnaissante de ne pas m'infliger ton « Malheureusement, on ne fait pas d'omelettes sans casser des œufs. »

— Où veux-tu en venir, *Mutti* ?

— Je crois que tu devrais faire ce qu'il te demande. Il dit qu'il aimerait dessiller les yeux des gens sur les méthodes utilisées par l'Union soviétique. S'il te plaît, ne viens pas me raconter que c'est un provocateur.

— Je crains de ne pas voir en quoi ce serait utile.

— En ce cas, j'organiserai cette réunion moi-même. Après tout, Johnny, je suis dans l'heureuse position de connaître tes compagnons de lutte.

— Pourquoi crois-tu qu'ils viendraient à une réunion organisée par toi, *Mutti* ?

— Je vais envoyer une photocopie de sa lettre à tout le monde. Dois-je te la lire ?

— Non, je connais le genre de mensonges qu'on répand.

— Il sera là dans quinze jours et il ne vient à Londres que dans ce but : prendre la parole devant les camarades. Il passe aussi par Paris. Puis-je proposer une date ?

— Si tu veux.

— Mais il faut qu'elle te convienne. Je ne pense pas qu'il serait content si tu n'étais pas là.

— Je te rappellerai pour te fournir une date. Mais je tiens à préciser que je me désolidarise de toute propagande anti-soviétique.

Le soir en question, le grand salon accueillit une collection d'hôtes inhabituelle. Johnny avait invité des collègues et des camarades, tandis que Julia avait contacté des gens dont elle pensait que Johnny aurait dû leur faire signe mais qu'il avait oubliés. Il y avait des militants qui étaient encore au Parti, d'autres qui l'avaient quitté au cours des divers moments de crise : le Pacte germano-soviétique, les manifestations ouvrières de Berlin-Est, le Printemps de Prague, la Hongrie. Un ou deux remontaient même à l'invasion de la Finlande. En tout, une cinquantaine de personnes. La pièce était bondée de chaises et de gens alignés contre les murs. Tous se disaient marxistes.

Andrew et Colin étaient présents, après s'être d'abord plaints que c'était ennuyeux comme la pluie.

— Pourquoi te lances-tu là-dedans ? demanda Colin à sa grand-mère. Ce n'est pas ta tasse de thé, si ?

— J'espère, même si je ne suis sans doute qu'une vieille folle, que Johnny sera peut-être forcé d'entendre raison.

La bande de Saint-Joseph passait son bac. James était parti pour l'Amérique. Les filles du sous-sol avaient mis un point d'honneur à aller en boîte : la politique était de la merde.

Reuben Sachs avait dîné avec Julia, seul à seul. Frances aurait pu être d'accord avec les filles, et même avec leur langage. C'était un petit rondouillard, désespéré et sincère, qui n'arrêtait pas de parler de ce qui lui était arrivé, et la réunion, à peine commencée, ne fut que la continuation de ce qu'il avait raconté à Julia, qui, après l'avoir informé qu'elle n'avait jamais été communiste et se passait de son idéologie, demeura silencieuse, étant donné qu'il était évident que ce dont il avait besoin, c'était de parler devant un public – elle, par exemple – qui l'écoutait.

Depuis des années, en Israël, il occupait une position politique difficile, en tant que socialiste, mais rejetait le communisme et demandait aux socialistes non alignés du monde entier d'entretenir des relations pacifiques avec l'Union soviétique : cela impliquait que ceux-ci devaient être nécessairement en porte à faux avec leurs propres gouvernements. Il avait été vilipendé comme communiste pendant la guerre froide. Son tempérament naturel ne le prédisposait pas à être en permanence dans une situation délicate, attaqué de toutes parts. Cela se voyait à ses discours emportés et fervents, à son regard implorant et révolté. Les mots suivants revenaient comme un refrain : « Je n'ai jamais transigé avec mes convictions. »

Il rendait une visite fraternelle à Prague, à l'occasion d'une Peace and Goodwill Mission[1], quand il avait été arrêté comme « agent sioniste cosmopolite » à la solde de l'impérialisme américain. Dans le véhicule de police, il avait interpellé ses ravisseurs en ces termes : « Comment, vous, les représentants d'un État des travailleurs, pouvez-vous vous salir les mains avec ce genre de besogne ? » Et après qu'ils l'eurent frappé et encore frappé, il persista et signa. Comme il le fit en prison. Les surveillants étaient des brutes, ceux qui menaient les interrogatoires aussi, mais il s'adressa toujours à eux comme s'ils avaient été des êtres civilisés. Il parlait six langues, mais les autres s'obstinèrent à l'interroger dans un idiome qu'il ne connaissait pas, le roumain, ce qui voulait dire qu'au début il ne savait pas de quoi il était accusé, en gros toutes sortes d'activités antisoviétiques et anti-tchèques. Mais « je suis polyglotte, je peux donc prouver... » Au cours de ses interrogatoires, il apprit suffisamment de roumain pour suivre, puis même pour se défendre. Durant des jours, des mois, des années, il fut roué de coups, injurié, privé de nourriture et de sommeil sur de longues périodes. Torturé de toutes les manières chères aux sadiques. Pendant quatre ans. Et il continua à clamer son innocence et à expliquer à ses tortionnaires et à ses geôliers qu'en acceptant ce type de besogne, ils salissaient l'honneur du peuple, de l'État des travailleurs. Il mit longtemps à comprendre que son cas n'était pas unique, et que la prison était remplie de

1. Mission de paix et d'amitié.

gens comme lui, qui émettaient des messages en morse sur les murs pour dire qu'ils étaient aussi surpris que lui de se retrouver en prison. Ils lui montrèrent également que « L'idéalisme n'est pas adéquat dans ces circonstances, camarade. » Les écailles lui étaient tombées des yeux, disait-il. A peu près au même moment où il cessait d'en appeler au bon naturel et à l'appartenance de classe de ses bourreaux, ayant perdu la foi dans les possibilités à long terme de la Révolution soviétique, il fut libéré lors d'une des nouvelles aubes de l'Union soviétique. Et comprit qu'il était encore chargé d'une mission. Mais celle-ci consistait désormais à ouvrir les yeux des camarades qui se berçaient toujours d'illusions sur la nature du communisme.

Frances avait décidé qu'elle ne voulait pas écouter des « révélations » qu'elle-même avait assimilées voilà des décennies, mais elle se glissa sans bruit au fond de la pièce, une fois celle-ci comble, et se retrouva assise à côté d'un homme dont la tête ne lui était pas inconnue. Lui, en revanche, d'après son accueil, se souvenait manifestement très bien d'elle. Johnny, dans un coin, écoutait sans parti pris. Ses fils étaient assis à l'autre bout du salon, avec Julia, et n'avaient pas un regard pour leur père. Leurs visages avaient l'air tendu et malheureux qu'elle leur connaissait depuis des années. S'ils évitaient les yeux de leur père, ils adressaient à leur mère des sourires de soutien qui étaient trop pathétiques pour que leur ironie fût convaincante, ce qui était leur première intention. Dans cette pièce se trouvaient des gens qui avaient entouré leur petite enfance. Ils avaient même joué avec les enfants de certains.

Quand Reuben eut commencé son allocution par ces mots : « Je suis venu vous exposer la vérité de la situation, comme il est de mon devoir... », le salon devint silencieux. Il ne pouvait pas se plaindre que son public n'était pas attentif. Mais ces visages, ce n'étaient pas les expressions visibles d'habitude à une réunion, et qui réagissent à ce qui est dit par des sourires, des signes de tête approbateurs ou désapprobateurs. Ils étaient polis, vides. Certains participants étaient toujours des communistes, ils l'avaient été toute leur vie et ne changeraient jamais ; il y a des gens qui sont incapables d'évoluer, une fois leur engagement pris. D'autres étaient d'anciens communistes, pouvaient critiquer, et même avec passion, l'Union soviétique, mais tous étaient socialistes et croyaient au progrès, à l'escalier mécanique ascensionnel menant à un monde meilleur. Et l'Union soviétique avait été un symbole si puissant de cette croyance que – comme le clamèrent des décennies plus tard ceux qui avaient été plongés dans un rêve – « L'Union soviétique est notre mère à tous et on n'insulte pas sa mère. »

Ils étaient là pour écouter un homme qui avait subi quatre ans de travaux forcés dans une geôle communiste, avait été victime de mauvais traitements, un récit donc péniblement chargé d'émotion, au point que Reuben Sachs en pleurait par moments, expliquant que c'était parce que « le grand rêve de l'humanité était souillé et sali », mais qui faisait appel à leur raison.

Et c'est pourquoi les têtes de ceux qui étaient venus à la réunion de ce soir-là « pour connaître la vérité » étaient inexpressives, voire stupéfaites, comme si ce qu'ils écoutaient ne les concernait pas. Une heure et demie durant l'émissaire de « la vérité de la situation » parla, avant de conclure sur un appel vibrant aux questions du public, mais personne ne souffla mot. Comme si absolument rien n'avait été dit, la réunion prit fin parce que les gens se levèrent et, après avoir remercié Frances, persuadés que c'était elle leur hôtesse, et salué Johnny d'un signe de tête, sortirent en silence, sans échanger une parole. Et quand ils se remirent à discuter entre eux, c'étaient sur d'autres sujets.

Reuben Sachs, lui, demeura assis, attendant ce pour quoi il était venu à Londres, mais il eût pu aussi bien disserter sur la situation de l'Europe médiévale ou l'homme de l'âge de pierre ! Il ne pouvait pas croire ce qu'il voyait, ce qui s'était passé sous ses yeux.

Julia resta elle aussi à sa place pour observer, sardonique, un peu amère, tandis qu'Andrew et Colin étaient ouvertement ironiques. Johnny partit avec quelques autres, sans accorder un regard à ses fils ni à sa mère.

Le voisin de chaise de Frances n'avait pas bougé. De son côté, elle se disait qu'elle avait eu raison de ne pas vouloir venir : elle était assaillie par de mauvais souvenirs et avait besoin de se ressaisir.

— Frances, articula l'homme, tentant d'attirer son attention. Ce n'était guère plaisant à entendre.

Elle sourit plus vaguement qu'il ne l'eût souhaité, mais entrevit ensuite son visage et pensa qu'il y avait au moins un auditeur qui avait reçu le message.

— Je m'appelle Harold Holman, poursuivit-il. Mais vous ne semblez pas me remettre ? Je traînais beaucoup avec Johnny dans le temps... Je suis venu chez vous quand tous nos enfants étaient petits. J'étais marié avec Jane, à l'époque.

— On dirait que j'ai tout refoulé.

Pendant ce temps, Andrew et Colin étaient toujours aux aguets : le salon était déjà presque vide, et Julia entraînait hors de la pièce le porteur de vérité cruellement déçu pour le faire monter dans ses appartements.

— Puis-je vous téléphoner ? demanda Harold.

— Pourquoi pas ? Mais appelez-moi plutôt à *The Defender*. (Et de baisser la voix, à cause de ses fils.) J'y serai demain après-midi.

— D'accord, dit-il avant de disparaître.

Leur échange avait été si naturel que Frances venait seulement de comprendre qu'il s'intéressait à elle en tant que femme, tant elle avait perdu l'habitude de s'attendre à ce genre de choses. À cet instant, Colin vint lui demander :

— Mais qui est ce type ?

— Un vieil ami de Johnny... de l'ancien temps.

— Pourquoi doit-il te téléphoner ?

— Je ne sais pas. Nous irons peut-être prendre un café en souvenir du bon vieux temps, lança-t-elle, mentant avec désinvolture, car cette facette de son être refaisait déjà surface.

— Je vais retourner au lycée, annonça Colin, abrupt, soupçonneux.

Et il partit prendre son train sans dire au revoir.

Quant à Andrew, sur un « Je vais aider Julia à s'occuper de notre hôte, pauvre homme ! », il la laissa avec un sourire qui était à la fois complice et un avertissement, même s'il y avait de fortes chances pour qu'il n'en fût pas conscient.

Une femme qui avait fermé la porte à sa vie amoureuse aussi catégoriquement que Frances devait, doit être surprise quand celle-ci se rouvre brusquement. Harold lui plaisait, c'était évident à la manière dont elle revenait à la vie, à son émoi, à la fébrilité qui s'emparait d'elle.

Mais pourquoi ? Pourquoi lui ? Il avait enfoncé ses défenses, très bien. Comme c'était extraordinaire ! Les circonstances avaient été extraordinaires. Qui pourrait y croire sans en avoir été témoin ? Elle n'aurait pas du tout été surprise si cet Harold avait été la seule personne à s'être autorisée à saisir le propos de Reuben Sachs. Une bonne expression, « saisir ». On peut rester une heure et demie à écouter des informations qui devraient réduire en miettes la précieuse citadelle de votre foi, ou qui ne s'accordent pas facilement avec ce qu'on a déjà dans la tête, mais on ne « saisit » pas. On ne peut pas forcer les gens à saisir...

Frances ne dormit pas bien cette nuit-là. C'était parce qu'elle se laissait aller à rêver comme une jeune fille amoureuse.

Il téléphona le lendemain après-midi et lui proposa de partir avec lui pour le week-end dans une certaine petite ville du Warwickshire. Elle accepta, aussi facilement que si c'était une habitude. Et une fois de plus elle se redemanda ce qui, chez cet homme, lui permettait de tourner sans effort la clé d'une porte qu'elle avait tenue close. C'était un garçon solide, souriant, un blond, dont la physionomie exprimait une vision des choses décontractée et humoristique. Il était ou avait été responsable d'une organisation éducative. Un responsable syndical ?

Elle supposa que l'habituel contingent d'ados allait débarquer en fin de semaine et monta chez Julia pour lui dire qu'elle aimerait bien prendre son week-end. En ces termes-là.

Julia sembla ébaucher un sourire. Était-ce bien un sourire ? Pas déplaisant, alors.

— Pauvre Frances, commença-t-elle, surprenant sa belle-fille. Votre vie n'est pas drôle.

— C'est vrai ?

— Je trouve, vraiment. Quant aux jeunes, ils peuvent se débrouiller pour une fois.

Et en sortant, Frances l'entendit chuchoter :

— Reviens-nous, Frances.

Cela l'épata tellement qu'elle se retourna, mais Julia avait déjà repris son livre.

Reviens-nous... Oh ! comme c'était perspicace de sa part ! Trop perspicace au goût de Frances, qui s'était rebellée contre la vie qu'elle menait, ses corvées incessantes, pour s'aventurer dans un royaume de rêves fiévreux, où elle allait se perdre pour ne jamais revenir dans la maison de Julia.

Et puis il y avait ses fils, et ce n'était pas du tout cuit. Prévenus que leur mère allait s'absenter pour le week-end, tous deux réagirent comme si elle leur avait dit qu'elle partait six mois en balade.

Depuis le lycée, Colin s'enquit au téléphone :

— Où vas-tu ? Avec qui pars-tu ?

— Un ami, répondit Frances.

Et il s'était écoulé un silence lourd de soupçons.

Andrew, lui, la gratifia de son sourire le plus triste, le plus anxieux, mais il ne s'en doutait certainement pas.

Elle était l'élément stable de leur existence, l'avait toujours été, et il ne servait à rien de dire que tous deux étaient assez grands pour laisser un peu de liberté à leur mère. Mais à quel âge des enfants aussi fragilisés n'ont-ils plus besoin de la présence permanente de l'un des parents ? Voilà leur mère qui partait avec un homme pour le week-end, et ils étaient au courant. Si elle avait déjà pris cette liberté... Mais combien elle avait toujours été soumise à leur situation, à leurs besoins, comme si elle pouvait compenser les manquements de Johnny ! Comme si ? Elle avait vraiment essayé de remplacer Johnny.

Le samedi en question, Frances sortit sans bruit de la maison, sachant qu'Andrew devait être à l'affût, car c'était un mauvais dormeur, et que Colin pouvait avoir décidé de se réveiller plus tôt que d'habitude. Levant le nez, elle jeta un coup d'œil à la façade, redoutant d'apercevoir la tête d'Andrew ou celle de Colin, mais il n'y avait personne aux fenêtres. Il était sept heures du matin, par une magnifique journée d'été, et malgré son sentiment de culpabilité, son euphorie menaçait de la propulser dans un empyrée d'irresponsabilité. Et voilà son galant, son rendez-vous, souriant, visiblement content de ce qu'il voyait : cette blonde (elle était allée chez le coiffeur) avec sa robe de lin vert, qui montait dans la voiture à ses côtés et se tournait vers lui pour rire de leur audace.

Ils roulèrent tranquillement à travers la banlieue londonienne, puis se retrouvèrent à la campagne. Elle jouissait à la fois de sa jouissance à lui et du plaisir qu'elle prenait en sa compagnie, en celle de ce bel homme blond-roux, et combattait dans le même temps les pensées que lui inspiraient les visages malheureux et désemparés de ses fils.

Chère tante Vera, je suis divorcée et j'élève deux garçons. Je suis tentée d'avoir une aventure, mais j'ai peur de déstabiliser mes fils. Ils me surveillent de leur regard d'aigle. Que dois-je faire ? J'aimerais bien m'amuser un peu. N'en ai-je pas le droit ?

Eh bien, si elle, Frances, était sur les rangs pour s'amuser un peu, alors à cheval ! Et elle chassa fermement ses fils de ses pensées. C'était ça ou dire à cet homme : Fais demi-tour et rentrons, j'ai commis une erreur.

Ils s'arrêtèrent au bord de la Tamise, près de Maidenhead, et prirent leur petit déjeuner, marquèrent une halte plus tard dans une ville dont les jardins publics avaient l'air hospitalier, reprirent la route, furent tentés par un pub charmant et déjeunèrent dans un autre jardin, au milieu des moineaux qui sautillaient dans la poussière.

— Tu as du mal à y croire ? lança-t-il une fois.

— Oui, répondit-elle, se retenant d'ajouter : Ce sont les garçons, tu vois...

— C'est bien ce que je pensais. Moi, je n'ai aucun mal.

Son rire était assez triomphant pour obliger Frances à en chercher la raison. Il y avait quelque chose dans tout cela qui lui échappait, mais quelle importance ! Elle était insouciante, heureuse. Quelle existence morne était la sienne ! Julia avait bien raison. Ils prirent de petites routes pour éviter les autoroutes, se perdirent, et leurs regards et leurs sourires disaient sans arrêt : Ce soir, nous allons dormir dans les bras l'un de l'autre. La journée était chaude, avec une brume soyeuse et dorée. En fin d'après-midi, ils se reposèrent dans un autre jardin au bord de l'eau, épiés par des merles, une grive et un chien énorme et gentil, qui s'assit à leurs pieds jusqu'à ce qu'il leur eût soutiré un bout de gâteau à tous les deux, puis s'éloigna sans se presser, en remuant lentement son fouet.

— Un gros toutou, dit Harold Holman. Voilà ce que je vais être à la fin du week-end !

Il avait l'air repu, oui. Mais il y avait aussi cet autre ingrédient, le plaisir qu'il tirait de la présence de Frances, de la situation, qui la poussa à demander, sans le vouloir :

— Mais pourquoi es-tu si content de toi ?

Il comprit tout de suite, si bien que l'agressivité de la question, que Frances regrettait déjà, car celle-ci contredisait la joie radieuse qu'elle ressentait, fut abolie par la façon dont il lui répondit avec un regard rieur :

— Ah, oui ! tu as raison, tu as raison.

Il ressemblait à un lion paresseux qui levait sa tête majestueuse en un lent bâillement, les pattes croisées devant lui, songea-t-elle.

— Je vais tout te dire, tout. Mais, d'abord, je voudrais aller quelque part où il y a la même lumière.

Et ils remontèrent en voiture pour s'enfoncer dans le Warwickshire. Il se gara devant leur hôtel et vint lui ouvrir la portière.

— Viens voir. (De l'autre côté de la rue, il y avait des arbres, des pierres tombales, des buissons, un if centenaire.) J'étais impatient de te montrer ce... Non, tu te trompes. Je n'ai jamais amené de femme ici, mais j'ai dû m'arrêter dans cette bourgade il y a quelques mois, et je me suis dit que ce lieu était magique. Mais j'étais seul.

Ils traversèrent la rue, main dans la main, et entrèrent dans le vieux cimetière, où l'if semblait presque aussi grand que la petite chapelle. C'était le crépuscule, au début de l'été, et une lune éclatante apparut dans le ciel qui s'obscurcissait. Les pierres blafardes penchaient à la ronde et semblaient impatientes de leur parler. Des souffles d'air tiède, des traînées de brume fraîche leur frôlaient le visage ; debout dans les bras l'un de l'autre, ils s'embrassèrent, puis restèrent serrés un long moment, à écouter les messages émis par leurs deux corps. À la fin, sous la tension d'émotions impossibles à partager, ils s'écartèrent mutuellement, même s'ils se tenaient toujours les mains.

— Oui, murmura-t-il, avec un regret voilé pour lequel elle n'avait pas besoin d'explications.

Elle-même songeait qu'elle aurait pu épouser quelqu'un comme lui, au lieu de... Julia avait traité son fils d'imbécile. Étant donné que Johnny n'avait pas rappelé sa mère après cette petite réunion, organisée « pour que tout le monde puisse connaître la vérité », c'était Julia qui lui avait téléphoné pour savoir ce qu'il en pensait ou plutôt ce qu'il se préparait à raconter.

— Eh bien ? lui avait-elle demandé. Cela valait la peine de réfléchir au témoignage de cet Israélien, non ?

— Il faut que tu apprennes à voir les choses à long terme, *Mutti*.

— Imbécile !

Le cimetière devenait plus obscur, à mesure que le ciel s'éclaircissait et que les pierres tombales brillaient d'un éclat plus spectral. Adossées à l'if dans les ténèbres amassées au-dessous de celui-ci, elles montaient la garde et regardaient le clair de lune s'intensifier. Puis ils déambulèrent entre les tombes, toutes anciennes, aucune plus jeune que le siècle, et se retrouvèrent vite dans la chambre de l'hôtel suranné où ils étaient descendus sous les noms de Harold et Frances Holman.

Elle alla même jusqu'à penser : Oh ! pourquoi pas ? Je pourrais me remarier avec cet homme, nous pourrions être heureux, après tout il y a bien des gens qui se marient et sont heureux. Mais la pensée de la pesanteur et de la complexité de la maison de Julia repoussa ces niaiseries au second plan. Alors elle bannit aussi cette pensée, avec l'intention d'être heureuse au moins une nuit.

Et elle le fut. Ils furent heureux.

— Nous sommes faits l'un pour l'autre, lui souffla-t-il à l'oreille, avant de le répéter à haute voix, exultant.

Ils étaient étendus côte à côte, enlacés, pendant que, dehors, la nuit trop courte se pressait vers une aube qui n'allait pas être retardée par les nuées : le clair de lune scintillait aux carreaux.

— Je suis amoureux de toi depuis des années, reprit-il. Oui, des années. Depuis la première fois où je t'ai vue avec tes deux bambins. La femme de Johnny. Tu ne peux pas savoir combien de fois j'ai eu le fantasme de t'appeler pour t'inviter à venir en catimini prendre un verre au coin de la rue. Mais tu étais la femme de Johnny et je l'admirais tant...

Le moral de Frances tomba en chute libre, et elle aurait voulu qu'Harold s'arrête. Mais il ne pourrait pas faire autrement que continuer, c'était évident, car c'était la triste figure de la vérité.

— Ce devait être dans cet horrible petit appartement de Notting Hill.

— Il était si horrible ? Mais nous n'étions pas très portés sur le confort à l'époque. (Il eut un rire bruyant, excessif.) Oh, Frances, reprit-il, si tu as déjà eu un rêve que tu croyais ne jamais pouvoir se réaliser, alors cette nuit, pour moi, c'est ça.

Elle se revit à ce moment-là, alourdie et préoccupée, avec les petits toujours dans ses jambes, agrippés à ses jupes pour se hisser sur elle, se disputer ses genoux.

— Qu'est-ce que tu voyais en moi alors, au juste ? j'aimerais bien le savoir.

Il resta un moment silencieux.

— C'était tout. Johnny, il était un héros pour moi à l'époque. Et tu étais la femme de Johnny. Vous formiez un tel couple, je vous enviais tous les deux et j'enviais Johnny. Et les petits. Je n'avais pas encore d'enfants à l'époque. Je voulais être comme vous.

— Comme Johnny.

— Je ne peux pas l'expliquer. Vous étiez une sainte famille, gloussa-t-il, gesticulant violemment, avant de s'asseoir au bord du lit, en étirant les bras à la clarté lunaire de la chambre. Vous étiez magnifiques. Calmes... sereins... Rien ne vous atteignait. Et puis j'ai compris que Johnny n'était pas nécessairement le plus facile... mais je ne le critique pas.

— Pourquoi non ? Moi, je le critique bien. (Allait-elle vraiment dissiper ce rêve ? Elle ne le pouvait pas. Que si, elle le pouvait !) Avais-tu idée combien je détestais Johnny alors ?

— Bon, bien sûr, nous détestons nos proches parfois. Jane... c'était une emmerdeuse.

— Johnny, lui, était un emmerdeur fini.

— Mais quel héros !

Elle le tenait par le cou, aussi près que possible, pour s'imprégner de cette vitalité jubilante. Ses seins reposaient contre son bras à lui. Combien elle avait aimé ses formes cette nuit, parce que lui les aimait ! Ses seins lourds et doux, et ses bras. Elle devait concéder qu'ils étaient beaux.

— Quand j'ai vu Johnny dans cette pièce, l'autre soir, je me suis demandé si vous deux étiez encore...

— Seigneur, non ! (Et elle s'éloigna de lui, lui retira son corps, son esprit et même sa tendresse, rien qu'un instant.) Comment as-tu pensé ça ? (Enfin, pourquoi ne devrait-il pas...) Peu importe Johnny, dit-elle. Reviens ici.

Elle s'allongea et il revint se coucher près d'elle, souriant.

— J'ai admiré cet homme plus que tout autre dans ma vie. Pour moi, il était une sorte de dieu. Le camarade Johnny. Il était beaucoup plus âgé que moi...

Il leva la tête pour la regarder.

— Ce qui veut dire que je suis beaucoup plus âgée que toi.

— Pas ce soir. J'étais dans un triste état la première fois où j'ai rencontré Johnny. À un meeting, c'était. J'étais un garçon naïf. J'avais échoué à mes examens. Mes parents m'ont dit : « Si tu es communiste, ne remets plus les pieds chez nous. » Et Johnny a été gentil avec moi. Une figure paternelle. J'ai décidé d'être digne de lui.

Là, elle contracta son diaphragme. Pour se retenir de rire ou de pleurer, c'était difficile à dire.

— J'ai trouvé une chambre dans la maison d'un camarade. J'ai repassé mes examens. J'ai été enseignant un moment, j'étais au syndicat alors... mais le fait est que je dois tout à Johnny.

— Bon, qu'est-ce que je peux dire ? Bravo, Johnny ! Mais bravo aussi à toi, non ?

— Si j'avais su à l'époque que je pourrais être avec toi ce soir, te tenir dans mes bras, j'aurais été fou de joie, je pense. La femme de Johnny, dans mes bras...

Ils refirent l'amour, oui, c'était de l'amour, un amour tendre, sensuel même, pendant que des éclats de rire pétillaient dans le chaudron des trois sorcières, hors de portée des oreilles de Harold, mais pas de Frances.

Ils dormaient, se réveillaient. Et puis il sembla avoir de mauvais rêves, car il s'éveilla en sursaut et resta étendu sur le dos en la serrant, mais d'une manière qui voulait dire Attends. À la fin, il déclara d'un ton malheureux :

— Ça a été un sale coup, tu sais, ce que ce Sachs a raconté...

Elle préféra laisser glisser.

— Tu ne peux pas dire que ça n'a pas été un choc !

Elle se décida alors à parler.

— Les journaux, épela-t-elle. Les articles de presse depuis des années, la télévision, la radio. Les purges, les camps. Les goulags, les assassinats. Depuis des années...

Un long silence.

— Oui, proféra-t-il enfin, mais je n'y croyais pas. Enfin, à certaines choses, si, bien sûr. Mais rien de comparable... à ce qu'il nous a décrit.

— Comment as-tu pu ne pas y croire ?

— Je le refusais, je suppose.

— Exactement. (Et elle s'entendit poursuivre ensuite :) Et je parie que nous n'en avons encore entendu que la moitié.

— Pourquoi dis-tu ça ? On dirait que tu es contente de toi.

— J'imagine que je le suis. C'est quelque chose d'avoir la preuve qu'on a raison, après avoir été réduite au silence et piétinée pendant des années. Et en l'étant encore aujourd'hui, ajouta-t-elle.

Maintenant il était désemparé. Mais elle continua :

— Je n'ai jamais été d'accord avec lui. Dès les tout premiers jours...

Elle supprima : ... où il est revenu de la guerre civile d'Espagne. Étant donné qu'après tout, il n'y était pas allé. Elle supprima aussi : ... quand j'ai vu l'hypocrite malhonnête qu'il était. Parce qu'après tout, comment le traiter de malhonnête ? Il y croyait à la lettre.

— Je me suis enthousiasmée pour tout ce romantisme, reprit-elle. J'avais dix-neuf ans. Mais cela n'a pas duré.

Cette confession ne plaisait pas à Harold, non, elle ne lui plaisait pas du tout. Frances resta étendue, muette, à ses côtés, assez proche de lui pour être meurtrie, parce qu'il l'était.

Il s'écoula un long silence léthargique ; dehors, la journée était déjà torride, et la circulation avait repris.

— On dirait que tout ça n'a servi à rien, murmura-t-il enfin. Ce n'était que... mensonges et folie. (Elle entendait les larmes qu'il avait dans la voix.) Quel gâchis ! Tout ce mal qu'on s'est donné... des gens tués pour rien. De braves gens. Personne ne va me dire le contraire. (Une pause.) Je ne veux pas monter ça en épingle, mais j'ai fait de tels sacrifices pour le Parti. Et tout ça n'a servi à rien...

— Excepté que le camarade Johnny t'a inspiré des actes héroïques...

— Ne te moque pas de moi.

— Je ne me moque pas de toi. Je dois accorder un bon point à Johnny. Au moins, il t'a été bénéfique.

— Je n'ai pas encore saisi, je n'ai même pas commencé à tout saisir.

Ils demeurèrent donc étendus côte à côte, et si lui renonçait à ses rêves, à de tels rêves, à des rêves si doux, ô combien ! elle songeait de son côté : Manifestement, je suis quelqu'un de très égoïste, exactement comme Johnny l'a toujours dit. Harold pense à l'avenir radieux de l'humanité, repoussé indéfiniment, mais moi je pense à ce que j'ai banni de ma vie. Elle supportait à peine cette souffrance. Le poids doux et chaud d'un homme qui dormait dans ses bras, sa bouche contre sa joue à elle, la tendre pesanteur des testicules d'un homme dans sa main, le délicieux coulissement de...

— Descendons déjeuner, suggéra-t-il. Je crois que je vais pleurer sinon...

Ils prirent un petit déjeuner frugal, dans une salle à manger exiguë et bourgeoise, et quittèrent l'hôtel, non sans avoir remarqué que le cimetière avait l'air à l'abandon et misérable, et que la magie de la nuit précédente allait tourner au mélo s'ils ne décampaient pas. Ce qu'ils firent. Ils se réfugièrent dans une localité où, allongé sur une colline verdoyante, il lui apprit que, là même où ils se trouvaient, avec ce paysage qui moutonnait dans toutes les directions, c'était le cœur de l'Angleterre. Puis, et elle le comprenait, il pleura dans l'herbe, ce grand garçon, le visage appuyé contre son bras, il pleura son rêve perdu, et elle se disait : Nous allons si bien ensemble, mais nous ne nous reverrons plus. C'était la fin de quelque chose. Pour lui. Et pour elle aussi : Qu'est-ce que je fais à batifoler au cœur de l'Angleterre avec un homme qui a du chagrin à cause... ? En tout cas, pas à cause de moi.

En fin d'après-midi, elle lui demanda de la déposer à un endroit où elle pourrait prendre un taxi, parce qu'elle serait incapable de supporter d'être vue en sa compagnie devant la maison, avec tous ses yeux jaloux et affamés. Ils s'embrassèrent, rongés de regrets. Il la vit monter dans un taxi et tous deux partirent dans des directions différentes. Pleine de l'énergie que donne l'amour sensuel, elle grimpa lestement les escaliers et fonça dans son cabinet de toilette, de crainte de sentir le sexe. Puis elle monta chez Julia, frappa à sa porte, attendit son inspection à la fois distante et attentive... et y eut droit. Puis, comme celle-ci n'était pas inamicale mais bienveillante, elle s'assit sans rien dire et, les lèvres tremblantes, se borna à sourire à Julia.

— C'est dur, dit Julia.

Et l'on aurait dit qu'elle savait à quel point c'était dur. Elle se dirigea vers un buffet rempli de bonnes bouteilles, servit un cognac et l'apporta à Frances.

— Je vais empester l'alcool, objecta Frances.

— Quelle importance ! répliqua Julia qui alluma la flamme de sa petite cafetière.

Elle resta plantée devant, tournant le dos à sa belle-fille, qui devina que c'était par tact, à cause du besoin qu'avait Frances de pleurer. Et puis une tasse de café noir serré arriva à côté du cognac.

La porte s'ouvrit... sans qu'on eût frappé. Sylvia entra en courant :

— Oh, Frances ! s'exclama-t-elle. J'ignorais que tu étais là. J'ignorais qu'elle était là, Julia. (Souriante, elle hésita, puis se précipita vers Frances et la prit dans ses bras, posant sa joue sur ses cheveux.) Oh, Frances ! on ne savait pas où tu étais passée. Tu es partie, tu nous as laissés. On a pensé que tu en avais marre de nous tous et que tu nous avais laissés.

— Bien sûr que non, protesta Frances.

— Oui, déclara Julia. La place de Frances est ici, je pense.

L'été traîna en longueur et desserra son étreinte, respira lentement, puis de plus en plus lentement, et le temps parut s'accumuler de toutes parts, pareil à ces lacs peu profonds où l'on peut se laisser flotter et rêver : tout ceci prit fin quand « les gamins » rentrèrent. Les deux déjà là prenaient peu d'espace dans la grande demeure. Frances entrevoyait Sylvia de l'autre côté du palier, étendue avec un livre sur son lit, d'où elle agitait la main : « Oh, Frances ! c'est un si beau livre », ou en train de grimper chez Julia. À moins que l'on ne les aperçoive toutes les deux en train de descendre la rue pour aller faire des courses, Julia et sa petite amie Sylvia. Andrew aussi restait sur son lit, à bouquiner. Frances, avec mauvaise conscience, cela va sans dire, avait frappé à sa porte, entendu « Entrez », était donc entrée. Non, sa chambre n'était pas pleine de fumée.

— Te voilà, maman, lança-t-il avec une nonchalance affectée, car tout s'était ralenti aussi chez lui, comme les battements de cœur de Frances. Tu devrais avoir davantage confiance en moi. Je ne suis plus un drogué sur le chemin de la perdition.

Frances ne s'occupait plus des repas. Il lui arrivait de croiser Andrew à la cuisine, occupé à se préparer un sandwich, et il proposait alors de lui en faire un. Ou vice-versa. Ils s'installaient aux deux bouts de la grande table et contemplait l'abondance : des tomates qui provenaient des commerces chypriotes de Camden Town, des condensés de vrai soleil, bosselés et même biscornus, mais au moment où l'on y plantait le couteau, l'âcre et barbare magnificence de leur parfum emplissait la cuisine. Ils se régalaient donc de tomates, avec du pain et des olives grecques, et parfois se parlaient. Un jour, il déclara qu'il supposait que c'était très bien de faire son droit.

— Pourquoi, tu en doutes ?

— Je crois que je préfère le droit international. Le choc des nations. Mais je dois avouer que je serais heureux de passer ma vie à lire au lit.

— Et à manger des tomates de temps à autre !

— Julia raconte bien que son oncle a passé toute sa vie à lire dans sa bibliothèque. Et à gérer ses placements, j'imagine...

— Combien Julia possède-t-elle d'argent, je me demande ?

— Je lui poserai la question, un de ces quatre.

Un petit incident scabreux troubla cette paix. Un soir où Frances était montée se coucher, Andrew ouvrit la porte à deux jeunes Français qui prétendaient être des amis de Colin, lequel leur aurait dit qu'ils pouvaient dormir là. L'un des deux parlait très bien l'anglais, Andrew se débrouillait en français. Ils s'étaient attardés à table, à boire du vin et à engloutir tout ce qu'ils trouvaient, tant qu'avait duré ce petit jeu où les deux partis ont envie de pratiquer la langue de l'autre. Celui qui était semi-silencieux écoutait en souriant. Colin et lui s'étaient liés d'amitié pendant les vendanges, semblait-il, puis Colin les avait suivis chez eux, en Dordogne, et parcourait actuellement l'Espagne en stop. Il leur avait demandé de dire bonjour à sa famille.

Ils montèrent dans la chambre de Colin, où ils déroulèrent leurs sacs de couchage, sans utiliser le lit, afin de causer le moins de dérangement possible. Nul n'eût pu être plus aimable et plus civilisé que ces deux frères, mais le lendemain matin un malentendu les avait conduits au cabinet de toilette de Julia. Ils se livrèrent à des facéties, se plaignirent qu'il n'y avait pas de douche, admirèrent la profusion d'eau chaude, apprécièrent les sels de bain et le savon parfumé à la violette, et firent beaucoup de tapage. Il était huit heures du matin environ ; ils avaient l'intention de partir tôt pour reprendre leurs pérégrinations. Julia, réveillée par des bruits d'eau et des voix jeunes et claironnantes, frappa une fois, deux fois. Ils n'entendirent rien. Elle ouvrit la porte et découvrit deux jeunes gens nus, l'un qui se prélassait dans sa baignoire en faisant des bulles de savon, l'autre occupé à se raser. Il s'ensuivit un torrent d'exclamations appropriées, « *Merde** ! » étant la plus sonore et la plus répétée. Les jeunes Français se virent ensuite apostropher par une vieille dame en déshabillé de mousseline rose, avec des bigoudis sur la tête, dans le français qu'elle avait appris d'une succession de gouvernantes dans sa salle d'étude, cinquante ans plus tôt. Un des garçons sortit du bain d'un bond, sans même attraper une serviette pour cacher sa nudité, tandis que l'autre se retournait, le rasoir à la main, la bouche ouverte. Comme il était évident que les deux lascars étaient trop sidérés par son apparition pour lui répondre, Julia battit en retraite et eux ramassèrent leurs affaires et descendirent se réfugier au rez-de-chaussée, où Andrew apprit l'histoire, qui le fit bien rire.

— Mais où a-t-elle été chercher son français ? s'exclamèrent-ils.

— Sous l'Ancien Régime, au moins.

— Non, chez Louis XIV !

Ainsi les deux frères plaisantaient-ils en prenant leur café, puis ils partirent visiter en stop le Devon, qui, au milieu des années soixante, était l'endroit le plus dans le vent après le Swinging London.

Mais Frances n'avait pas le cœur à rire. Elle monta chez Julia et trouva la vieille dame, non dans son petit salon, habillée et pomponnée, mais en larmes sur son lit. Julia reconnut Frances et se leva, mais d'un pas chancelant. Alors, d'eux-mêmes, les bras de Frances se refermèrent sur Julia ; ce qui avait paru jusque-là une impossibilité devint la chose la plus naturelle du monde. La vieille et frêle créature posa sa tête sur l'épaule de sa cadette.

— Je ne comprends pas, murmura-t-elle. J'ai appris une chose, c'est que je ne comprends rien...

Elle gémit d'une manière que Frances n'eût jamais crue possible de sa part et s'arracha des bras de sa belle-fille pour se jeter sur son lit. Étendue là, à côté d'elle, Frances la serra contre sa poitrine pendant qu'elle geignait et sanglotait. À l'évidence, ce n'était plus une affaire de cabinet de toilette profané. Quand Julia fut plus calme, elle balbutia :

— Vous laissez entrer n'importe qui.

À quoi Frances répondit :

— Mais Colin a séjourné chez eux !

— N'importe qui peut prétendre cela, répliqua Julia. La prochaine fois, il y aura des garnements qui débarqueront d'Amérique en jurant qu'ils sont des amis de Geoffrey.

— Oui, ce me semble plus que probable. Julia, ne pensez-vous pas que c'est plutôt sympathique, ces jeunes qui voyagent... comme des troubadours ?

Même si ce n'était peut-être pas la meilleure comparaison, car Julia eut un rire forcé, avant de s'écrier :

— Je suis certaine qu'ils avaient de meilleures manières ! (Là-dessus, elle se remit à pleurer et répéta :) Vous laissez entrer n'importe qui...

Frances demanda s'il fallait prier Wilhelm Stein de venir et Julia acquiesça.

En attendant, Mrs Philby était dans la maison et, comme les ours du conte, elle voulait savoir qui avait dormi dans la chambre de Colin. On le lui dit. La vieille femme était du même millésime que Julia, aussi élégante et droite dans sa tenue modeste, soignée et impeccable : chapeau noir, jupe également noire et corsage imprimé, un air qui refusait tout compromis avec ce monde qui avait été créé sans son assistance.

— Ce sont des cochons alors ! conclut-elle.

Andrew monta à son tour et trouva une orange qui avait roulé d'un sac à dos, ainsi que des miettes de croissant. Si ces menues cochonneries étaient suffisantes pour désorienter Mrs Philby – mais elle aurait dû s'y être habituée, non ? – alors qu'allait-elle dire de la salle de bains que Julia et Sylvia laissaient toujours quasiment intacte ?

— Bon Dieu ! jura Andrew, qui se rua à l'étage supérieur pour embrasser du regard un décor apocalyptique de flaques d'eau et de serviettes en tas.

Il effectua un premier rangement, puis informa Mrs Phylby qu'elle pouvait entrer désormais et que ce n'était que de l'eau.

Andrew et Frances étaient assis à la table de la cuisine quand apparut Wilhelm Stein, docteur ès philosophie et marchand de livres de prix. Il monta tout droit chez Julia, sans entrer dans la cuisine, puis redescendit et vint s'encadrer dans la porte, souriant, très légèrement déférent, un monsieur d'un certain âge aussi parfait à sa manière que Julia.

— Je ne pense pas que ce vous soit facile de vous représenter l'éducation dont Julia a été victime... Oui, je puis m'exprimer ainsi, parce que je suis convaincu que celle-ci l'handicape gravement pour le monde où elle se retrouve aujourd'hui.

Comme Julia, il parlait un anglais parfaitement idiomatique, qui contrastait avec le français fébrile, explétif, exclamatif qu'Andrew avait entendu la veille.

— Je vous en prie, asseyez-vous, docteur Stein, dit Frances.

— Ne nous connaissons-nous pas assez bien pour nous appeler Frances et Wilhelm ? Je pense que si, Frances. Mais je ne vais pas m'asseoir avec vous maintenant, je vais chercher le médecin. J'ai ma voiture. (Il fit mine de partir, mais se retourna pour ajouter, sentant, visiblement, qu'il ne s'était pas bien expliqué :) Les jeunes de cette maison... je vous mets à part, Andrew... sont parfois assez...

— Grossiers, acheva Andrew. Je vous l'accorde. D'odieux personnages.

Il avait pris un ton sévère et le Dr Stein salua sa petite plaisanterie d'un signe de tête et d'un sourire.

— Quand j'avais votre âge, j'étais également un odieux personnage, je dois l'avouer. J'étais chahuteur. Moi aussi j'étais grossier. (Il grimaça à l'évocation de ce souvenir.) Vous croiriez peut-être le contraire, en me voyant aujourd'hui. (Et il sourit une nouvelle fois, amusé par l'image qu'il se savait donner de lui-même – et il la donnait consciemment, une main posée sur le pommeau d'argent de sa canne, l'autre tendue comme pour dire : Oui, vous devez m'accepter tel que je suis.) En me regardant, ce doit être difficile de m'imaginer en... Je traînais en compagnie des communistes berlinois, avec tout ce que cela implique. Avec tout ce que cela implique, insista-t-il. Oui, c'est ainsi. (Il soupira.) Je crois que personne ne peut nier que nous, les Allemands, poussons les choses à l'extrême. Ou que nous en sommes capables. Bon, alors, Julia von Arne était à un extrême et moi à un autre. Parfois, je m'amuse à m'imaginer ce que mon moi de vingt et un ans aurait dit de Julia jeune fille. Et nous en rions ensemble. Donc j'ai une clé et je pourrai entrer avec le médecin.

*

En août voilà qu'avait débarqué à la maison un certain Jake Miller, qui avait lu un papier de Frances où elle se moquait de l'engouement du moment pour les frissons exotiques comme le yoga, le Yi-king, le Maharishi[1] ou le Subud[2]. Le rédacteur en chef avait décidé qu'une contribution drôle était requise pour la période creuse, et c'était ce qui avait amené Jake Miller à téléphoner au *Defender* pour demander à Frances s'il pouvait lui rendre visite. Mue par la curiosité, Frances avait accepté. Et voilà qu'il était au salon : un gros homme infiniment souriant, avec des livres ésotériques en guise de cadeaux. Les sourires d'amour illimité, de paix, de bienveillance ne devaient pas tarder à être de rigueur sur les visages des justes, peut-être devrait-on dire des jeunes et des justes, et Jake était un précurseur, bien qu'il ne fût plus très jeune, il avait la quarantaine. Il était en Europe pour échapper à la guerre du Vietnam. Frances se fendit d'un discours, mais la politique n'intéressait pas son interlocuteur. Il prétendait qu'elle était une consœur, une conjurée comme lui dans le domaine de l'expérience mystique. « Mais j'ai écrit ça pour rigoler ! », protesta-t-elle, tandis que lui répliquait, toujours avec le sourire : « Moi, j'étais sûr que vous n'écriviez ainsi que parce qu'il le

1. Le gourou des Beatles, en ces années-là.

2. Mouvement spirituel fondé par l'indonésien R.M. Muhammad Subuh Sumohadiwidjojo (1901-1987) et développé par un linguiste anglais, Husein Rofé, qui se rapprocha de John C. Bennett, lui-même disciple de Gurdjieff.

fallait, parce que vous communiez avec ceux d'entre nous qui sommes capables de comprendre. »

Jake se targuait de toutes sortes de pouvoirs spéciaux : par exemple, d'être capable de chasser les nuages à la seule force du regard. Et, de fait, plantée à la fenêtre pour contempler un ciel mouvant, elle vit les nuages défiler et se dissiper. « C'est facile, disait-il, même pour des personnes non formées. » Selon ses dires, il comprenait le langage des oiseaux et communiquait avec des esprits amis grâce à la perception extrasensorielle. Frances eût pu objecter qu'elle n'était manifestement pas une âme sœur, puisqu'il avait dû lui téléphoner, mais ce face-à-face, mi-divertissant, mi-agaçant, fut interrompu par l'entrée de Sylvia, porteuse d'un message de Julia. Frances, pourtant, ne devait jamais avoir connaissance de ce dernier. Sylvia portait une veste de coton ornée des signes du zodiaque, achetée parce qu'elle était à sa taille et que Sylvia était si menue qu'elle avait du mal à s'habiller : la fameuse veste était en fait un modèle fillette. Deux fines couettes encadraient son petit minois souriant. Son sourire et celui de Jake se croisèrent et se mêlèrent. L'instant d'après, Sylvia bavardait avec ce nouvel ami gentil et chaleureux qui l'éclaira sur son signe solaire, le Yi-king et sa probable aura. En un instant l'aimable Américain, à quatre pattes, jetait les bâtonnets pour elle, et le résultat de leur lecture l'emballa tellement qu'elle promit d'aller s'acheter le livre. Des horizons et des possibilités qu'elle n'avait jamais soupçonnés emplirent tout son être, comme s'il avait été entièrement creux auparavant, et cette jeune fille qui osait à peine sortir de la maison sans Julia, partit alors en toute confiance avec Jake de l'Illinois pour se procurer des traités édifiants. Elle rentra tard pour elle ; il était dix heures passées quand elle grimpa ventre à terre chez Julia, qui l'accueillit les bras tendus pour la serrer contre son cœur, mais les laissa ensuite retomber, en s'asseyant lourdement pour dévisager cette petite qui montrait une vivacité dont elle ne l'aurait jamais crue capable. Julia écouta le bavardage de Sylvia dans un silence qui devint si pesant et si réprobateur que celle-ci s'interrompit.

— Eh bien, Sylvia, mon enfant, dit Julia. Où as-tu pêché toutes ces inepties ?

— Mais, Julia, ce ne sont pas des inepties, non, vraiment. Je vais t'expliquer. Écoute...

— Ce sont des inepties, répéta Julia, qui se leva et lui tourna le dos.

C'était pour préparer du café, mais, à la vue de ce dos froid et hostile, Sylvia éclata en pleurs. Elle ne le savait pas, mais Julia avait aussi les larmes aux yeux et se retenait pour ne pas pleurer. Que cette enfant, son enfant, ait pu la trahir ainsi, voilà ce qu'elle ressentait ! Entre toutes les deux, la vieille dame et son petit ange, l'être à qui, pour la première fois de sa vie, elle avait donné son cœur sans réserve – c'était là ce qu'elle ressentait – s'étaient insinués des soupçons et une blessure.

— Mais Julia, mais Julia...

Julia ne se retourna pas. Sylvia dévala l'escalier, se jeta sur son lit et sanglota si fort qu'Andrew l'entendit et vint la voir. Elle lui raconta son histoire et il la rassura :

— Maintenant, arrête. Ça ne sert à rien de te mettre dans un état pareil. Je vais aller parler à grand-mère.

Il monta chez Julia.

— Et, d'abord, qui est cet homme ? Pourquoi Frances l'a-t-elle laissé entrer ?

— Mais tu en parles comme si c'était un voleur ou un imposteur.

— Mais c'est un imposteur ! Il a fait perdre la tête à cette pauvre Sylvia...

— Tu sais, grand-mère, ce genre de truc, le yoga et tout le reste, c'est dans l'air du temps... Tu mènes une vie trop protégée, sinon tu le saurais. (Le ton d'Andrew était malicieux, mais le visage usé et malheureux de sa grand-mère le consternait. Il savait très bien où était le vrai problème, mais décida de s'en tenir au niveau des causes simples.) Elle va sûrement se heurter à ce genre de trucs au lycée, tu ne peux pas la préserver indéfiniment. (Pendant ce temps, Andrew songeait qu'il lisait son horoscope tous les matins, même si, bien sûr, il n'y croyait pas, et avait même joué avec l'idée de se faire tirer les cartes.) Je pense que tu y attaches trop d'importance, osa-t-il conclure.

Il vit sa grand-mère incliner la tête, puis soupirer.

— Très bien, murmura-t-elle. Mais comment se fait-il que cette... cette... horreur soit soudain si répandue ?

— Bonne question, lança Andrew, en la serrant contre lui, mais c'était un poids mort dans ses bras.

Julia et Sylvia se réconcilièrent.

— Nous nous sommes réconciliées, annonça Sylvia à Andrew, comme si un incident lourd et regrettable pouvait devenir léger et inoffensif.

Mais Julia refusait d'entendre les nouvelles découvertes de Sylvia, de lancer les bâtonnets pour tirer le Yi-king ou de parler bouddhisme. Aussi leur parfaite complicité, celle seulement possible entre un adulte et un enfant, limpide et confiante, et aussi naturelle que la respiration, avait-elle pris fin. Elle doit prendre fin, pour que le jeune grandisse, mais même quand l'adulte le sait et s'y attend, les cœurs saignent et se brisent, c'est fatal. Mais Julia n'avait jamais connu ce type d'amour pour un enfant, sûrement pas pour Johnny ; elle ignorait qu'un enfant qui grandissait – et Sylvia avait rattrapé son retard auprès d'elle – devait devenir comme étranger. Tout à coup, Sylvia n'était plus la fillette qui trottait joyeusement autour de Julia et avait peur d'échapper à ses regards. Elle était assez mûre pour interpréter les bâtonnets – consultés en quête d'un conseil – et savoir qu'elle devait aller voir sa mère. Elle y alla toute seule et trouva Phyllida, non pas vocifératrice et hystérique, mais calme, renfermée et même digne. Elle était seule. Johnny assistait à une réunion.

Sylvia attendait les reproches et accusations qu'elle ne pouvait plus supporter, sachant qu'ils l'obligeraient à se sauver, mais Phyllida lui dit :

— Tu dois faire ce que tu crois être bien. Je comprends que tu dois être mieux là-bas, au milieu d'autres jeunes. Et puis ta grand-mère s'est attachée à toi, à ce que j'ai appris.

— Oui, je l'aime beaucoup, avoua simplement la jeune fille, tremblant par crainte de la jalousie maternelle.

— Ce n'est pas difficile d'être aimé si on est riche, persifla Phyllida.

Mais ses observations n'allèrent pas plus loin. Sa résolution à bien se comporter, à ne pas lâcher la bride aux démons qui la déchiraient et grondaient en elle, la rendait lente et apparemment stupide. Elle répéta :

— C'est mieux pour toi, je le sais. (Et d'ajouter :) Tu es libre de décider.

Comme si tout n'était pas déjà décidé depuis longtemps. Elle ne proposa pas de thé ou de boisson fraîche à sa fille, mais resta cramponnée aux accoudoirs de son fauteuil, à fixer Sylvia, en clignant irrégulièrement des yeux. Et puis, alors qu'elle était à deux doigts d'exploser, elle murmura précipitamment :

— Tu ferais mieux de t'en aller, Tilly. Oui, je sais que tu t'appelles Sylvia maintenant, mais pour moi tu seras toujours Tilly.

Et Sylvia partit, consciente d'avoir échappé de peu aux hurlements de sa mère.

Colin rentra le premier : il déclara que ç'avait été extra. C'est tout ce qu'il dit. Il passait beaucoup de temps dans sa chambre, à bouquiner.

Sophie vint leur annoncer qu'elle commençait les cours de théâtre et garderait sa maison comme base, parce que sa mère avait encore besoin d'elle.

— Mais, s'il vous plaît, est-ce que je pourrais venir souvent ? J'adore nos dîners, Frances. J'adore nos soirées !

Frances la rassura, la prit dans ses bras et, par ce contact, sut que la jeune fille était tourmentée.

— Qu'est-ce qui ne va pas ? s'enquit-elle. C'est à cause de Roland ? Tu ne t'es pas bien amusée avec lui ?

Sans vouloir faire de l'humour, Sophie répondit :

— Je ne crois pas être assez vieille pour lui.

— Ah ! je vois. C'est lui qui te l'a dit ?

— Il a dit que si j'avais plus d'expérience, je comprendrais. C'est drôle, Frances. Parfois, j'ai l'impression qu'il n'est absolument pas là... Il est avec moi et pourtant il ne m'aime pas, Frances, même s'il prétend le contraire...

— Eh bien, voilà !

— On a fait des trucs marrants. On a marché des kilomètres, on est allés au théâtre, on a retrouvé d'autres gens et on s'est vachement bien amusés...

Geoffrey commençait son année à la London School of Economics. Il passa dire qu'il se sentait grand maintenant et que l'heure était venue pour lui d'avoir son propre appartement. Il allait le partager avec des Américains qu'il avait connus dans une manifestation en Georgie ; c'était bien dommage que Colin eût un an de moins, sinon lui aussi aurait pu être de la partie. Il déclara qu'il souhaitait venir ici « comme au bon vieux temps » ; il avait l'impression que quitter cette maison était plus un arrachement que de quitter ses parents.

Daniel, plus jeune que Geoffrey d'un an, avait donc encore un an à passer au lycée. Un an sans Geoffrey !

James fréquentait déjà la L.S.E.

Jill restait l'inconnue. Elle ne rentra pas avec Rose, qui ne leur avoua jamais où elle-même était passée, mais les informa que Jill était allée à Bristol avec un amant. Mais elle les assura de son retour.

Rose, toujours au sous-sol, leur annonça qu'elle allait s'accrocher au lycée. Personne ne la crut, à tort. En réalité, elle était intelligente, le savait et était décidée à « leur apprendre » à se moquer d'elle. À qui ? Frances serait la première sur la liste, mais c'était à tous, en réalité. « Je leur apprendrai », marmonnait-elle. C'était une sorte de mantra qu'elle se répétait à l'heure de se mettre à ses devoirs, ou chaque fois que la qualité alternative de son lycée semblait inférieure à ses espérances, comme quand elle était priée de bien vouloir ne pas fumer en classe.

La résolution de Sylvia de bien travailler en classe n'était pas seulement dédiée à Julia, mais aussi à Andrew, qui continuait à jouer le rôle du frère aîné, affectueux et gentil. Quand il était là et non à Cambridge.

Les problèmes financiers... Quand Frances était arrivée dans cette maison, l'arrangement était le suivant : Julia payait les impôts locaux pour toute la maison, mais Frances prenait le reste en charge : gaz, électricité, eau, téléphone. Les appointements de Mrs Philby également, ainsi que ceux de l'aide qu'elle amena pour la seconder quand « les gamins » dépassaient la mesure. « Les gamins ? Des cochons, plutôt ! » Frances se chargeait aussi d'acheter le ravitaillement, pourvoyait en général à tous les exigences domestiques, bref, avait besoin de pas mal d'argent. Elle en gagnait. La facture de Cambridge était tombée quelques semaines plus tôt, et Julia l'avait honorée : elle disait que l'année sabbatique d'Andrew lui avait été d'un grand secours. La note du lycée pour Sylvia fut payée aussi par Julia. Puis arriva celle de

Colin, et Frances la monta sur le petit guéridon du dernier palier de la maison, où le courrier de Julia était déposé, avec un mauvais pressentiment, qui se confirma quand Julia descendit à son étage avec la facture de Saint-Joseph à la main. Julia aussi était nerveuse. Étant donné que les barrières entre les deux femmes avaient disparu, Julia s'était montrée plus affectueuse envers Frances, mais aussi plus irritable et plus critique.

— Je vous en prie, asseyez-vous, Julia.

Julia s'assit, non sans avoir d'abord ôté une paire de collants de Frances.

— Oh ! je suis désolée, balbutia Frances.

Julia accepta les excuses de sa belle-fille avec un petit sourire forcé.

— Qu'est-ce que c'est que cette histoire de psychanalyse pour Colin ?

Voilà ce qu'avait redouté Frances : des entretiens avaient déjà eu lieu entre elle-même et l'établissement, puis entre elle-même et Colin, et Sophie aussi était au courant. « Oh ! terrible, Colin ! ce serait si bien... »

— Le proviseur me l'a présentée comme étant la possibilité pour Colin d'avoir quelqu'un à qui parler.

— On peut appeler cela comme on veut ! Cela nous coûterait des milliers, oui, des milliers de livres par an...

— Écoutez, Julia, je sais que vous vous méfiez de tous ces trucs psy. Mais y avez-vous pensé ? Il aura un homme à qui parler. Enfin, j'espère que ce sera un homme. Ici, c'est une maison si féminine, et Johnny...

— Il a un frère, il a Andrew...

— Mais ils ne s'entendent pas.

— S'entendre ? Comment cela ? (Il y eut alors un silence, pendant lequel Julia étira ses doigts, qui étaient posés sur ses genoux, puis les replia.) Mes frères aînés, ils se querellaient de temps en temps. Pour des frères, il est normal de se quereller.

Frances savait déjà que Julia avait eu des frères et qu'ils étaient morts à la guerre. Les mains douloureusement crispées de Julia les ressuscitèrent dans cette pièce. Les frères disparus de Julia. Julia avait les larmes aux yeux, Frances l'aurait juré, même si sa belle-mère était assise à contre-jour.

— J'ai dit oui à cette possibilité de dialogue pour Colin parce que... il est très malheureux, Julia.

Frances n'était même pas sûre que Colin accepterait. En fait, son commentaire avait été :

— Oui, je sais, Sam m'en a parlé. (Sam, le proviseur.) Je lui ai répondu que c'était mon père qui devrait être analysé.

— J'aimerais bien voir ça ! s'était exclamée Frances.

— Oui, et pourquoi pas toi ? avait-il riposté. Je suis sûr que tu aurais bien besoin d'avoir quelqu'un à qui parler.

— De parler avec quelqu'un, pas à quelqu'un.

— Je ne pense pas être plus fou qu'un autre.

— Je suis de ton avis.

À ce moment-là, Julia se leva.

— Il y a certaines choses sur lesquelles nous risquons de ne pas être du même avis, je pense, déclara-t-elle. Mais ce n'est pas là l'objet de ma visite. Même sans cette stupide analyse, je ne peux pas prendre les études de Colin en charge. Je croyais qu'il allait les arrêter, et puis j'apprends qu'il les poursuit un an de plus !

— Il a accepté de repasser son examen.

— Mais je ne peux pas payer pour lui et pour Andrew, et aussi pour Sylvia. Ces deux pourront compter sur moi pendant toutes leurs études universitaires, jusqu'à ce qu'ils soient indépendants. Mais Colin... je n'en ai pas les moyens. Et puis vous gagnez de l'argent maintenant, j'espère que cela suffira.

— Ne vous inquiétez pas, Julia. Je suis tellement désolée que tous ces soucis retombent sur vous.

— J'imagine que ce n'est pas la peine de demander quoi que ce soit à Johnny. Pourtant, il doit avoir de l'argent, il n'arrête pas de voyager...

— Il est payé pour ça.

— Comment cela ? Pourquoi paie-t-on pour lui ?

— Ah ! le camarade Johnny, vous savez... C'est un peu une vedette, Julia.

— C'est un idiot ! se récria la mère de Johnny. Pourquoi ? Je ne pense pas moi-même être idiote. Quant à son père, ce n'était certainement pas un idiot. Mais Johnny, lui, est un idiot.

De la porte, Julia promena un regard connaisseur autour de la pièce qui avait été jadis son petit boudoir personnel. Elle savait que Frances n'aimait pas ce mobilier, un si beau mobilier, ni les rideaux, qui dureraient cinquante ans de plus, si on en prenait soin. Julia subodorait que les fameux rideaux étaient des nids à poussière, sans doute pleins de mites. Le vieux tapis, qui provenait de la maison en Allemagne, était élimé par endroits.

— Je suppose aussi que vous allez prendre la défense de Johnny, comme toujours.

— Je prends sa défense ? Quand ai-je jamais défendu sa politique ?

— Sa politique ! Ce n'est pas de la politique, ce sont de telles inepties !

— La politique de la moitié du monde, Julia.

— Ce sont quand même des inepties. Enfin, Frances, je n'aime pas vous voir préoccupée, avec un tel fardeau sur les épaules, mais je n'y peux rien. Si vraiment vous n'avez pas de quoi payer pour Colin, alors nous pouvons toujours hypothéquer la maison.

— Non, non, non... absolument pas.

— Bon, dites-moi si vous avez des difficultés.

Elle sortit.

Frances aurait des difficultés. Le lycée de Colin était très cher, et il s'était engagé à mener son année à terme. Il était trop âgé, il allait avoir dix-neuf ans et c'était la honte. Quant à la facture de la clinique Maystock, l'« espace de parole », elle atteindrait les milliers de livres. Frances devait trouver de nouvelles commandes. Elle allait demander une augmentation. Elle savait que ses articles avaient gonflé le tirage de *The Defender*. Elle pouvait écrire pour d'autres journaux, mais sous un autre nom. Ces problèmes avaient été abordés avec nul autre que Rupert Boland, au Cosmo. Lui aussi avait des soucis financiers, sur lesquels il ne s'était pas étendu. Il aurait aimé quitter *The Defender*, qui n'était pas un lieu pour un homme, mais il était bien payé. Il arrondissait ses fins de mois en étant documentaliste pour la télévision et la radio. Elle n'avait qu'à l'imiter. Même ainsi, elle aurait besoin de plus, de beaucoup plus. Johnny. Elle pouvait peut-être le solliciter de nouveau ? Julia avait raison : il menait la vie d'un... de l'équivalent d'un radjah d'aujourd'hui. Il partait avec des délégations et des missions de bienfaisance, descendait toujours dans les meilleurs hôtels, tous frais payés, transmettait les salutations des camarades d'une partie du monde à ceux de l'autre. Il devait bien toucher de l'argent de quelque part. Qui payait son loyer ? Il n'avait jamais travaillé.

Cet automne-là, une routine bizarre s'instaura. Colin venait en train deux fois par semaine de Saint-Joseph pour se rendre à la clinique Maystock, où il avait rendez-vous avec un certain Dr David. Un homme. Frances était ravie. Colin aurait un homme à qui parler, un interlocuteur extérieur à sa situation familiale. (« Si c'est ce qu'il lui faut, pourquoi pas Wilhelm ? avait suggéré Julia. Il aime bien Colin. — Mais Julia, ne voyez-vous pas, il est trop proche, il fait partie de notre monde. — Non, je ne vois pas. ») Le problème, c'est que, membre d'une école psychanalytique ou d'une autre, le Dr David n'ouvrait pas la bouche. Il disait bonjour, s'installait dans son fauteuil après une vigoureuse poignée de mains et ensuite ne prononçait pas un mot de toute l'heure. Absolument pas un mot.

— Il se contente de sourire, raconta Colin. Je dis quelque chose et il sourit. Et, à la fin, il dit : « La séance est terminée, je vous revois mardi. »

Colin rentrait directement après la clinique et fondait sur sa mère, où qu'elle fût dans la maison. Là, il lui jetait à la figure tout ce qu'il n'avait pu dire au Dr David. Tout ressortait : les griefs, les souffrances, les rages dont Frances avait espéré qu'il pourrait les décharger sur les épaules professionnelles du Dr David. Qui se bornait à rester silencieux sur son siège, aussi Colin restait-il silencieux, frustré et furieux. Il criait à sa mère que le Dr David le torturait et que tout était la faute du lycée s'il était obligé d'aller à la clinique Maystock. Et puis c'était de la faute de Frances s'il était dans un tel pétrin. Pourquoi s'était-elle mariée avec Johnny ? lui criait-il. Ce communiste ! Tout le monde avait entendu parler du communisme, mais elle, elle l'avait épousé, Johnny n'était qu'un commissaire politique, et elle, Frances, l'avait épousé et toute cette merde était retombée sur Andrew et lui. Ainsi braillait-il, planté au milieu de la pièce, mais c'était le Dr David qu'il vitupérait, et comme tout était refoulé en lui, il fallait bien que cela sorte. Pendant le trajet jusqu'à Londres dans le petit train omnibus, il répétait ses accusations contre la vie, son père, sa mère, pour les lancer au Dr David, mais le bon Dr David se bornait à sourire. Alors il fallait que cela explose, et c'était sa mère qui prenait. Regarde, criait-il, visite après visite, regarde-moi cette maison, pleine de gens qui n'ont aucun droit d'être ici. Pourquoi Sylvia était-elle là ? Elle n'était pas de leur famille. Elle s'appropriait tout, tout le monde s'appropriait tout, et puis Geoffrey les suçait comme une sangsue depuis des années. Frances avait-elle réellement calculé ce que Geoffrey leur avait coûté au fil des ans ? Ils auraient pu acheter une autre maison de la taille de celle de Julia avec cet argent. Pourquoi Geoffrey avait-il toujours été là ? Tout le monde disait que Geoffrey était son ami, mais il n'avait jamais beaucoup aimé Geoffrey. Le lycée avait décidé pour lui que Geoffrey était son ami, Sam avait décidé qu'ils étaient complémentaires, en d'autres mots ils n'avaient absolument rien en commun, mais ça devait leur faire du bien. Eh bien, à lui, Colin, ça ne lui avait pas fait du bien ! et Frances était de connivence avec le lycée, elle l'avait toujours été, parfois il pensait que Geoffrey était plus le fils de Frances que lui-même. Et regarde Andrew, il était resté couché un an entier sur son lit à fumer du hasch et, Frances était-elle au courant ? il avait essayé la cocaïne. Eh bien, est-ce qu'elle était au courant ? Si ce n'était pas le cas, pourquoi ? Frances n'était jamais au courant de rien, elle laissait courir. Et Rose ! Que faisait Rose seulement dans cette maison ? Elle vivait à nos crochets, prenait tout pour elle, il ne voulait pas de la présence de Rose, il détestait Rose. Frances savait-elle que personne n'aimait Rose ? Et pourtant elle était là, au sous-sol, elle occupait l'appartement, et si quelqu'un d'autre passait seulement la tête par la porte, elle lui criait de ficher le camp. Tout était de la faute de Frances. Par moments, il se disait qu'il était l'unique personne sensée de cette maison, mais c'était lui qui devait aller à la clinique Maystock pour être torturée par le Dr David !

En écoutant Colin qui pérorait debout, ôtant ses grosses lunettes à monture noire pour les remettre, agitant les mains, trépignant, elle entendait ce que nul être humain n'aurait jamais dû entendre : les pensées brut de brut d'un autre individu. (C'est-à-dire, personne excepté le Dr David et ses acolytes.) C'étaient des pensées sans doute guère différentes de celles de beaucoup, quand on est échauffé et volcanique. De même aussi que les gens n'étaient pas capables d'entendre ce que les autres pensaient d'eux, comme elle devait l'être pour Colin. Ensuite, il lançait d'une voix normale, presque amicale : « Maintenant il faut que j'aille prendre mon train ». Ou encore : « Je reste dormir et reprendrai le train demain matin. » Et le Colin qu'elle connaissait était de retour, il souriait même, bien qu'avec un petit air perplexe, frustré. Il devait être complètement épuisé après ces débordements !

— Tu n'es pas obligé d'aller à la clinique, lui rappela-t-elle. Tu es libre de refuser. Tu veux que j'informe le lycée que tu as décidé de ne plus y aller ?

Mais Colin n'avait aucune envie d'arrêter de venir deux fois par semaine à Londres, à la clinique Maystock, chez sa mère, elle le savait, parce que, sans la frustration de son heure avec l'analyste, il ne pourrait jamais lui crier après et tempêter contre elle, dire ce qu'il pensait depuis si longtemps sans l'exprimer, sans jamais pouvoir le cracher.

Après s'être laissé invectiver pendant une heure, Frances était si fatiguée qu'elle montait se coucher ou s'affalait dans un fauteuil. Un soir qu'elle était assise dans l'obscurité, Julia frappa, ouvrit la porte, vit que la pièce était plongée dans le noir et que Frances était là. Julia alluma la lumière. Elle avait entendu Colin s'en prendre à sa mère et le bruit l'avait dérangée, mais ce n'était pas ce qui l'avait fait descendre.

— Saviez-vous que Sylvia n'est toujours pas rentrée ?

— Il n'est que dix heures.

— Puis-je m'asseoir ? (Et Julia s'assit. Ses mains trituraient le petit mouchoir posé sur ses genoux.) Elle est trop jeune pour être dehors si tard, avec de mauvaises fréquentations.

De temps en temps, après le lycée, Sylvia se rendait dans un certain appartement de Camden Town où Jake et ses vieilles connaissances se réunissaient les trois quarts des après-midi et des soirées. Ils étaient tous des diseurs de bonne aventure, dont un ou deux professionnels, ou bien écrivaient des horoscopes pour des journaux, étaient initiés à des rites, inventés pour la plupart par eux, s'adonnaient aux tables tournantes, conjuraient les esprits et absorbaient de mystérieuses substances baptisées Baume de l'âme, Mélange spirituel ou Essence de vérité – d'ordinaire, de simples tisanes ou épices – et vivaient en général dans un monde de sens et de signification très éloigné de celui de la majorité. Sylvia avait beaucoup de succès avec eux. C'était leur chouchoute, la néophyte dont rêvent ceux qui possèdent le savoir, et on lui confiait régulièrement des secrets d'une haute portée. Elle aimait bien ce monde parce qu'on l'aimait aussi, et qu'elle était toujours la bienvenue. Elle ne se conduisait jamais de manière irresponsable, téléphonait toujours pour prévenir qu'elle rentrerait plus tard que d'habitude et, si elle s'attardait plus longtemps que prévu, elle rappelait Julia.

— Si tu dois fréquenter ce type de gens, Sylvia, que puis-je dire ?

Cela ne plaisait pas non plus à Frances, mais elle savait que la jeune fille se lasserait avec le temps.

Mais pour Julia, c'était une tragédie, la perte de son petit agneau, attiré par des fous à lier.

— Ces gens-là ne sont pas normaux, Frances, gémissait-elle ce soir-là, désemparée et au bord des larmes.

Frances ne rit pas – « Qui donc ? » –, Julia se serait lancée dans ses définitions. Elle savait que sa belle-mère était descendue pour autre chose que les inquiétudes que lui inspirait Sylvia et attendit la suite.

— Comment se fait-il qu'un fils puisse parler à sa mère comme Colin vous parle ?

— Il a besoin de lâcher son paquet à quelqu'un.

— Mais c'est grotesque les choses qu'il dit... J'entends tout, toute la maison peut entendre.

— Il ne peut pas les dire à Johnny, alors c'est à moi qu'il les dit.

— Je suis étonnée que les jeunes s'autorisent à se comporter ainsi. Pourquoi ?

— Ils sont paumés, répondit Frances. N'est-ce pas bizarre, Julia ? Ne trouvez-vous pas que c'est étrange ?

— Oui, leur comportement est très étrange, acquiesça Julia.

— Non, écoutez, je pense à une chose. Ils sont tous si privilégiés, ils ne manquent de rien, ils ont plus qu'aucun de nous n'en a jamais eu... Enfin, vous étiez peut-être différente.

— Non, je n'avais pas une robe neuve toutes les semaines. Et je ne volais pas. (Julia éleva la voix.) Ce repaire de voleurs qu'est votre cuisine, Frances ! Ce sont tous des voleurs et ils sont immoraux. S'ils ont envie de quelque chose, ils vont le voler.

— Andrew ne vole pas, Colin non plus. Et je ne pense pas que Sophie l'ait jamais fait.

— Cette maison est pleine de... Vous leur ouvrez la porte, ils profitent de vous, et ce sont des voleurs et des menteurs ! C'était une maison honorable. Notre famille était honorable et nous étions respectés par tout le monde.

— Oui, je me demande pourquoi ils tournent ainsi. Ils ont tous tant de choses, ils ont plus que n'a jamais eu n'importe quelle génération, et pourtant ils sont tous...

— Ils sont tous paumés, acheva Julia, qui se leva pour se retirer. (Puis elle se posta devant Frances, les mains écartées, comme si elle tenait une créature invisible – une personne ? – qu'elle aurait tordue à la manière d'un linge.) C'est une bonne expression, ce « paumés ». Je sais pourquoi. Perturbé, c'est ce que vous avez dit qu'était Colin. Ce sont tous des enfants de la guerre, il ne faut pas chercher plus loin. Deux guerres abominables, et voilà le résultat. Ce sont des enfants de la guerre. Croyez-vous qu'il puisse y avoir des conflits pareils, des guerres atroces, affreuses, et qu'on puisse dire ensuite : « Très bien, c'est fini, retournons à la normale. » Mais plus rien n'est normal. Les enfants ne sont pas normaux. Vous aussi... – mais elle s'interrompit, et Frances ne devait jamais entendre ce que Julia pensait d'elle. Et maintenant Sylvia, avec ces spirites... c'est le nom qu'ils se donnent. Saviez-vous qu'ils éteignent les lumières et restent assis en se tenant la main pendant qu'une idiote prétend parler à un fantôme ?

— Oui, je sais.

— Et pourtant vous ne bougez pas, vous vous contentez toujours d'écouter, mais vous ne les arrêtez pas.

— Julia, on ne peut pas les arrêter, protesta Frances, au moment où Julia sortait de la pièce.

— Je dois arrêter Sylvia. Je vais lui dire qu'elle n'a qu'à retourner chez sa mère si elle veut traîner avec ce monde-là.

La porte se referma.

— Non, Julia, vous n'en ferez rien ! s'écria Frances à haute voix dans la pièce vide. Vous marmonnez simplement dans votre barbe comme une vieille sorcière, pour laisser échapper la vapeur...

Ce même soir, alors que le « C'était une maison honorable » résonnait encore aux oreilles de Frances, la sonnette retentit, tard. Frances descendit ouvrir. Sur le seuil se tenaient deux jeunes filles d'une quinzaine d'années. Leurs regards hostiles mais implorants prémunirent Frances contre ce qu'elle allait entendre :

— Laissez-nous entrer. Rose nous attend.

— Mais, moi, je ne vous attendais pas. Qui êtes-vous ?

— Rose a dit qu'on pouvait s'installer ici, dit une des deux, apparemment prête à bousculer Frances pour entrer.

— Ce n'est pas à Rose de décider qui peut ou non s'installer ici, déclara Frances, assez épatée de se voir résister. (Puis, comme les filles ne bougeaient pas, hésitantes, elle ajouta :) Si vous désirez voir Rose, vous n'avez qu'à revenir demain, à une heure raisonnable. Je pense qu'elle doit déjà dormir.

— Non, elle ne dort pas.

Et, baissant les yeux vers la fenêtre de l'appartement en sous-sol, Frances vit Rose gesticuler fébrilement à l'intention de ses amies.

— Je vous avais dit que c'était une vieille vache ! entendit-elle.

Les filles repartirent avec de grands gestes du style « Qu'est-ce que tu espérais ? » destinés à Rose. L'une dit tout haut par-dessus son épaule :

— Quand nous aurons fait la révolution, tu riras jaune...

Frances descendit tout droit chez Rose, qui l'attendait, écumante de rage. Ses cheveux noirs, qui n'étaient plus domestiqués par la coupe Evansky, avaient l'air hérissés, son visage était en feu. Elle semblait même prête à agresser physiquement Frances.

— Mais enfin ! qu'est-ce que tu cherches en disant aux gens qu'ils peuvent venir habiter ici ?

— C'est mon appartement, non ? Je peux faire ce que je veux dans mon appartement.

— Ce n'est pas ton appartement. Nous t'autorisons à y rester jusqu'à ce que tu aies terminé le lycée. Mais s'il y a d'autres personnes qui en ont besoin, ils prendront la deuxième chambre.

— J'ai l'intention de louer cette chambre, répliqua Rose.

Frances fut alors tellement interloquée par la tournure invraisemblable des événements qu'elle se tut.

Une situation pourtant guère nouvelle avec Rose. Puis elle s'aperçut que Rose triomphait parce qu'elle n'avait pas été contredite.

— Nous ne te demandons pas de loyer. Tu habites ici gratuitement. Alors comment peux-tu imaginer un seul instant que tu pourrais louer une chambre ?

— J'y suis obligée, cria Rose. Ce que mes parents me donnent ne me suffit pas pour vivre. C'est trois fois rien. Ils sont si radins...

— Pourquoi aurais-tu besoin de plus, alors que tu es logée gratis, que tu manges à notre table et que tes frais de scolarité sont entièrement pris en charge ?

Mais Rose était ivre de rage, déchaînée.

— Des merdes, c'est tout ce que vous êtes jusqu'au dernier ! Et vous vous fichez pas mal de mes amies. Elles n'ont nulle part où aller. Elles dorment sur un banc à King's Cross. Je suppose que c'est ce que vous voulez que je fasse...

— Si c'est ce que, toi, tu veux, alors tu t'en vas, rétorqua Frances. Je ne t'arrêterai pas.

— Votre cher Andrew m'engrosse et puis vous me traitez comme un chien !

Cette phrase décontenança complètement Frances, mais elle se souvint que ce n'était pas vrai... Et puis elle fut obligée de se rappeler que l'avortement de Jill avait été organisé à son insu. Cette hésitation donna l'avantage à Rose, qui brailla :

— Et regardez Jill ! vous l'avez obligée à avorter contre sa volonté...

— Mais je ne savais pas qu'elle était enceinte, je n'étais même pas au courant ! se défendit Frances, prenant conscience qu'elle discutait avec Rose, ce dont toute personne sensée se serait abstenue.

— Et je présume que vous n'étiez pas non plus au courant pour moi ? Tous ces « mon chéri, sois gentil avec Rose »... En fait, vous couvrez Andrew.

— Tu mens ! s'emporta Frances. Je sais quand tu mens...

Une fois de plus, elle fut secouée. Colin disait bien qu'elle n'était jamais au courant de rien. Et si Rose avait été enceinte ? Mais, non, Andrew l'aurait prévenue.

— Je ne vais pas continuer à vivre dans cette maison alors que vous êtes si odieuse avec moi. Je sais quand on ne veut pas de moi.

Le ridicule de cette dernière affirmation fit même sourire Frances, mais c'était aussi de soulagement, à la pensée que Rose pouvait réellement partir. Son degré de soulagement lui révéla quel lourd fardeau représentait la présence de l'adolescente.

— Bon, articula-t-elle. Eh bien, Rose, j'en conviens avec toi. Manifestement, il vaut mieux que tu nous quittes si tu es dans cet état d'esprit.

Et elle remonta les marches dans un silence similaire à celui qui règne, dit-on, au cœur d'un orage. Un dernier coup d'œil lui montra le visage de Rose levé dans ce qui ressemblait à une prière... Mais c'était pour hurler.

Frances referma la porte sur elle, grimpa quatre à quatre dans sa chambre et se jeta sur son lit. Oh, mon Dieu ! se débarrasser de Rose, juste se débarrasser de Rose. Mais le bon sens lui revint peu à peu. Bien sûr, elle ne partirait pas.

Elle entendit Rose monter un étage plus haut avec un bruit de tonnerre, puis tambouriner à la porte d'Andrew. Elle resta là-haut un bon moment. Frances – en fait, toute la maison – eut droit aux sanglots, aux cris et aux menaces.

Enfin, à plus de minuit passé, elle redescendit à pas de loup, passa l'étage de Frances, et le silence retomba.

On frappait à sa porte ; c'était Andrew. Il était pâle d'épuisement.

— Puis-je m'asseoir ? (Il s'assit.) Tu ne peux pas savoir comme c'est amusant de te voir dans ce décor improbable, reprit-il, gardant son flegme en toutes circonstances.

Frances se vit avec son jean usé et son vieux pull, les pieds nus, au milieu des meubles de Julia, qui auraient eu sans doute leur place dans un musée. Elle ébaucha un sourire et secoua légèrement la tête comme pour dire : C'est trop fort !

— Elle raconte que tu la mets à la porte.

— Si seulement je pouvais ! Elle dit qu'elle va partir.

— Je crains que nous n'ayons pas cette chance.

— Elle dit aussi que tu l'as mise enceinte.

— Comment ?

— C'est ce qu'elle prétend.

— Il n'y a pas eu pénétration, se défendit-il. On s'est bécotés... pour rigoler plus qu'autre chose. Peut-être une heure. C'est stupéfiant comme ces universités d'été de gauche semblent... (Il fredonna :) ... La moindre petite brise semble chuchoter : S'il vous plaît, du sexe, du sexe, du sexe...

— Qu'allons-nous faire ? Pourquoi ne pas la jeter tout simplement dehors, mon Dieu ? Pourquoi ne pas le faire ?

— Mais si on le fait, elle va se retrouver à la rue. Elle ne retournera pas chez elle.

— J'imagine.

— Il n'y en a que pour un an. Il faudra tenir le coup.

— Colin est très en colère à cause de sa présence.

— Je sais. Tu oublies qu'on peut tous entendre ses griefs contre l'existence. Et contre Sylvia. Contre moi aussi, sans doute.

— Contre moi surtout.

— Et maintenant je vais descendre lui dire que si jamais elle répète que je l'ai mise enceinte... Attends, j'imagine que je l'ai aussi obligée à avorter ?

— Elle ne l'a pas dit, mais je m'attends à tout.

— Mon Dieu, quelle petite garce !

— Mais c'est efficace d'être une garce. Personne ne peut lui tenir tête !

— Tu n'as qu'à me regarder.

— Alors qu'allons-nous faire ? Appeler la police ? Et, à propos, où est passée Jill ? On dirait qu'elle a disparu...

— Elle s'est disputée avec Rose. Je suppose que Rose s'est tout simplement débarrassée d'elle.

— Où est-elle, alors ? Est-ce que quelqu'un le sait ? Je suis censée être *in loco parentis*.

— *Loco* est le mot juste, vu le contexte[1].

Il repartit comme il était venu.

Mais Frances apprit que, même si elle était considérée par « les gamins » comme une sorte d'aimable accident de la nature dont eux étaient assez veinards pour profiter, elle était loin d'être le seul substitut parental existant. À la fin de l'été, il était arrivé une lettre d'Espagne, d'une Anglaise installée à Séville, disant qu'elle avait beaucoup apprécié Colin, le fils charmant de Frances. (Charmant, Colin ? Eh bien, il ne l'était pas tellement dans cette maison !) « Une bande très agréable, cet été. Cela ne va pas toujours tout seul. Parfois, ils ont de tels problèmes ! Je crois vraiment que c'est un phénomène extraordinaire, la façon qu'ils ont d'aller chez les parents des autres. Ma fille trouve sans arrêt des excuses pour ne pas rentrer à la maison. Elle a un foyer alternatif dans le Hampshire, chez un ex-petit ami. Nous devons admettre que c'est ce à quoi la situation se ramène, je suppose. »

Une lettre de Caroline du Nord. « Salut, Frances Lennox ! J'ai l'impression de si bien vous connaître. Votre Geoffrey Bone est resté des semaines chez nous, en compagnie d'autres jeunes, venus tous de divers coins de la planète prendre part à la lutte pour les

1. Jeu de mots entre la locution adverbiale latine, « en qualité de substitut parental », et l'adjectif espagnol qui signifie « fou ».

droits civiques. Ils viennent frapper à ma porte, les enfants fugueurs du monde entier. Non, non, je ne parle pas de Geoffrey, je n'ai jamais connu de garçon plus posé. Mais je les recueille, comme vous, et comme ma sœur Fran, en Californie. Mon fils Pete sera en Grande-Bretagne l'été prochain, et je ne doute pas qu'il passera vous voir. » D'Écosse, d'Irlande, de France... Des lettres qui entraient dans un classeur d'autres semblables, qui arrivaient depuis des années, depuis l'époque où elle voyait à peine Andrew.

Ainsi les mères de famille, les « mères nourricières », qui proliférèrent partout pendant les années soixante prirent-elles lentement conscience de leurs présences respectives dans le vaste monde et comprirent-elles qu'elles constituaient un phénomène : le *Geist* remettait ça ! Elles travaillaient en réseau avant que cette expression ne fût entrée dans l'usage. Elles formaient une toile de mères adoptives, de mères adoptives de névrosés. Ainsi que « les gamins » le lui avaient expliqué, Frances était en train de régler une culpabilité ou une autre, qui plongeait ses racines dans son enfance. (Frances avait avoué qu'elle n'en serait pas du tout étonnée.) Quant à Sylvia, elle suivait une « ligne » différente. (« Ligne » tirait son origine du jargon du Parti.) Sylvia avait appris de ses amis mystiques dans le vent que Frances travaillait sur son karma, endommagé dans une vie antérieure.

Lors d'une des visites où il enguirlandait sa mère, Colin amena avec lui Franklin Tichafa, originaire de Zimlie, une colonie britannique qui, d'après Johnny, s'apprêtait à suivre le même chemin que le Kenya. C'est ce que prédisaient aussi tous les journaux. Franklin était un gamin noir rondouillard et souriant. Colin expliqua à sa mère qu'on ne devait pas employer le mot « gamin » à cause de ses connotations négatives, mais Frances objecta :

— Ce n'est pas encore un jeune homme, si ? Si on ne peut pas parler de « gamin » pour un adolescent de seize ans, pour qui le peut-on alors ?

— Elle le fait exprès, trancha Andrew. Elle le dit pour t'embêter.

C'était en partie vrai. Johnny se plaignait depuis longtemps que Frances se montrait parfois, et de propos délibéré, politiquement bornée, pour le mettre dans l'embarras devant les camarades. Et, en effet, dans certains cas, elle l'avait fait exprès, comme en ce moment.

Tout le monde aimait bien Franklin, qui devait son prénom à Franklin Roosevelt et avait pris la section Littérature à Saint-Joseph pour contenter ses parents, mais avait l'intention de s'inscrire en économie politique à l'université.

— C'est ce que vous étudiez tous ! s'exclama Frances. L'économie politique. Le plus extraordinaire, c'est que tout le monde choisisse cette voie, alors que personne n'y comprend rien, les économistes les premiers !

Cette réflexion était si en avance sur son temps qu'elle passa, probablement sans même être entendue.

Le premier soir où Franklin vint à Hampstead, Colin ne descendit pas chez Frances pour son habituelle séance de mise en accusation ; il n'était pas allé à la clinique. Franklin dormait par terre dans sa chambre, dans un sac de couchage. Frances les entendait discuter et rire juste au-dessus de sa tête. Sa poitrine meurtrie lui donna l'impression de respirer plus librement, et elle comprit que tout ce dont Colin avait vraiment besoin, c'était d'un bon copain, quelqu'un qui aimait rire. Ils rigolaient et, comme tous les jeunes hommes (ou gamins), chahutaient, se bousculaient et se bourraient de coups de poing.

Franklin revint une première fois, puis une deuxième. Colin déclara qu'il en avait marre de la clinique. Il avait même surpris le Dr David endormi, alors que lui se tortillait sur son fauteuil, dans l'espoir que le grand homme dise enfin quelque chose.

— Combien est-il payé ? s'enquit Colin.

Frances le lui dit.

— Travail plaisant si on y arrive, commenta Colin.

Mais refoulait-il tout de nouveau ? Avait-il épuisé toute sa colère au cours de ces soirées où il faisait son procès ? Elle n'en avait aucune idée. En tout cas, il travaillait toujours mal en classe et voulait abandonner ses études.

C'est Franklin qui lui dit que c'était idiot.

— Ce serait mal jouer, déclara-t-il à table. Tu le regretteras quand tu seras plus vieux.

Ces derniers mots étaient une citation. En compagnie des jeunes, les mots, les réprimandes, les conseils sortis de la bouche des parents pouvaient être entendus dans la leur sous forme de blagues, de moqueries, ou bien avec un accent de sincérité. La phrase « Tu le regretteras quand tu seras plus vieux » avait été prononcée par la grand-mère de Franklin, à la lumière du feu – une bûche qui se consumait au centre de la case –, dans un village où une chèvre pouvait se faufiler par l'entrée dépourvue de porte, avec l'espoir de trouver quelque chose à chaparder. Une femme noire inquiète, à qui Franklin avait confié qu'il ne voulait pas accepter sa bourse pour Saint-Joseph – il avait le trac –, avait proféré :

— Tu le regretteras quand tu seras plus vieux.

— Mais je suis plus vieux, avait rétorqué Colin.

*

Novembre était de retour, avec son obscurité et sa bruine. Comme c'était un week-end, tout le monde était là. À gauche de Frances était assise Sylvia, et les autres feignaient de ne pas remarquer qu'elle pignochait dans son assiette. Elle avait rompu avec le cercle magique de gens qui ne disaient jamais rien sans des regards entendus et des intonations lourdes de sens, leur expliquant, tout comme Julia eût pu le faire : « Ce ne sont pas des gens très sympathiques. » Jake avait débarqué aussi et avait demandé à voir Frances, visiblement angoissé.

— Il y a un problème dans ce pays, Frances. D'ordre culturel. Je pense que nous sommes plus désinhibés aux États-Unis que vous ne l'êtes en Angleterre.

— Je crains que vous ne me preniez au dépourvu, répondit Frances. Sylvia ne nous a rien dit sur les raisons de sa...

— Mais il n'y a rien à dire, vous devez me croire.

Sylvia confia à Andrew que ce qui l'avait « révoltée », ce n'étaient pas les rites satanistes abracadabrants que les autres avaient imaginés ou même tournés en ridicule, alors qu'elle leur répétait que c'était de la foutaise, ni des séances qui auraient mal tourné – ou bien tourné, selon le point de vue adopté – en produisant des apparitions bruyantes chargées d'un message urgent, comme quoi, par exemple, Sylvia devait toujours porter du bleu et une amulette turquoise, mais le fait que Jake l'avait embrassée et lui avait dit qu'elle était trop vieille pour rester vierge. Elle l'avait giflé, à toute volée, et l'avait traité de vieux cochon. Aux yeux d'Andrew, il était clair que Jake lui avait proposé des jouissances sexuelles ésotériques, mais Sylvia avait tranché :

— Il est assez vieux pour être mon grand-père.

Et il l'était justement.

Andrew était rentré pour le week-end parce que Colin avait téléphoné pour le prévenir que Sylvia avait une rechute. C'était bien Colin qui avait appelé. À quoi rimaient alors ses folles divagations sur la présence de Sylvia dans cette maison ? « Il faut que tu viennes, Andrew. Toi, tu sais quoi faire. » Et Julia ? Ne savait-elle pas quoi faire ? Apparemment non. Apprenant que Sylvia avait retrouvé sa chambre et ne sortait plus tous les soirs, Julia avait déclaré du ton fortement peiné qui désormais semblait en permanence le sien :

— Oui, Sylvia. C'est ce à quoi l'on doit s'attendre en fréquentant ce genre de gens.

— Mais, Julia, il ne s'est rien passé, avait chuchoté Sylvia, tentant de l'étreindre.

Les bras de Julia, qui ne demandaient qu'à l'entourer il y avait encore peu, l'avaient bien serrée, mais pas comme avant. Et la jeune fille avait pleuré dans sa chambre à cause de ces vieux bras raides qui l'accablaient de reproches.

Sylvia, fourchette en main, tournait et retournait donc un morceau de pomme de terre arrosé de crème fraîche, son plat préféré.

Andrew était voisin de Sylvia. Colin, lui, était voisin d'Andrew et, à côté de lui, se trouvait Rose. Ils n'échangèrent pas un mot ni un regard. James était venu de son lycée et il devait aussi dormir par terre, dans le séjour. En face de Rose, il y avait Franklin, qui avait un peu trop bu. La table était garnie de bouteilles de vin apportées par Johnny, lequel était à son poste à la fenêtre. À côté de Franklin était assis Geoffrey, en plein premier trimestre à la London School of Economics. Avec son treillis des surplus américains, il avait l'air d'un guérillero. Il était là parce qu'il était tombé sur Johnny au Cosmo et avait appris qu'il devait venir dans la soirée. Sophie était absente, mais elle était passée dans l'après-midi voir sa Frances chérie. Elle trouvait la vie difficile, non à cause du cours de théâtre où elle réussissait brillamment, mais à cause de Roland Shattock. Mais, ce soir-là, elle était allée en boîte avec lui. Près de Frances se trouvait Jill, qui avait réapparu dans l'après-midi. Elle avait demandé timidement si elle pouvait rester dîner. Elle avait un bandage au poignet gauche et semblait mal en point. Rose l'avait accueillie par un « Oh ! mais qu'est-ce que tu te figures faire ici ? » Jill attendit qu'il y eut suffisamment de rires et de bruits pour implorer Frances :

— Est-ce que je peux venir habiter dans l'autre chambre du bas ? C'est vous qui décidez qui peut rester, non ?

Le problème, c'est que Colin avait exprimé son désir que Franklin prenne cette chambre et soit invité pour Noël. Or, visiblement, Jill et Rose ne pouvaient pas cohabiter.

— As-tu l'intention de retourner au lycée ? s'enquit Frances.

— Je ne sais pas s'ils accepteront de me reprendre, répondit Jill, avec un regard timide et suppliant qui signifiait : Vous voulez bien leur demander de me reprendre ?

Mais où allait-elle loger ?

— Tu es allée à l'hôpital ?

La jeune fille inclina la tête. Puis, toujours à mi-voix :

— J'y suis restée un mois. (Ce qui voulait dire dans un service psychiatrique, et il était réservé à Frances de comprendre.) Je ne pourrais pas dormir dans le salon ?

Andrew, apparemment absorbé par Sylvia, l'encourageait et riait avec elle quand elle plaisantait sur ses difficultés, mais il écoutait aussi l'échange entre sa mère et Jill. À cet instant, il croisa le regard de Frances et secoua la tête. Le pouce tourné vers le bas n'eût pu être plus clair, même si ce n'était qu'un petit non, censé passer inaperçu. Mais Jill l'avait vu. Elle se tut, les yeux baissés, les lèvres tremblantes.

— Le problème, c'est où nous allons te mettre, répondit Frances.

Et puis Jill serait vraisemblablement incapable d'affronter le lycée, même si Frances obtenait sa réintégration. Que fallait-il faire ?

Ce triste petit drame se déroulait au bout de la table occupé par Frances ; à l'autre régnait une bruyante bonne humeur. Johnny leur racontait son voyage en Union soviétique en compagnie d'une délégation de bibliothécaires, et ses blagues les faisaient rire aux dépens des membres qui n'étaient pas au Parti et avaient commis bourde sur bourde. L'un avait demandé l'assurance – à une réunion du Syndicat des écrivains soviétiques – que la censure n'existait pas en Union soviétique. Un autre avait voulu savoir si l'Union soviétique, « comme le Vatican », avait mis des livres à l'index.

— Je veux dire, conclut Johnny, c'est vraiment un degré de naïveté politique impardonnable.

Ensuite, il y avait eu les récentes élections qui avaient porté les travaillistes au pouvoir. Johnny avait été actif : une affaire épineuse, car si, d'une part, le parti travailliste représentait, pour les masses laborieuses, une plus grande menace que les conservateurs (troublant les esprits par des formulations inexactes), de l'autre, des considérations tactiques avaient ordonné de le soutenir. James écoutait les tenants et les aboutissants de cette polémique comme s'il s'agissait de sa musique préférée. Johnny l'avait salué d'un signe de tête amical et d'une vague accolade, mais il se concentrait désormais sur le nouveau venu, encore à séduire, Franklin. Il retraça un bref historique de la politique coloniale envers la Zimlie, énuméra les crimes de la politique coloniale au Kenya, avec une délectation toute particulière pour toutes les occasions où la Grande-Bretagne s'était mal conduite, et se mit à exhorter Franklin à combattre pour la liberté de la Zimlie.

— Les mouvements nationalistes de la Zimlie ne sont pas aussi développés que les Mau Mau, mais il appartient aux jeunes comme toi de libérer ton peuple de l'oppression.

Johnny tenait un verre dans une main, la gauche, et se penchait en avant, ses yeux rivés sur ceux de Franklin, tout en agitant l'index de la main droite dans sa direction, comme s'il pointait un revolver sur lui. Franklin s'agita et sourit inconfortablement.

— Excusez-moi, murmura-t-il.

Il sortit – pour aller aux toilettes, en l'occurrence –, mais on aurait dit qu'il se sauvait, et quand il revint, il sourit encore et tendit son assiette à Frances pour une deuxième ration, sans regarder Johnny qui avait guetté son retour.

— En Afrique, ta génération a plus de responsabilités sur les épaules qu'aucune autre dans l'histoire. Comme j'aimerais être jeune aujourd'hui ! Comme j'aimerais avoir de nouveau la vie devant moi...

Pour une fois, ses traits habituellement figés dans un air martial se radoucirent et exprimèrent la mélancolie. Johnny se faisait vieux, c'était un ancien combattant désormais. Comme il devait détester cette situation, songea Frances, car chaque jour apportait son lot de nouveaux avatars, plus jeunes, de la Révolution. Le pauvre Johnny était laissé de côté. Au même moment, Franklin leva son verre avec un geste désordonné qui avait quelque chose de parodique.

— À la Révolution africaine ! lança-t-il, avant de s'écrouler sur son assiette, inconscient, pendant que Jill sortait de table en balbutiant :

— Excusez-moi, excusez-moi. Il faut que je m'en aille.

— Tu veux dormir ici ce soir ? Il y a le salon. James et toi, vous vous tiendrez compagnie.

Debout, Jill secoua la tête, s'appuyant d'une main – comme par hasard – au bras de Frances. Puis elle s'évanouit aux pieds de celle-ci.

— En voilà des histoires ! s'exclama Johnny de bon cœur, regardant Geoffrey et Colin relever Franklin et porter un verre d'eau à ses lèvres, pendant que Frances s'occupait de Jill.

Rose, qui n'avait pas bougé, mangeait comme si de rien n'était. Sylvia chuchota qu'elle voulait aller se coucher et Andrew monta à l'étage avec elle.

On aida Franklin à descendre dans la deuxième chambre de l'appartement du sous-sol et on installa Jill au salon, dans un sac de couchage. James promit de veiller sur elle, mais s'endormit sur-le-champ. Frances redescendit dans la nuit pour jeter un coup d'œil à Jill et les trouva tous les deux plongés dans le sommeil. À la faible lumière qui venait de la porte donnant sur le palier, la jeune fille avait une mine épouvantable. Elle avait besoin de soins. Manifestement, il fallait téléphoner à ses parents pour les prévenir : ils n'étaient sans doute pas au courant. Et, le lendemain matin, il fallait la prier de rentrer chez elle.

Mais, le lendemain matin, Jill s'était envolée, elle avait disparu dans la dangereuse jungle londonienne. Interrogée sur l'endroit où Jill pouvait se cacher, Rose répondit qu'elle n'était pas sa gardienne.

Du côté de Franklin, qui cohabitait avec Rose, une certaine nervosité était dans l'ordre des choses. Les autres avaient peur qu'elle n'entretînt des préjugés racistes, « étant donné son milieu d'origine » – l'échappatoire d'Andrew devant la situation de classe. Mais les choses tournèrent autrement : Rose était « gentille » avec Franklin.

— Elle est vraiment gentille, confirma Colin. Il la trouve terrible.

Il la trouvait terrible et elle était gentille. Une amitié apparemment improbable naquit entre le jeune Noir aimable et bon enfant et la jeune fille rancunière, dont la rage bouillonnait aussi sûrement que la tache rouge de Jupiter.

Frances et ses fils s'étonnaient de ce qu'on ne pût trouver deux êtres plus différents, mais, en fait, ils évoluaient dans un paysage moral similaire. Rose et Franklin ne devaient jamais savoir ce qu'ils avaient en commun.

Depuis le jour où Rose avait franchi le seuil de cette maison, elle avait été prise d'une fureur secrète à l'idée que ces gens puissent dire que c'était la leur, comme si c'était un droit. Cette grande demeure, son mobilier, qui avaient l'air sortis d'un film, leur argent... Mais tout cela n'était que le soubassement d'une angoisse plus profonde, car il ne pouvait s'agir d'autre chose : une aigreur ne la quittait jamais. C'était leur aisance en tout, ce qui allait de soi pour eux, leurs connaissances. Jamais elle n'avait pu citer un livre – et elle avait eu une période où elle les avait testés avec des ouvrages dont aucun être sensé ne pouvait avoir entendu parler ! – qu'ils n'eussent lu ou connu de nom. Elle se plantait dans ce fameux salon, dont deux murs étaient tapissés de livres du sol au plafond, et savait qu'ils les avaient lus.

— Frances, lança-t-elle avec défi, ayant été surprise là, les mains sur les hanches, en train de contempler les rayonnages avec indignation. Vous avez vraiment lu tous ces bouquins ?

— Eh bien, oui, oui, je crois que oui.

— Mais quand ? Vous aviez des livres dans votre maison quand vous étiez jeune ?

— Oui, nous avions les classiques. Je crois que c'était le cas de tout le monde à l'époque.

— Tout le monde, tout le monde ! Qui c'est, tout le monde ?

— Les classes moyennes, répondit Frances, bien décidée à ne pas se laisser malmener. Ainsi qu'une bonne partie de la classe ouvrière.

— Ah ! Et qui a dit ça ?

— Tu n'as qu'à vérifier, riposta Frances. Ce n'est pas difficile de savoir ce genre de chose.

— Et quand aviez-vous le temps de lire ?

— Laisse-moi voir... (Et Frances se revit, les trois quarts du temps seule avec deux tout-petits, trompant son ennui avec la lecture. Elle revoyait Johnny en train de la houspiller pour qu'elle lise ceci ou cela...) Johnny a eu une bonne influence sur moi, dit-elle à Rose, se forçant à être juste. Il est très cultivé, tu sais ? Les communistes le sont en général, c'est drôle, hein ? mais c'est vrai. Il m'a poussée à lire.

— Tous ces livres, murmura Rose. Enfin, nous, on n'avait pas de livres.

— Ce n'est pas difficile de rattraper ton retard si tu en as envie, suggéra Frances. Pioche ce que tu veux.

Mais, devant la désinvolture de cette proposition, Rose serra les poings. Tous les sujets possibles et imaginables, ils semblaient les connaître, que ce soit une notion ou un élément d'histoire. Ils possédaient une véritable banque de connaissances. Peu importait ce qu'on leur demandait, ils savaient tout.

Rose avait sorti des volumes des étagères, mais elle n'y prenait aucun plaisir. Ce n'était pas qu'elle lisait lentement, ce qui était le cas, mais elle était persévérante avant tout, et elle s'accrocha. La vérité, c'est qu'une espèce de rage la submergeait pendant qu'elle lisait, s'insinuant entre elle et le récit ou les faits qu'elle tentait d'assimiler. C'était parce que ces gens avaient toutes ces choses en héritage, alors qu'elle, Rose...

À son arrivée, quand Franklin s'était retrouvé immergé dans la complexité et l'abondance londoniennes, il avait eu des jours de panique et avait regretté d'avoir accepté sa bourse d'études. C'était trop lui demander. Son père avait enseigné dans les petites classes de l'école d'une mission catholique. Les prêtres, voyant que le petit garçon était intelligent, l'avaient encouragé et épaulé. Vint le moment où ils demandèrent à une personne fortunée – Franklin ne devait jamais connaître son identité – de bien vouloir ajouter ce gamin prometteur à la liste de ses bénéficiaires. Un engagement coûteux : deux ans à Saint-Joseph et puis, avec un peu de chance, l'université.

Lorsqu'il rentrait de l'école de la mission au village, Franklin avait secrètement honte de ce qu'avait été le cadre de vie de ses parents. Et de ce qu'il était encore. Quelques cases de paille dans la brousse, sans électricité, ni téléphone, ni eau courante, ni toilettes. Le bazar était à plus de huit kilomètres de distance. En comparaison, l'école de la mission, avec ses équipements, lui avait paru un endroit luxueux. Alors, à Londres, c'était un énorme bouleversement : il était entouré d'une telle opulence, de telles merveilles, que la mission ne pouvait que lui sembler pauvre, misérable. Il avait passé ses premières journées londoniennes chez un prêtre plein de bonté, un ami des missionnaires, qui savait que le jeune garçon devait être en état de choc et l'avait emmené dans les autobus, dans le métro, les parcs publics, les marchés, les grands magasins, les supermarchés, à la banque, manger au restaurant. Tout cela afin de l'acclimater, mais il devait aussi aller à Saint-Joseph. Un lieu proche du paradis, avec des bâtiments semblables aux illustrations d'un livre d'images, éparpillés au milieu des prés verdoyants. Et les garçons et les filles ! Tous blancs, à l'exception de deux Nigérians, qui lui étaient aussi étrangers que les Blancs. Et les professeurs ! Complètement différents des pères catholiques, tous si amicaux, si gentils... En dehors de l'école de la mission, il n'avait jamais connu la gentillesse des Blancs. Colin avait sa chambre à deux portes de la sienne dans le couloir. Aux yeux de Franklin, cette pièce était équipée de tout ce dont il pouvait rêver, y compris d'un téléphone. C'était un vrai petit éden, mais il avait entendu Colin se plaindre que c'était trop exigu. La nourriture, sa variété, son abondance, qui faisaient de tout repas un festin, et pourtant il avait entendu certains murmurer contre sa monotonie. À la mission, il n'avait pas grand-chose à manger, à part de la semoule de maïs et de la sauce piquante.

Un sentiment irrépressible grandit peu à peu en lui, qui menaçait de parfois de franchir ses lèvres sous forme d'insultes et d'accusations, alors qu'il souriait et se montrait aimable et docile. Ce n'est pas juste, ce n'est pas normal. Pourquoi avez-vous tant de choses et trouvez-vous cela naturel ? Pourquoi ? C'était ce qui le chagrinait, lui faisait mal, le tourmentait : ils ne soupçonnaient absolument pas leur bonne fortune. Et quand il avait débarqué avec Colin dans la grosse demeure, qui lui avait paru devoir être un palais (sa première pensée), celle-ci regorgeait de beaux objets, et il était resté muet sur sa chaise pendant que tous les autres blaguaient et chahutaient. Franklin observa le frère aîné, Andrew, et sa tendresse pour la jeune fille qui avait été malade. En imagination, il se vit à la place de cette dernière, assis là, entre Frances et Andrew, tous les deux si attentionnés pour elle, si gentils. Après cette première visite, ce fut la même chose que la fois où il avait entendu parler de sa bourse d'études. Il ne la méritait pas, il n'était pas à la hauteur, la moitié du temps il ne savait même pas à quoi les choses servaient, meuble ou appareil ménager. Mais il revenait quand même et se trouvait traité comme un fils de la maison. Johnny lui posa un problème, au début. Franklin avait déjà été au contact des doctrines de Johnny, de sa façon de parler, et il avait décidé qu'il ne voulait avoir aucun rapport avec cette politique qui le terrifiait. Des politiciens l'avaient exhorté à tuer tous les Blancs, mais son expérience du bien lui venait des prêtres blancs de la mission, même s'ils étaient sévères, d'un protecteur blanc inconnu, et maintenant des responsables bienveillants de sa nouvelle école et des habitants de cette maison. Et pourtant il brûlait, il souffrait, il endurait : c'était l'envie qui l'infectait de son poison. *Je veux, je le veux, je veux, je veux...*

Il savait qu'il n'avait pas le droit de formuler les trois quarts de ses pensées. Les divagations qui lui farcissaient la tête étaient dangereuses et ne devaient pas s'exprimer. Et, avec Rose, ce n'était pas possible non plus. Pas plus Rose que Franklin n'entraîna l'autre dans les détours atroces et pernicieux de leurs esprits. Mais ils se sentaient bien ensemble.

Il mit longtemps avant de démêler ce que les gens étaient les uns pour les autres, leurs relations, leurs éventuels liens de parenté. En revanche, pour lui, il n'était guère surprenant que tant de monde s'installât autour de cette table au moment des repas, même si, pour comparer, il devait se remémorer son village, où il avait l'habitude des visiteurs à qui l'on faisait bon accueil et qui espéraient le vivre et le couvert. Dans la petite maison de ses parents, à la mission, juste une pièce rudimentaire et une cuisine, il n'y avait pas de place pour l'hospitalité bon enfant du village. Mais quand Franklin séjournait chez ses grands-parents pendant les vacances scolaires, des gens qu'il ne connaissait pas et ne devait peut-être jamais revoir dormaient, enroulés dans leurs couvertures, autour de la grosse bûche qui se consumait toute la nuit au milieu de la case : des parents éloignés, de passage. Ou bien des connaissances dans la poisse, qui venaient chercher refuge. Cependant, cet accueil chaleureux allait de pair avec une pauvreté dont il avait honte et – pire ! – qu'il ne pouvait plus comprendre. Quand il retournerait chez lui après toutes ces expériences, pourrait-il la supporter ? songea-t-il, voyant la garde-robe de Rose entassée sur son lit, voyant aussi les richesses des enfants du collège : il n'y avait pas de limites à ce qu'ils possédaient, à leurs exigences. Lui avait juste quelques vêtements soigneusement conservés, qui étaient revenus si cher à ses parents.

Et puis la bibliothèque à l'étage. À la mission, il y avait une bible, des livres de prières et *The Pilgrim's Progress* [1], qu'il avait lu et relu. Il avait dévoré des journaux vieux de plusieurs semaines, qu'il avait trouvés empilés dans le but de garnir des étagères ou les tiroirs du garde-manger de la mission. Il gardait comme une relique une *Encyclopédie pour les enfants d'Arthur Mee* [2], qu'il avait dénichée sur un tas d'ordures, jetée par une famille blanche. Aujourd'hui, il avait l'impression que des rêves qu'il nourrissait depuis l'enfance s'animaient entre ces murs de livres du salon. Il prit l'exemplaire sur son étagère, en feuilleta les pages et le précieux objet palpita dans ses mains. Il descendait discrètement des ouvrages dans sa chambre, avec l'espoir que Rose ne verrait rien, car elle l'avait choquée par sa réflexion : « Ils font seulement semblant de lire ces bouquins, tu sais ? C'est de la comédie. »

Mais il avait ri, parce que c'était ce qu'elle attendait de lui : c'était son amie. Il lui avait dit qu'elle était une sœur pour lui. Ses sœurs lui manquaient.

Ç'allait être un vrai Noël cette année, car Colin et Andrew seraient là tous les deux. La mère de Sophie lui avait dit qu'elle ne voulait pas gâcher son plaisir et qu'elle-même irait chez sa sœur. Elle était plus enjouée, ne pleurait plus nuit et jour et suivait des séances de soutien psychologique.

Étant donné que Johnny rentrait entre ses différents voyages, il y aurait probablement quelqu'un pour s'occuper de Phyllida, et Andrew aurait l'esprit libre.

Dès que Frances annonça qu'on allait fêter Noël, un esprit de frivolité se manifesta immédiatement sur les visages, dans les regards et les vannes ayant trait aux fêtes, même s'il fallut mettre celles-ci en veilleuse à

1. *Le Voyage du pèlerin* du calviniste John Bunyan (1628-1688).
2. Écrivain et éditeur (1875-1943). Le livre parut en 1910.

cause de la joie de Franklin. Il avait l'impression qu'il n'aurait jamais la patience d'attendre le jour des réjouissances dont parlaient tous les journaux, qu'il voyait annoncer à la télévision et qui remplissait les commerces de couleurs gaies. Il était aussi secrètement malheureux parce qu'il y aurait des échanges de cadeaux et que ses poches étaient vides. Frances, qui avait remarqué que son veston était en tissu léger, qu'il n'avait pas de pull chaud, lui donna de l'argent pour s'habiller, en guise de cadeau de Noël. Il gardait cet argent dans un tiroir et s'asseyait sur son lit pour le tourner et le retourner en tous sens, telle une poule qui couve ses œufs. Que cette somme d'argent soit entre ses mains, ses mains à lui, relevait du miracle que Noël représentait à ses yeux. Mais Rose ouvrit la porte pour voir ce qu'il fabriquait, le vit penché au-dessus du tiroir contenant son argent et se précipita pour le compter.

— Où as-tu fauché ça ?

C'était tellement ce qu'il avait appris à attendre des Blancs qu'il balbutia :

— Mais maît'esse, maît'esse...

Rose ne comprit pas le mot et insista :

— Où as-tu trouvé ça ?

— C'est Frances qui me l'a donné pour m'acheter des vêtements.

Le visage de la jeune fille s'enflamma de colère. Frances ne lui avait pas donné autant. Juste de quoi se payer une robe Biba et un nouveau rendez-vous chez Mrs Evansky.

— Tu n'as pas besoin de t'acheter des fringues, dit-elle alors.

Elle était assise sur le lit, près de lui, l'argent à la main, si près que Franklin dut abandonner tout soupçon de préjugé raciste. Dans toute la colonie, aucun Blanc, pas même les prêtres blancs, ne se serait assis si près d'un Noir avec tant de naturel.

— Il peut y avoir un meilleur usage à cet argent, reprit Rose, le lui rendant à contrecœur.

Elle le regarda le remettre dans le tiroir.

Geoffrey passa un soir et s'associa avec Rose pour son projet d'équiper Franklin. Quand il avait débarqué à la L.S.E., il avait été ravi que le vol de vêtements, de livres, de tout ce qu'on voulait, en tant que moyen de sape du système capitaliste, soit considéré comme allant de soi. Payer pour avoir quelque chose, enfin ! comment pouvait-on être aussi politiquement naïf ? Non, on « libérait » ce quelque chose ; ce vieux mot de la Seconde Guerre mondiale connaissait un regain de vie.

Geoffrey reviendrait pour Noël – « On doit être à la maison pour Noël » – et n'entendit même pas ce qu'il avait dit.

James affirma avoir la certitude que ses parents ne verraient pas d'inconvénient à son absence ; il irait les voir pour le jour de l'an.

Lucy de Dartington viendrait aussi : ses parents partaient pour la Chine dans un quelconque voyage d'amitié.

Daniel dit qu'il devait rentrer chez lui ; il espérait qu'ils lui garderaient une tranche de gâteau.

Une triste petite lettre était arrivée de Jill. Elle pensait à eux tous, c'étaient ses seuls amis.

« Je vous en prie, écrivez-moi. Je vous en prie, envoyez-moi de l'argent. »

Mais il n'y avait pas d'adresse.

Frances écrivit donc aux parents de Jill pour leur demander s'ils l'avaient vue. Elle avait déjà correspondu avec eux pour leur confesser son incapacité à s'occuper de la scolarité de l'adolescente. La lettre qu'elle avait alors reçue en réponse était libellée en ces termes : « De grâce, Mrs Lennox, ne vous accusez pas. Nous n'avons jamais rien pu en tirer. » Cette fois-ci, leur lettre disait : « Non, elle n'a pas jugé utile de nous contacter. Nous vous serions très reconnaissants de bien vouloir nous prévenir si elle montre son nez chez vous. Saint-Joseph n'a plus de nouvelles. Personne n'en a. »

Frances écrivit aussi aux parents de Rose pour les informer que leur fille avait bien travaillé au premier trimestre. La lettre de ses parents disait : « Vous n'êtes probablement pas au courant, mais nous n'avons aucune nouvelle de notre fille et nous sommes reconnaissants qu'on veuille bien nous en donner. Le lycée nous a envoyé un exemplaire de son bulletin. Un autre vous a été adressé, à ce que nous comprenons. Nous avons été surpris. Elle a toujours mis un point d'honneur – ou c'est ce qu'il nous semblait, je le crains – à nous montrer à quel point elle pouvait mal travailler. »

Sylvia aussi avait eu un bon trimestre. Ces résultats étaient en partie dus au soutien de Julia, mais, récemment, il y avait eu un certain relâchement. Sylvia était remontée voir Julia et, la voix chevrotante d'émotion et de larmes, l'avait suppliée :

— Je vous en prie, Julia, ne soyez plus fâchée contre moi, je ne peux pas le supporter...

Toutes les deux étaient tombées dans les bras l'une de l'autre et avaient presque retrouvé, mais pas tout à fait, le même degré d'intimité qu'avant. Il y avait une ombre au tableau de Julia : Sylvia avait parlé d'un « besoin de religion ». Les récits de Franklin sur la manière dont les pères jésuites l'avaient sauvé avaient touché quelque part profondément la jeune fille ; elle allait s'inscrire au catéchisme pour devenir catholique romaine. Julia confia qu'elle-même avait dû aller à la messe tous les dimanches, « mais cela s'était arrêté là ». Elle pouvait encore se définir comme catholique, pensait-elle.

Sylvia, Sophie et Lucy passèrent le soir de Noël à décorer un arbre minuscule pour le placer dans le coin de la fenêtre et aidèrent Frances dans ses préparations culinaires. Elles s'avisèrent de redevenir des petites filles. Frances aurait juré que ces créatures glous-santes de bonheur n'avaient pas plus de dix ou onze ans. L'habituelle corvée des préparatifs devint sujet de blagues, oui, de rigolade même. Franklin monta du sous-sol, attiré par le chahut. Geoffrey, James – ils allaient dormir au salon –, puis Colin et Andrew furent contents de décortiquer des noisettes et de malaxer la farce. Enfin, l'énorme volaille fut badigeonnée de beurre et d'huile et disposée dans le plat à four au son des applaudissements.

Tout cela prit du temps, il était déjà tard. Sophie déclara qu'elle n'avait pas besoin de rentrer à la maison ; sa mère allait très bien désormais et elle avait apporté avec elle sa robe pour le lendemain. Après être montée se coucher, Frances entendit tous les jeunes dans le salon juste au-dessous organiser une fête préliminaire de leur cru. Elle songea à Julia, deux étages plus haut, seule, comme elle-même, et sachant que sa petite Sylvia était avec les autres, pas avec elle... Julia avait prévenu qu'elle ne participerait pas au déjeuner de Noël, mais elle invita tout le monde à un vrai thé de Noël au salon, qui était à présent plein de jeunes en train de s'enivrer.

Le matin de Noël, comme des millions d'autres femmes à travers tout le pays, Frances descendit seule à la cuisine. Par la porte du salon, laissée ouverte sans doute par souci d'aération, on apercevait des silhouettes roulées en boule.

Frances s'assit à la table, une cigarette à la main ; sa tasse de thé fort exhalait des rumeurs de collines, où des femmes sous-payées cueillaient des feuilles pour ce lieu exotique qu'était l'Occident. La maison était silencieuse... mais, non, des bruits de pas résonnèrent et Franklin apparut par l'escalier du sous-sol, rayonnant. Il portait son veston neuf, un gros pull, et leva ses pieds l'un après l'autre pour montrer ses chaussures et ses chaussettes neuves ; relevant son pull, il découvrit une chemise écossaise, puis remonta celle-ci pour laisser voir un maillot de corps bleu vif. Ils s'embrassèrent. Elle eut la sensation de tenir dans ses bras l'incarnation de Noël, car il était si heureux qu'il esquissa une petite gigue en tapant dans ses mains :

— Frances, Frances, douce Frances, vous êtes une mère pour nous, vous êtes une mère pour moi...

Entre-temps, Frances remarquait qu'une culpabilité indubitable se mélangeait à son bonheur exubérant : ces vêtements avaient été « libérés ».

Elle lui prépara du thé, lui proposa un toast. Mais il se réservait pour le repas de Noël, et une fois qu'il fut installé, toujours souriant, à l'autre bout de la table, face à elle, Frances décida qu'elle devait mettre un bémol à cette exubérance, Noël ou pas.

— Franklin, commença-t-elle, je tiens à ce que tu saches que nous ne sommes pas tous des voleurs dans ce pays.

Sur-le-champ, le visage de Franklin redevint sérieux, puis se plissa sous l'effet du doute. Le jeune homme se mit à décocher des coups d'œil à la ronde comme à d'éventuels accusateurs.

— Ne me dis rien, reprit-elle. C'est inutile. Je ne t'en veux pas, tu comprends ? Je veux juste que tu saches que nous ne volons pas tous ce qui nous fait envie.

— Je vais rendre les vêtements, balbutia-t-il, toute joie disparue.

— Non, bien sûr que tu ne vas pas les rendre. Tu veux aller en prison ? Contente-toi d'écouter ce que j'ai dit, c'est tout. Ne crois pas que tout le monde est comme... (Mais elle n'avait pas envie de nommer les coupables et se rabattit sur la blague :) Tout le monde ne libère pas les marchandises, enfin !

Il baissa les yeux, en se mordillant la lèvre. Cette joyeuse et cordiale expédition à trois dans les splendeurs d'Oxford Street, au cours de laquelle des vêtements chauds, d'une élégance tapageuse, des articles dont il avait furieusement besoin, avaient atterri dans les mains de Rose et de Geoffrey, avant de disparaître dans un grand sac à provisions ! Lui ne participait pas à la libération, il se contentait de s'émerveiller devant l'adresse de ses compagnons. Cela avait été un voyage dans un pays magique où tout était possible, comme quand on allait au cinéma, et puis qu'au lieu de regarder des prodiges, on en devenait partie prenante. De même que, la veille, Sylvia, Sophie et Lucy étaient redevenues des petites filles, « des cocottes minute », ainsi que les avait baptisées Colin, Franklin redevint tout à coup un petit garçon qui se souvenait à quel point il était loin de chez lui, un étranger tenté par des richesses qu'il ne pourrait jamais posséder.

Entra Sylvia qui, ayant décidé qu'Evansky n'était pas pour elle, portait des rubans rouges à ses deux tresses dorées. Elle embrassa Frances, embrassa à son tour Franklin, qui était si reconnaissant de ce qu'il ressentait comme un pardon qu'il retrouva le sourire, mais demeura assis, à secouer la tête d'un air piteux et à jeter des regards lamentables à Frances. Mais grâce à Sylvia, à la beauté de la jeune fille, à sa gentillesse, les choses ne tardèrent pas à se tasser. Enfin, presque.

La cuisine se remplit de jeunes qui avaient déjà la gueule de bois et exigeaient encore à boire, et le temps que tout le monde s'installât autour de la grande table et que l'imposante volaille trônât devant eux, prête à être découpée, l'assemblée avait déjà glissé dans cet état d'excès qui signifiait que le sommeil n'était pas loin. De fait, James piqua du nez dans son assiette et il fallut le réveiller. Franklin, toujours souriant, baissa les yeux sur la sienne, qui était archipleine, se remémora la pauvreté de son village, dit silencieusement le bénédicité et s'empiffra. Les filles, même Sylvia, n'étaient pas en reste, et le vacarme était incroyable, car « les gamins » étaient revenus à l'état d'adolescence, même si Andrew, « le vieux », gardait son âge, ainsi que Colin, bien que lui s'efforçât de se mettre dans la note. Mais Colin devait toujours rester à l'extérieur, en spectateur, quels que soient ses efforts pour faire le pitre, être un des leurs. Et il en était conscient.

Le pudding de Noël, flambé au cognac, arriva dans une pièce plongée dans l'obscurité en son honneur. Il était déjà quatre heures et Frances déclara que la pièce au-dessus devait être aérée et rangée pour le thé de Julia. Un thé ? Qui pouvait avaler une bouchée de plus ? Des gémissements accompagnèrent les mains qui surgissaient pour récupérer une ou deux dernières miettes de pudding, une goutte de crème anglaise ou une tartelette de Noël.

Les filles montèrent au salon et entassèrent les sacs de couchage dans un angle de la pièce. Elles ouvrirent toutes les fenêtres, parce que les lieux empestaient réellement. Elles descendirent les bouteilles vides qui avaient passé la nuit sous une chaise ou dans un coin et suggérèrent qu'on pouvait peut-être convaincre Julia de décaler sa petite réception d'une heure, disons à six heures. Mais c'était hors de question.

Or voilà que James était assis, la tête entre les mains, à moitié endormi ! De son côté, Geoffrey jurait que s'il ne piquait pas un somme, il allait mourir. Devant cette situation, Rose et Franklin leur proposèrent les lits d'en bas, et la compagnie se serait dispersée si la porte d'entrée n'avait pas claqué. Et puis la porte de la cuisine s'ouvrit. C'était Johnny, le visage détendu pour la trêve de Noël, les bras chargés de bouteilles, accompagné de son nouveau copain, un auteur dramatique prolétarien, récemment débarqué à Londres de Hull, Derek Carey. Derek était aussi jovial que le Père Noël, et avec juste raison, car il était encore grisé par la corne d'abondance qu'était Londres. Sa béatitude avait commencé le tout premier soir de son arrivée, quinze jours plus tôt. À une réunion après la représentation, il avait épié de loin, fasciné, deux superbes blondes à l'accent distingué, qu'il avait d'abord cru affecté. Il les avait prises pour des prostituées. Mais non, c'étaient des transfuges de la bourgeoisie, échouées dans les lits marécageux et les bocages piquants du Swinging London.

— Oh, bon Dieu ! bégaya-t-il à l'une des deux, si je pouvais me glisser dans votre lit, si je pouvais coucher avec vous, je serais aussi près du septième ciel que j'aie jamais espéré l'être...

L'air penaud, il avait attendu le châtiment, physique ou verbal. À la place, il entendit :

— Mais tu y seras, mon cœur, tu y seras...

À ce moment-là, l'autre lui donna un baiser avec la langue, le genre de baiser pour lequel il aurait dû s'entraîner des semaines ou des mois à la maison. Les choses s'étaient ensuite enchaînées, pour se terminer avec le trio dans le même lit, et à chaque nouvel endroit où il allait, Derek espérait et découvrait des délices inédits. Ce soir-là, il était soûl. Il n'avait presque jamais été sobre depuis quinze jours. En ce moment, il avait devant lui la carcasse de la dinde, où Johnny pignochait déjà, et se mit de la partie. Les deux fils de Johnny restaient assis en silence, ignorant leur père.

— Je suppose que vous prendrez bien un peu de dinde ? dit Frances aux deux hommes, leur tendant des assiettes.

— Ah, oui, ce serait terrible ! répondit aussitôt Derek, qui remplit la sienne, pendant que Johnny se servait copieusement avant de s'asseoir.

Colin et Andrew montèrent dans les étages. Ce n'était vraiment pas la peine de leur demander si Phyllida avait quelque chose à manger !

La présence des deux nouveaux arrivants avait cassé l'ambiance. Les jeunes montèrent furtivement au salon, où ils découvrirent que Julia avait disposé une nappe en dentelle blanche et un ravissant service en porcelaine, des assiettes de brioches allemandes et un cake de Noël anglais.

Frances resta seule avec les deux hommes. Sans bouger de place, elle les regardait manger.

— Frances, il faut que je te parle de Phyllida.

— Ne vous gênez surtout pas, lança l'auteur dramatique. Je n'écouterai pas. Mais, croyez-moi, les problèmes conjugaux ne me sont que trop familiers. Pour mes péchés...

Johnny avait nettoyé son assiette. Alors il disposa le pudding de Noël dans un saladier, l'arrosa de crème anglaise et se planta, le saladier à la main, à sa place habituelle, le dos à la fenêtre.

— Je vais aller droit au fait.

— Oui, au fait.

— Allons, allons, les enfants, intervint le dramaturge. Vous n'êtes plus mariés. Vous n'avez plus à vous bouffer le nez.

Il se servit du vin.

— Phyllida et moi, c'est fini, reprit Johnny. Pour aller droit au fait..., répéta-t-il, je voudrais me remarier. Ou nous nous dispenserons peut-être des formalités. Des inepties bourgeoises, de toute façon. J'ai trouvé une authentique camarade, elle s'appelle Stella Lynch, tu dois te souvenir d'elle... du temps de la guerre de Corée, cette époque...

— Non, répliqua Frances. Et alors qu'est-ce que tu vas faire de Phyllida ? Non, ne me dis pas ! Tu ne suggères quand même pas qu'elle vienne ici ?

— Mais si. J'aimerais qu'elle vienne habiter l'appartement du sous-sol. Il y a de la place dans cette baraque. Et puis c'est ma maison, tu sembles l'oublier.

— Ce n'est pas celle de Julia ?

— Moralement, c'est la mienne.

— Mais tu y as déjà une famille que tu as abandonnée.

— Allons, allons, répéta le dramaturge, qui eut un hoquet. À mes souhaits, excusez-moi.

— La réponse est non, Johnny. La maison est pleine, et puis il y a une chose que tu sembles ne pas voir. Si sa mère débarque ici, Sylvia partira immédiatement.

— Tilly fera ce qu'on lui dit.

— Tu oublies que Sylvia a plus de seize ans.

— Elle est assez grande pour rendre visite à sa mère, alors. Mais elle fuit Phyllida.

— Tu sais aussi bien que moi que Phyllida recommencerait à lui crier après. Et, de toute façon, tu dois d'abord consulter Julia, non ?

— Cette vieille garce ? Elle est gâteuse !

— Non, Johnny, elle n'est pas gâteuse. Et tu as intérêt à te dépêcher, car il va y avoir un goûter.

— Un goûter ! s'exclama le camarade de Leeds. Oh, chouette ! Chouette, alors ! (Il oscilla sur sa chaise, versa du vin dans un verre déjà à moitié plein et marmonna :) Excusez-moi.

Il s'endormit sur sa chaise, la bouche ouverte.

Au-dessus de sa tête, dans le salon, Frances entendait des éclats de voix. Ceux de Johnny et de sa mère.

— Espèce d'imbécile, entendit-elle même Julia pester.

Johnny redescendit les marches quatre à quatre, puis revint dans la cuisine. Pour une fois, il était démonté et bouleversé.

— J'ai quand même le droit d'avoir une femme qui est une authentique camarade, lança-t-il à Frances. Pour une fois, dans ma vie, je vais avoir une femme qui est mon égal.

— C'est ce que tu disais de Maureen, tu t'en souviens ? Sans parler de Phyllida.

— C'est absurde, riposta Johnny. Je ne peux pas avoir dit ça !

À cet instant, l'auteur dramatique revint à lui.

— Soigneurs hors du ring ! dit-il avant de replonger.

Sophie fit une apparition pour annoncer que la fête avait commencé.

— Je vous laisse tous les deux vous colleter avec les péchés du monde entier, déclara Frances en les quittant.

Avant de se montrer au goûter, elle passa dans sa chambre, enfila une robe neuve et se recoiffa, transformation qui lui permit de se rappeler, en se voyant dans la glace, qu'en son temps on l'avait classée dans la catégorie des belles blondes. Sur les planches, plus d'une fois, elle avait été superbe. Et avec Harold Holman, lors de ce week-end qui lui semblait déjà remonter à une éternité, elle avait été certainement belle aussi.

Au début du mois de décembre, Julia était descendue dans les appartements de Frances. Elle avait l'air gênée, ce qui n'était pas du tout son style.

— Frances, je ne voudrais surtout pas vous froisser... (Elle tendit une de ses grosses enveloppes blanches, sur laquelle était écrit « Frances », de sa belle écriture. Dedans, il y avait des billets de banque.) Je n'ai pas réussi à trouver une manière plus délicate... Mais cela me rendrait si heureuse... Allez chez un coiffeur et achetez-vous une belle robe pour Noël.

Frances avait tendance à aplatir ses cheveux de part et d'autre d'une raie centrale, mais le coiffeur (sûrement pas Evansky ni Vidal Sassoon, qui ne toléraient que le style du jour) réussit à donner à sa coiffure un air du dernier chic. Et puis c'était la première fois qu'elle avait payé une robe aussi cher. Pas question de la mettre pour le déjeuner de Noël, avec toute cette cuisine à lancer ! Mais maintenant elle entrait au salon, aussi gauche qu'une jeune fille. Aussitôt elle fut assaillie de compliments. Colin se fendit même d'une petite courbette, en se levant pour lui laisser sa place. L'habit fait bien le moine. Un autre convive ne se privait pas de l'admirer. Le Wilhelm si distingué de Julia se leva à son tour, se pencha au-dessus de sa main – malheureusement, celle-ci devait sans doute sentir encore l'office – et baisa l'air juste au-dessus.

Julia inclina la tête et la félicita d'un sourire.

— Vous me gâtez, Julia, murmura Frances.

Et sa belle-mère de répliquer :

— Ma chère, j'aimerais tant que vous sachiez ce que c'est que d'être vraiment choyée et gâtée.

Là-dessus, Julia servit le thé avec une théière en argent. Sylvia, en jeune fille de la maison, distribua des tranches de brioche et du gros cake de Noël. Sur leurs sièges respectifs, Geoffrey, James, Colin et Andrew tombaient de sommeil. Franklin regardait Sylvia évoluer comme si elle était apparue par magie. Wilhelm, Frances, Julia et les trois filles, Sophie, Lucy et Sylvia, animaient la conversation.

Petit problème : les fenêtres étaient toujours ouvertes, or on était en plein hiver malgré tout. Une obscurité froide et revigorante cernait la pièce à l'air vicié, où Julia se souvenait, et les autres le savaient, avoir reçu des ambassadeurs et des hommes politiques. « Et même une fois le Premier ministre. » Et dans un coin se trouvaient un enchevêtrement de sacs de couchage, un cadavre de bouteille oublié...

Julia portait un ensemble de velours gris, avec de la dentelle, et des grenats aux oreilles et au cou, qui chatoyaient et leur étaient autant de reproches. Elle leur parlait des Noël d'antan, quand elle était jeune, dans sa maison en Allemagne. Un récit enjoué, étudié même, comme si elle le lisait dans un vieux livre de contes, pendant que Wilhelm Stein écoutait, en hochant la tête pour confirmer ses dires.

— Oui, dit-il au milieu d'un silence. Oui, oui. Eh bien, ma chère Julia, il nous faut reconnaître que les temps ont bien changé...

D'en bas résonna la voix de Johnny, qui débattait énergiquement avec l'auteur dramatique. Geoffrey, qui avait failli basculer en avant, se leva et, sur un mot d'excuse, quitta la pièce, suivi de James. Frances était submergée de honte, mais en même temps contente qu'ils soient partis, car on pouvait au moins faire confiance aux filles pour ne pas piquer du nez pendant qu'elles maniaient les ravissantes tasses à thé comme si elles avaient fait cela toute leur vie. Pas Rose, bien entendu. Elle était dans son coin, à part.

— J'y pense, les fenêtres..., commença Julia.

Sur-le-champ Sylvia alla les fermer et tirer les lourds rideaux doublés de brocart, qui avaient pâli en soixante ans pour tourner à un bleu-vert à côté duquel le bleu de la toilette de Frances semblait criard. Rose avait menacé de les arracher pour s'en faire une robe à la Scarlet O'Hara, et quand Sylvia avait protesté : « Mais Rose, je suis sûre que Julia serait fâchée », elle lui avait rétorqué : « Tu ne comprends pas la plaisanterie, tu n'as aucun sens de l'humour. » Ce qui était sûrement vrai.

En ce moment, Andrew déclarait qu'il était conscient qu'ils étaient tous des barbares abrutis par la boisson, mais que si Julia avait vu le repas qu'ils venaient d'engloutir, elle leur pardonnerait.

Les tranches de brioche et de cake reposaient intactes sur les petites soucoupes vertes, ornées de boutons de rose roses.

Une explosion de rires monta d'en bas. Julia eut un sourire ironique. Elle souriait, oui, mais avait les larmes aux yeux.

— Oh, Julia, roucoula Sylvia, s'avançant pour la prendre dans ses bras, si bien que sa joue reposa sur le casque argenté de crans et de petites boucles. Nous adorons votre délicieux goûter, vraiment nous l'adorons, mais si seulement vous saviez...

— Si, si, si, je sais, répondit Julia.

Elle se leva. Wilhelm Stein l'imita et la prit par la taille en lui tapotant la main. Le couple distingué se tenait côte à côte au centre de la pièce qui constituait le cadre parfait pour eux.

— Eh bien, mes enfants, reprit Julia, en voilà assez, je pense.

Elle sortit du salon au bras de Wilhelm.

D'abord, personne ne bougea. Puis Andrew et Colin étirèrent leurs bras et bâillèrent. Sylvia et Sophie commencèrent à débarrasser les ustensiles à thé. Rose, Franklin et Lucy descendirent rejoindre le groupe pétulant de la cuisine. Frances, elle, ne bougea pas.

Johnny et Derek trônaient aux deux bouts de la table et dirigeaient une forme de séminaire. Johnny lisait des extraits du *Manuel de la révolution* qu'il avait écrit et publié chez un éditeur respectable. Cela lui rapportait un peu d'argent. Comme avait dit un critique : « Ce livre a l'étoffe d'un éternel best-seller. »

La contribution de Derek Carey au bien des nations consistait à exhorter les jeunes, meeting après meeting, à remplir de manière erronée les formulaires de recensement, à détruire tous les plis administratifs qui se présentaient, à prendre un emploi à la poste comme postier pour faire disparaître le courrier et à voler le plus possible à l'étalage. Le moindre petit acte révolutionnaire aidait à abattre la structure d'un État oppressif comme la Grande-Bretagne. Aux dernières élections, ils avaient reçu la consigne de dégrader les bulletins de vote et d'y écrire dessus des insultes telles que « Fasciste ! ». Rose et Geoffrey, désireux de se distinguer devant cette compagnie passionnante, racontèrent leur dernière expédition dans les magasins. Puis Rose descendit en courant au sous-sol, revint avec des sacs en plastique bourrés de cadeaux volés et se mit à les leur tendre : des peluches pour la plupart, tigres, pandas et ours superbes. Mais il y avait aussi une bouteille de cognac – attribuée à Johnny – et une d'armagnac, donnée à Derek.

— Bravo, camarades ! s'exclama Derek, avec un clin d'œil amical qui alla droit au cœur de Rose, assoiffée de compliments.

C'était comme si elle avait reçu une médaille pour ses exploits. Johnny la gratifia même d'un salut à poing levé. Personne ne l'avait jamais vue aussi heureuse.

Franklin était désolé, parce qu'il avait tant voulu offrir un cadeau à Frances et qu'il avait espéré qu'un peu de cette marchandise « libérée » atterrirait dans ses mains. Mais il voyait bien que cela ne risquait pas d'arriver.

— Et ça, c'est pour Frances ! cria Rose.

C'était une maman kangourou avec son bébé dans la poche. L'adolescente brandit la peluche dans les airs, souriant d'une oreille à l'autre, en quête d'applaudissements, mais Geoffrey la lui arracha des mains, choqué par cette critique de Frances. Franklin, lui, admirait le kangourou et trouvait que c'était au contraire un magnifique compliment pour Frances, leur mère à tous ; il n'avait pas compris la réaction de Geoffrey et tendait maintenant le bras pour avoir le kangourou. Geoffrey le lui donna. Toujours assis, Franklin sortit le bébé de sa poche et l'y remit.

— On pourrait introduire quelques spécimens de kangourou en Zimlie, lança Johnny, qui leva son verre. Vive la Zimlie libre !

Franklin chercha des yeux un verre au milieu des reliefs du repas, le tendit à Rose pour qu'elle le remplisse et but à la Zimlie libre.

Ce type de blague excitait Franklin en même temps qu'il l'effrayait. Il savait tout sur la terrible guerre qui avait déchiré le Kenya ; ils l'avaient étudiée en classe et ne comprenait pas pourquoi Johnny – ou, d'ailleurs, les professeurs de Saint-Joseph – tenait tant à ce que la Zimlie subisse une guerre. Mais maintenant, content de bien manger, de bien boire, et de son kangourou, il leva encore son verre au toast de Johnny :

— Vive la révolution !

Mais il se demandait quelle révolution et où.

— Je vais le donner à Frances, lança-t-il à la fin.

Il était déjà à mi-escalier quand il se souvint que c'était un jouet volé et que Frances lui avait passé un savon le matin même. Mais il ne voulait pas retourner à la cuisine avec. C'est ainsi que le kangourou échut à Sylvia, qui montait déjà un grand plateau surchargé chez Julia.

— Oh, comme il est mignon ! s'écria-t-elle au moment où Franklin lui fourrait la peluche sous le bras. (Mais elle posa le plateau sur le palier et contempla le kangourou.) Oh, Franklin, c'est si gentil !

Elle embrassa le jeune homme, en le serrant si fort dans ses bras que le cœur de ce dernier se dilata de bonheur.

Dans le salon, il ne restait plus qu'Andrew, endormi dans un fauteuil, les jambes étendues devant lui, les mains sur le ventre, et Colin et Sophie enlacés sur le divan, tous deux également au pays des songes.

Franklin resta planté à les contempler, le moral de nouveau en chute libre, et il se rappela à quel point tout le rendait perplexe. Il savait que Colin et Sophie avaient été « copains », mais ne l'étaient plus, et que Sophie avait un autre « copain » qui était parti dans sa famille pour Noël. Pourquoi ces deux-là étaient-ils alors dans les bras l'un de l'autre, avec la tête de Sophie posée sur l'épaule de Colin ? Franklin n'avait encore jamais couché avec une fille. À la mission il n'y avait pas de filles, et les garçons étaient surveillés par les frères, qui étaient au courant de tout. À la maison, avec ses parents, c'était pareil. Lors d'un séjour chez ses grands-parents, il avait taquiné les filles et blagué avec elles, mais rien de plus.

Comme tant de nouveaux venus en Grande-Bretagne, Franklin avait été désorienté dès le début par ce qui s'y passait. S'il avait d'abord cru qu'il n'y avait pas de morale du tout, il soupçonna vite qu'il en existait quand même une. Mais quelle était-elle ? À Saint-Joseph, les garçons et les filles couchaient ensemble, il en était sûr. C'était du moins ce qui lui semblait. Dans le pré derrière les bâtiments, des couples étaient étendus dans l'herbe et Franklin, toujours solitaire, écoutaient leurs rires et, pire, leurs silences. Il avait l'impression que les femmes de cette île étaient disponibles pour tous, même pour lui, si seulement il réussissait à trouver les mots justes. Pourtant, il avait vu un Nigérian, fraîchement arrivé à Saint-Joseph, s'avancer vers une fille et lui demander : « Je peux venir dans ton lit ce soir si je t'apporte un beau cadeau ? » Elle l'avait giflé si fort qu'il était tombé par terre. Franklin avait retourné des mots similaires dans sa tête afin de tenter sa chance. Mais la même fille, l'auteur de la gifle, était pelotonnée sur son lit avec un garçon qui avait sa chambre dans le même couloir, laissant la porte ouverte afin que tout le monde puisse profiter du spectacle. Personne ne s'en émouvait.

Il redescendit, marquant une halte pour écouter à la porte de la cuisine, où le discours de Johnny sur la tactique de la guérilla pour détruire le complexe militaire impérialiste était du même tonneau que celui de Derek : le vol à la tire était apparemment considéré comme une arme majeure. Il descendit dans sa chambre, se dirigea vers le tiroir où était son argent. Il lui sembla qu'il y en avait moins. Il le compta : il en manquait la moitié. Franklin était planté là, à recompter, quand il entendit Rose dans son dos.

— La moitié de mon fric a disparu ! s'écria-t-il avec violence.

— C'est moi qui l'ai pris. Je le mérite, non ? Tu as eu toutes tes fringues pour rien. Si tu les avais payées, tu n'aurais jamais pu avoir rien d'aussi beau pour cette somme... Alors tu y as gagné, non ? Tu as de nouveaux habits et la moitié de ton argent.

Il la regarda fixement, le visage crispé par le soupçon, sombre, furieux. Pour lui, cet argent était plus qu'un cadeau de Frances, qui était une mère pour lui. C'était comme un signe de bienvenue dans cette famille, qui en faisait de lui un membre à part entière.

Rose était froide et pleine de mépris.

— Tu ne comprends rien, reprit-elle. Je le mérite, tu ne le vois pas ?

Il leva les épaules d'un air désemparé et elle resta là un moment, jusqu'à ce qu'il baisse les yeux, puis s'engagea dans l'escalier.

Il chercha un endroit où cacher son argent, dans cette chambre où il n'existait aucun endroit où cacher quoi que ce soit. Chez lui, on pouvait glisser des choses défendues sous la paille ou les enterrer dans le sol de terre battue, ou même en pleine brousse. À la maison de ses parents, il y avait des briques qu'on pouvait desceller et remettre en place. Finalement, il remit l'argent dans le tiroir. Il s'assit au bord de son lit et pleura de nostalgie, de honte, parce que Frances était fâchée contre lui, et aussi parce qu'il ne se sentait pas à l'aise avec ces révolutionnaires, même s'ils le traitaient comme un des leurs. À la fin, il sommeilla un peu et, après être remonté à la cuisine, trouva les deux hommes partis et tous les autres de corvée de vaisselle. Il se joignit à eux avec soulagement, et avec plaisir. L'un des leurs. On allait dîner, semblait-il, même si tout le monde blaguait en disant que personne ne pouvait plus rien avaler. Assez tard, vers dix heures, la carcasse de la dinde réapparut, avec toutes sortes de farces et d'amuse-gueule, ainsi qu'un grand plateau de pommes de terre rôties. Ils étaient tous attablés à boire, fatigués, contents d'eux-mêmes et de leur Noël, quand on frappa à la porte d'entrée. Frances jeta un coup d'œil par la fenêtre et aperçut une femme sur le trottoir, qui ne savait pas si elle devait retenter sa chance ou passer son chemin. Colin alla se planter à côté de sa mère. Tous les deux redoutaient que ce soit Phyllida.

— J'y vais, dit Colin, qui sortit.

Frances le vit parler avec l'inconnue, qui titubait légèrement. Il posa la main sur son épaule pour qu'elle ne tombe pas, puis rentra avec elle, un bras passé autour de sa taille.

Elle avait rôdé par les rues obscures ou à moitié éclairées et à présent clignait des yeux sous la lumière éclatante de l'entrée. Frances apparut. L'inconnue l'apostropha :

— Es-tu l'amour de mon cœur ?

Elle semblait d'âge mûr, mais c'était difficile à dire, tant son visage était crasseux, de même que les mains blanches, assez belles, qui s'agrippaient à Colin. Elle avait l'air d'une réchappée d'un incendie ou d'une catastrophe. Les traits de Colin étaient tordus de compassion, le jeune homme au cœur tendre était en larmes.

— Maman, implora-t-il.

Frances alla se placer de l'autre côté, et ensemble, elle et Colin aidèrent la malheureuse à gravir les marches pour entrer dans le séjour, qui était désormais désert et en ordre.

— Quelle pièce élégante ! commenta la vagabonde, manquant tomber.

Colin et Frances l'étendirent sur le grand canapé. Aussitôt elle leva sa main souillée pour marquer la mesure pendant qu'elle entonnait... Qu'est-ce que c'était ? Oui, une vieille chanson de music-hall : *I dil-*

lied and I dallied, I dallied et I dillied and I... yes, I did dilly, darlings, I did, and now I'm far from home[1]. Elle avait une voix claire, légère, juste, pure. Les vêtements qu'elle portait n'étaient pas misérables, et elle ne paraissait pas pauvre, même si elle était certainement malade. Son haleine ne sentait pas l'alcool. Une autre chanson succéda alors à la première :

— *Sally... Sally...* (La voix cristalline monta jusqu'au contre-ut et tint la note.) Oui, mon cœur, oui, dit-elle à Colin. Tu as bon cœur, je le vois. (Ses grands yeux bleus, des yeux innocents, des yeux de bébé même, étaient tournés vers Colin. Elle ignorait Frances.) Tu as bon cœur, mais fais attention. Ton bon cœur t'attire des ennuis et qui le sait mieux que Marlene ?

— Quel est votre nom, Marlene ? demanda Frances, tenant une main malpropre, qui était trop froide, presque sans vie, et reposait dans la sienne, animée d'un faible tremblement.

— Mon nom s'est perdu, chérie. Bel et bien perdu, mais Marlene se débrouillera sans. (Et elle se mit à parler allemand, à dire des mots doux en allemand. Puis retour au chant, à des bribes de chansons. Des chansons de la Seconde Guerre mondiale, avec *Lili Marlene* vingt fois, et encore de l'allemand :) *Ich liebe dich*, leur dit-elle. Oui, c'est vrai.

— Je vais chercher Julia, décida Frances.

Elle monta et trouva sa belle-mère en train de dîner avec Wilhelm, de part et d'autre d'une petite table dressée avec de l'argenterie et des cristaux. Elle expliqua la situation et Julia déclara, voulant se montrer enjouée, mais c'était une plainte :

— Je vois que cette maison a accueilli une autre fugueuse. Il y a des limites à l'hospitalité, Frances. Qui est cette dame ?

---

1. « J'ai lambiné et traîné, j'ai traîné et lambiné, et je... oui, je me suis amusée, mon cœur, je me suis amusée, et maintenant je suis loin de la maison. »

— Ce n'est pas une dame, répondit Frances. Mais une fugueuse, si, certainement.

À son retour au salon, Andrew était arrivé avec un verre d'eau, qu'il porta aux lèvres de l'inconnue.

— Je ne suis pas très portée sur l'eau, protesta-t-elle, avant de se renverser en arrière pour chantonner qu'un petit verre ne lui ferait pas de mal.

Et elle repassa à l'allemand. Debout, Julia écoutait. Elle adressa un signe à Wilhelm, et tous deux s'assirent côte à côte, prêts à rendre leur jugement.

— Me permettez-vous de vous appeler Marlene ? demanda Wilhelm.

— Appelez-moi comme il vous plaît, mon cher, appelez-moi comme cela vous chante. Les bâtons et les pierres peuvent me rompre les os. On me l'a déjà fait, mais c'était il y a longtemps. (Là-dessus, elle pleurnicha un peu, avec des sanglots étouffés, comme ceux des enfants.) J'ai eu mal, les informa-t-elle. J'ai eu mal quand c'est arrivé. Mais les Allemands étaient des gentlemen. C'étaient de gentils garçons.

— Marlene, sortez-vous de l'hôpital ? s'enquit Julia.

— Oui, mon cœur. Je suis une fugitive de l'hôpital, on peut le dire, mais ils reprendront cette pauvre Molly, ils sont bons pour cette pauvre Molly. (Et elle entonna :) *There's none like pretty Sally. She is the darling of my heart*[1]... (Puis d'une voix aiguë et pure :) *Sally, Sally...*

Julia se leva, fit signe à Wilhelm de rester là où il était et, d'un geste, indiqua le palier à Frances. Colin sortit aussi.

— À mon avis, nous devrions la garder ici, dit-il. Elle est malade, non ?

— Malade et dérangée, diagnostiqua Julia. (Puis, avec un tact qui radoucissait sa fermeté, elle s'adressa à Colin :) Tu sais ce qu'elle est... ce qu'elle était ?

---

1. « La belle Sally n'a pas sa pareille, c'est la chérie de mon cœur... »

— Aucune idée, répondit Colin.

— Elle accueillait les Allemands à Paris pendant la dernière guerre, c'est une putain.

— Mais ce n'est pas sa faute, gémit Colin.

L'esprit des années soixante, avec son regard passionné, sa voix tremblante et ses mains tendues et implorantes, interpellait le passé entier de l'humanité, responsable de toutes les injustices, incarné en la personne de Julia.

— Oh, ne sois pas si bête ! s'écria-t-elle. Sa faute, notre faute, leur faute... Quelle importance ? Qui va veiller sur elle ?

— Qu'est-ce que fabriquait une Anglaise à se prostituer à Paris sous l'occupation allemande ? intervint Frances.

Et soudain, sur un ton qu'aucun d'entre eux ne lui connaissait, Julia reprit :

— Les prostituées n'ont jamais de problèmes de passeports, elles sont toujours les bienvenues.

Frances et Colin échangèrent un regard : de quoi s'agissait-il ? Mais ces moments ne sont pas rares avec les vieilles personnes : un changement de voix, une grimace douloureuse, une certaine rudesse – comme en ce moment –, qui était tout ce qui leur restait d'une blessure ou d'une déception quelconque... Et puis, voilà, c'était terminé, c'était fini. Nul ne saurait jamais.

— Je vais téléphoner à Friern Barnet, poursuivit Julia.

— Oh, non, non, non ! supplia Colin.

Julia retourna au salon, interrompit *Sally* et se pencha pour questionner la malheureuse :

— Molly ? Vous vous appelez Molly ? Dites-moi, vous venez de Friern Barnet ?

— Oui, je me suis sauvée pour Noël. Je me suis sauvée afin de voir mes amis, mais je ne sais pas où ils sont passés. Mais Friern est gentil et Barnet l'est encore plus. Ils reprendront cette pauvre Molly Marlene.

— Va téléphoner, ordonna Julia à Andrew, qui sortit de la pièce.

— Je ne vous le pardonnerai jamais ! s'écria Colin, véhément, désemparé et se sentant rejeté.

— Mon pauvre garçon, soupira Wilhelm.

— La renvoyer dans un...

— Asile d'aliénés, c'est ce que tu voulais dire, mon cœur, mais ce n'est pas grave, ne sois pas triste. Ne fais pas de folies non plus.

Et Molly pouffa de rire.

Andrew revint après avoir téléphoné. Tous s'assirent pour attendre, Colin avec des yeux humides, et ils écoutèrent la femme dérangée chanter cent fois son *Sally*, étendue sur le divan. Son contre-ut cristallin leur brisait le cœur. Et pas seulement celui de Colin.

Au rez-de-chaussée, la table du dîner s'était calmée sous l'effet de la crise qui avait animé les discussions et divisé l'assemblée au point que celle-ci avait dû se disperser.

La sonnette retentit. Andrew descendit ouvrir. Il remonta avec une dame lasse d'âge mûr en tenue grise, du genre blouse. Et à son bras, il y avait... oui, c'était bien une camisole de force.

— Voyons, Molly, dit cette femme à la vagabonde avec un ton de reproche. Ce n'est pas le moment de nous jouer un tel tour. Vous savez bien que nous manquons toujours de personnel à Noël...

— Méchante Molly, scanda la malade en se levant, soutenue par Frances. (Elle alla même jusqu'à se donner une tape sur la main.) Pas sage, Molly Marlene...

L'infirmière examina sa patiente et décida que la coercition était inutile. Elle passa un bras autour de la taille de Molly ou Marlene, l'emmena à la porte et l'aida à descendre. Tous suivirent le mouvement, à l'exception de Julia.

— *Goodbye... don't cry*[1]. (Dans l'entrée, elle fit volte-face.) C'était le bon temps, déclara-t-elle. C'étaient les moments où j'ai été la plus heureuse. Ils me demandaient toujours. Ils m'appelaient Marlene... C'est mon nom de guerre, en fait. Ils me demandaient toujours de chanter ma Sally.

Et sa Sally sur les lèvres, elle sortit la première, au bras de sa gardienne, qui se retourna pour leur expliquer :

— C'est Noël, voyez-vous ? Ils s'énervent tous au moment de Noël.

Colin, ruisselant de larmes, lança à sa mère :

— Comment pouvons-nous nous conduire ainsi ? On ne jetterait pas un chien dehors par une nuit pareille !

Il remonta et Sophie, qui était encore à la cuisine, le suivit pour le consoler et le réconforter. C'était une nuit assez douce. Comme si là était la question...

Le lendemain après-midi, Colin prit l'autobus pour se rendre à l'hôpital psychiatrique. Tout ce qu'il savait, c'était que l'établissement desservait le nord de Londres. Vaste, cet ancien hôtel particulier, dont les survivances évoquaient le décor d'un roman gothique, accueillit Colin dans un couloir qui semblait long de cinq cents mètres, à la peinture brillante, vert vomi. Tout au bout, il trouva un escalier et, sur les marches, la femme qui était venue, la veille, chercher cette pauvre folle de Molly-Marlene. Elle l'informa que Molly Smith était dans la salle 23 et qu'il ne devait pas se formaliser si elle ne le reconnaissait pas. Elle avait un tablier en plastique, portait des serviettes de toilette à son bras et un savon odorant à la main. La salle 23 était spacieuse, avec de grandes fenêtres, donc claire et bien aérée, mais avait bien besoin d'être repeinte. Des branches de houx étaient collées sur les murs avec du ruban adhésif. Des hommes et des

1. « Au revoir, ne pleure pas. »

femmes d'âges variés occupaient, çà et là, des sièges usés ; certains avaient le regard perdu dans le vide, d'autres esquissaient des mouvements fébriles qui étaient l'expression visible de leurs rêves d'ailleurs, tandis qu'un groupe d'une dizaine de pensionnaires étaient assis comme s'ils participaient à un goûter : ils tenaient des tasses de thé, papotaient et faisaient circuler des biscuits. L'une d'eux était Molly ou Marlene. Gauche et intimidé, aussi désarmé qu'un enfant dans une pièce remplie de grandes personnes, Colin s'adressa à elle :

— Bonjour. Vous vous souvenez de moi ? Vous étiez chez nous, hier soir.

— Oh ! C'est vrai, chéri ? Oh ! chéri, je ne m'en souviens pas. Je rôdais, alors ? Des fois, je pars rôder et puis... Mais assieds-toi, chéri. Comment t'appelles-tu ?

Colin se posa sur une chaise vide, près d'elle, point de mire de l'ensemble des occupants de la salle. Tous souhaitaient ardemment qu'il se passe quelque chose d'intéressant. Il tentait d'animer la conversation quand l'aide-soignante, l'infirmière ou la surveillante de la nuit dernière, entra en criant :

— La salle de bains est libre.

Un homme mûr se leva et sortit.

— C'est à moi après, dit Molly, souriant avec une vague intention passionnée à Colin, qui lâcha :

— Depuis combien de temps... je veux dire, vous êtes ici depuis longtemps ?

— Oh, oui, chéri. Depuis très longtemps.

L'aide-soignante, qui brandissait toujours ses serviettes et son savon, mais restait à la porte comme pour monter la garde, dit à Colin :

— C'est ici sa maison. C'est la maison de Molly.

— Ma foi, je n'en ai pas d'autre, intervint Molly avec un rire joyeux. Des fois je pars rôder et puis je reviens...

— Oui, vous rôdez, mais vous ne revenez pas toujours et il nous faut alors vous retrouver, répliqua l'aide-soignante, sans cesser de sourire.

Colin tint bon une heure, et puis, au moment où il songeait qu'il devait se retirer, qu'il ne pouvait plus le supporter, entra une jeune fille aussi embarrassée que lui. Sa maison, semblait-il, avait été aussi une de celles à la porte desquelles Molly avait frappé. Pas la veille, mais le soir de Noël.

La nouvelle arrivante, une créature menue, fraîche et ravissante, dont le visage exprimait toute la consternation qu'éprouvait Colin, s'assit à côté de ce dernier et leur décrivit par le menu son lycée, un des meilleurs établissements pour filles, babillage que Molly et ses amis buvaient comme si c'étaient des nouvelles de la lointaine Tatarie. À la fin, l'aide-soignante annonça que c'était l'heure du bain de Molly.

Soulagement à la ronde. Molly se leva de sa chaise et partit prendre son bain, accompagnée de l'aide-soignante ou de la surveillante.

— Allons, Molly, sois gentille.

Ceux qui restaient commencèrent à se chamailler pour savoir à qui c'était le tour ensuite ; personne n'était volontaire, parce que Molly laissait toujours la salle de bains inondée.

— C'est inondé quand elle a fini, éructa avec sérieux une vieille dame égarée à l'intention des jeunes. On croirait qu'un hippopotame est passé par là.

— Qu'est-ce que tu connais aux hippopotames ? grinça avec dédain un vieil homme tout aussi hagard, apparemment un contradicteur. Tu parles toujours trop.

— Je connais très bien les hippopotames, répliqua la vieille commère, furibonde. Je les observais de la véranda de notre maison, sur les berges du Limpopo.

— N'importe qui peut raconter qu'il avait une maison au bord du Limpopo ou du Danube bleu, ripostat-il. Quand personne ne peut apporter la preuve du contraire.

Colin et la jeune fille, Mandy, quittèrent l'établissement, et Colin l'emmena dîner à la maison, où tous avaient envie de connaître le redoutable hôpital psychiatrique et ses pensionnaires.

— Ils sont exactement comme nous, affirma Colin.

Et Mandy de renchérir avec passion :

— Oui. Je ne vois pas pourquoi ils doivent être enfermés.

Un peu plus tard, Colin questionna Julia, puis sa mère. Pour les aînés, meurtris par la vie, c'est pénible, très pénible, de devoir écouter la jeunesse idéaliste exiger des explications sur le malheur du monde. « Pourquoi, mais pourquoi ? » voulait savoir Colin, et ce n'était pas fini, car il retourna bien à l'hôpital, mais se trouva penaud : Molly avait oublié sa première visite. À la fin, il lui laissa son adresse et son numéro de téléphone. « Au cas où il vous manquerait quelque chose... » À quelqu'un à qui il manquait tout et, d'abord, la raison. Mandy calqua son attitude sur la sienne.

— C'était un geste ridicule, commenta Julia.

— C'était très gentil, protesta Frances.

Mandy devint un temps une « des gamines » du dîner, ce qui lui était facile puisque ses parents travaillaient tous les deux. Elle ne disait pas que c'étaient des salauds, mais qu'ils faisaient de leur mieux. Elle était enfant unique. Par la suite, ils l'expédièrent à New York. Colin et elle correspondirent pendant des années.

Et il devait s'écouler vingt ans avant que leurs chemins ne se recroisent.

Dans les années quatre-vingt, au nom d'un autre impératif idéologique, tous les asiles et hôpitaux psychiatriques avaient été fermés, leurs pensionnaires mis dehors et livrés à eux-mêmes. Colin reçut une lettre couverte d'une écriture fine et irrégulière : *Colin.*

Juste son prénom et l'adresse. Il descendit à Brighton, où il la dénicha dans une des pensions tenues par les philanthropes qui accueillaient d'anciens patients des hôpitaux psychiatriques et leur prenaient jusqu'au dernier penny de leurs prestations journalières pour des conditions de vie que n'eût pas désavouées Dickens.

C'était une vieille femme malade, qu'il ne reconnaissait pas, mais elle avait l'air de savoir qui il était.

— Il avait un visage si gentil, dit Molly-Marlene Smith, si Smith était vraiment son nom. Dites-lui, il a un visage si aimable, ce garçon. Vous connaissez Colin ?

Elle se mourait de trop d'alcool. De quoi d'autre, enfin ?... Et lors d'une autre visite, Colin tomba sur Mandy, désormais une élégante mère de famille américaine, dotée d'un ou deux enfants et d'un ou deux maris, et ils se retrouvèrent aux obsèques, puis Mandy reprit l'avion pour Washington et sortit de sa vie.

Cette nuit de Noël, il y eut un autre événement.

Tard, bien après minuit, Franklin gravit l'escalier à pas de loup, guettant la moindre manifestation de Rose, qui semblait dormir. La cuisine était obscure. Il monta dans les hauteurs, passa devant le salon, où Geoffrey et James étaient dans leurs sacs de couchage, gagna l'étage supérieur où il savait que Sylvia avait sa chambre. Une veilleuse éclairait le palier. Il frappa à la porte de Sylvia, guère plus fort qu'une poule avec son bec. Pas un bruit. Il fit une nouvelle tentative. Les coups les plus légers qui soient. Il n'osait pas frapper plus fort. À ce moment-là, juste au-dessus de sa tête, apparut Andrew.

— Qu'est-ce que tu fiches ? Tu as perdu ton chemin ? C'est la chambre de Sylvia.

— Oh, oh ! je suis désolé. Je croyais...

— Il est tard, le coupa Andrew. Retourne te coucher.

Franklin redescendit l'escalier, suffisamment pour être hors de portée de vue d'Andrew, et s'écroula, penché en avant, la tête sur les genoux. Il pleurait, mais doucement, pour ne pas être entendu.

Puis il sentit un bras sur ses épaules.

— Pauvre vieux Franklin, chuchota Colin. Ne t'en fais pas. Et n'en veux pas à Andrew. Il est juste un des pions nés de ce monde...

— Je l'aime, sanglotait Franklin. J'aime Sylvia.

Colin intensifia la pression de son bras et appuya sa joue sur la tête de Franklin. Il la frotta contre cette brosse élastique, qui semblait émettre un message de bonne santé et de vigueur, comme la bruyère.

— Ce n'est pas vrai, murmura-t-il. C'est encore une petite fille, tu sais... Oui, elle a peut-être seize, dix-sept ans ou je ne sais combien, mais elle n'est pas... mûre, tu sais ? Tout est de la faute de ses parents. Ils l'ont perturbée. (Là, à sa grande surprise, il sentit l'hilarité monter en lui, face à l'absurdité de ses paroles. Mais il persista :) Ce sont tous des salauds, apprit-il à Franklin, transformant un éclat de rire en toussotement.

Franklin était plus perplexe que jamais.

— Je trouve ta mère si sympathique. Elle est si gentille pour moi.

— Oh, oui, sans doute. Mais ce n'est pas bon. Sylvia, je veux dire. Il te faudra tomber amoureux d'une autre. Que dirais-tu de... (Et d'improviser une liste des noms des filles du lycée, qu'il psalmodiait comme un chant.) Il y a Jilly et il y a... Jolly, il y a Milly et il y a Molly, il y a Elizabeth et Margaret, il y a Caroline et Roberta... (De sa voix habituelle et avec un vilain rire, il ajouta :) On ne peut pas dire qu'elles manquent de maturité.

Mais je l'aime vraiment, se disait Franklin. Cette fille pâle et délicate, avec ses cheveux dorés et vaporeux, elle l'ensorcelait. La serrer dans ses bras serait... Il détourna son visage de Colin et garda le silence.

Sous son bras, Colin sentait les épaules de son ami brûlantes et misérables. Comme il s'identifiait avec cette misère ! comme il était bien placé pour savoir que rien de ce qu'il disait ne pouvait apporter de réconfort à Franklin ! Il commença à bercer doucement son ami. Franklin, lui, songeait qu'il n'avait envie que d'une chose, rentrer en Afrique cette nuit même, partir pour toujours, c'était trop difficile pour lui, mais il savait que Colin était gentil. Et puis il aimait être assis là, dans les bras de cette bonne pâte.

— Tu aimerais monter ton sac de couchage dans ma chambre ? C'est mieux que la compagnie de Rose. Et puis on peut dormir autant qu'on veut...

— Oui... non, non, ça va. Je vais redescendre maintenant. Merci, Colin.

Mais je l'aime vraiment, se répétait-il.

— Très bien alors, dit Colin, qui se leva et remonta.

Et Franklin redescendit. Je vais en prendre pour mon grade demain matin, songeait-il. En pensant à Andrew. Mais Andrew n'en reparla pas, ni n'y fit jamais la moindre allusion. Et Sylvia ne devait jamais savoir que Franklin avait été poussé par son désir à monter gratter à sa porte.

Quand Franklin atteignit le bas de l'escalier et regagna l'appartement du sous-sol, Rose l'attendait, les poings sur les hanches, les traits tordus par la méfiance.

— Si tu crois que tu vas coucher avec Sophie, tu peux aller te rhabiller. Colin est fou d'elle, même si Roland Shattock, lui, ne l'est pas.

— Sophie ? balbutia Franklin.

— Ah, oui ! vous bandez tous pour Sophie.

— C'était une erreur, dit Franklin. Une erreur, c'est tout.

— Vraiment ? persifla Rose. Je ne l'aurais jamais cru !

Elle lui tourna le dos et alla se coucher.

Elle n'était sûrement pas amoureuse de Franklin et il ne lui plaisait même pas, mais elle aurait aimé qu'il tentât sa chance. Une sœur. Eh bien ! elle se montrerait une sœur pour lui. Elle ne pouvait pas dire non à un Noir, n'est-ce pas ? Cela le blesserait.

Franklin, roulé en boule dans son lit et tendu comme un poing, pleurait amèrement.

Cette tumultueuse année 1968 fut relativement paisible dans la maison de Julia, qui depuis longtemps n'était plus occupée par « les gamins », mais plutôt par des adultes sérieux.

Quatre ans, c'est long, en effet, surtout si l'on est jeune !

Sylvia s'était révélée être anormalement brillante, avait comprimé deux années de travail en une, passé ses examens comme s'il s'agissait d'aimables défis, semblait ne pas avoir d'amis. Elle s'était convertie au catholicisme, voyait souvent un prêtre jésuite magnétique, le frère Jack, à Farm Street, et allait tous les dimanches à la cathédrale de Westminster. Elle finissait ses études de médecine.

Andrew aussi avait bien travaillé. Il rentrait souvent de Cambridge. Pourquoi n'avait-il pas de petite amie ? s'inquiétait sa mère. Mais il prétendait que tous les fruits verts qu'il avait dû voir consommer par « la bande » l'avaient agacé.

Colin, qui avait pourtant accepté de se présenter à son examen de dernière année de lycée, fit défection au dernier moment. Il resta des semaines entières au lit, à crier « Allez-vous-en ! » à quiconque toquait à sa porte. Un jour il se leva, comme si de rien n'était, pour annoncer qu'il allait voir du pays. « Il est temps que je voie un peu le monde, maman ». Et il prit la route. Des cartes postales arrivèrent d'Italie, d'Allemagne, des États-Unis, de Cuba. (« Tu peux dire à Johnny qu'il est complètement frappé. Cette île est un cloaque. »)

Du Brésil, d'Équateur. Il revenait entre deux voyages, se montrait poli mais réservé.

Sophie avait terminé son école de théâtre et enchaînait les petits rôles. Elle vint trouver Frances pour se plaindre que les emplois qu'on lui attribuait étaient fonction de son apparence physique. Frances s'abstint de lui répondre : « Ne t'en fais pas, le temps se chargera d'y remédier. » La belle vivait avec Roland Shattock, qui avait déjà un nom et avait joué Hamlet. Elle confia à Frances qu'elle n'était pas heureuse et savait qu'il la quitterait.

Frances, de son côté, avait failli revenir au théâtre. Elle avait même donné son accord pour un rôle qui la tentait, mais avait dû, ensuite, se rétracter une fois de plus. L'argent, toujours l'argent ! Les frais de scolarité de Colin n'étaient plus d'actualité, et Julia avait confirmé qu'elle pouvait prendre en charge Sylvia et Andrew, mais Sylvia était alors venue demander si Phyllida ne pouvait pas habiter l'appartement du sous-sol. Voilà ce qui s'était passé. Johnny avait téléphoné à Sylvia pour lui dire qu'elle devait rendre visite à sa mère. « Et ne dis pas non, Tilly, ça ne va pas. »

Sylvia avait trouvé sa mère qui l'attendait, habillée pour donner une impression d'honnête aisance, mais l'air souffrante. Il n'y avait rien à manger dans la maison, pas même du pain. Johnny était parti vivre avec Stella Linch et n'allouait pas un sou à Phyllida, pas plus qu'il ne payait le loyer.

— Tu n'as qu'à travailler, lui avait-il dit.

— Comment pourrais-je trouver du travail, Tilly ? avait pleurniché Phyllida à sa fille. Je ne suis pas bien...

Cela sautait aux yeux.

— Pourquoi ne m'appelles-tu pas Sylvia ?

— Oh, je ne peux pas. J'entends encore ma petite fille me chuchoter : « Je m'appelle Tilly. » Ma p'tite Tilly, c'est comme ça que je te revois...

— C'est pourtant toi qui m'as appelée Sylvia.

— Oh, Tilly, je vais essayer ! (Avant même que la conversation eût vraiment commencé, Phyllida se tamponnait les yeux avec des mouchoirs en papier.) Si je pouvais venir m'installer dans ce petit appartement, je me débrouillerais. De temps en temps, je reçois un peu d'argent de ton père.

— Je ne veux pas en entendre parler, coupa Sylvia. Il n'a jamais été un père pour moi. Je me souviens à peine de lui.

Son père, c'était le camarade Alan Johnson, aussi célèbre que le camarade Johnny. Il avait participé à la guerre d'Espagne – lui y avait vraiment participé – et avait été blessé. Julia, qui avait assisté à son ascension au rang de vedette, le qualifiait d'« Éminence rouge itinérante », comme Johnny.

— Johnny croit que je reçois plus d'argent d'Alan. Mais il ne m'a pas donné un penny depuis plus de deux ans.

— J'ai dit que je ne voulais rien savoir.

Elles étaient assises dans une pièce quasiment dépourvue de mobilier, car Johnny avait presque tout emporté en vue de sa nouvelle vie avec Stella. Il restait une petite table, deux chaises, un vieux canapé.

— J'ai eu une vie si dure, commença Phyllida, sur une note si familière que Sylvia alla jusqu'à se lever.

Sa réaction n'était ni de la comédie ni une tactique. C'était la peur qui l'éloignait de sa mère. Elle sentait déjà les prémices du tremblement intérieur qui, par le passé, la laissait désemparée, faible, hystérique.

— Ce n'est pas ma faute, se défendit Sylvia.

— Ce n'est pas la mienne non plus, répliqua Phyllida, sur le ton lourd et oscillant de sa litanie récriminatrice. Je n'ai rien fait pour mériter d'être traitée ainsi.

À ce moment-là, elle s'aperçut que Sylvia se trouvait déjà à l'autre bout de la pièce, le plus loin possible d'elle, une main pressée sur sa bouche, le regard fixe, comme si elle craignait de vomir.

— Je suis désolée, cria-t-elle. Je t'en prie, ne t'en va pas. Assieds-toi, Tilly... Sylvia.

La jeune fille revint, tira sa chaise bien à l'écart, se posa et attendit avec un visage distant.

— Si je venais m'installer dans cet appartement, je pourrais me débrouiller. Je demanderais bien à Julia, mais j'ai peur de Frances, elle va dire non. Je t'en prie, demande-le-lui pour moi...

— Tu peux le lui reprocher ? lança Sylvia.

Ceux qui connaissaient la délicieuse créature qui, selon les mots de Julia, « éclairait cette maison comme un petit oiseau » n'auraient pas reconnu ce visage intraitable.

— Mais ce n'est pas ma faute... (Phyllida était lancée, puis elle vit que Sylvia avait bondi pour partir.) Oh, arrête, arrête ! cria-t-elle. Excuse-moi.

— J'en ai assez que tu te plaignes et que tu m'accuses, répondit Sylvia. Tu ne comprends pas ? Je ne le supporte pas, maman.

Phyllida tenta de sourire.

— Je ne le ferai plus, je te le promets, murmura-t-elle.

— Tu le promets vraiment ? Je veux finir mes examens pour être médecin. Si je t'ai tout le temps sur le dos, je me sauverai tout simplement. Je ne le supporte plus...

— Oh, chérie, je t'ai vraiment fait tant de mal ? articula-t-elle après un soupir.

— Oui, vraiment. Et même quand j'étais toute petite, tu me répétais toujours que tout était de ma faute, que sans moi tu aurais fait ceci ou cela. Une fois, tu m'as même dit que tu allais m'obliger à mettre la tête dans le four de la cuisinière avec toi pour mourir...

— C'est vrai ? J'espère que j'avais de bonnes raisons.

— Maman. (Sylvia se leva.) Je m'en vais. J'en parlerai à Julia et à Frances. Mais je ne m'occuperai pas de toi. N'y compte pas. Tu t'en prendrais tout le temps à moi...

Ainsi, juste au moment où Frances avait allègrement décidé d'abandonner pour toujours le journalisme et tante Vera, ainsi que les papiers sociologiques sérieux, sans parler des recherches diverses qu'elle menait avec Rupert Boland, Julia annonça qu'elle allait devoir verser une pension à Phyllida et s'occuper d'elle en général.

— Elle n'est pas comme vous, Frances, elle est incapable de se débrouiller toute seule. Mais je l'ai prévenue qu'elle devait être indépendante et ne pas vous embêter.

— Et, ce qui est certainement plus important, de ne pas embêter Sylvia.

— Sylvia dit qu'elle croit pouvoir faire face.

— J'espère de tout mon cœur que c'est vrai.

— Mais si je verse une pension à Phyllida... pouvez-vous prendre en charge les frais de scolarité d'Andrew ? Vous gagnez assez d'argent ?

— Bien sûr que oui.

Exit donc le théâtre une nouvelle fois. Tout ceci avait lieu à l'automne 1964. Cet événement aussi : Rose était partie. Elle savait qu'elle avait réussi ses examens, elle n'avait pas besoin d'attendre les résultats. Une fois où Frances, Andrew et Colin étaient ensemble, elle était montée leur annoncer :

— Et maintenant j'ai une super nouvelle. Je m'en vais. Vous allez être enfin débarrassés de moi. Je pars pour de bon. J'entre à l'université.

Et puis elle avait dévalé l'escalier et disparu. Soudain, elle n'était plus là. Ils s'attendaient à ce qu'elle téléphonât ou écrivît, mais rien. Elle avait laissé l'appartement sens dessus dessous : vêtements en tas par terre, bouts de sandwichs sur une chaise, collants étendus à sécher dans la salle de bains. Mais c'était le style général des « gamins » et cela n'avait aucune signification particulière.

Frances téléphona aux parents de Rose. Non, ils n'étaient au courant de rien.

— Elle dit qu'elle entre à l'université.

— C'est vrai. J'espère qu'elle nous éclairera quand bon lui semblera.

Fallait-il prévenir la police ? Mais cette décision ne semblait pas opportune dans le cas de Rose. La décision d'aller à la police pour Rose, Jill, ou pour Daniel qui, une fois, avait disparu plusieurs semaines, avait toujours été discutée en long et en large, sur la base des principes propres aux années soixante, avant d'être rejetée. Il était impossible de s'adresser à la flicaille, aux flics, aux poulets, aux défenseurs de la tyrannie fasciste (la Grande-Bretagne). Juillet... août... Geoffrey avait appris par le téléphone arabe qui reliait alors les jeunes d'un continent à l'autre que Rose se trouvait en Grèce avec un révolutionnaire américain.

En août, Phyllida avait présenté sa demande et élu domicile dans l'appartement du sous-sol. En septembre, Rose avait débarqué, avec, à l'épaule, un gros sac noir, qu'elle laissa tomber lourdement sur le sol de la cuisine.

— Me voici de retour avec tous mes biens terrestres, lança Rose.

— J'espère que ton séjour s'est bien passé, répondit Frances.

— C'était dégueulasse, répondit Rose. Les Grecs sont des salauds. Bon, je vais me réinstaller en bas.

— C'est impossible. Pourquoi ne nous as-tu donné aucune nouvelle ? L'appartement est occupé.

Rose s'écroula sur une chaise, pour une fois sans défense.

— Mais... pourquoi ? J'avais dit... ce n'est pas juste !

— Tu nous as annoncé que tu partais. Pour de bon, avons-nous pensé. Et tu n'as pas cherché à nous contacter pour nous expliquer la nature de tes plans.

— Mais c'est mon appartement !

— Rose, je suis désolée.

— Je peux dormir dans le salon.

— Non, Rose, tu ne peux pas.

— J'ai eu mes résultats. Que des A !

— Félicitations.

— Je commence des études supérieures. J'entre à la London School of Economics.

— Mais tu t'es occupée de ton inscription ?

— Oh, merde !

— Tes parents ne sont au courant de rien.

— Je vois, c'est un complot contre moi.

Rose s'était tassée sur sa chaise, son petit visage lunaire montrant pour une fois sa vulnérabilité. Elle était face – peut-être pour la première fois, mais certainement pas la dernière – à sa véritable nature, qui ne pouvait manquer de la conduire à ce genre de...

— Merde, répéta-t-elle. Merde. (Puis :) Enfin ! j'ai eu quatre A...

— Je te conseille de demander à tes parents s'ils sont d'accord pour payer. Si oui, passe à l'administration de ton lycée et demande-leur de glisser un mot en ta faveur, puis adresse-toi à la LSE. Mais c'est trop tard pour cette année.

— Allez tous vous faire voir ! s'écria-t-elle.

Elle se leva, un peu comme un oiseau blessé peine à s'envoler, ramassa son grand sac noir, le traîna jusqu'à la porte et sortit. Il y eut un long silence dans l'entrée. Elle se ressaisissait ? Elle changeait d'avis ? Puis, la porte d'entrée claqua. Elle ne passa pas au lycée ni chez ses parents, mais on la voyait ici et là à Londres, dans les boîtes de nuit ou à des manifestations et réunions politiques.

À peine Phyllida était-elle installée que Jill débarquait. C'était un week-end, et Andrew se trouvait là. Frances et lui étaient en train de dîner, et ils invitèrent Jill à s'attabler avec eux.

Ils ne lui demandèrent pas ce qu'elle était devenue. Elle avait des cicatrices aux deux poignets désormais, et était maladivement grosse. Ç'avait été une blonde mince, soignée et coquette, mais ses habits étaient maintenant trop petits pour elle, ses traits informes. Sans qu'ils lui aient posé de question, elle leur raconta tout. Elle avait séjourné dans un hôpital psychiatrique, avait fugué, était revenue de son plein gré et s'était retrouvée en train d'aider les infirmières avec les autres patients. Elle avait alors décidé qu'elle était guérie et le corps médical en était tombé d'accord.

— Vous croyez que vous pourriez obtenir qu'ils me reprennent au lycée ? Si je pouvais juste passer mon examen... je suis sûre que je serais au niveau. J'ai même étudié à l'asile.

Une fois de plus, Frances objecta que c'était un peu tard pour cette année-là.

— Si vous pouviez juste leur poser la question, insista Jill.

Frances entreprit la démarche et l'établissement fit une exception pour Jill, qui avait des chances d'avoir son bac si elle travaillait.

Mais où allait-elle loger ? Ils demandèrent à Phyllida si Jill pouvait avoir l'ancienne chambre de Franklin.

— Nécessité fait loi, répondit Phyllida.

Jill n'eut pas plus tôt pris ses quartiers que Phyllida entonnait ses reproches, en la prenant pour cible. De la cuisine, qui était au-dessus, les autres entendaient sans arrêt la scansion pesante et geignarde de la voix de Phyllida. Au bout d'un jour seulement, Jill s'était tournée vers Sylvia, et les deux filles étaient allées ensemble voir Frances et Andrew.

— Personne ne pourrait le supporter, expliqua Sylvia. Ce n'est pas sa faute.

— Je le sais bien, concéda Frances.

— Nous le savons bien, renchérit Andrew.

Ce qui s'était avéré impossible pour Rose fut accordé à Jill, qui ne remplirait pas le cœur de la maison des nuages noirs de sa rage et de ses soupçons. Et Julia eut ce commentaire :

— Je le savais, je l'ai toujours su. Maintenant cette belle demeure est enfin un asile de nuit. Je suis surprise que cela ne soit pas arrivé plus tôt...

— Nous n'utilisons presque jamais le salon, rétorqua Andrew.

— Là n'est pas la question, Andrew.

— Je sais bien, grand-mère.

Voilà donc quelle était la situation à partir de l'automne de 1964 : Andrew faisait des allées et venues avec Cambridge, Jill étudiait d'arrache-pied en étant sage et responsable, Sylvia bûchait si dur que Julia pleurait en répétant que cette petite allait tomber malade, Colin était tantôt à la maison tantôt absent. Frances, elle, travaillait à domicile, de plus en plus sur des projets attractifs avec Rupert Boland, et souvent au Cosmo. Au sous-sol, Phyllida se conduisait bien et ne tourmentait plus Sylvia, qui se tenait à distance respectueuse.

En 1965, Jill se réconcilia avec ses parents et entra à la LSE « pour être avec tous ses copains ». Elle jurait qu'elle n'oublierait jamais la gentillesse qui l'avait sauvée.

— Vous m'avez sauvée, répétait-elle sérieusement. J'étais fichue sans vous.

Par la suite, ils eurent de ses nouvelles par la bande : elle était au centre de toute la nouvelle vague politique et voyait beaucoup Johnny et ses camarades de lutte.

On était déjà à l'été 1968 et quatre ans s'étaient écoulés.

C'était un nouveau week-end. Ni Andrew ni Sylvia n'étaient partis en excursion, ils étudiaient. Colin était rentré et racontait qu'il allait s'atteler à un roman.

— Bien entendu, le passe-temps des ratés ! s'était exclamée Julia.

Pas devant lui, même si ses paroles lui avaient été rapportées, de sorte que cette première condition pour les romanciers débutants, à savoir la désapprobation de leurs proches, était remplie, bien que Frances eût pris soin de rester évasive et Andrew loufoque.

Johnny téléphona pour prévenir qu'il allait passer. « Non, ne t'embête pas avec la cuisine, nous aurons mangé. » Ce toupet ahurissant était sans doute, décida Frances, dont la tension artérielle monta en flèche puis redescendit, l'idée personnelle que Johnny avait de la prévenance. Intrigant, ce « nous ». Il ne parlait pas de Stella, qui était aux États-Unis. Elle était partie s'associer aux grands combats qui allaient mettre fin à la plus grande discrimination subie par les Noirs dans le Sud et était devenue célèbre pour son courage et ses talents d'organisatrice. Menacée de perdre son visa de visiteuse, Stella avait épousé un Américain, après avoir téléphoné à Johnny pour l'assurer que ce n'était qu'une formalité, il devait bien comprendre que c'était son devoir de révolutionnaire. Elle rentrerait en Grande-Bretagne, une fois le combat achevé. Dans l'intervalle, des bruits avaient filtré d'outre-Atlantique, comme quoi ce mariage « blanc » marchait bien, mieux même que sa vie commune avec Johnny, qui avait tenu un tantinet du désastre. Beaucoup plus jeune que Johnny, elle avait été intimidée au début, mais avait vite appris à voir de ses propres yeux. Elle avait eu amplement le temps de réfléchir, parce qu'elle s'était retrouvée toute seule pendant qu'il animait des réunions politiques et partait pour des pays frères avec des délégations.

Johnny eût bien aimé participer aux grandes luttes américaines ; il en rêvait comme un enfant qui n'a pas été invité à une fête, mais ne parvenait pas à obtenir de visa. Il donna à entendre que c'était à cause de son passé dans la guerre civile espagnole. Mais, peu après, il y eut la France, et Johnny fut sur tous les fronts au fur et à mesure que ceux-ci devenaient d'actualité. En réalité, les événements de 68 le firent réfléchir. Partout se levaient de jeunes héros, et leurs bibles aussi étaient nouvelles. Johnny avait dû se remettre à la lecture.

Il n'était pas le seul membre de la Vieille Garde à retourner malgré lui se ressourcer dans les pages du *Manifeste du parti communiste.*

— Ça, ce sont des écrits révolutionnaires, lui arrivait-il de murmurer.

En France, tout héros avait un groupe de filles pour le servir. Ils couchaient tous ensemble, à cause de ce nouvel article de la plate-forme révolutionnaire, la liberté sexuelle. Mais aucune fille ne tournait plus autour de Johnny. Il était considéré, non seulement comme anglais, mais surtout comme vieux. L'année 1968, que des centaines de milliers de militants, ayant pris part aux manifestations, aux affrontements avec la police, aux jets de pavés, aux échauffourées, à l'édification des barricades et à l'explosion sexuelle, devaient se remémorer comme la cime étincelante de leurs exploits de jeunesse, n'était pas une de celles que Johnny devait aimer évoquer.

Voyant que Stella n'avait aucune intention de lui revenir, il avait repris l'appartement libéré par Phyllida, lequel devint une sorte de communauté, un foyer d'accueil pour les révolutionnaires de partout, dont certains fuyaient la guerre du Vietnam et beaucoup venaient d'Amérique du Sud, et hébergeait en général beaucoup d'hommes politiques africains.

À l'arrivée de Johnny, la cuisine sembla brusquement surpeuplée et le trio qui était attablé pour dîner se sentit terne et fade, car les nouveaux arrivants étaient exaltés et pleins de vitalité, sortant juste d'une réunion politique. Le camarade Mo et Johnny savouraient une blague, et le même camarade Mo lança alors à Frances en l'embrassant :

— Daniel Cohn-Bendit a dit qu'on n'instaurera le socialisme qu'après avoir pendu le dernier capitaliste avec les boyaux du dernier bureaucrate !

Franklin – elle n'avait pas immédiatement reconnu cet imposant jeune homme au beau costume – dit au Noir qui l'accompagnait :

— Je te présente Frances, je t'en ai parlé, elle a été une mère pour moi. Voici le camarade Matthew, Frances. C'est notre chef.

— Je suis honoré de faire votre connaissance, dit le camarade Matthew sans sourire, grave, dans l'ancien style des camarades, quand la sévérité à la Lénine était à la mode.

Et elle ne devait guère tarder à le redevenir. Il était facile de voir qu'il était mal à l'aise et aurait préféré être ailleurs. Toujours aussi sérieux, il consulta même sa montre pendant que « les gamins », désormais adultes, accueillaient Franklin. Ce dernier se planta devant Sylvia, qui s'était levée, indécise, puis elle lui ouvrit les bras et il ferma les yeux dans cette étreinte, et quand il les rouvrit, ils étaient pleins de larmes.

— Asseyez-vous, proposa Andrew, tirant les chaises de là où elles étaient empilées, contre le mur.

Le camarade Matthew s'assit, les sourcils froncés, et consulta une nouvelle fois sa montre.

Le camarade Mo, qui, depuis sa dernière visite, était allé en Chine saluer la révolution culturelle, comme il avait fait pour le Grand Bond en avant et la campagne des Cent Fleurs, donnait actuellement des conférences dans les universités du monde entier sur ses bienfaits pour la Chine et l'humanité entière. À son tour il s'assit et tendit le bras pour prendre un bout de pain.

— Le camarade Matthew est mon cousin, expliqua Franklin à Frances.

— Oui, nous sommes de la même tribu, le corrigea l'autre, qui était son aîné.

— Ah ! mais il faut que tu comprennes, le mot tribu a un côté arriéré, protesta Franklin.

Visiblement, il appréhendait un peu de défier le chef.

— Je sais bien que le terme anglais, c'est « cousin ».

Tous avaient déjà pris place, excepté Johnny, qui s'adressa à ses fils :

— Vous avez entendu ? Daniel Cohn-Bendit vient de dire que...

Ce qui risquait de déclencher chez le camarade Mo un nouvel accès de « Oh ! oh ! oh ! ».

— Nous avons entendu la première fois, intervint Frances. Pauvre garçon ! il a eu une enfance terrible. Père allemand... mère française... Pas d'argent... C'était un bébé de guerre... Elle a dû élever ses enfants toute seule...

Oui, elle le faisait vraiment exprès, avec un sourire aimable. Andrew, puis Colin éclatèrent de rire.

— Je crains que ma femme n'ait jamais rien compris à la politique, grinça Johnny, contrarié.

— Ton ex-femme, rectifia Frances. Au énième degré...

— Voici mes fils, reprit Johnny.

Andrew leva son verre de vin et le vida, tandis que Colin ironisait :

— Nous avons ce privilège.

Les trois Noirs eurent l'air gêné, mais, à ce moment-là, le camarade Mo, qui courait le vaste monde depuis une bonne décennie, rit de bon cœur.

— Ma femme me désapprouve aussi, dit-il. Elle ne comprend pas que la Lutte doive passer avant les obligations familiales.

— Est-ce qu'elle vous voit de temps en temps, je serais curieuse de le savoir ? s'enquit Frances.

— Et elle est contente de vous voir ? renchérit Colin.

Le camarade Mo dévisagea Colin, sans voir autre chose qu'une bouille souriante.

— Ce sont mes enfants, dit-il en secouant la tête. C'est si dur pour moi... Quand je les revois, parfois je les reconnais à peine.

Pendant ce temps, Sylvia préparait du café et disposait un gâteau et des biscuits sur la table. Les invités s'attendaient à mieux, c'était clair. Comme elle l'avait fait si souvent, Frances alla chercher ce qu'il y avait dans le réfrigérateur, y compris les reliefs de leur propre repas, et posa le tout devant ses quatre invités.

— Oh, je t'en prie, assieds-toi, dit-elle à Johnny.

Il obtempéra avec dignité et commença à se servir.

— Tu n'as pas demandé des nouvelles de Phyllida, intervint Sylvia. Tu ne m'as même pas demandé comment va ma mère.

— Oui, insista Frances. Cela me surprend aussi.

— Je vais y venir dans un instant, répondit Johnny.

— Quand Johnny m'a dit qu'il passait chez vous ce soir, il fallait que je vous revoie tous, déclara Franklin. Je n'oublierai jamais votre gentillesse à mon égard.

— Êtes-vous retourné au pays ? demanda Frances. Vous n'êtes pas allé à l'université, évidemment ?

— Si, à l'université de la vie, répondit Franklin.

— Frances, on ne demande quand même pas aux dirigeants noirs ce qu'ils font. Plus maintenant. Même toi, tu dois le comprendre.

— Non, approuva le camarade Matthew, ce n'est plus l'heure de poser ce type de questions. (Puis il poursuivit :) Nous ne devons pas oublier que je dois prendre la parole à une réunion dans une heure.

Les camarades Johnny, Franklin et Mo commencèrent à s'empiffrer de nourriture, le plus vite possible, mais le camarade Matthew, lui, avait déjà fini son repas : c'était un convive frugal, un de ceux qui mangent parce qu'il le faut.

— Avant de repartir, j'ai un message de Geoffrey. Il était sur les barricades avec moi, à Paris. Il se rappelle à votre bon souvenir.

— Seigneur ! s'exclama Colin. Notre petit Geoffrey avec sa jolie petite gueule sur les barricades...

— C'est un camarade très sérieux, très méritant, le rembarra Johnny. Il a droit à un coin de mon appartement.

— On dirait un vieux roman russe, ironisa Andrew. Un coin, comment on traduit ça en anglais ?

— Lui et Daniel. Ils crèchent souvent une nuit ou deux chez moi. Je garde des sacs de couchage pour eux. Et maintenant, avant de m'éclipser, je dois vous demander si tu sais ce que fabrique Phyllida.

— Et que fabrique-t-elle donc ? repartit Sylvia, avec une telle aversion pour lui que tous découvrirent une autre Sylvia.

Stupéfaction générale ! Ils étaient vraiment stupéfiés. Franklin rit de nervosité. Johnny se força à affronter la jeune fille.

— Ta mère tire les cartes. Elle fait sa publicité de voyante sur les panneaux des marchands de journaux et donne cette adresse.

Andrew éclata de rire. Colin l'imita, suivi de Frances.

— Qu'est-ce qu'il y a de si drôle ? demanda Sylvia.

Le camarade Mo, trouvant que ce choc des cultures allait trop loin, tenta :

— Je passerai un de ces jours pour qu'elle me dise l'avenir.

— Si elle a le don, renchérit Franklin, alors elle peut plaire aux ancêtres. Ma grand-mère était une sage. Vous, les Blancs, dites sorcière. C'était une *n'ganga*.

— Une chaman, précisa Johnny pour leur gouverne.

— Je suis d'accord avec le camarade Johnny, intervint le camarade Matthew. Ce type de superstition est réactionnaire et doit être interdit.

Il se leva de table pour partir.

— Si elle gagne un peu d'argent, alors tu peux t'attendre à m'en voir ravie, dit Frances à Johnny, qui se leva à son tour.

— Allez, camarades, lança Johnny. C'est l'heure des braves.

Avant de disparaître, il hésita, puis ajouta afin de reprendre la situation en main :

— Dis à Julia d'interdire à Phyllida ce genre de commerce.

Mais Frances s'aperçut qu'elle avait pitié de Johnny. Il avait pris un tel coup de vieux ! Enfin, tous les deux approchaient de la cinquantaine. Sa veste flottait sur ses épaules. À son air abattu, elle devina que les choses ne marchaient pas si bien pour lui à Paris. Il a passé l'âge, songea-t-elle. Et moi aussi.

Elle se trompait sur eux deux.

Ils se trouvaient à l'orée des années soixante-dix qui, d'un bout du monde à l'autre (du monde non-communiste), engendrèrent une race de clones de Che Guevara. Les universités, notamment les universités londoniennes, fêtaient presque en permanence la Révolution par des manifestations, des échauffourées, des sit-in, des lock-out, des batailles en tout genre. Où que l'on portât le regard, se dressaient ces jeunes héros. Johnny, lui, était devenu un patriarche, et le fait qu'il fût un stalinien quasi authentiquement impénitent lui donnait un certain chic, limité, auprès de ces jeunes, dont les trois quarts croyaient que si Trotski avait gagné la bataille pour le pouvoir contre Staline, le communisme aurait eu alors un visage angélique. Et puis il cumulait un autre handicap, à savoir que son entourage était composé en général de jeunes hommes, et non de pasionarias. Son style tombait à plat. Ce qui marchait, c'était quand le camarade Tommy ou Billy ou encore Jimmy appelait une fille d'un claquement de doigts méprisant pour lui dire : « Tu es une sale petite bourgeoise ! » Sous-entendu, abandonne tout ce que tu as et pars avec moi. (Ou plutôt, donne-moi tout ce que tu as.) Et cela dure encore à ce jour. Irrésistible ! Et il y avait pire. Si la pureté avait jadis été proche de la dévotion, alors la saleté et les mauvaises odeurs valaient bien désormais une carte au Parti. Des étreintes malodorantes. Johnny en était incapable, ayant été élevé par Julia ou plutôt par ses bonnes. Le vocabulaire ? Oui, il pouvait se débrouiller. Merde, con, jaunes, fascistes. Une bonne part de tout discours politique se composait obligatoirement de tels vocables.

Mais ces délices fumeux restaient encore à venir.

Ce soir-là, Wilhelm Stein qui montait si souvent voir Julia, en saluant gravement d'un signe de tête quiconque il croisait, frappa à la porte de la cuisine, attendit qu'on lui réponde et entra avec une petite courbette. Sa barbe et ses cheveux blanc argenté, sa canne à pommeau d'argent, son costume, la position même de ses lunettes étaient un reproche vivant pour la cuisine entière et le trio attablé pour dîner.

Invité à prendre place par Frances, Andrew et Colin, il s'exécuta, tenant sa canne à la verticale devant lui, dans l'étreinte d'une main droite merveilleusement soignée, parée d'une bague à pierre bleu foncé.

— Je prends la liberté de venir vous entretenir de Julia, dit-il, les regardant l'un après l'autre pour les impressionner par son sérieux. (Ils patientèrent.) Votre grand-mère n'est pas bien, dit-il aux jeunes gens. (Puis il s'adressa à Frances :) J'ai conscience qu'il n'est pas facile de convaincre Julia de prendre les décisions qui s'imposent dans son propre intérêt.

Les trois paires d'yeux qui le fixaient désormais lui apprirent qu'il les avait mal jugés. Il soupira, faillit se lever, se ravisa et toussota :

— Ce n'est pas que je pense que vous ayez fait preuve de négligence envers Julia.

Colin comprit. C'était maintenant un jeune homme corpulent, avec un visage aux rondeurs encore enfantines, et ses grosses lunettes à monture noire donnaient l'impression d'essayer de maintenir de l'ordre dans ses traits, qui frisaient par trop souvent le rire sardonique.

— Je sais qu'elle n'est pas heureuse, déclara Colin. Ça, nous le savons.

— Je pense qu'elle est peut-être malade.

Le problème, c'était que Julia avait perdu Sylvia. Oui, la jeune fille était toujours dans la maison, c'était son foyer, mais les événements avaient contraint Julia à conclure que cette fois-ci, elle l'avait perdue pour de bon. Wilhelm le voyait bien, non ?

— Julia a le cœur brisé à cause de Sylvia, résuma Andrew. C'est aussi simple que cela.

— Je ne suis pas un vieux birbe au point d'ignorer les sentiments de Julia. Mais simple n'est pas le mot.

Là-dessus, il se leva, déçu par eux.

— Qu'attendez-vous de nous ? demanda Frances.

— Julia devrait être moins seule. Elle devrait marcher davantage. Elle sort très peu maintenant et je me dois d'insister sur le fait que ce n'est pas une question d'âge. J'ai dix ans de plus que Julia et pourtant je n'ai pas jeté l'éponge. Je crains que ce ne soit le cas de Julia...

Frances songeait qu'au cours de toutes ces années, Julia n'avait jamais dit oui quand on lui proposait de sortir pour dîner, se promener, aller au théâtre ou à une exposition de peinture. « Merci, Frances, répondait-elle toujours. C'est très gentil à vous. »

— Je vous demanderai la permission d'offrir un chien à Julia. Non, non, pas un gros molosse, un chien de manchon ! Elle sera obligée de le sortir et de s'en occuper.

Une fois de plus, les trois visages lui signifièrent qu'il n'aurait pas accès à leurs véritables pensées.

Le vieil homme se figurait-il vraiment qu'un petit chien allait combler le vide laissé dans le cœur de Julia ? Quel troc ! un petit chien contre Sylvia...

— Bien sûr que vous devez lui offrir un animal de compagnie si vous pensez que cela lui fera plaisir, répondit Frances.

À ce moment-là, Wilhelm, qui venait d'avouer, ce dont ils ne se seraient jamais doutés, qu'il avait plus de quatre-vingts ans, murmura :

— La question n'est pas de savoir ce que je crois être bon pour elle. Je dois vous dire que... je ne sais plus quoi faire. (Et à cet instant la gravité, le grand sérieux de ses manières, de son style, disparurent : devant eux, ils virent un vieil homme humble, avec des larmes qui coulaient dans sa barbe.) Que je sois très attaché à Julia n'est un secret pour personne. C'est dur de la voir si... si... (Et il s'éclipsa.) Excusez-moi, vous devez m'excuser.

— Et qui osera dire le premier qu'il ne faut pas compter sur lui pour s'occuper du chien ? lança Frances.

Wilhelm arriva avec un minuscule terrier, qu'il avait déjà baptisé Stückschel – « bout de chou », « petite chose » –, et pour blaguer, il lui avait noué une faveur bleue autour du cou. La première réaction de Julia fut de reculer devant le chien qui jappait dans ses jambes. Puis, voyant la crainte qu'avait son vieil ami de lui déplaire, elle se força à caresser l'animal et à tenter de le calmer. Elle joua si bien la comédie que Wilhelm crut qu'elle pourrait se prendre d'affection pour la petite bête, mais, une fois qu'il fut parti et qu'elle dut s'organiser pour sa nourriture et ses soins, elle resta tremblante sur sa chaise et pensa : C'est mon meilleur ami et il me connaît si mal qu'il croit que j'ai envie d'un chien.

Suivirent des jours pleins de désagréments : aliments canins, saletés sur les planchers de Julia, mauvaises odeurs, et le petit être remuant qui aboyait et mettait sa maîtresse en larmes. « Comment a-t-il pu ? » marmonnait-elle. Et quand Wilhelm vint voir comment les choses se passaient, les efforts de gentillesse qu'elle déploya lui apprirent qu'il avait commis une bourde.

— Mais, ma chérie, il serait bon pour ta santé de l'emmener promener. Comment l'as-tu appelé ? Embarras ! Je vois.

Et il s'était retiré vexé. Aussi devait-elle s'inquiéter pour lui aussi.

Embarras, qui savait que sa maîtresse le détestait, s'insinua dans les bonnes grâces de Colin, qui aimait bien la petite bête parce qu'elle le faisait rire. Embarras devint Vicious, à cause de l'absurdité de cet être minuscule qui grognait pour se défendre et voulait mordre avec des mâchoires grandes comme les pinces à sucre de Julia. Ses pattes ressemblaient à des boules de coton, ses yeux à de petites graines noires de papaye, sa queue à un tortillon de soie argentée. Dès lors, Vicious suivit Colin partout, et ainsi ce chien, qui avait été destiné à être bénéfique pour Julia, le devint pour Colin, qui n'avait pas d'amis, allait se promener seul dans la Lande de Hampstead et buvait trop. Rien de grave, mais suffisamment quand même pour que Frances lui dise qu'elle s'inquiétait. Il monta sur ses grands chevaux : « Je n'aime pas qu'on m'espionne ! » Le problème, en réalité, c'était qu'il détestait dépendre de Julia et de sa mère. Il avait écrit deux romans qu'il savait médiocres et travaillait à un troisième, avec Wilhelm Stein comme mentor. Il était ravi qu'Andrew soit revenu à une situation de dépendance. En effet, après avoir été reçu à ses examens, Andrew était parti de la maison pour entrer dans un cabinet d'avocats, mais il avait décidé de s'inscrire en droit international. Il était donc rentré et avait intégré le collège de Brasenose, à Oxford, pour un cursus de deux ans.

Sylvia, elle, était devenue externe, en avance sur la plupart de ses condisciples, et travaillait d'arrache-pied. Quand il lui arrivait de rentrer, elle gravissait l'escalier hébétée d'épuisement, sans voir personne ni rien. Mentalement, elle était déjà dans son lit, enfin libre de dormir. Elle pouvait faire le tour du cadran, puis prenait un bain et repartait. Souvent elle n'allait même pas saluer Julia, encore moins l'embrasser pour lui souhaiter bonne nuit.

Mais il y avait autre chose. Le père de Sylvia, son vrai père, le camarade Alan Johnson, était mort en lui laissant de l'argent, une somme rondelette. Dans le courrier du notaire, elle trouva jointe une lettre de lui, manifestement écrite en état d'ivresse, qui disait qu'il avait compris qu'elle, Tilly, était la seule chose qui comptait dans sa vie. « Tu es ce que je lègue au monde. » Apparemment, il considérait le substantiel héritage comme une simple et dérisoire contribution matérielle. Elle ne se souvenait pas l'avoir jamais vu.

Sylvia passa voir quand même Julia, pour lui annoncer la nouvelle.

— Vous avez été si bonne pour moi ! lui dit-elle. Mais je n'aurai plus besoin de vos aumônes.

Julia était restée silencieuse dans son fauteuil, à se tordre les mains sur les genoux, comme si Sylvia l'avait frappée. La maladresse était due à la fatigue. Sylvia n'était tout simplement plus elle-même. Sa constitution ne la préparait pas à ce surmenage et à ce stress permanents. Elle était encore une jeune fille menue, avec ses grands yeux bleus toujours un peu rougis. Elle avait aussi une petite toux.

Wilhelm croisa Sylvia dans l'escalier, alors qu'elle montait après une semaine de dur labeur sans beaucoup dormir, et lui demanda son avis de médecin sur Julia, mais l'étudiante lui répondit :

— Désolée, je n'ai pas choisi gériatrie.

Elle le bouscula pour gagner son lit, où elle s'écroula comme une masse. Mais Julia avait surpris leur bref échange ; elle écoutait depuis le palier du dernier étage. Gériatrie. Elle rumina, souffrit intérieurement ; dans son état paranoïde, tout était un affront pour elle, car ce n'était pas autre chose. Elle croyait que Sylvia l'avait prise en grippe.

Sylvia avait lu la lettre du notaire alors qu'elle tombait de sommeil comme un prisonnier sous la torture ou une jeune mère avec son nouveau-né. Elle descendit voir Phyllida, la lettre à la main, et la trouva qui rôdait dans son appartement, vêtue d'un kimono couvert de signes astrologiques.

— En quel honneur... ?

Elle coupa l'entrée en matière sarcastique de sa mère :

— Maman, t'a-t-il laissé de l'argent ?

— Qui ça ? De quoi parles-tu ?

— Mon père. Il m'a laissé de l'argent.

Instantanément, la figure de Phyllida se convulsa de colère.

— Tu veux bien m'écouter ? C'est tout ce que je te demande. De m'écouter.

Mais Phyllida était lancée. Sa voix reprenait les crescendos et les diminuendos de sa litanie.

— Alors je compte pour rien, bien sûr que je ne compte pas, c'est à toi qu'il a laissé l'argent...

Mais Sylvia s'était jetée sur un fauteuil et dormait déjà. Elle était étendue là, toute molle, complètement détachée du monde.

Phyllida soupçonnait que c'était un subterfuge ou un piège. Elle baissa les yeux sur sa fille et la fixa d'un air dubitatif, souleva même une main flasque et la laissa retomber. Elle s'assit lourdement, stupéfaite, secouée et... muette. Elle savait bien que Sylvia travaillait dur, tout le monde avait entendu parler des jeunes médecins... Mais qu'elle puisse s'endormir comme ça... Phyllida ramassa la lettre qui était tombée à terre, la lut et la garda à la main. Elle n'avait pas eu l'occasion de s'asseoir pour regarder sa fille, la regarder vraiment, depuis des années. Alors elle ouvrit les yeux. Tilly était si menue, pâle et épuisée... C'était un crime, ce qu'on demandait aux jeunes médecins. Quelqu'un devrait payer pour ça...

Ces pensées résonnèrent dans le silence. Les lourds rideaux étaient tirés, toute la maison était paisible. Peut-être fallait-il réveiller Tilly ? Elle allait prendre du retard dans son travail. Ce visage... Sa fille ne lui ressemblait pas du tout. La bouche de Tilly, c'était celle de son père, rose et délicate. Rose et délicat, voilà qui le décrirait assez bien, le camarade Alan, un héros. Enfin, libre à eux de le penser ! Elle avait donc épousé deux héros communistes. D'abord un, et puis l'autre. Qu'est-ce qu'elle avait à l'époque ? (Cette autocritique, qui ne lui ressemblait pas jusqu'ici, ne devait pas tarder à la conduire jusqu'à la Via Dolorosa de la psychothérapie et, de là, à une nouvelle vie.)

Quand Tilly était descendue pour lui parler de son héritage, était-ce une bravade ? Du persiflage ? Mais le sens de la justice de Phyllida lui disait que ce n'était pas le cas. Sylvia était une chichiteuse et elle détestait sa mère, mais Phyllida ne l'avait jamais vue méprisante.

Sylvia se réveilla en sursaut et se crut en plein cauchemar. Le visage fruste et rouge de sa mère, avec ses yeux hagards et accusateurs, planait juste au-dessus du sien. D'un instant à l'autre, sa voix allait retentir, comme toujours, pour lui parler, la houspiller. Tu as détruit ma vie, si je ne t'avais pas eue, ma vie aurait été... tu es ma malédiction, mon boulet...

Sylvia poussa un cri, repoussa Phyllida et se redressa sur son fauteuil. Elle aperçut sa lettre dans la main de sa mère et la lui arracha des doigts.

— Bon, écoute, maman, dit-elle en se levant, mais ne dis rien, ne dis rien, je t'en prie. C'est injuste qu'il m'ait donné tout l'argent. Je vais t'en restituer la moitié, je le dirai au notaire.

Et elle sortit de la pièce en courant, les mains plaquées sur ses oreilles.

Sylvia informa son office notarial, après avoir consulté Andrew, et les dispositions nécessaires furent prises. Donner la moitié de son argent à Phyllida signifiait qu'un substantiel héritage devenait une somme honorable : de quoi s'offrir une belle maison, une assurance personnelle ... la sécurité. Andrew l'engagea à prendre un conseiller financier.

Brusquement, il n'y eut plus que les frais d'une scolarité à honorer, celle d'Andrew. La prochaine fois qu'on lui offrirait un bon rôle, Frances se promit de l'accepter.

Un autre jour, Wilhelm frappa à la porte de la cuisine, mais, cette fois-ci, le docteur Stein était tout sourires et aussi intimidé qu'un gamin. C'était encore un dimanche soir, et Frances et les deux jeunes gens étaient attablés pour dîner en famille.

— J'ai des nouvelles, dit Wilhelm à Frances. Colin et moi avons quelque chose à vous annoncer. (Il sortit une lettre et l'agita dans les airs.) Colin, tu devrais la lire à haute voix... non ? Alors, c'est à moi de m'en charger.

Et il lut une réponse d'un bon éditeur qui disait que le roman de Colin, *Le Beau-fils*, allait être publié sous peu et qu'on fondait de grandes espérances dessus.

Embrassades, accolades, félicitations. D'émotion, Colin était incapable de parler. En réalité, cette lettre était attendue. Wilhelm avait lu et écarté les deux premières tentatives de Colin, mais celle-ci avait reçu son approbation ; il lui avait même trouvé un éditeur, un ami. Le long apprentissage de la patience et de la persévérance était terminé pour Colin. Tandis que les humains s'embrassaient, s'exclamaient et s'étreignaient mutuellement, le bout de chien sautait et aboyait, ses petits jappements extatiques trahissant son désir de participer, puis il bondit sur l'épaule de Colin et y resta perché. Le plumet de sa queue balayait la figure du jeune homme à la façon d'un essuie-glace et menaçait ses lunettes.

— Vicious, descends ! le gronda Colin, qui s'étranglait de rire et de larmes devant le ridicule de la situation.

Il se leva d'un bond, en appelant : « Vicious, Vicious ! », et se rua dans l'escalier avec le petit chien dans ses bras.

— Formidable, s'écria Wilhelm, formidable !

Et après avoir gratifié Frances d'un baisemain, il quitta la pièce, souriant, pour monter chez Julia, qui, une fois qu'elle eut appris la nouvelle de son ami, resta coite un moment.

— J'ai donc eu tort, articula-t-elle enfin. J'ai eu vraiment tort.

Wilhelm, sachant à quel point Julia avait horreur de se tromper, se détourna pour ne pas voir les larmes de l'autocritique dans les yeux de celle-ci. Il servit deux verres de madère en prenant son temps.

— Il a un talent considérable, Julia, déclara-t-il. Mais, ce qui est plus important, il sait s'accrocher.

— Alors je dois m'excuser auprès de lui, car je n'ai pas été gentille.

— Et puis, peut-être, demain tu viendras avec moi au Cosmo ? Un petit tour, Julia. Cela ne te fera pas de mal.

Julia s'excusa donc auprès de Colin, qui, devant le désarroi évident de sa grand-mère, prit le temps et la peine de la rassurer. Ensuite, au bras de Wilhelm, Julia descendit doucement la côte en direction du Cosmo, où il la courtisa à coups de gâteries et de compliments. Tout autour d'eux, les flammes du débat politique pétillaient ou couvaient.

Frances lut *Le Beau-fils* et le passa à Andrew, qui eut ce commentaire :

— Intéressant, très intéressant.

Quelques années plus tôt, Frances avait dû écouter sans broncher les critiques acerbes et impitoyables de Colin à son endroit et à celui de son père, si bien qu'elle avait eu la sensation de se racornir sous des torrents de lave. Voilà donc le suc distillé par toute cette rage. C'était l'histoire d'un petit garçon dont la mère avait épousé un imposteur, une fripouille à la langue de miel, qui dissimulait ses crimes derrière des écrans de mots persuasifs, promettant toutes sortes de paradis. Il était méchant avec le petit garçon ou l'ignorait. Chaque fois que le gamin croyait que son persécuteur avait disparu, il réapparaissait et sa mère succombait à ses charmes. Car charmant il était, et de funeste façon. Racontée par le jeune héros à un ami imaginaire, le compagnon traditionnel de l'enfant unique, l'histoire était triste et drôle à la fois, parce que cette vision enfantine pouvait être interprétée par le lecteur adulte comme une exagération, une distorsion : les scènes quasi cauchemardesques, semblables à des ombres chinoises sur un mur, étaient, en fait, banales et même outrancières. Un lecteur de l'éditeur avait qualifié le livre de petit chef-d'œuvre, et peut-être en était-il un. Mais la mère et le frère aîné y voyaient autre chose : comment un terrible malheur avait été « distancié » par la magie du récit. Dans ce livre, Colin prouvait qu'il avait grandi.

— Tu sais, dit Andrew, je crois que mon petit frère m'a dépassé. Je ne pense pas pouvoir atteindre pareil degré de distanciation...

— Était-ce si affreux ? lui demanda Frances, redoutant sa réponse.

— Oui, c'était affreux, je ne pense pas que tu comprennes... Je ne vois pas comment il aurait pu être un plus mauvais père. Pas toi ?

— Il ne vous a jamais battus, protesta Frances sans grande conviction, cherchant un argument pour dédramatiser le passé.

Andrew fit remarquer qu'il y avait des choses pires qu'être battu.

Mais quand un petit dîner fut décidé pour fêter la sortie du *Beau-fils*, c'est Colin lui-même qui ajouta le nom de son père à la liste.

Tous allaient donc se retrouver autour de la grande table.

— J'ai invité tout le monde, se réjouit Colin.

Sophie fut la première à être contactée et à accepter l'invitation. Geoffrey, Daniel et James, tous habitués de l'appartement de Johnny, répondirent qu'ils viendraient mais avec un peu de retard. Une réunion politique. Johnny mit les mêmes conditions. Jill, rencontrée par Colin dans la rue, l'assura de sa présence. Julia protesta que personne ne voulait d'une ennuyeuse vieille dame, mais Wilhelm la rabroua :

— Ma chérie, tu dis des bêtises.

Sylvia promit d'essayer de venir si son emploi du temps le lui permettait.

La table avait été dressée pour onze. Wilhelm avait offert un magnifique gâteau : un des moins anglais qui soient, en forme de grosse spirale tronquée, avec un glacis scintillant et craquant comme du tulle. Meringue et crème, en fait, saupoudrées de paillettes d'or. Sophie déclara qu'on devrait s'en parer, pas le manger.

Ils s'attablèrent pour dîner. La moitié des places étaient inoccupées, puis Sophie entra en coup de vent avec Roland. Usant de tout son charme envers chacun d'eux, le jeune et beau comédien s'excusa :

— Non, non, je ne vais pas m'asseoir, je suis juste passer te féliciter, Colin. Comme tu sais, je suis un carriériste invétéré, et si tu dois devenir un auteur célèbre, alors moi aussi je dois m'imposer. (Il embrassa Frances, puis Andrew – qui avait l'air ironique –, serra la main de Colin, se courba sur celle de Julia et s'inclina profondément devant Wilhelm.) À tout à l'heure, ma chère, lança-t-il à Sophie, avant d'ajouter : Je dois monter sur scène dans vingt minutes.

Et ils écoutèrent la voiture s'éloigner dans un vrombissement.

Sophie et Colin, qui étaient assis à côté, s'embrassèrent, se câlinèrent, frottèrent leurs joues l'une contre l'autre. Tout le monde pensait intérieurement que Sophie allait enfin quitter Roland, qui la rendait si malheureuse, et que Colin et elle pourraient...

On but au succès de l'écrivain en herbe. Les plats circulèrent. À l'arrivée de Sylvia, le repas était déjà à moitié fini. Comme toujours à cette époque, elle n'était que l'ombre d'elle-même : elle était déjà prête à s'écrouler et ils savaient tous qu'elle ne résisterait pas longtemps. Sylvia avait amené avec elle un jeune condisciple, qu'elle présenta comme un frère, une autre victime du système. Tous deux se mirent à table, prirent un verre de vin, tendirent leurs assiettes, mais ils tombaient de sommeil sur leurs chaises.

— Vous feriez mieux d'aller vous coucher, suggéra Frances.

Les deux étudiants se levèrent comme des somnambules, sortirent de la cuisine et montèrent en titubant.

— Un système très étrange, commenta la voix cassante de Julia, qui avait actuellement des accents à la fois menaçants et tristes. Comment se fait-il qu'on traite si mal ces jeunes gens ?

Jill arriva en retard et s'en excusa. C'était maintenant une imposante jeune femme à l'épaisse crinière blonde et frisottée, avec une tenue censée lui donner l'air classique et compétente. Facile à comprendre, après qu'elle eut annoncé son intention de se présenter comme conseillère municipale aux prochaines élections. Elle se montra expansive, ne cessant de répéter combien c'était merveilleux de se retrouver à cette table. (Elle habitait à quatre cents mètres de là !) Alors que personne ne lui demandait rien, elle dit que Rose était journaliste free-lance et « politiquement très active ».

— Puis-je savoir quelle cause réclame son attention ? s'enquit Julia.

Ne saisissant pas sa question, puisque, bien sûr, il n'y avait qu'une seule cause possible, la Révolution, Jill répondit que Rose était concernée par tout.

Vers la fin d'un repas qui s'était déroulé jusque-là dans la bonne humeur, Johnny fit son entrée. Ces temps-ci, il était encore plus martial, plus sévère, peu souriant. Il avait une veste de camouflage des surplus de l'armée et, dessous, un col roulé noir et serré, sur un jean également noir. Ses cheveux poivre et sel étaient courts et hérissés. D'un geste brusque il tendit la main à Colin, inclina la tête, lança à son fils : « Mes félicitations ! » et à sa mère : « *Mutti*, j'espère que tu vas bien. » À quoi Julia répondit : « Assez bien. » Il se tourna vers Wilhelm :

— Ah ! alors vous êtes là aussi. Parfait.

Il adressa un signe de tête à Frances. À Andrew, il déclara :

— Je suis content que tu étudies le droit international, cela devrait se révéler utile.

Il se souvenait de Sophie, car il la gratifia d'une petite courbette. Quant à Jill, qu'il connaissait bien, elle eut droit au salut des camarades.

Il se mit à table et Frances remplit son assiette. Wilhelm lui servit du vin, et le camarade Johnny leva son verre aux travailleurs du monde entier, puis il enchaîna avec le discours qu'il venait de prononcer à la réunion dont il sortait. Mais, d'abord, il présenta les excuses de Geoffrey, James et Daniel, qui étaient certains que tout le monde comprendrait que la Lutte passait en premier. L'impérialisme américain... le complexe militaro-industriel... le rôle de laquais de la Grande-Bretagne... la guerre du Vietnam...

Mais Julia était triste à cause de la guerre du Vietnam, et elle lui coupa la parole.

— Johnny, pourrais-tu, s'il te plaît, nous donner plus de détails ? demanda-t-elle. J'aimerais vraiment m'informer. Je ne comprends tout simplement pas la raison de cette guerre.

— La raison ? Tu te poses la question, *Mutti* ? C'est le profit, bien sûr.

Et il reprit son monologue, s'interrompant juste pour enfourner d'énormes bouchées de nourriture.

Colin l'obligea à marquer une pause :

— Un instant, arrête-toi un instant. As-tu lu mon livre ? Tu ne me l'as pas dit.

Johnny posa sa fourchette et son couteau, puis regarda sévèrement son fils.

— Si, je l'ai lu.

— Alors, qu'est-ce que tu en penses ?

Cette audace suscita l'incrédulité de Frances, d'Andrew surtout, de Julia aussi, comme si Colin avait décidé d'aiguillonner un lion, jusque-là jamais provoqué, au moyen d'un bâton. Et ce qu'ils redoutaient arriva.

— Colin, répondit Johnny, si mon opinion te tient sincèrement à cœur, alors je vais te la donner. Mais je dois revenir aux principes. Je ne m'intéresse pas aux sous-produits d'un système pourri. Or ton livre n'est pas autre chose. Il est subjectif, personnel, tu n'essaies même pas de situer les événements dans une perspective politique. Toute cette catégorie de textes, la prétendue littérature, est un résidu du capitalisme, et les écrivains dans ton genre sont des laquais de la bourgeoisie !

— Oh, la ferme ! explosa Frances. Pour une fois, comporte-toi en être humain.

— Vraiment ? Comme tu te trahis, Frances ! Un être humain. Et pour qui crois-tu que nous nous dévouons, tous les autres camarades et moi, si ce n'est pour l'humanité ?

— Papa, s'obstina Colin, qui avait déjà blêmi et souffrait le martyre. Toute propagande mise de côté, j'aimerais bien savoir ce que tu as pensé de mon livre.

Le père et le fils étaient penchés l'un vers l'autre, au-dessus de la table. Colin dans le rôle de quelqu'un menacé d'une correction, son père triomphant et dans le vrai. S'était-il reconnu dans le roman ? Probablement pas.

— Je te l'ai dit, j'ai lu ton livre. Je te livre ma pensée. S'il y a bien un type de personne que je méprise, c'est un libéral. Et c'est ce que vous êtes tous, sans exception. Les plumitifs engendrés par le système capitaliste décadent...

Colin se leva de table et sortit de la cuisine. Ils l'entendirent monter à tâtons dans les étages.

— Maintenant, Johnny, va-t'en, ordonna Julia. Disparais.

Johnny ne bougea pas, apparemment perdu dans ses pensées. Peut-être lui était-il venu à l'esprit qu'il aurait pu se conduire différemment. Il enfourna en vitesse ce qui restait dans son assiette, engloutit son verre de vin.

— Très bien, *Mutti*, déclara-t-il. Tu me mets à la porte de ma propre maison.

Il se leva et, l'instant d'après, tous entendirent claquer la porte d'entrée. Sophie était en pleurs. Elle sortit pour suivre Colin en gémissant :

— Oh ! c'était trop horrible...

Jill rompit le silence général :

— Mais c'est un si grand homme, il est si formidable... (Elle regarda autour d'elle, ne vit que colère et désolation.) Il faut que j'y aille, je pense, reprit-elle. (Personne ne l'arrêta. Elle ajouta :) Merci beaucoup d'avoir pensé à moi.

Frances fit mine de découper le gâteau, mais Julia se leva à son tour, aidé de Wilhelm.

— J'ai tellement honte, murmura-t-elle, j'ai tellement honte...

Et elle monta à ses appartements en pleurant, suivie de Wilhelm. Il ne restait plus qu'Andrew et sa mère.

Soudain Frances se mit à taper des deux poings sur la table, le visage levé, les yeux ruisselants de larmes.

— Je le tuerai, cria-t-elle. Un de ces jours, je le tuerai. Comment a-t-il pu se conduire ainsi ? Je ne comprends pas comment il a pu...

— Maman, tenta Andrew. Écoute...

Mais Frances était lancée. Elle alla même jusqu'à se tirer les cheveux, comme si elle voulait les arracher.

— J'ai des envies de meurtre. Mais comment a-t-il pu faire tant de mal à son fils ? Colin se serait contenté d'un seul petit mot gentil...

— Maman, écoute-moi donc. Arrête-toi. Écoute.

Frances laissa retomber ses mains, appuya ses poings sur la table, attendit sans bouger sur sa chaise.

— Tu sais ce que tu n'as jamais compris ? Et je me demande bien pourquoi. Johnny est bête. C'est un idiot. Comment se fait-il que tu ne t'en sois jamais aperçue ?

— Bête, répéta Frances.

Elle eut la sensation que des poids et des contrepoids se déplaçaient dans son esprit. Enfin, bien sûr, il était bête ! Mais elle ne se l'était jamais avoué. Et c'était à cause de son grand rêve. Après tout ce qu'elle avait encaissé de lui, toute cette merde, elle n'avait jamais été fichue de se dire, tout simplement, que Johnny était bête.

— C'est sa méchanceté, s'obstina-t-elle. Son attitude a été si brutale...

— Mais, maman, qu'est-ce qu'ils sont, lui et ses copains, sinon brutaux ? Pourquoi admirent-ils tout ça si ce ne sont pas des brutes ?

Alors, à sa vive surprise, Frances posa sa tête au creux de ses bras, sur la table, au milieu de tous les plats. Elle sanglotait. Andrew attendit, hypnotisé par les torrents de larmes qui redoublaient chaque fois qu'il la croyait calmée. Lui aussi était blême maintenant, secoué. Il n'avait jamais vu sa mère pleurer, ni ne l'avait jamais entendue critiquer son père de cette façon. Il avait bien compris que son indulgence à l'égard de Johnny était destinée à les protéger du pire, lui et Colin, mais sans vraiment se rendre compte des flots de larmes amères qu'elle avait gardés en réserve. Du moins n'avaient-ils pas été versés là où Colin et lui auraient pu l'apprendre. Et elle avait eu raison, songea-t-il alors, de ne pas pleurer et enrager devant eux. Il en était malade. Après tout, Johnny était son père... et Andrew était bien conscient, à certains égards, de ressembler à son père. Mais Johnny ne devait jamais être capable ne serait-ce que d'un brin de l'introspection de son fils. Andrew, lui, était condamné à vivre toujours avec un œil critique braqué sur lui-même : un regard débonnaire, même humoristique, mais un jugement néanmoins.

Andrew resta sur sa chaise, à tourner son verre de vin entre ses doigts, pendant que sa mère pleurait. Puis il avala son vin, se leva et posa la main sur son épaule.

— Maman, laisse la vaisselle. On s'en occupera demain matin. Et va te coucher. Ça ne sert à rien, tu sais. Il ne changera jamais.

Et il sortit de la cuisine pour aller frapper à la porte de sa grand-mère. C'est Wilhelm qui lui ouvrit.

— Julia a pris un Valium, dit-il d'une voix forte. Elle est très contrariée.

Andrew hésita devant la porte de Colin, entendit Sophie chanter. Elle chantait pour Colin.

Puis il jeta un coup d'œil dans la chambre de Sylvia. Elle s'était endormie sur son lit, tout habillée. Le jeune homme, lui, était couché par terre, la tête sur un coussin. Cela n'avait pas l'air très confortable, mais, visiblement, ces considérations ne l'atteignaient pas.

Andrew gagna sa chambre et alluma un joint : dans les cas d'urgence affective, il fumait du hasch et écoutait du jazz traditionnel, surtout du blues. La musique classique était réservée aux bons moments. Ou bien il se récitait tous les poèmes qu'il connaissait – il y en avait pas mal – pour s'assurer qu'ils les avaient toujours en tête, intacts. Ou encore il relisait Montaigne, mais c'était un secret, car il avait le sentiment que c'était le réconfort d'un vieil homme, pas celui d'un jeune.

Wilhelm avait laissé Julia dans son grand fauteuil, bordée sous un plaid. Bien qu'elle soutînt ne pas avoir sommeil, elle somnola quand même un peu, puis se réveilla, son anxiété ayant triomphé des effets du Valium. Avec irritabilité, elle repoussa le plaid en guettant le chien, qu'elle entendait embêter son monde juste sous ses pieds. Elle entendait aussi Sophie chanter, mais crut que c'était la radio. Il y avait de la lumière sous la porte d'Andrew. À pas de loup, elle descendit l'escalier, hésita à entrer chez son petit-fils, mais, finalement, descendit encore d'un étage et se retrouva sur le palier de la chambre de Sylvia. Un rai de lumière prouvait que Frances veillait encore. La vieille dame pensa qu'elle aurait dû entrer chez son ex-belle-fille pour lui parler, trouver les mots justes, rester avec elle, faire quelque chose... Mais quels mots ?

Doucement, Julia tourna la poignée de porte de Sylvia et pénétra dans la pièce, où le clair de lune tombait sur la dormeuse, effleurant juste le jeune homme étendu par terre. Elle avait oublié la présence de celui-ci, et son cœur lui rappela alors son terrible et insoutenable malheur. Wilhelm lui avait dit, il n'y avait pas si longtemps, que Sylvia se marierait un jour et qu'elle, Julia, ne devrait pas en prendre ombrage. Ainsi, c'est toute l'opinion qu'il a de moi, se plaignit-elle intérieurement, mais en sachant qu'il avait raison. Sylvia devait se marier, mais sans doute pas avec ce garçon-là. Sinon ne serait-il pas près d'elle, dans le lit ? Aux yeux de Julia, il semblait affreux qu'un jeune homme quelconque, « un confrère », dût venir à la maison avec Sylvia et dormir dans sa chambre. On dirait des chiots dans une corbeille, songea-t-elle, ils se lèchent les uns les autres et s'endorment n'importe comment. Cela devrait avoir son importance qu'un homme pénètre dans la chambre d'une jeune femme, cela devrait avoir une signification. Avec précaution, Julia s'installa dans le fauteuil où – mais cela semblait vieux d'une éternité – elle avait cajolé la petite Sylvia pour qu'elle mange. Maintenant elle voyait distinctement son visage et celui du jeune inconnu, tandis que le clair de lune progressait sur le plancher. Eh bien, si ce ne devait pas être lui, ce jeune plaisant à regarder, ce serait un autre !

Elle avait l'impression de n'avoir jamais chéri personne d'autre que Sylvia dans son existence, que la jeune fille avait été la grande passion de sa vie. Oh, oui ! elle était consciente d'avoir aimé Sylvia par faute de n'avoir pu aimer Johnny. Mais c'étaient des enfantillages, parce qu'elle savait bien – intellectuellement – avec quelle impatience elle avait attendu Philip pendant toute cette guerre lointaine. Et puis combien elle l'avait aimé. Les rayons de lune sur le lit et sur le plancher avaient le même arbitraire que la mémoire, mettant tour à tour en valeur ceci et puis cela. Quand elle regardait le chemin parcouru, des périodes entières qui avaient eu une saveur de leur cru, franche et distincte, se réduisaient à quelque chose comme une formule : c'étaient les cinq années de la Première Guerre mondiale. Là, cette petite tranche représentait la Seconde Guerre mondiale. Mais au moment où elle était immergée dans ces cinq ans, fidèle sur le plan mental et affectif à un soldat ennemi, ils lui avaient paru sans fin. La Seconde Guerre mondiale, qui formait désormais une ombre inquiétante dans son souvenir, parce que le devoir de son mari, et le fait qu'il ne pouvait rien lui dire de ses activités, l'avaient éloignée d'elle, avait été une époque effroyable, et elle avait souvent pensé ne pas pouvoir y survivre. Julia était couchée la nuit aux côtés d'un homme obsédé par le moyen de détruire la patrie de sa femme, et elle devait être contente de cette destruction. Et elle l'était. Mais il lui semblait parfois que les bombes lui arrachaient le cœur. Et pourtant il lui arrivait de dire maintenant à Wilhelm, qui avait été un réfugié de ce régime monstrueux qu'elle se refusait à considérer comme allemand : « C'était pendant la guerre, non pendant la Seconde ». Comme si elle parlait d'un article sur une liste qui devait être exactement mise à jour, celle des événements successifs. Ou peut-être à l'instar du clair de lune et des ombres qui tombaient sur un chemin, chacune étant bien réelle tant qu'on les traversait, mais quand on regardait ensuite en arrière, l'on voyait une coulée sombre dans une forêt, avec de légères taches de lumière. *Ich habe gelebt und geliebt*, murmura-t-elle, fragment de Schiller[1] qui restait encore

---

1. Citation extraite de *Piccolomini* (1799), chanson, acte II, scène 6 (première partie de *Wallenstein*, trilogie dramatique).

gravé dans sa mémoire après soixante-cinq ans. Mais sous forme de question : Ai-je vécu et aimé ?

Le clair de lune avait atteint les pieds de Julia. Elle était donc restée ici un bon moment. Sylvia n'avait pas bronché. Les deux jeunes gens semblaient ne pas respirer ; elle aurait pu facilement les croire morts. « Si tu étais morte, Sylvia, se surprit-elle à penser, tu ne raterais alors pas grand-chose. Tu finiras seulement comme moi, une vieille femme avec sa vie derrière elle, qui se réduit à un fatras de souvenirs douloureux ». Julia s'assoupit. Le Valium l'avait plongée dans un sommeil si profond qu'elle était toute molle dans les mains de Sylvia, qui la secouait.

S'étant éveillée la bouche sèche, Sylvia avait tendu le bras pour prendre de l'eau et avait découvert un petit fantôme assis là, au clair de lune, qu'elle s'attendait à voir disparaître une fois complètement tirée du sommeil. Mais Julia n'avait pas disparu. Sylvia s'était approchée d'elle, l'avait prise dans ses bras et bercée ; la vieille dame geignait dans son sommeil. Un son désespéré, déchirant.

— Julia, Julia, chuchota Sylvia, pensant à son compagnon qui avait besoin de dormir. Réveille-toi, c'est moi.

— Oh ! Sylvia, je ne sais pas quoi faire, je ne suis plus moi-même...

— Lève-toi, chérie, je t'en prie. Il faut que tu ailles te coucher.

Julia se leva avec des gestes mal assurés, et Sylvia, tout aussi mal assurée, étant donné qu'elle-même était à moitié endormie, l'entraîna hors de la chambre et l'aida à monter l'escalier. Désormais il n'y avait plus de lumière sous la porte de Frances ni sous celle d'Andrew. Mais si, il y en avait encore sous celle de Colin.

Sylvia étendit Julia sur son lit et remonta une couverture.

— Je crois que je suis malade, Sylvia. Je dois être malade...

Cette plainte alla droit à la conscience professionnelle de Sylvia, qui marmonna :

— Je vais m'occuper de toi. Je t'en prie, ne sois pas si triste.

Julia dormait déjà. Sylvia, qui tombait aussi de sommeil, se redressa tant bien que mal, retraversa la pièce à pas de loup, en se raccrochant aux dossiers des sièges, et redescendit enfin dans sa chambre, où elle trouva son camarade en position assise.

— C'est déjà le matin ?

— Non, non, rendors-toi.

— Dieu merci !

Il tomba en arrière comme une masse et elle s'écroula sur son lit. Tous dormaient à présent, sauf Colin, qui était couché enlacé avec Sophie, laquelle dormait aussi, le petit chien assoupi contre sa hanche, même si son petit bout de queue s'agitait.

Il ne pensait pas à la belle Sophie dans ses bras. Comme sa mère un peu plus tôt, il se promettait comme un fou : « Je le tuerai, je jure de le tuer. » En voilà un nœud gordien ! Si Johnny s'était reconnu dans le phraseur diabolique, alors on lui demandait le comble du jugement impartial : seuls les critères de l'excellence littéraire devaient nourrir ses pensées. *Est-ce un bon roman ou non ?* Avec le souvenir, peut-être, des romans qu'il avait lus du temps où il avait été un être cultivé, avant de succomber aux charmes simplistes du réalisme-socialisme. Comme quand la victime d'un dessin animé particulièrement violent est censée dire : « Oh, bravo ! Comme tu es fort ! » Bref, un comportement dont sa famille avait reconnu depuis longtemps qu'il était incapable était exigé du camarade Johnny. D'un autre côté, s'il ne s'était pas reconnu, alors il était à blâmer pour n'avoir rien soupçonné de la manière dont l'un de ses fils au moins le voyait.

Malheureuse, ô combien malheureuse, même si elle n'eût su dire pourquoi, à moins que ce ne soit à cause de Sylvia ou de l'existence entière, Julia épluchait les journaux, les jetait à terre, s'y replongeait, et quand Wilhelm l'accompagnait au Cosmo, elle s'efforçait d'assimiler ce qui se disait autour d'elle. La guerre du Vietnam, voilà le sujet de toutes les conversations. Parfois Johnny entrait avec sa cour, théâtral, plein d'énergie. Il pouvait lui adresser un signe de tête ou même la saluer à poing levé. Souvent il était accompagné de Geoffrey, qu'elle connaissait si bien. Un beau jeune homme, proche de Lochinvar de l'Occident[1], comme elle disait avec mépris à Wilhelm. Ou encore de Daniel, avec sa chevelure flamboyante, tel un phare. Ou même de James, qui se présenta à elle en disant : « Je m'appelle James, vous vous souvenez de moi ? » Mais elle ne se souvenait de personne ayant l'accent cockney.

— C'est de rigueur aujourd'hui, lui expliqua Wilhelm. Les jeunes parlent cockney.

— Mais pourquoi, alors que c'est si laid ?

— Pour trouver du travail. Ils sont opportunistes ! Si tu veux chercher du travail à la télévision ou dans le cinéma, il te faut perdre tes intonations bourgeoises.

Autour d'eux, nuages de fumée de cigarette et fréquents éclats de voix.

— Pourquoi se dispute-t-on toujours dès qu'il s'agit de politique ?

— Oh ! ma chère, si on savait...

— Cela me rappelle autrefois, quand je suis rentrée en Allemagne, les nazis...

— Et les communistes.

---

1. Héros d'une ballade de Walter Scott, *Marmion* (1808).

Elle n'avait pas oublié les échauffourées, les cris, les jets de pierres, les piétinements... Oui, elle se réveillait la nuit pour entendre courir à toutes jambes. Après quelque atroce exploit, ils couraient dans les rues en braillant.

Julia restait dans son fauteuil, cernée de journaux, jusqu'au moment où ses pensées la poussaient à se lever pour arpenter ses appartements, en faisant claquer sa langue de contrariété dès qu'elle trouvait un bibelot déplacé, ou une robe jetée en vrac sur le dossier d'un siège. (À quoi pensait donc Mrs Philby ?) Toutes ses frustrations se focalisèrent sur la guerre du Vietnam. Elle ne pouvait pas le supporter. Cette vieille guerre, la première, si abominable, et puis la seconde, ne suffisaient-elles donc pas ? Qu'est-ce qu'ils voulaient de plus ? Tuer, encore tuer. Et maintenant cette guerre-ci. Et les Américains. Étaient-ils fous de faire partir leurs jeunes gens ? Personne n'avait cure des jeunes gens, alors qu'il y avait une guerre où ces derniers étaient rameutés pour être emmenés à l'abattoir. Comme s'ils n'étaient bons qu'à cela ! Encore et toujours. On n'apprenait jamais rien ; c'était un mensonge de dire que nous nous élevions grâce à l'histoire. Si on en tirait les leçons, les bombes ne tomberaient pas sur le Vietnam et les jeunes gens... Pour la première fois depuis des années, Julia rêva de ses frères. Elle faisait des cauchemars sur la guerre. À la télévision, elle voyait des Américains affronter la police, des Américains qui ne voulaient pas la guerre, et elle non plus n'en voulait pas, elle était du côté des Américains qui manifestaient à Chicago ou dans les universités. Et pourtant quand elle avait quitté l'Allemagne pour épouser Philip, elle avait choisi l'Amérique, elle était de ce côté-là. Philip avait souhaité qu'Andrew fasse ses études aux États-Unis, et si cela avait été le cas, alors il ferait sans doute partie aujourd'hui de cette Amérique qui dirigeait ses lances à incendie et ses gaz lacrymogènes contre les Américains qui protestaient. (Julia savait Andrew conservateur de nature, ou, pour mieux dire peut-être, du côté de l'autorité.) La nouvelle femme de Johnny, qui l'avait abandonné apparemment, se battait aussi dans les rues contre la guerre. Julia détestait et redoutait les combats de rue. Encore maintenant elle avait des cauchemars sur ce qu'elle avait vu dans les années trente, quand elle était revenue pour une visite en Allemagne, qui était alors détruite par les bandes qui se livraient à des actes séditieux, cassaient, vociféraient et couraient la nuit dans les rues. La tête, l'esprit et le cœur de Julia bouillonnaient d'images, de pensées et d'émotions violemment opposées.

Et puis son fils Johnny faisait constamment la une des journaux pour dénoncer ce conflit, et elle trouvait qu'il avait raison. Johnny s'était pourtant toujours trompé, elle en était certaine. Mais s'il avait raison cette fois ?

Sans rien dire à Wilhelm, Julia mit son chapeau, celui qui dissimulait le mieux ses traits grâce à sa voilette à mailles fines, choisit des gants qui ne garderaient pas de marque – pour elle, politique était synonyme de saleté – et partit écouter Johnny prendre la parole à une réunion contre la guerre du Vietnam.

Cela se passait dans une salle qu'elle se figura communiste. Les rues alentour grouillaient de jeunes gens. Le taxi la déposa devant l'entrée principale, et au moment où elle entrait, des jeunes habillés comme des romanichels ou des voyous la dévisagèrent. Ceux qui l'avaient vue arriver en taxi conclurent entre eux que ce devait être un agent de la CIA, tandis que d'autres, à la vue de cette vieille dame – sur place il n'y avait personne de plus de cinquante ans –, jugèrent qu'elle devait être là par erreur. Certains soutinrent qu'avec ce chapeau, ce ne pouvait être que la femme de service.

La salle bondée donnait l'impression de se soulever, de grossir et d'osciller. L'odeur était insoutenable. Juste devant Julia se dressaient deux têtes de cheveux blonds gras et sales. Quelles filles pouvaient avoir si peu de respect pour elles-mêmes ? Puis elle vit que c'étaient des garçons. En plus, ils empestaient. Le bruit était si assourdissant qu'elle ne s'aperçut pas tout de suite que les discours avaient commencé. Là-haut, il y avait Johnny, et aussi Geoffrey, dont le visage net et régulier lui était si familier, mais, planté les pieds écartés avec sa chevelure de Viking, il martelait l'air de sa main droite, comme pour donner des coups de poignard, et saluait d'un rictus ce que disait Johnny et qui consistait en variations sur ce qu'elle avait si souvent entendu : l'impérialisme américain (rugissements approbateurs), le complexe militaro-industriel (murmures et huées), les laquais, les chacals, les exploiteurs capitalistes, les jaunes, les fascistes... C'était difficile d'écouter, les rugissements approbateurs étaient si bruyants. Et puis il y avait James, véritable homme public, imposant et aimable, qui était devenu un cockney. Il y avait même un Noir à côté de Johnny qui ne lui était pas étranger, elle en était certaine. Beaucoup de monde à la tribune. Tous les visages étaient animés, triomphants, exultant de suffisance et d'autosatisfaction. Comme elle connaissait bien tout cela ! comme cela l'effrayait ! Là-haut, ils plastronnaient sous des projecteurs puissants, débitaient leurs formules qu'elle était capable d'anticiper, toutes sans exception. Quant à l'assistance, elle formait un bloc, une unité. C'était une plèbe qui pouvait tuer ou se déchaîner, et elle était enflammée de... haine, oui, c'est bien ce que c'était. Mais qu'on se débarrasse des clichés et Julia était d'accord avec eux, elle était de leur côté. Comment était-ce possible, alors qu'ils étaient crasseux, affreux ? Mais la violence de la guerre était ce qu'elle haïssait le plus. Elle trouvait pénible de rester debout – elle était adossée à un mur et entourés de rustres qui pouvaient aussi bien dissimuler des barres de fer. Elle jeta un dernier et long regard sur l'estrade, vit que son fils l'avait repérée et que ses yeux étaient à la fois triomphants et hostiles. Si elle ne partait pas, il était capable de la prendre pour cible de ses sarcasmes. Elle se fraya donc un chemin dans la foule vers la sortie. Par bonheur, elle n'en était pas loin. Quelqu'un heurta son chapeau, Julia était sûre que ce n'était pas un hasard. Elle avait raison. La rumeur qui voulait qu'elle fût un agent de la CIA la suivait. Elle tâcha donc de tenir son chapeau et, à la porte, aperçut une jeune femme plantureuse, au visage large et rougi par l'excitation et l'alcool. Elle avait un badge d'hôtesse. Reconnaissant Julia, elle s'exclama tout haut au profit de ses collègues :

— Eh bien, vous m'en direz tant ! C'est la maman de Johnny Lennox.

— Laissez-moi passer, implora Julia, qui commençait déjà à paniquer. Laissez-moi sortir...

— Comment ? Vous ne pouvez pas l'accepter ? Vous ne pouvez pas accepter la vérité ? ricana un jeune homme, dont le fumet lui donnait littéralement envie de vomir.

Elle pressa sa main sur sa bouche.

— Julia, reprit Rose. Johnny sait-il que vous êtes ici ? Qu'est-ce que vous trafiquez ? Vous le surveillez ?

Avec un grand sourire, elle jeta des coups d'œil à la ronde, guettant l'approbation des autres.

Julia s'était déjà faufilée par la porte, mais le hall était plein de gens qui n'avaient pas pu entrer.

— Faites place à la maman de Johnny Lennox ! cria Rose.

Et la foule de s'ouvrir. À l'extérieur de la salle, où les discours étaient retransmis, l'atmosphère d'émeute, de violence ambiante, était moins sensible. Des jeunes fixèrent Julia, son chapeau, qui était de travers, et son visage défait. Elle parvint à la porte extérieure. Là, prise d'un malaise, elle se cramponna au montant.

— Julia, voulez-vous que j'appelle un taxi ? proposa Rose.

— Je ne me souviens pas vous avoir autorisée à m'appeler Julia, riposta la vieille dame.

— Oh ! excusez-moi, Mrs Lennox, rectifia Rose, regardant toujours autour d'elle en quête d'approbation, avant d'ajouter dans un rire : Quelle conne !

— Elle se croit sous l'*Ancien Régime**, commenta une voix à l'accent américain.

Julia avait atteint le bord du trottoir. Elle savait qu'elle allait se trouver mal.

— La mère de Johnny Lennox ! lança Rose, postée sur les marches derrière elle. Elle est soûle...

Un taxi arrivait. Julia lui fit signe, mais il n'allait pas s'arrêter pour cette vieille femme si peu recommandable. Rose lui courut après en criant, et il finit par s'immobiliser.

— Merci, murmura Julia, montant dans le véhicule.

Elle pressait toujours le mouchoir sur son visage.

— Oh ! de rien, je vous en prie, répliqua obséquieusement Rose, qui regarda encore autour d'elle, cette fois en quête de rires, qu'elle obtint.

Alors que le taxi l'emportait, Julia entendit par les vitres des salves successives d'applaudissements, de lazzis, de cris et de slogans : « À bas l'impérialisme américain ! À bas... »

Quand Johnny se faufila à son tour dehors, Rose saisit cette occasion pour arrêter la vedette au passage et lui annoncer d'égal à égal :

— Ta mère était ici.

— Je l'ai vue, répondit-il sans la regarder.

Il l'ignorait toujours.

— Elle était soûle, osa-t-elle.

Mais il la poussa pour passer sans dire un mot.

Sylvia n'avait pas oublié sa promesse. Elle avait pris un rendez-vous pour Julia avec un certain Dr Lehman. Wilhelm le connaissait. Il savait que c'était un spécialiste des problèmes des personnes âgées.

— De nos problèmes, chère Julia.

— De gériatrie, précisa Julia.

— Qu'est-ce qu'un mot ? Tu n'as qu'à prendre rendez-vous pour moi aussi.

Julia était assise face au docteur Lehman, un homme plutôt sympathique, songea-t-elle, bien que si jeune. En réalité, il était d'un certain âge. Allemand, comme elle ? Avec ce nom-là ? Juif, alors ? Un réfugié de son espèce ? Il était frappant combien elle remuait souvent ces pensées.

Il s'exprimait avec un accent anglais impeccable : évidemment, les médecins n'étaient pas obligés de parler cockney.

Julia était consciente qu'il avait glané beaucoup de faits la concernant rien qu'en la regardant gagner son siège. Il devait en avoir appris d'autres de Sylvia, et étant donné qu'il lui avait prescrit une analyse d'urine, avait pris sa tension et ausculté son cœur, il en savait plus sur sa patiente qu'elle-même.

— Madame Lennox, déclara-t-il avec le sourire, vous m'avez été envoyée pour des problèmes en rapport avec le troisième âge.

— Il paraît, répondit-elle, sûre que sa rancune ne lui avait pas échappé.

Il esquissa un sourire.

— Vous avez soixante-quinze ans.

— C'est exact.

— Ce n'est pas très vieux de nos jours.

— Docteur, capitula-t-elle, j'ai parfois l'impression d'être centenaire.

— Vous vous autorisez à le penser.

Ce n'était pas ce à quoi elle s'attendait et, rassurée, elle sourit à cet homme qui n'allait pas l'accabler avec son âge.

— Physiquement, vous êtes en parfaite santé. Félicitations ! J'aimerais bien être aussi en forme. Mais voilà ! Tout le monde sait que les médecins ne suivent pas leurs propres conseils.

À ce moment-là, elle se permit de rire et inclina la tête comme pour dire : Très bien. Allez, au travail, alors !

— Je vois ça assez souvent, madame Lennox. Des personnes qui se sentent vieilles parce qu'on leur parle trop souvent de leur âge alors que c'est prématuré pour elles.

Wilhelm ? s'interrogea Julia. M'a-t-il...

— Ou qui se sont conditionnées à se sentir vieilles.

— J'aurais fait cela ? Ma foi, c'est peut-être vrai.

— Je vais vous dire quelque chose qui va peut-être vous paraître choquant.

— Non, docteur, on ne me choque pas facilement.

— Bon. Vous pouvez décider de devenir vieille. Vous êtes devant un choix, madame Lennox. Vous pouvez décider de vieillir et ensuite vous mourrez. Mais vous pouvez aussi décider de ne pas vieillir. Pas encore...

Elle réfléchit, puis hocha la tête.

— Je crois que vous avez dû subir un choc quelconque. Un deuil ? Mais peu importe ! Vous me paraissez présenter des signes de peine.

— Vous êtes un jeune homme très intelligent.

— Je vous remercie, mais je ne suis pas si jeune. J'ai cinquante-cinq ans.

— Vous pourriez être mon fils.

— Oui, c'est vrai. Madame Lennox, je voudrais que vous vous leviez de votre siège et preniez vos distances avec... votre situation actuelle. C'est à vous de le décider. Vous n'êtes pas une vieille femme. Vous n'avez nul besoin d'un médecin. Je vais vous prescrire des vitamines et de l'eau minérale.

— Des vitamines !

— Pourquoi non ? J'en prends. Revenez me voir dans cinq ans et nous verrons s'il est temps pour vous d'être vieille...

*

Des vaporeuses nuées d'or, il tombait des flots de brillants qui s'éparpillaient autour du taxi et sur celui-ci, explosant en cristaux plus petits ou ruisselant sur les vitres. Leurs ombres dessinaient des points et des taches, qui imitaient le motif à pois de la petite voilette de Julia, laquelle était retenue sur le sommet de sa tête par une boucle classique en jais. Ce ciel printanier de soleil mouillé était trompeur. En réalité, on était en septembre. Julia était habillée comme elle l'était toujours. « Ma chérie, *Liebling*, ma très chère Julia, lui avait dit Wilhelm. Je vais t'acheter une nouvelle robe. » Malgré ses bruyantes protestations, alors qu'elle était ravie, il l'emmena faire la tournée des meilleures boutiques, où il s'assura l'aide de jeunes femmes condescendantes, mais vite charmées. Julia se retrouva avec un tailleur en velours bordeaux, identique à ceux qu'elle portait depuis des décennies. Bien droite dans sa toilette neuve, elle était soutenue par la pensée des petits points au fil de soie au col et au bas des manches, et de la doublure de soie rose parfaitement ajustée, où elle voyait une protection contre la barbarie. Sur le siège à côté d'elle, Frances était pliée en deux par la tâche qui consistait à changer ses collants et ses chaussures pratiques contre d'autres à talons hauts et des extra-fins noirs. Sinon, sa tenue professionnelle – Julia était passée prendre Frances au journal – était manifestement censée convenir. Andrew leur avait dit qu'il y aurait une petite fête, mais qu'elles ne devaient pas se mettre sur leur trente et un. Qu'est-ce qu'il voulait dire ? Fêter quoi ?

Côte à côte dans un silence à la fois confortable et prudent, elles roulaient lentement, à Londres c'était inévitable, vers Andrew. Frances songeait que toutes ces années de cohabitation avec Julia s'étaient traduites par si peu d'occasions de circuler toutes les deux dans le même taxi qu'elle pouvait les compter sur ses doigts. De son côté, Julia pensait qu'il n'y avait aucune intimité entre elles. Et pourtant la jeune femme – allons, Julia, elle n'en était certainement plus une ! – était capable de retirer ses bas et d'exposer ses mollets blancs et fermes sans la moindre pudeur. Il était probable qu'en dehors de son mari et des médecins, personne n'avait vu les jambes nues de Julia depuis qu'elle était adulte. Wilhelm les avait-il vues ? Nul ne le savait.

Elles étaient même allées jusqu'à tomber d'accord qu'Andrew voulait fêter le poste qu'on lui avait proposé dans une des grandes organisations internationales qui inhalent et exhalent de l'argent afin de mettre de l'ordre dans les affaires du monde. Après avoir obtenu sa maîtrise de droit – c'était un excellent étudiant –, il avait quitté la maison de sa grand-mère pour la deuxième fois pour un appartement qu'il partageait avec d'autres jeunes gens, mais il ne prévoyait pas d'y rester longtemps.

Le temps qu'elles arrivent à Gordon Square, la lumière avait disparu. De grosses gouttes de pluie tombaient d'un ciel sombre et s'écrasaient invisiblement autour d'elles. C'était un bel immeuble, il n'y avait pas de quoi en avoir honte. Car Julia s'était demandé si la raison pour laquelle Andrew ne les avait pas invitées plus tôt n'était pas qu'il avait honte de son adresse, et si c'était le cas, pourquoi il était parti de la maison, alors. Il ne lui vint pas à l'esprit qu'il voyait en Frances et en elle le poids écrasant de l'autorité ou, du moins, de l'accomplissement. « Comment ? Moi ?... mais tu plaisantes ! se récrient les parents, alors que cette situation se répète au fil des générations. Moi, une menace ? Cette petite créature si facilement broyée que je suis, toujours agrippée aux lisières de la vie... » Andrew avait dû fuir la maison familiale pour sa survie, mais les choses s'étaient améliorées lors de son retour, dans le but de décrocher sa maîtrise, parce qu'il s'était aperçu qu'il ne craignait plus sa grand-mère stricte et désapprobatrice, ni les pensées suscitées en lui par l'existence peu satisfaisante de sa mère.

Il n'y avait pas d'ascenseur, mais Julia gravit d'un pas vif l'escalier au tapis à la splendeur passée. Et l'appartement, après qu'Andrew fut venir leur ouvrir, continuait sur le même thème ; en effet, il était spacieux et bourré de meubles divers, dont certains avaient eu leur heure de gloire mais coulaient leurs derniers jours. Pendant des décennies ç'avait été un logement pour étudiants ou pour jeunes gens à l'aube de leur vie professionnelle, et la prochaine étape pour les trois quarts des objets entassés serait la décharge publique. Andrew ne les introduisit pas dans la grande pièce commune, mais dans une plus petite au fond, séparée de la précédente par une cloison en verre. Deux jeunes gens et une fille lisaient ou regardaient la télévision dans la grande pièce, mais, ici, il y avait une table joliment dressée pour quatre : nappe blanche, cristaux, fleurs, argenterie et serviettes à l'avenant.

— Nous allons devoir boire l'apéritif à table, sinon nous ne pourrons pas nous entendre, dit Andrew.

Ainsi tous les trois s'assirent-ils. Il restait encore une place de libre.

Andrew, remarqua sa mère, avait l'air fatigué. Avec les yeux cernés de noir des adolescents, un teint de papier mâché, une soudaine prise de poids, des boutons ou un certain flegme tremblant à la limite de l'effondrement, tous ces traits sont les signes d'une souffrance affective attendue, mais quand des adultes ressemblent à Andrew, l'on est obligé de penser : « La vie est si difficile aujourd'hui, c'est cruel... » Andrew souriait, tous charmes dehors comme toujours, habillé comme pour une grande occasion, mais il respirait l'anxiété. Sa mère était déterminée à ne pas lui poser de questions, mais Julia s'exclama :

— Tu nous tiens en haleine. Quelles sont les nouvelles ?

Andrew se permit un petit gloussement, un son charmeur.

— Préparez-vous à une surprise, répondit-il.

Sur ces entrefaites, une jeune femme entra avec un plateau de boissons, venant d'une cuisine voisine. Elle souriait avec décontraction et informa Andrew :

— Andy, nous sommes un peu justes rayon alcool. C'est la fin du xérès.

— Je vous présente Rosemary, annonça Andrew. Ce soir, c'est elle qui est aux fourneaux pour nous.

— Je cuisine pour gagner ma vie, précisa Rosemary.

— Elle est étudiante en droit à l'université de Londres, ajouta Andrew.

Elle leur fit une grande révérence pour rire.

— Dites-moi quand vous voulez que je vous serve le velouté, lança-t-elle.

— Il ne s'agit pas de mon job, expliqua Andrew. J'attends d'avoir une confirmation. (À ce moment-là, il hésita, sur le gril. Quelque chose devait se matérialiser qui n'était encore qu'un fantôme éthéré ou obscur : prévenir la famille, maintenant cela devenait sérieux, d'accord.) C'est Sophie, balbutia-t-il à la fin. Sophie et moi... Nous sommes...

Les deux femmes demeurèrent silencieuses, stupéfaites. Sophie et Andrew ! Depuis des années Frances se demandait si Colin et Sophie... mais ils partaient se promener ensemble, il assistait toujours à ses premières et elle venait pleurer sur son épaule quand Roland redevenait insupportable. Des copains, des jumeaux, c'est ce qu'ils disaient.

Les mêmes réflexions pragmatiques cheminaient dans l'esprit des deux femmes. Andrew allait s'expatrier pour travailler, à New York sans doute, et Sophie était une comédienne de plus en plus appréciée à Londres. Avait-elle l'intention de sacrifier sa carrière à la sienne ? Les femmes en étaient capables, elles l'étaient trop souvent, alors qu'elles ne le devraient pas. Et puis toutes deux pensaient que Sophie, si sensible et si théâtrale, n'était pas la femme qu'il fallait à un futur homme public.

— Enfin, merci, murmura enfin Andrew.

— Excuse-nous, dit sa mère. C'est une surprise, c'est tout.

Julia repensait à toutes les années qu'elle avait passées loin de son amour, Philip, à l'attendre. Est-ce que tout cela avait valu la peine ? Cette petite pensée séditieuse lui venait de plus en plus souvent, sans équivoque, et trouvait son chemin. Le fait est, et Julia était prête à l'accepter aujourd'hui, que Philip aurait dû épouser cette jeune Anglaise, tellement faite pour lui, et elle... Mais son esprit s'affolait quand elle envisageait ce qu'elle aurait pu devenir à la place, avec l'Allemagne en ruine, pareil désastre. Et puis la politique, et puis la Seconde Guerre mondiale. Non. Sa conclusion, depuis un certain temps déjà, c'était qu'elle avait eu raison de devenir la femme de Philip, mais que lui n'aurait pas dû l'épouser.

Finalement, elle déclara :

— Tu dois bien voir que c'est un choc pour nous. Elle est si proche de Colin...

— Je sais, répondit Andrew. Mais ils sont comme frère et sœur. Ils n'ont jamais... (À cet instant, il cria :) Rosie, apporte le champagne. (Sans regarder sa mère et sa grand-mère, il poursuivit :) On devrait commencer à manger, je pense. Elle est en retard.

— Peut-être est-elle retenue par quelque chose... le théâtre... je ne sais pas, moi, suggéra Frances, essayant de trouver les mots pour chasser l'angoisse – car c'était ça – que trahissait le visage de son fils.

— Non, c'est Roland. Il ne la regarde pas quand elle est là, mais il est possessif. Il ne veut pas qu'elle parte.

— Elle n'est pas encore partie ?

— Non, pas encore.

À cet aveu, Frances se sentit mieux. Elle savait que Sophie ne quitterait pas facilement cet ensorceleur de Roland. « Il est ma perte, Colin, avait-elle crié. Il est ma destinée. » Elle avait tenté déjà de s'en séparer plusieurs fois. Et si elle se rapprochait d'Andrew... Il suffisait de le regarder pour voir que c'était un poids léger sur le plan affectif, un réconfort peut-être après ce crâneur de Roland, mais pas un contrepoids. Scènes, cris, bris de vaisselle – une fois, un vase lourd lui avait cassé le petit doigt –, larmes, demandes de pardon. Qu'est-ce qu'un être civilisé et ironique comme Andrew pouvait apporter à Sophie, à qui tout ce cinéma manquerait certainement ? Mais je me trompe peut-être, se corrigea Frances. Je m'attends trop à voir la fin d'une histoire d'amour avant même qu'elle ait proprement commencé.

Julia prit alors la parole :

— Andrew, ce ne serait pas bien de lui demander de renoncer à son théâtre.

— Ce n'est pas mon intention, grand-mère.

— Mais tu seras si loin !

— Nous nous débrouillerons d'une manière ou d'une autre, insista-t-il, avant d'aller ouvrir la porte à Rosemary qui servait le velouté.

D'un commun accord, le champagne ne fut pas ouvert. Ils dégustèrent leur velouté. Le plat suivant pouvait attendre, mais Rosemary prévint que c'était du gâchis, alors ils le mangèrent, pendant qu'Andrew guettait la sonnette ou le téléphone. Puis, enfin, le téléphone sonna. Andrew disparut dans un autre coin de l'appartement pour parler à Sophie.

Les deux femmes ne bougèrent pas de leurs chaises, unies par un mauvais pressentiment.

Julia reprit la parole :

— Sophie est peut-être une jeune femme qui a besoin d'être malheureuse.

— Mais j'espère que ce n'est pas le cas d'Andrew.

— Et puis il y a la question des enfants.

— Des petits-enfants, Julia.

Frances s'était exprimée légèrement, sans se douter que Julia souriait parce qu'elle sentait encore l'odeur des cheveux de bébé fraîchement lavés et croyait voir à ses côtés le fantôme de... qui ? d'un être jeune, d'une adolescente peut-être.

— Oui, concéda Julia. Des petits-enfants. Pour moi, Andrew est quelqu'un qui aime les enfants.

De retour dans la pièce, Andrew entendit ces derniers mots.

— Oui, je les aime beaucoup. Mais Sophie vous prie de l'excuser. Elle est... retenue.

Il était au bord des larmes.

— Voyons, il l'a enfermée ? s'enquit sa mère.

— Il lui met la pression, répondit-il.

Tout cela était horrible, aussi moche que possible, et tous trois le savaient.

— Je ne peux pas imaginer de me passer de Sophie, reprit-il d'une voix hachée, avec les accents d'un adieu. Elle a été si...

À ce moment-là, il craqua pour de bon. Il se rua hors de la pièce.

— Ça n'aboutira pas, déclara Frances.

— J'espère que non.

— Nous devrions rentrer, je pense.

— Attendons qu'il revienne.

Il s'écoula une bonne demi-heure avant son retour. À travers la paroi de verre, les jeunes gens réunis dans l'autre pièce proposèrent aux deux invitées, qui étaient restées seules à table, de venir les rejoindre. Julia et Frances furent ravies de cette diversion. Elles-mêmes auraient pu facilement craquer, c'était leur sentiment.

Il y avait déjà une demi-douzaine de garçons et deux jeunes filles, dont Rosemary. Celle-ci savait qu'un désastre – majeur ? mineur ? – était arrivé et se comportait avec tact, animait la conversation. Une jeune femme charmante, pensa Julia : ravissante, intelligente... une bonne cuisinière, assurément. Elle faisait du droit, comme Andrew. Ils semblaient faits l'un pour l'autre, non ?

Les jeunes gens parlaient de ce qu'ils avaient fait pendant les grandes vacances : ils étaient tous encore étudiants. On aurait dit qu'à eux tous, ils avaient visité les trois quarts des pays du monde. Ils discutaient de la situation au Nicaragua, en Espagne, au Mexique, en Allemagne, en Finlande, au Kenya. Ils s'étaient tous très bien amusés, mais ils s'étaient aussi documentés : c'étaient des voyageurs sérieux. Frances songea au contraste saisissant qu'ils présentaient avec ce qui s'était passé dans la maison de Julia, il y avait dix ans ou plus. Ces jeunes paraissaient beaucoup plus heureux. Était-ce le bon mot ? Elle se remémora la tension, les difficultés, les êtres blessés. Ce n'était pas le cas de ceux-là. Bon, bien sûr, ils étaient plus âgés... mais quand même ! Julia objecterait, bien entendu, qu'aucun d'entre eux n'était un enfant de la guerre. Les ténèbres guerrières étaient loin derrière eux.

Cette demi-heure, qui eût pu être agréable, fut gâchée par le souci que leur causait Andrew, lequel entra en coup de vent pour leur dire qu'il avait appelé un taxi. Elles devaient lui pardonner. À la surprise avec laquelle les autres le regardèrent, les deux femmes comprirent qu'ils n'étaient pas habitués à voir le gentil Andrew en pleine déroute. Dans la rue, il les embrassa. Une accolade pour Julia, une autre pour Frances. Il leur tint la portière du taxi, mais ses pensées étaient ailleurs. Sur-le-champ, il remonta quatre à quatre.

— Je me demande si ces jeunes savent quel bonheur est le leur.

— Ils ont beaucoup plus de chance que nous n'en avons eu l'une et l'autre.

— Pauvre Frances, vous n'avez pas eu souvent l'occasion de courir le monde !

— Alors, pauvre Julia aussi !

Unies par une tendresse mutuelle, elles terminèrent le trajet en silence.

— Cela ne se fera pas, Frances.

Telles furent les dernières paroles de Julia.

— Non, je le sais.

— Alors nous ne devons pas passer une nuit blanche à nous tourmenter.

Assise toute seule à la table de la cuisine, qui, à cette époque, avait été réduite de moitié, Frances prenait le thé, avec l'espoir que Colin pourrait passer. Sylvia, elle, ne venait presque plus. Ayant troqué son statut d'externe contre celui de médecin en titre, elle ne s'endormait plus dès qu'elle se posait sur une chaise, mais travaillait toujours très dur. La chambre en face de celle de Frances, sur le même palier, ne la voyait guère souvent. La jeune fille pouvait passer prendre un bain et se changer, ou rester parfois la nuit, monter quatre à quatre ou non embrasser Julia, mais cela s'arrêtait là. De tous « les gamins », c'était donc Colin que Frances voyait désormais.

Elle ignorait tout de sa vie à l'extérieur de la maison. Un jour, un individu louche, avec un gros chien bâtard noir, avait sonné pour demander Colin, qui était descendu en courant pour lui donner rendez-vous sur la Lande de Hampstead. Aussitôt Frances s'était inquiétée. Colin était-il homosexuel, alors ? Impossible, non ? Mais elle travaillait déjà à polir les attitudes correctes, appropriées, si c'était le cas, quand une jeune fille pâle avait fait son apparition, suivie d'une autre, pour s'entendre dire qu'il était sorti. Mais s'il n'est pas là, alors pourquoi n'est-il pas avec moi ? Frances devinait leurs pensées, parce que ç'auraient été les siennes, si elle avait été à leur place. Ces incidents étaient des indices de la vie de Colin. Il rôdait dans la Lande à toute heure, accompagné de Vicious, parlait aux gens assis sur les bancs, s'était lié d'amitié avec d'autres propriétaires de chien, entrait parfois dans un bar. Julia, qui lui avait dit : « Colin, ce n'est pas sain pour un jeune homme de ne pas avoir de vie sexuelle », s'était vue rembarrer.

— Mais, grand-mère, j'ai une vie secrète, obscure et dangereuse, remplie de rencontres follement romantiques, alors je t'en prie, ne t'inquiète pas pour moi !

Ce soir-là il était passé, suivi comme toujours de son bout de chien, et avait vu Frances.

— Je vais me préparer un thé, dit-il.

Le chien avait sauté sur la table.

— Fais descendre cette petite peste !

— Oh, Vicious ! Tu as entendu ?

Il prit le chien, le posa sur une chaise et lui ordonna de ne pas bouger. Agitant la queue et les observant de ses yeux noirs et curieux, l'animal obéit.

— Je parie que tu veux me parler d'Andrew, dit-il, en s'attablant avec son thé.

— Bien sûr. Il court au désastre.

— Mais il ne peut pas y avoir de désastre dans cette famille.

Son sourire informa sa mère qu'il était d'humeur combative. Frances s'arma donc de courage, songeant qu'elle pouvait se confier à Andrew, mais avec Colin, elle avait toujours un moment d'appréhension, en attendant de savoir s'il était bien luné. Elle faillit lui dire « N'y pense plus, une autre fois », mais il poursuivit :

— Julia m'a tenu la jambe aussi. Qu'est-ce que vous espérez de moi ? Que je leur souffle : « Ne sois pas idiot, Andrew, ne sois pas casse-cou, Sophie » ? Le fait est qu'elle a besoin d'Andrew pour se libérer de Roland.

Là-dessus, il attendit avec le sourire. C'était maintenant un garçon corpulent, imposant, avec des cheveux noirs bouclés et des lunettes à monture noire qui lui donnaient l'air d'un intellectuel. Il était toujours prêt à partir en guerre, d'abord parce qu'il était encore en partie financièrement dépendant.

— Il est préférable que ce soit moi qui lui verse des subsides plutôt que vous, avait dit Julia à Frances. Préférable sur le plan psychologique.

Elle avait raison, mais c'était quand même à sa mère qu'il s'en prenait. Frances attendait aussi. La bataille allait commencer.

— Si tu cherches une boule de cristal, alors il te faut consulter notre chère Phyllida, au sous-sol, mais, d'après ma vaste connaissance de la nature humaine – dixit le *Times Literary Supplement* [1] –, alors je te prédis qu'elle restera avec Andrew le temps que les ardeurs de Roland se refroidissent, et puis elle quittera Andrew pour un autre.

— Pauvre Andrew !

— Pauvre Sophie. Enfin, elle est masochiste. Tu dois comprendre ça...

— Parce que c'est ce que je suis ?

— Tu as un don certain pour l'indulgence, tu n'es pas d'accord ?

— Plus maintenant. Et depuis longtemps.

---

1. Le supplément littéraire du *Times*, le « *Times* des livres ».

Il eut un moment d'hésitation. Cette scène aurait pu en rester là, mais il se leva d'un bond, mit un autre sachet de thé dans sa tasse, versa dessus de l'eau qui n'était pas bouillante, s'aperçut de sa boulette, repêcha le sachet et le jeta dans l'évier, jura, le récupéra pour le laisser tomber dans la boîte à ordures, remit la bouilloire sur le feu, choisit un nouveau sachet de thé, versa de l'eau bouillante cette fois. Tout cela avec une précipitation maladroite, qui révéla à Frances qu'il ne prenait aucun plaisir à ce face-à-face. Il revint, posa sa tasse, se redressa pour donner à la hâte une caresse à son petit chien et se rassit.

— Ce n'est pas personnel, prévint-il. Mais j'ai réfléchi. C'est votre génération, c'est vous tous.

— Ah ! souffla Frances, soulagée qu'il eût choisi le terrain familier des principes abstraits.

— Sauver le monde, inscrire le paradis à l'ordre du jour...

— Tu me confonds avec ton père. (Elle décida alors de passer elle-même à l'offensive.) J'en ai vraiment assez. Je suis toujours impliquée dans les crimes de Johnny. (Elle médita le mot.) Oui, les crimes. On pourrait les appeler ainsi aujourd'hui.

— Quand aurait-on pu ne pas les appeler ainsi ? Et tu sais quoi ? J'ai même lu dans le *Times* qu'il aurait dit : « Oui, des erreurs ont été commises. »

— Oui, mais je n'ai pas commis ses crimes, ni fermé les yeux sur eux.

— Non, mais tu veux sauver le monde, c'est tout un. Exactement comme lui, comme toute votre bande. Quelle prétention vous avez tous ! Tu t'en rends compte ? Vous devez être la génération la plus prétentieuse et la plus mégalo qui ait jamais existé ! (Colin avait toujours le sourire : il savourait cette attaque en règle, mais avait aussi mauvaise conscience.) Johnny, le faiseur de discours, et toi qui as rempli la maison de jeunes fugueurs...

Ah ! Maintenant ils étaient entrés dans le vif du sujet.

— Excuse-moi, mais je ne vois pas le rapport. Je ne me rappelle pas qu'il ait jamais aidé qui que ce soit.

— Aidé ? Parce que tu appelles ça aider ? Enfin, son appartement est tout le temps bourré d'Américains qui échappent à la conscription – non que j'aie quelque chose contre ça – et de camarades venus des quatre coins du monde !

— Ce n'est pas la même chose.

— T'est-il jamais venu à l'esprit de te demander ce qui leur serait arrivé si tu n'avais pas recueilli oncle Tom Cobbleigh et les autres ?

— L'une d'eux était ta Sophie.

— Elle ne s'est jamais vraiment installée.

— Elle vivait quasiment ici. Et Franklin ? Il est resté ici plus d'un an. C'était ton ami.

— Et ce satané Geoffrey. Je me le suis tapé jour et nuit au lycée, et puis toutes les vacances ici pendant des années et des années...

— Mais j'ignorais que tu le détestais à ce point. Pourquoi n'avoir rien dit ? Pourquoi les enfants ne disent-ils jamais quand une chose les inquiète ?

— C'est bien toi. Tu n'as même pas été assez perspicace pour le voir !

— Oh, Colin ! Et tu vas me dire aussi que nous n'aurions pas dû laisser Sylvia rester ici.

— Je ne dirais jamais ça.

— Peut-être plus aujourd'hui, mais tu ne t'en es pas privé, bien sûr. Tu m'as gâché la vie avec tes jérémiades. De toute façon, j'en ai assez de ces histoires. C'est du passé...

— Les conséquences ne sont pas passées, elles. Savais-tu que cette petite garce de Rose raconte partout que Julia est une ivrogne et toi une nymphomane ?

Frances rit. De colère, mais sincèrement. Colin détestait ce rire ; le regard qu'il fixa sur elle était toute tristesse et toute accusation.

— Colin, si seulement tu savais quelle vie chaste j'ai menée... (Mais alors, se raccrochant à l'esprit de l'époque, elle lâcha :) De toute façon, si j'avais eu un nouvel ami tous les week-ends, c'était mon droit, non ? Tu n'aurais rien eu à dire, merde !

L'absurdité de cette déclaration apparut immédiatement. Colin pâlit et resta silencieux.

— Colin, pour l'amour du ciel, tu sais fort bien...

Le chien intervint.

— Ouah ouah ouah !

Frances se tordit de rire. Colin sourit amèrement.

C'est que le poids de sa principale accusation était là, entre eux. Un trait empoisonné.

— Mais où avez-vous trouvé toute cette assurance ? Papa sauvant le monde, quelques millions de morts par-ci, quelques millions de morts par-là. Et toi... « Entrez et faites comme chez vous ! » (Il semblait terrassé par les années de son enfance malheureuse et avait vraiment l'air d'un petit garçon, avec ses yeux pleins de larmes et ses lèvres tremblantes. Abandonnant sa chaise, Vicious s'approcha de son maître, sauta sur ses genoux et se mit à lui lécher la figure. Colin enfouit sa tête – autant que c'était possible – dans le dos de son minuscule chien pour se cacher. Puis il la releva pour lancer : Mais d'où avez-vous tiré tout ça, vous et votre bande ? Qui diable êtes-vous donc ?... Des sauveurs du monde, tous autant que vous êtes, et qui accroissent le désert... Tu te rends compte ? Nous sommes tous paumés. Tu savais que Sophie rêve de chambres à gaz, alors qu'aucun membre de sa famille n'y a jamais été ?

Et il se leva en cajolant son chien.

— Attends une minute, Colin...

— Nous avons traité le premier cas à l'ordre du jour, Sophie. Elle est malheureuse et elle continuera à l'être. Elle va rendre Andrew malheureux. Puis elle trouvera quelqu'un d'autre et continuera à être malheureuse.

Il se rua hors de la cuisine et remonta quatre à quatre, avec le petit chien qui aboyait dans ses bras. Son ridicule ouah ouah suraigu !

*

Dans la maison de Julia il sc passait quelque chose qu'aucun membre de la famille ne subodorait. Wilhelm et Julia souhaitaient se marier ou, au moins, que lui pût s'installer à demeure. Il se plaignait, avec humour au début, d'être forcé de vivre comme un adolescent, de menus rendez-vous au Cosmo avec sa dulcinée ou de sorties au restaurant. Il pouvait passer toute la journée et la moitié de la soirée avec Julia, mais devait ensuite rentrer chez lui. Julia parait à cette situation avec des plaisanteries, dont la teneur était qu'au moins ils ne recherchaient pas un lit comme les jeunes. À quoi il répondait qu'un lit ne sc limitait pas au sexe. Il semblait ne pas avoir oublié les câlins et les conversations dans le noir sur le devenir du monde. Julia avait beau s'interroger sur le fait de partager son intimité après tant d'années de veuvage, elle comprenait de plus en plus son point de vue. Elle avait toujours des remords de rester confortablement dans sa chambre, pendant que Wilhelm devait regagner ses pénates par n'importe quel temps. Il habitait un très grand appartement, où sa femme, qui était décédée depuis longtemps, et ses deux enfants, à présent en Amérique, avaient naguère vécu. Il n'y était presque jamais. Il n'était pas démuni, mais ce n'était guère raisonnable d'entretenir son appartement, avec son portier et son petit jardin, alors qu'il y avait la grande demeure de Julia. Ils discutèrent d'une nouvelle manière d'organiser leur vie, puis se disputèrent, enfin se fâchèrent.

Que Wilhelm cohabitât avec Julia dans les quatre petites pièces qui suffisaient à celle-ci était hors de question. Et où mettrait-il ses livres ? Il en possédait des milliers, dont certains faisaient partie de son stock de libraire. Colin avait pris possession de l'étage du dessous, colonisé la chambre d'Andrew. On ne pouvait pas lui demander de déménager. Pourquoi le devrait-il ? De tous les occupants de cette maison, à l'exception de Julia elle-même, c'est lui qui avait le plus besoin de cet endroit : son petit havre de paix dans le monde. En dessous de Colin, il y avait Frances, logée dans deux grandes pièces plus une petite. Sur le même palier se trouvait la chambre qui était celle de Sylvia, même si elle n'y revenait qu'une fois par mois. C'était sa base et devait le rester.

Mais pourquoi ne pas demander à Frances de déménager ? C'est ce que Wilhelm aurait voulu savoir. Elle gagnait assez d'argent maintenant, non ? Mais Julia refusait. Elle voyait Frances comme une femme qui avait été réquisitionnée par la famille Lennox pour élever deux fils et à qui on montrait maintenant la porte. Julia n'avait pas oublié la manière dont, à la mort de Philip, Johnny l'avait priée de partir et de prendre le premier petit appartement venu.

En dessous de Frances, il y avait le grand salon qui s'étendait de la façade à l'arrière de la maison. Les lieux pouvaient accueillir d'autres étagères pour les livres de Wilhelm, non ? Mais Wilhelm savait que Julia ne voulait pas sacrifier cet espace. Restait Phyllida. Maintenant elle avait tout à fait les moyens de se trouver un logement. Elle disposait, en effet, de l'argent que Sylvia lui avait assuré et avait des revenus réguliers en tant que médium, voyante et – de plus en plus – thérapeute. Lorsque la famille avait appris que

Phyllida était désormais thérapeute, les vannes avaient plu, toutes dans le même ordre d'idées : « Mais elle est incapable de se soigner elle-même ! » Toujours est-il qu'elle avait des patients. Se débarrasser de Phyllida et de ses clients permanents, nul dans la maison n'y voyait d'objection. Si, une personne, Sylvia, dont l'attitude envers sa mère était désormais maternelle. Elle s'inquiétait pour elle. Et quelle fin le déménagement de Phyllida servirait-il ? Il ne serait utile que si Frances ou Colin emménageait en bas. Pourquoi le feraient-ils ? Et puis il y avait autre chose de très fort que seul Wilhelm devinait. Le rêve de Julia, c'était qu'après s'être mariée ou avoir trouvé un « partenaire » – une expression ridicule au goût de Julia –, Sylvia s'installerait dans la maison. Où donc ? Voyons, Phyllida pouvait quitter le sous-sol et alors...

Wilhelm commença à dire qu'il avait enfin compris : Julia ne voulait pas vraiment de sa présence. « Je t'ai toujours plus aimée que tu ne m'as aimé. » Julia n'avait jamais songé à peser et mesurer cet amour. C'était simplement quelque chose sur quoi elle comptait. Wilhelm était son soutien et son appui, et maintenant qu'elle devenait vieille (ce qu'elle se sentait, en dépit du Dr Lehman), elle se savait incapable de se débrouiller sans lui. Ne l'aimait-elle pas, alors ? Eh bien, certainement pas, en comparaison avec Philip. Comme ces pensées étaient désagréables ! Elle ne voulait pas les poursuivre, ni entendre les reproches de Wilhelm. Elle aurait bien aimé qu'il emménageât à Hampstead si les choses n'avaient pas été si difficiles, ne serait-ce que pour apaiser sa mauvaise conscience de voir le grand appartement de son ami sous-utilisé. Elle était même prête à envisager des caresses et des conversations avant de s'endormir dans son lit jadis conjugal. Mais elle n'avait partagé sa couche qu'avec un seul homme au cours de sa longue vie. N'était-ce pas trop lui en demander ? Les reproches de Wilhelm devinrent des accusations. Julia pleura et Wilhelm eut des remords.

De son côté, Frances prévoyait de déménager. Elle aurait enfin un lieu à elle. À présent qu'il n'y avait plus de frais de scolarité ni d'études supérieures à payer, elle mettait même de l'argent de côté. Un lieu à elle, pas celui de Johnny ni de Julia. Celui-ci devrait pouvoir accueillir tous ses livres et ses documents de recherche, actuellement répartis entre *The Defender* et la maison de sa belle-mère. Quel plaisir d'avoir un salaire régulier ! Seul quelqu'un qui n'en a pas toujours bénéficié peut prononcer ces mots avec la sincérité qu'ils méritent. Frances se rappelait ses petits boulots précaires ou en free-lance dans le théâtre. Mais dès qu'elle aurait amassé assez d'argent pour verser l'acompte substantiel, alors elle démissionnerait de ce qu'elle voyait de plus en plus comme une position fausse au *Defender*, et ce serait la fin de l'arrivée de sommes régulières sur son compte bancaire.

Elle avait toujours mené à bien les trois quarts de son travail à domicile et ne s'était jamais sentie partie intégrante du journal. Ses confrères se plaignaient qu'elle ne faisait qu'aller et venir, comme si son comportement était une critique du *The Defender*. Et c'était bien le cas. Elle était une outsider, dans une institution qui se voyait comme assiégée. Et par des troupes hostiles, des forces réactionnaires, comme si rien n'avait changé depuis les grands jours du siècle dernier, quand *The Defender* était quasiment le seul bastion des valeurs salutaires et authentiques : il n'y avait pas de bonne cause, de cause légitime, que *The Defender* n'eût défendue.

Frances n'était plus tante Vera (« Mon petit garçon mouille son lit, que dois-je faire ? »), mais rédigeait des articles sérieux et bien documentés sur des sujets tels que les différences de rémunération entre les femmes et les hommes, l'inégalité face à l'emploi, les jardins d'enfants. Presque tout ce qu'elle écrivait avait un rapport avec la comparaison entre la situation des hommes et celle des femmes.

Les journalistes femmes de *The Defender* avaient la réputation dans certains milieux, surtout masculins (qui se voyaient de plus en plus cernés par des hordes féminines hostiles), de former une espèce de mafia primaire, dépourvue de tout sens de l'humour, obsédée, mais méritante. Il n'y avait pas de doute, Frances était méritante : tous ses articles connaissaient une deuxième vie comme pamphlets et même comme livres, puis une troisième vie comme émissions de radio ou de télévision. Elle était secrètement d'accord avec l'idée que ses consœurs étaient indigestes, mais se doutait qu'on pouvait l'accuser de la même chose. C'est certain, elle se sentait lourde, accablée par les injustices du monde : l'accusation de Colin était assez vraie. Elle croyait réellement au progrès, qu'un effort soutenu pour pourfendre l'injustice allait redresser la situation. Bon, n'était-ce pas le cas ? Parfois, au moins ? Elle pouvait être fière de quelques petits triomphes. Mais elle ne s'était jamais envolée le moins du monde dans les nues échevelées du féminisme tant à la mode ; elle n'avait jamais été capable, comme Julie Hackett, d'avoir une crise de nerfs en entendant à la radio que c'était le moustique femelle qui était responsable de la malaria. « Les salauds ! Putains de sales fascistes ! » Enfin convaincue par Frances que c'était un fait objectif et non une calomnie inventée par des scientifiques masculins pour rabaisser le sexe féminin – « Pardon, le genre ! » –, elle se calma et versa des larmes hystériques en gémissant : « Merde, tout ça est si injuste ! » Julie Hackett était restée toujours aussi dévouée à *The Defender*. À la maison, elle portait des tabliers *The Defender*, buvait dans des tasses *The Defender*, utilisait des torchons *The Defender*. Elle était susceptible de pleurer de rage si l'on critiquait son journal. Julie savait que Frances n'était pas aussi « engagée » – un mot qu'elle affectionnait – et prononçait souvent de petites homélies censées améliorer sa façon de penser. Frances la trouvait infiniment assommante. Les aficionados des caprices que nous réserve la vie auront déjà reconnu cette figure qui nous accompagne si souvent, se présentant à toute heure et en tout lieu. Une ombre dont on pourrait se passer, n'empêche que la ou le voilà : une caricature hilarante de soi, mais un salutaire pense-bête, que oui ! Après tout Frances s'était enthousiasmée pour la rhétorique verbeuse de Johnny, avait perdu la tête sous le charme du grand rêve, et son existence depuis avait été réglée par celui-ci. Elle n'avait tout simplement pas pu s'en libérer. Et voilà qu'elle collaborait deux ou trois jours par semaine avec une femme pour qui *The Defender* jouait le même rôle que le Parti avait joué pour ses parents, qui étaient encore des communistes orthodoxes et s'en flattaient !

D'aucuns en sont venus à penser que notre plus grand besoin – celui de l'être humain –, c'est d'avoir quelque chose ou quelqu'un à haïr. Pendant des décennies, les couches supérieures de la société, les classes dominantes, avaient rempli cette fonction utile, ce qui leur avait valu (dans les pays communistes) la mort, la torture et l'internement et, dans des pays plus sereins comme la Grande-Bretagne, simplement l'opprobre ou des contraintes désagréables, comme l'obligation d'adopter l'accent cockney. Mais ce credo montrait maintenant des signes d'usure. Le nouvel ennemi, les hommes, était encore plus utile, puisqu'il englobait la moitié de l'humanité. D'un bout du monde à l'autre, le Deuxième Sexe jugeait les hommes, et quand Frances se trouvait avec les femmes de *The Defender*, elle se sentait partie intégrante d'un jury exclusivement féminin, qui viendrait de rendre un verdict de coupable à l'unanimité. À leurs moments perdus, massivement dans leur droit, elles s'attardaient à raconter des anecdotes sur la grossièreté d'un tel ou le crime de tel autre, échangeaient des regards critiques et ironiques, pinçaient les lèvres, arquaient les sourcils et, en présence des hommes, guettaient des preuves de pensées incorrectes, puis leur sautaient dessus comme des chats sur des moineaux. Jamais il n'y avait eu juges plus suffisants, plus pharisiens, plus dépourvus de sens critique ! Mais, somme toute, ce n'était qu'un stade dans cette explosion du mouvement féministe. Le début du nouveau féminisme des années soixante ressemblait rien tant qu'à une petite fille à un goûter, folle d'excitation, les joues cramoisies, les yeux vitreux, en train de gambader en hurlant : « Je n'ai pas de culotte, on peut voir mon derrière ! » Trois ans, et les adultes feignent de ne rien remarquer : cela lui passera en grandissant. Et c'était vrai. « Comment, moi ? Je n'ai jamais fait ce genre de choses... Oh ! enfin, je n'étais qu'un bébé ! »

Mais un certain sérieux ne tarda pas à s'instaurer, et si le prix à payer pour une valeur sûre était une agaçante autosatisfaction, alors ce n'était sûrement pas cher pour une recherche si sérieuse, si scrupuleuse : le passage au crible des faits, chiffres, rapports gouvernementaux et de l'histoire, ce travail infiniment fastidieux qui change les lois et l'opinion, et fonde la justice.

Dans l'ordre des choses, ce stade devait être bientôt suivi d'un autre.

Entre-temps, Frances était forcée de conclure que travailler pour *The Defender* n'était guère différent d'être la femme de Johnny ; elle n'avait qu'à se taire et avoir sa libre pensée. C'était la raison pour laquelle elle avait toujours emporté tant de travail à domicile. Garder ses opinions pour soi use, exige beaucoup de soi, tout compte fait ; elle avait mis bien plus de temps à s'apercevoir que nombre des journalistes de *The Observer* étaient les rejetons des camarades, même s'il fallait les fréquenter un moment avant que la réalité n'apparût. Si l'on avait eu une éducation de rouge, alors on n'en parlait pas. Trop difficile à expliquer ! Mais quand d'autres étaient dans le même bateau ? Mais ce n'était pas seulement *The Defender*. Étonnant comme l'on entendait souvent : « Mes parents étaient au Parti, tu sais » ! Une génération de militants, aujourd'hui discréditée, avait donné naissance à des enfants qui reniaient les convictions de leurs parents, mais admiraient leur dévouement, d'abord secrètement, puis ouvertement. Quelle foi ! Quelle passion ! Quel idéalisme ! Mais comment avaient-ils pu gober tous ces mensonges ? Quant à eux, les rejetons, ils avaient l'esprit libre et vagabond, non contaminé par la propagande.

Mais il n'en demeurait pas moins que la coloration de *The Defender* et d'autres organes libéraux avait été « fixée » par le Parti. La similitude la plus immédiatement visible, c'était l'hostilité envers ceux qui n'étaient pas d'accord. Les enfants gauchistes ou libéraux de parents qu'ils qualifiaient peut-être de dogmatiques, gardaient intactes les habitudes de pensée qu'ils en avaient héritées. « Si tu n'es pas avec nous, tu es contre nous. » L'habitude de la bipolarisation aussi : « Si tu ne penses pas comme nous, alors tu es un fasciste. »

Et puis, comme pour le Parti du temps historique, l'on mettait sur un piédestal des personnalités marquantes, des héros et des héroïnes, en général non communistes à cette époque-ci, mais le camarade Johnny, lui, était une figure de proue, un patriarche, un membre de la Vieille Garde, qui devait être représenté éternellement debout à la tribune, en train d'agiter le poing en direction de cieux réactionnaires. L'Union soviétique retenait encore les cœurs, sinon les esprits. Oh, oui ! des « erreurs » avaient été commises et ces « erreurs » avaient bien été reconnues, mais cette grande puissance avait toujours ses défenseurs, car l'habitude était trop profondément ancrée.

Il y avait des gens au journal sur le compte desquels l'on chuchotait : « Ce doit être des espions de la CIA ». Que la CIA eût des espions partout ne faisait pas l'ombre d'un doute, il devait donc y en avoir aussi ici. Mais personne ne disait jamais qu'il y avait du KGB là-dessous, manipulant par-ci et influençant par-là, même si c'était la vérité, laquelle ne devait être reconnue que vingt ans plus tard. Les USA étaient le principal ennemi : tel était l'axiome tacite et souvent proclamé à son de trompe. C'était un état militariste fasciste, et son absence de liberté et de véritable démocratie était continuellement dénoncée dans des articles et des discours, dont les auteurs allaient passer là-bas leurs vacances, envoyaient leurs enfants dans des universités américaines ou traversaient l'Atlantique pour pouvoir prendre part à des manifs, des émeutes, des marches ou des rassemblements.

Un jeune naïf, qui avait rallié *The Defender* en raison de son admiration pour sa noble et vénérable tradition de libre pensée et de justice, soutint étourdiment que c'était une erreur de traiter Stephen Spender[1] de fasciste pour mener campagne contre l'Union soviétique et tenter de faire accepter « la vérité » à l'opinion – formule qui signifiait le contraire de ce que les communistes entendaient par elle. Ce jeune homme affirma que, puisque tout le monde était au courant des élections truquées, des grands procès, des camps de rééducation, de l'existence des travaux forcés, et qu'il était prouvé que Staline était pire que Hitler, alors on

1. Poète et critique anglais (1909-1995). Membre du légendaire (et engagé) MacSpaunday Group, avec W. H. Auden, et ami de Christopher Isherwood, il est l'auteur, entre autres, de *Forward from Liberalism* et de *World within World* (1951).

avait certainement raison de le dire. Il y eut des cris, des hurlements, des pleurs, une scène qui faillit se terminer par des coups de poing. Le jeune partit et fut catalogué agent de la CIA.

Frances n'était pas la seule à désirer quitter cette maison scabreuse et malhonnête. Rupert Boland, son petit ami, se trouvait dans le même cas. Leur secret dégoût pour l'institution à laquelle ils collaboraient fut d'abord ce qui les réunit. Et puis, lorsque tous deux auraient pu partir travailler pour des journaux concurrents, ils étaient restés... à cause de l'autre. Ce que ni l'un ni l'autre ne savaient, car ils ne se l'avouèrent pas tout de suite. Frances s'était rendu compte qu'elle risquait de tomber amoureuse de cet homme, mais c'est ce qui arriva une fois qu'il fut trop tard. Et pourquoi pas ? La situation évoluait lentement mais de manière satisfaisante. Rupert voulait vivre avec Frances. « Pourquoi ne pas t'installer chez moi ? » répétait-il. Il avait un appartement à Marylebone. Frances, de son côté, disait que, pour une fois dans sa vie, elle désirait être chez elle, elle aurait assez d'argent d'ici un an ou deux. Lui répondait : « Mais c'est moi qui vais te prêter l'argent, pour changer ! » Elle regimba, trouva des prétextes. Ce ne serait pas complètement son lieu à elle, l'endroit sur terre où elle pourrait clamer : « C'est à moi. » Il ne comprit pas et fut blessé. Malgré ces différends, leur amour grandissait. Elle allait passer des nuits chez lui, pas trop souvent, parce qu'elle avait peur d'inquiéter Julia, peur de Colin. « Mais pourquoi ? protestait Rupert. Tu n'es pas majeure ? »

Quand on avance en âge, il arrive assez souvent de ces moments où des embrouillaminis entiers de passé saignant et douloureux se drapent purement et simplement avant de s'éloigner. Elle ne pensait pas pouvoir le lui expliquer. Et elle n'en avait pas envie : Restons-en là. Basta ! Fini... Rupert ne comprendrait jamais. Il avait déjà été marié et avait deux enfants, qui vivaient avec leur mère. Il les voyait régulièrement, de même que Frances à présent. Mais il n'avait pas encore subi les sauvages exactions de l'adolescence. Il protestait, exactement comme Wilhelm : « Mais nous ne sommes plus des ados pour nous cacher des grandes personnes ! Je ne suis pas au courant, mais en attendant... c'est marrant. »

Il y avait un détail qui eût pu poser problème, mais ce n'était pas le cas. Il était plus jeune qu'elle. Elle avait presque la soixantaine et lui dix ans de moins ! À partir d'un certain âge, dix ans de plus ou de moins ne comptent plus beaucoup. Mis à part le sexe, dont elle gardait un bon souvenir, il était d'excellente compagnie. Il la faisait rire, une qualité dont Frances savait qu'elle lui était nécessaire. Comme il était facile d'être heureux ! trouvaient-ils tous les deux, avec une incrédulité avouée. Comment était-il possible que des choses qui avaient été difficiles, fastidieuses, pénibles, fussent maintenant si faciles ?

Dans l'intervalle, cet amour qui était du genre pain de chaque jour, quotidien, absolument pas une facétie d'adolescents, ne semblait pas avoir sa place.

*

La cohue réunie pour la célébration de l'indépendance de la Zimlie se répandit du hall sur le perron et sur les trottoirs, et menaçait d'obstruer les rues, comme l'avaient fait déjà les grands rassemblements antérieurs pour le Kenya, la Tanzanie, l'Ouganda et la Zimlie du Nord. La plus grande partie de l'assistance avait sans doute assisté à l'ensemble des festivités précédentes. Toutes les formes d'émotion triomphante étaient présentes : de la satisfaction tranquille des gens qui avaient œuvré des années durant, à l'allégresse souriante et boursouflée de ceux qui se grisaient autant avec la foule qu'avec l'amour, la haine ou le football. Frances était là parce que Franklin lui avait téléphoné :

— Je dois vous avoir. Non, vous devez venir. Avec tous mes vieux amis. (C'était très flatteur.) Et où est Miss Sylvia ? Elle doit venir aussi, je vous en prie, demandez-lui...

Voilà pourquoi Sylvia suivait Frances, en train de se frayer un chemin dans la foule, même si Sylvia avait dit et ne cessait de répéter :

— Frances, il faut que je te parle de quelque chose. C'est important.

On tira Frances par la manche.

— Mrs Lennox ? Vous êtes bien Mrs Lennox ? (Une jeune femme pressante, avec des cheveux rouges aussi rêches que ceux d'une poupée en chiffon, et l'air complètement désorientée.) J'ai besoin de votre aide...

Frances s'immobilisa, Sylvia juste sur ses talons.

— Qu'y a-t-il ? cria Frances.

— Vous avez été si formidable avec ma sœur. Elle vous doit la vie. S'il vous plaît, je dois venir vous voir.

Elle aussi criait.

La lumière se fit dans l'esprit de Frances, mais lentement.

— Je vois. Mais je crois que vous devez chercher l'autre Mrs Lennox, Phyllida.

Une méfiance indescriptible mêlée de frustration, puis la consternation tordirent les traits de l'inconnue.

— Vous ne voulez pas ? Vous ne pouvez pas ? Vous n'êtes pas... ?

— Vous ne parlez pas à la bonne Mrs Lennox. (Et Frances se remit en marche, Sylvia cramponnée à son bras. Que Phyllida dût apparaître sous ce jour, il fallait le temps de le digérer.) C'était de Phyllida qu'elle parlait, expliqua Frances.

— Je sais, répondit Sylvia.

Depuis l'entrée, on voyait que le hall était comble et qu'il n'y avait aucune chance d'y accéder, mais Rose était hôtesse, ainsi que Jill, toutes deux munies de badges aussi grands que des assiettes, aux couleurs de la Zimlie. Rose s'exclama d'enthousiasme en voyant Frances.

— On croirait une ancienne soirée de la famille, lui cria-t-elle à l'oreille. Tout le monde est là. (Mais, à ce moment-là, elle reconnut Sylvia et son visage se pinça d'indignation.) Je ne vois pas comment tu penses pouvoir trouver une place. Je ne t'ai jamais vue à aucune de nos manifs...

— Tu ne m'y as pas vue non plus, intervint Frances. Mais j'espère que cela ne signifie pas que je suis un mouton noir moi aussi.

— Un mouton noir, ricana Rose. Voyez-vous ça !

Toujours est-il qu'elle s'écarta pour laisser passer Frances et puis, forcément, Sylvia, mais elle murmura :

— Frances, il faut que je parle à Franklin.

— Ne ferais-tu pas mieux de t'adresser à Johnny ? Franklin loge chez lui quand il est à Londres.

— Johnny n'a pas l'air de se souvenir de moi... J'ai pourtant fait partie de la famille pendant une éternité, non ?

Un rugissement s'éleva. Les intervenants montèrent sur l'estrade, une vingtaine de personnes environ, dont Johnny, avec Franklin et d'autres Noirs. Franklin repéra Frances, qui s'était faufilée jusque devant, et sauta à bas de l'estrade, riant, pleurant presque, se frottant les mains : il fondait de bonheur. Il étreignit Frances, puis regarda autour de lui.

— Où est Sylvia ? demanda-t-il.

Franklin fixait une jeune femme mince en pull à col roulé noir, avec des cheveux blonds et raides attachés derrière pour dégager un visage au teint clair. Son regard se détacha d'elle, erra au hasard, revint, en proie à un doute.

— Mais c'est Sylvia ! cria Frances afin de couvrir le tonnerre de clameurs et d'applaudissements.

À la tribune juste au-dessus d'eux, les orateurs agitaient les bras, joignaient les mains à la verticale de leur tête et les croisaient en signe de victoire, saluaient du poing quelque entité qui surplombait, semblait-il, le public. Ils souriaient et riaient, absorbaient l'amour de la foule pour le lui renvoyer sous forme de rayons brûlants, indéniablement visibles.

— Me voici. Tu m'as oubliée, Franklin ?

Jamais un homme ne parut plus déçu que Franklin à cet instant. Pendant des années il avait gardé le souvenir de cette petite fille duveteuse, semblable à un poussin jaune qui venait de naître, aussi douce que la Vierge et les saintes des images sacrées de la Mission. Cette jeune femme sévère et peu souriante le heurtait, il ne voulait pas la regarder. Mais elle surgit de derrière Frances et le serra dans ses bras en souriant. L'espace d'un instant, il parvint à penser : Oui, c'est Sylvia...

— Franklin ! l'appelaient les autres depuis la tribune.

À ce moment-là, Rose s'avança et insista pour l'embrasser.

— Franklin, c'est moi, Rose. Tu te rappelles ?

— Oui, oui, oui, répondit Franklin, dont les souvenirs qu'il gardait de Rose étaient ambivalents.

— Il faut que je te voie, reprit Rose.

— Oui, mais il faut que je monte rejoindre les autres d'abord.

— Je t'attendrai après la réunion. C'est dans ton intérêt, n'oublie pas.

Il regrimpa sur l'estrade, désormais une tête noire souriante et luisante parmi les autres, et se plaça à côté de Johnny Lennox, qui, pareil à un vieux lion pelé mais digne, saluait ses admirateurs disséminés dans le public d'un geste du poing. Mais les yeux de Franklin parcouraient encore la salle, comme si l'ancienne Sylvia se trouvait quelque part en bas, et puis, quand il lorgna, tristement sur l'instant, du côté où la vraie Sylvia était assise, dans la rangée de devant, cette dernière lui adressa un petit signe de la main et lui sourit. Le visage de Franklin s'épanouit alors de nouveau de bonheur et il ouvrit les bras pour embrasser la foule. Mais, en réalité, c'était elle qu'il embrassait.

Les commémorations de la victoire après une guerre n'ont pas grand-chose à dire sur les soldats morts au champ d'honneur. Ou plutôt elles racontent beaucoup de choses, ou même chantent les louanges des camarades disparus « qui ont rendu possible la victoire », mais les acclamations et les chants assourdissants sont surtout censés permettre aux vainqueurs d'oublier les ossements abandonnés dans une crevasse de rocher sur un *kopje*[1], ou dans une tombe si peu profonde que les chacals l'ont mise au jour, éparpillant à la ronde des côtes, des doigts ou un crâne. Derrière le tumulte, l'on entend un silence accusateur, vite comblé par l'oubli. Dans la salle, ce soir-là, étaient présentes quelques personnes – des Blancs, pour la plupart – qui avaient perdu leur fils ou leur fille à la guerre, ou qui en avaient livré une autre, mais les orateurs à la tribune, du moins certains d'entre eux, avaient été dans l'armée ou avaient rendu visite aux combattants. Il y avait aussi des hommes qui avaient été formés à la guerre politique ou à la guérilla en Union soviétique, ou dans des camps créés en Afrique par l'Union soviétique. Et dans le public pas mal de gens avaient connu divers coins d'Afrique « au bon vieux temps ». Un abîme les séparait des activistes, mais tous poussaient des hourras.

Vingt ans d'hostilités, à commencer par des vagues isolées d'« agitation » ou de « désobéissance civile », de grèves ou de colères sourdes qui explosaient sous

1. En Afrique du Sud, petite colline ou montagne.

forme de meurtres ou d'incendies criminels. Mais tous ces petits ruisseaux avaient fait la grande rivière de la guerre, longue de vingt ans et qui devait vite tomber dans l'oubli, sauf lors des commémorations. Dans la salle, le bruit était assourdissant et ne diminuait pas. Les gens criaient, pleuraient, s'étreignaient et embrassaient des inconnus, tandis que les orateurs se succédaient les uns les autres, Noirs et Blancs. Franklin prit la parole, d'ailleurs. Le public l'aimait bien, ce garçon rond et jovial qui – à ce qu'on disait – allait sous peu entrer dans un gouvernement formé par le camarade Matthew Mungozi, lequel avait remporté la majorité aux dernières élections, alors que personne ne s'y attendait : le président Mungozi, juste un nom parmi une demi-douzaine de dirigeants potentiels jusqu'à récemment. Et puis il y avait le camarade Mo, qui arriva en retard, tout sourires et signes de mains, surexcité, et sauta à la tribune pour raconter comment il venait de rentrer des lignes des combattants de la liberté qui rendaient leurs armes et espéraient réaliser les beaux rêves grâce auxquels ils résistaient depuis des années. Gesticulant, dans tous ses états, larmoyant, le camarade Mo expliqua donc ces rêves au public : tous avaient été si absorbés par les nouvelles de la guerre qu'ils n'avaient guère eu le temps de penser au bref délai dans lequel ils allaient devoir entendre : « Et maintenant nous allons bâtir l'avenir ensemble. » En réalité, le camarade Mo n'était pas zimlien, mais quelle importance ! Personne d'autre de l'assistance n'avait côtoyé si récemment les combattants de la liberté, pas même le camarade Matthew, trop pris par ses discussions avec le gouvernement britannique et les réunions internationales. La majorité des dirigeants de la planète l'avaient déjà assuré de leur soutien. Du jour au lendemain il était devenu une personnalité internationale.

Pour Frances et Sylvia, il n'y avait aucun moyen de s'éclipser. Les cris, les larmes et les discours continuèrent jusqu'à ce que le gardien de la salle vienne dire qu'il ne restait plus que dix minutes de payées. Murmures, huées et rafales de « fascistes ! ». Tout le monde se pressa vers la sortie. Frances attendit, les yeux levés vers Johnny, pensant qu'il allait sûrement au moins remarquer sa présence, et, en effet, il lui adressa un signe de tête sévère, sans un sourire. Mais voilà que Rose montait sur l'estrade pour saluer Johnny, qui lui répondit d'un autre signe de tête. Puis Rose se planta devant Franklin, passant devant les gens qui désiraient lui serrer la main, lui donner l'accolade ou même le hisser sur leurs épaules pour sortir de la salle.

Frances et Sylvia avaient à peine atteint le foyer quand Rose arriva, triomphante. Franklin lui avait promis une interview avec le camarade Matthew. Oui, tout de suite. Oui, oui, oui, il le jurait, il allait parler au camarade Matthew, qui serait à Londres la semaine prochaine, et Rose aurait son interview.

— Tu vois ? lança Rose à Frances, ignorant Sylvia. Je repars donc.

— Pour où ?

C'était la question prévisible, et Frances ne se priva pas de la poser.

— Vous verrez bien, riposta Rose. Ce que je voulais, c'était une pause, c'est tout...

Elle disparut pour reprendre ses fonctions d'hôtesse.

Frances et Sylvia se tenaient sur le trottoir, pendant que des militants contents et peu pressés de se séparer les uns des autres grouillaient autour d'elles.

— Il faut que je te voie, Frances, dit Sylvia. C'est important... Les autres aussi, pas seulement toi.

— Les autres aussi ?

— Oui, tu comprendras pourquoi.

Tous devaient donc se retrouver la semaine suivante et Sylvia viendrait dormir à la maison, promit-elle.

Rose dévorait tous les articles qu'elle pouvait dénicher sur le camarade Matthew, le président Mungozi. Pas tant sur la Zimlie. Énormément de choses étaient dites, et en général flatteuses, par des gens dont la plume avait été souvent acérée. D'abord, c'était un communiste. On se demandait ce que cela allait signifier dans le contexte zimlien. Rose n'avait pas l'intention de poser ce type de questions, ou, du moins, pas sous un mode conflictuel. Avant même sa rencontre avec le Leader, elle avait préparé un brouillon de son interview, complètement pompé sur d'autres interviews. En tant que journaliste free-lance, elle avait déjà écrit de petits papiers sur des sujets régionaux, essentiellement à partir d'informations que lui fournissait Jill, à présent membre de plusieurs commissions du Conseil municipal de Londres. Elle avait toujours mis bout à bout des renseignements ou les articles des autres pour rédiger les siens. Aussi ce job n'était-il guère différent, seulement plus lourd de sens et – espérait-elle – de conséquences. Elle n'intégra aucune des critiques du camarade Matthew et conclut sur deux paragraphes d'euphémismes optimistes, du tonneau de ceux qu'elle avait si souvent entendus de la bouche de Johnny.

Ce brouillon d'interview, elle l'apporta à l'hôtel du Leader. Ce n'était pas un interlocuteur expansif, du moins au début, mais après avoir lu la prose de Rose, il oublia ses soupçons et lui fit cadeau de quelques citations utiles. « Comme m'a dit le président Mungozi... »

La semaine s'était écoulée. Frances avait mis les rallonges à la table, dans l'espoir que les convives se souviendraient du bon vieux temps. Elle avait mitonné un ragoût et préparé un pudding. Qui venait dîner ce soir ? Informé de la présence de Sylvia, Julia annonça qu'elle descendrait et amènerait Wilhelm. Colin, ayant eu vent de l'objet de ce que Sylvia appelait « une réunion », promit d'être là. Andrew, qui était en voyage de noces avec Sophie – son expression, alors qu'ils n'étaient même pas mariés ! –, assura qu'ils viendraient tous les deux.

Julia et Frances attendirent ensemble. Andrew arriva le premier, mais seul. Un regard leur suffit : il avait l'air épuisé, hagard même, et il ne restait aucune trace de l'Andrew mondain. Il était sombre et avait les yeux rougis.

— Sophie passera peut-être plus tard, marmonna-t-il, se servant de copieuses rasades de vin rouge, les unes derrière les autres. D'accord, maman, reprit-il. Je sais, mais j'ai pris la tannée.

— Elle a retrouvé Roland ?

— Je n'en sais rien. Sans doute. Les liens de l'amour sont difficiles à rompre, ouvrez et fermez les guillemets, mais si c'est ça l'amour, alors donnez-moi l'antidote. (Il avait déjà la voix pâteuse.) Si je suis ici, c'est parce que je ne vois jamais Sylvia. Sylvia... qui est-elle donc ? C'est peut-être Sylvia que j'aime. Mais tu sais quoi, Frances ? Je crois que c'est une bonne sœur, au fond. (Et il continua dans cette veine, son flot de paroles se ralentissant et s'épaississant, jusqu'au moment où il se leva et se dirigea à grandes enjambées vers l'évier pour s'asperger le visage d'eau.) Il y a une superstition – il prononça zuberztition – qui veut que l'eau froide atténue le feu de l'alcool. C'est faux. (Andrew piqua du nez en s'asseyant et il se releva en murmurant :) Il faut que je m'étende un peu, je crois.

— Colin a pris ta chambre.

— Je me contenterai du salon.

Il monta bruyamment à l'étage.

Sylvia arriva et embrassa Julia, qui ne put s'empêcher de remarquer :

— Je ne te vois plus ces temps-ci.

Sylvia sourit, prit la place de Frances en bout de table, et étala des papiers autour d'elle.

— Tu ne dînes pas avec nous ? s'inquiéta Julia.

— Excuse-moi, dit Sylvia, poussant ses papiers de côté.

Colin descendit quatre à quatre. À sa vue, le visage pâlichon de Sylvia s'épanouit en un sourire et elle lui tendit les bras. Ils s'étreignirent.

Wilhelm frappa comme toujours, demanda s'il pouvait se joindre à eux et s'installa à côté de Julia, après lui avoir d'abord baisé la main et jeté un regard attentif et interrogateur. Il s'inquiétait pour elle ? Elle ne bougeait pas, ni l'un ni l'autre ne bougeait. Il devait aller sur ses quatre-vingt-dix ans, mais il était encore robuste, solide.

Ayant appris qu'Andrew cuvait à l'étage, Colin eut ce commentaire :

— *La belle dame sans merci**. Je te l'ai dit, Frances, hein ?

Sur ces entrefaites, Sophie débarqua en personne, toute excuses. Elle avait une robe blanche ample, avec ses cheveux noirs qui tombaient en cascade par-dessus. Son visage lisse ne trahissait ni l'amour ni le chagrin, mais ses yeux... Bon, c'était une autre paire de manches.

Frances, qui s'occupait du service et avait les mains prises, tourna la tête afin que Sophie puisse l'embrasser sur la joue. Celle-ci se glissa sur une chaise, en face de Colin, et s'aperçut qu'il la dévisageait avec gravité.

— Cher Colin, dit Sophie.

— Ta victime est en haut, répondit Colin. Il est schlass...

— Ce n'est pas gentil, remarqua Frances.

— Ce n'était pas censé l'être, répliqua Colin.

Sophie avait les yeux pleins de larmes.

— Les jolies femmes ne devraient jamais se voir reprocher le mal qu'elles font, déclara Wilhelm à l'adresse de Colin. Elles ont la permission des dieux de nous tourmenter.

Il saisit les doigts de Julia, les baisa une fois, deux, soupira, reposa la vieille main et la tapota.

Rupert arriva. Sans que personne eût proposé ni demandé un mot d'explication, il faisait partie des meubles et – Frances l'espérait – était accepté. Colin lui accorda un long regard qui n'avait rien d'inamical, mais son expression était triste, comme pour confirmer sa solitude. Rupert prit place à côté de Frances et salua l'assistance d'un signe de tête.

— Une réunion, déclara-t-il, mais c'est un dîner !

Frances posa des assiettes pleines devant tout le monde, dans le style familial, et aligna des bouteilles de vin au milieu de la table.

— C'est magnifique, Frances ! c'est si merveilleux ! Comme dans le temps. Oh ! j'y repense souvent, à nous tous assis autour de cette table, à ces soirées merveilleuses, babilla Sophie.

Mais elle était au bord des larmes et émiettait un bout de pain avec ses longs doigts fins, faits pour les bagues.

À ce moment-là, le petit chien, s'étant échappé de sa prison, se précipita dans la cuisine et sauta sur les genoux de Colin, où il resta, son plumet de queue pareil à un chiffon de poussière animé.

— Descends, Vicious, ordonna Colin. Descends tout de suite.

Mais la petite bête s'était installée sur les genoux de son maître et tentait de lui lécher la figure.

— Ce n'est pas sain de se laisser lécher la figure par un chien, observa Sylvia.

— Je sais, répondit Colin.

— Ce chien ! s'écria Julia. Tu ne pourrais pas lui donner un nom raisonnable ? Chaque fois que j'entends Vicious, je ne peux m'empêcher de rire...

— Rire une fois par jour éloigne le médecin pour toujours, cita Colin. Qu'en dis-tu, Sylvia ?

— J'aimerais bien qu'on finisse de dîner, répondit-elle, ayant à peine touché au contenu de son assiette.

— C'est si merveilleux, répéta Sophie, qui mangeait comme quatre.

Andrew réapparut alors, malade mais debout. Lui et Sophie échangèrent des regards pitoyables. Frances posa une assiette devant son fils, qui lança :

— On ne pourrait pas juste grignoter ? Nous devons partir, Sophie et moi.

Son regard en direction de Sophie était une humble question, mais elle avait l'air gênée.

— Faut-il récapituler ? demanda Sylvia, poussant de côté son assiette avec soulagement pour disposer ses papiers devant elle. J'ai envoyé un résumé à tout le monde.

— Et il était excellent, la complimenta Andrew. Merci.

La situation était la suivante. Un groupe de jeunes médecins voulait lancer une campagne pour inciter le gouvernement à construire des abris contre les retombées radioactives. Première chose, et puis peut-être contre une attaque nucléaire à grande échelle. Le problème, c'était que l'organisation sur le terrain, la Campagne pour le désarmement nucléaire unilatéral, troupe bruyante, énergique et efficace, s'opposait à toute tentative d'offrir un abri de n'importe quelle nature que ce fût, ou même d'informer le peuple sur les moyens élémentaires de protection. Le ton de leurs arguments exprimait leur mépris des critiques et était violent, pour ne pas dire hystérique.

— J'ai besoin qu'on m'explique quelque chose, intervint Julia. Pourquoi ces gens se plaignent-ils tant que le gouvernement prenne des dispositions pour se protéger, ainsi que la famille royale ? (Un quolibet récurrent disait que le gouvernement veillait bien à se protéger, peu importait les autres.) Je ne comprends absolument pas, poursuivit Julia. Si la guerre éclate, alors il est essentiel de garder un gouvernement, c'est le simple bon sens, non ?

— Je ne crois pas que le bon sens ait grand-chose à voir avec cette campagne, objecta Wilhelm. Ce sont des gens qui n'ont pas connu la guerre ou alors ils n'en parleraient pas avec tant d'inconscience.

— Leur façon de penser, renchérit Colin, c'est que si une bombe éclate, la population du monde entier disparaîtra. Par conséquent, on n'a pas besoin d'abris.

— Mais ce n'est pas logique, s'obstina Julia. Ce n'est pas cohérent.

Frances et Rupert contemplèrent les liasses d'articles et de coupures de *The Defender* ; ils échangèrent un regard, partagèrent la même résignation. *The Defender* suivait la « ligne » de la campagne. Des membres de la rédaction animaient certains de ses comités, ses journalistes rédigeaient ses communiqués.

— Leur thèse, expliqua Colin, c'est que si le gouvernement se croit à l'abri et en sécurité, alors il sera davantage disposé à lâcher la bombe.

— Quelle bombe ? s'écria Julia. Pourquoi une seule bombe ? Qu'est-ce que c'est que cette bombe dont ils n'arrêtent pas de parler ? Dans une guerre, il n'y a pas qu'une bombe !

— C'est là la question, dit Sylvia. C'est la question que nous devons examiner.

— Johnny pourrait peut-être nous éclairer, lança Wilhelm. Il fait partie de leur comité.

— De quel comité Johnny ne fait-il pas partie ! ironisa Colin.

— Pourquoi ne pas lui téléphoner pour qu'il vienne se défendre ? suggéra Rupert.

Cette idée impressionna l'assistance ; elle n'était pas venue à l'esprit de la famille. Andrew se dirigea vers le téléphone. Il composa le numéro, Johnny répondit. Informé par son fils de la tenue de cette réunion, il accepta de se déplacer.

En attendant, ils examinèrent la documentation de Sylvia.

— C'est la chose la plus étrange que j'aie jamais entendue, observa Julia. Ces gens sont infantiles.

— Je suis d'accord avec toi, acquiesça Sylvia.

Reconnaissante de cette petite miette, Julia prit la main de Sylvia et la serra.

— Ah ! ma pauvre petite, tu ne manges pas, tu joues avec ta santé...

— Mais je vais bien, protesta Sylvia. Nous mangeons tous beaucoup trop.

Malgré ce diagnostic, le ragoût de Frances fit une deuxième fois le tour de la table.

Johnny finit par arriver, mais pas tout seul. James l'accompagnait. Les deux hommes portaient des vestes Mao noires et des boots du magasin des surplus militaires. Johnny, qui était allé récemment chez Castro, à Cuba, portait une écharpe aux couleurs de l'île. James était maintenant un grand jeune homme, souriant, courtois, le chéri de tous. Pas content de voir James ? Impossible ! Il serra Frances dans ses bras, tapa Andrew et Colin sur l'épaule, embrassa Sophie, étreignit une Sylvia osseuse et rétive, gratifia Julia d'un salut à poing levé à hauteur d'épaule, atténué à des fins mondaines.

— Ça fait du bien de se retrouver ici, dit-il

James s'assit sur une chaise vide, l'air d'être dans l'expectative, et Johnny vint prendre place à côté de lui. Mais, se sentant diminué par la position perpendiculaire qui le mettait au même niveau que les autres, il se releva pour prendre sa posture favorite, le dos tourné à la fenêtre, les bras tendus en arrière, les mains posées sur le rebord.

— J'ai déjà mangé, s'excusa-t-il. Comment vas-tu, *Mutti* ?

— Comme tu vois.

James attaqua son repas de bon appétit.

— Tu rates un délice, dit-il à son mentor et ami.

Il parlait cockney et Julia émit un tss...tss... désapprobateur.

Johnny hésita, puis succomba et se rassit au moment où une assiette arrivait devant lui. Frances avait toujours su que cela finirait ainsi.

— C'est sérieux, attaqua Sylvia. Johnny, James, nous avons une discussion sérieuse.

— Quand la situation n'est-elle pas sérieuse ? répliqua Johnny. (Il avait adressé un signe de tête à ses fils en arrivant et lançait maintenant à Andrew :) Passe-moi le pain.

— La vie, comme nous le savons tous, persifla Colin, est intrinsèquement sérieuse.

— De plus en plus sérieuse en ce qui me concerne, renchérit Andrew.

— Arrêtez ! cria Sylvia. Si nous avons invité Johnny ici, c'est pour une raison.

— Vas-y ! dit Johnny.

— Il existe un groupe de jeunes médecins. Nous avons fondé un comité. Nous nous inquiétions tous depuis quelque temps, mais le facteur déclencheur a été une lettre sortie d'Union soviétique...

Avec une grande intensité dramatique, Johnny posa sa fourchette et son couteau et leva une main pour l'arrêter.

Mais elle poursuivit :

— Elle émanait d'un groupe de médecins soviétiques. Ils disent qu'il y a eu des accidents dans des centrales nucléaires, beaucoup de morts et de gens condamnés. De vastes étendues du territoire sont contaminées par les retombées radioactives...

— La propagande antisoviétique ne m'intéresse pas, trancha Johnny, qui, abandonnant son assiette, reprit sa place, le dos à la fenêtre.

À contrecœur, James abandonna aussi la sienne pour se poster aux côtés de Johnny. Le capitaine et son lieutenant.

— Cette lettre est sortie de là-bas grâce à un membre d'une délégation en visite. Sortie clandestinement. Elle nous est parvenue. Elle est authentique.

— Premièrement, dit Johnny, avalant de plus en plus ses mots en parlant, les camarades soviétiques sont responsables et ne permettraient jamais à des installations nucléaires d'être défectueuses. Et deuxièmement, je ne suis pas prêt à écouter des informations qui proviennent si ostensiblement de sources fascistes.

— Oh, Seigneur ! s'exclama Sylvia. Tu n'as pas honte, Johnny ? De continuer à répéter les mêmes vieilles sornettes que tout le monde connaît...

— Et qui est donc ce tout le monde ? la railla Johnny.

Julia les interrompit :

— Je voudrais savoir pourquoi tes... masses populaires... soutiennent que, d'une certaine façon, c'est criminel de la part du gouvernement et de la famille royale d'être mis en lieu sûr dans l'éventualité d'une guerre. Je ne te comprends pas.

— C'est très simple, répondit Andrew. Ce sont des gens qui détestent tous les représentants de l'autorité... automatiquement.

— Et à juste raison, ajouta James en riant. (Il répéta :) Et à juze rrraizon.

— Mais ce sont des enfants, dit Julia. Des enfants stupides ! Et ils ont tant d'influence ! Si vous aviez connu la guerre, vous ne diriez pas des inepties pareilles...

— Vous oubliez, objecta James. Le camarade Johnny a fait la guerre d'Espagne.

À ce moment-là, silence général. Les plus jeunes avaient à peine entendu parler des hauts faits de Johnny. Quant aux plus âgés, ils s'étaient efforcés depuis longtemps de les oublier. Johnny se borna à baisser les yeux modestement, puis il hocha la tête, se ressaisissant, et déclara :

— Si la bombe éclate, alors le monde entier est foutu.

— Mais quelle bombe ? voulait savoir Julia. Pourquoi parlez-vous toujours de la bombe ? De LA bombe ?

— Ce n'est pas l'Union soviétique qui devrait nous inquiéter, répondit Johnny. Ce sont les bombes américaines...

— Oh, Johnny ! s'écria Sylvia. J'aimerais que tu sois sérieux. Tu nous abreuves toujours de telles absurdités !

Aiguillonné par cet être insignifiant, cette petite morveuse, Johnny perdait peu à peu patience.

— Je ne pense pas qu'on m'ait souvent reproché de dire des absurdités.

— C'est parce que tu ne fréquentes que des gens qui disent des absurdités, riposta Colin.

Frances, qui était restée silencieuse parce que, dès l'instant où Johnny était entré, elle savait qu'il ne pouvait être rien dit ni fait de raisonnable, débarrassait les assiettes pour les remplacer par des saladiers en verre, remplis de crème au citron, de mousse à l'abricot et de crème fouettée. À cette vue, James alla jusqu'à gémir de gourmandise et reprit place à table.

— Qui prépare le pudding de nos jours ? s'exclama Johnny.

— Nulle autre que notre adorable Frances, répondit Sophie, qui s'en mettait jusque-là.

— Et encore pas souvent, souligna Frances.

— Très bien, Johnny, reprit Sylvia. Admettons que ces terribles accidents nucléaires ne se soient jamais produits en Union soviétique...

— Bien sûr qu'ils ne se sont jamais produits.

— Alors qu'as-tu à t'opposer à ce que les citoyens de ce pays soient protégés contre les retombées radioactives ? Vous interdisez même les informations sur la manière de préserver une habitation de ces retombées. Vous refusez toute forme de protection pour le peuple. Je ne comprends pas. Aucun de nous ne comprend. La seule idée d'une forme quelconque de protection et vous vous mettez tous à pousser des cris d'orfraie !

— Parce que si on accepte les abris, cela suppose alors que la guerre est inévitable.

— Mais ce n'est tout simplement pas logique ! s'exclama Julia.

— Pas pour un esprit normal, intervint Rupert.

— Johnny, s'obstina Sylvia, cela revient à dire qu'aucun gouvernement de ce pays ne peut ne serait-ce que suggérer de protéger la population, même dans la faible mesure des abris antiatomiques, à cause de toi et de ton engeance, la Campagne pour le désarmement nucléaire unilatéral. Celle-ci est si puissante que même le gouvernement en a peur !

— C'est no'mal, approuva James. Il doit en êt'e ainsi.

— Pourquoi t'exprimes-tu mal ? s'offusqua Julia. Tu n'es pas obligé de parler de cette manière.

— Si tu ne parles pas mal, alors tu es un bourgeois, expliqua Colin, avec un accent bourgeois. Et tu ne trouves pas de travail dans ce pays libre. Une tyrannie de plus !

Johnny et James donnèrent des signes d'un départ imminent.

— Je retourne à l'hôpital, dit Sylvia. Au moins, je peux avoir une conversation intelligente là-bas.

— Je voudrais bien voir la lettre dont tu parles, lança Johnny.

— Pourquoi ? demanda Sylvia. Tu n'es même pas prêt à discuter de ce qui est dit dedans.

— À l'évidence, ironisa Andrew, il veut informer l'ambassade soviétique à Londres de son contenu. Afin que son origine puisse être établie et ses auteurs envoyés dans des camps de travail ou exécutés.

— Les camps de travail n'existent pas, affirma Johnny. Et s'ils ont existé autrefois – jusqu'à un certain point, on a beaucoup exagéré –, ils n'existent plus aujourd'hui.

— Oh, mon Dieu ! s'exclama Andrew. Tu es vraiment casse-pieds, Johnny.

— Un casse-pieds n'est pas dangereux, observa Julia. Mais Johnny et ceux de son espèce sont dangereux.

— C'est tout à fait vrai, dit Wilhelm à Johnny, courtoisement comme toujours. Vous êtes des gens très dangereux. Vous rendez-vous compte, s'il survient un accident nucléaire ici, dans ce pays, ou si une bombe est lâchée par un dingue, à plus forte raison s'il y a une guerre, alors des millions de gens pourraient périr à cause de vous ?

— Bon, merci pour le casse-croûte, répliqua Johnny.

— De rien, balbutia Sylvia, presque en larmes. J'aurais dû savoir que cela ne valait même pas la peine d'essayer.

Les deux hommes s'échappèrent. Andrew et Sophie partirent à leur tour, dans les bras l'un de l'autre. Le sourire sardonique de Colin devant ce spectacle ne passa inaperçu ni d'eux ni des autres.

— Quoi qu'il en soit, déclara Sylvia, il existe un comité. Jusqu'ici il est constitué uniquement de médecins, mais nous allons l'élargir.

— Tu n'as qu'à nous enrôler tous, lança Colin. Mais attends-toi à trouver du verre pilé dans ton vin et des grenouilles dans ta boîte à lettres.

Sylvia embrassa Julia et s'éclipsa.

— Ne trouvez-vous pas étonnant que les sots aient tant de pouvoir ? murmura Julia, qui pleurait presque, à cause de l'au revoir insouciant de Sylvia.

— Non, répondit Colin.

— Non, confirma Frances.

— Non, dit Wilhelm Stein.

— Non, dit à son tour Rupert.

— Mais on est en Angleterre, on est en Angleterre..., insista Julia.

Wilhelm la prit par la taille et l'entraîna hors de la cuisine, puis dans l'escalier.

Ne restaient plus que Frances et Rupert, Colin et son chien. Petit problème : Rupert désirait passer la nuit là et Frances était d'accord, mais elle appréhendait – elle ne pouvait s'en empêcher – la réaction de Colin.

— Bon, vous deux, articula Colin, et cela lui coûtait, c'est l'heure d'aller au lit, je crois.

Il leur donnait la permission. Il se mit à taquiner son chien jusqu'à ce qu'il aboie.

— Et voilà ! C'est lui qui a toujours le dernier mot.

Quinze jours plus tard, Frances, accompagnée de Rupert, Julia, Wilhelm et Colin, assistaient à une réunion organisée par les jeunes médecins. Il y avait environ deux cents personnes. C'est Sylvia qui ouvrit le débat, en s'exprimant avec aisance. Des confrères, puis d'autres intervenants lui succédèrent à la tribune. Des membres du camp adverse avaient eu vent du meeting, et il y avait une trentaine d'individus qui n'arrêtaient pas de conspuer les orateurs, de siffler et de crier : « Fascistes ! Va-t'en-guerre ! CIA ! » Certains faisaient partie de la rédaction de *The Defender*. Au moment où notre groupe partait, des jeunes qui attendaient à la sortie empoignèrent Wilhelm Stein et le projetèrent contre les barrières. Aussitôt Colin fonça dans le tas et les mit en fuite. Wilhelm était secoué, les autres crurent qu'il y avait eu plus de peur que de mal, mais il avait des côtes fêlées. On le ramena chez Julia et, une fois là-bas, on le coucha.

— Ainsi donc, ma chère, dit-il d'une voix d'asthmatique, de personne âgée. Ainsi donc, Julia, j'ai réussi l'impossible. J'habite enfin chez toi.

Première nouvelle pour les autres, qui apprenaient que Wilhelm souhaitait emménager avec eux.

Il fut installé dans l'ancienne chambre d'Andrew et Julia se révéla une infirmière dévouée, sinon pointilleuse. Wilhelm détestait cette situation, s'étant toujours considéré comme le cavalier servant de Julia, son galant. Et Colin aussi, ce jeune homme caustique, surprit les autres – et se surprit peut-être lui-même – par de charmantes attentions envers le blessé. Il s'installait à son chevet et lui racontait des histoires sur « (sa) dangereuse vie sur la Lande et dans les pubs de Hampstead », où Vicious jouait un rôle pas très éloigné du chien des Baskerville. Wilhelm riait et suppliait Colin d'arrêter parce qu'il en avait mal aux côtes. Le Dr Lehman lui rendit visite et annonça à Frances, Julia et Colin que le vieil homme déclinait. « Ces chutes ne sont pas bonnes à son âge. » Il prescrivit des sédatifs à Wilhelm et un assortiment de cachets à Julia, à qui il permit enfin de se considérer comme vieille.

Au journal, Frances et Rupert revendiquèrent leur droit de publier un point de vue opposé à celui des partisans du désarmement unilatéral et écrivirent un papier qui leur valut des dizaines de lettres, presque toutes violemment contre ou même injurieuses. Les bureaux de *The Defender* étaient en effervescence. Frances et Rupert trouvaient des mots incisifs ou véhéments sur leurs bureaux, certains anonymes. Ils comprirent que cette agressivité était trop profondément enfouie quelque part dans l'inconscient collectif pour pouvoir être raisonnée. La question n'était pas de protéger ou de ne pas protéger la population : ils n'avaient aucune idée de ce qui était réellement en jeu. Au *Defender*, l'atmosphère était très déplaisante. Tous deux prirent la décision de partir bien avant que cela ne les arrangeât sur le plan financier. Ils étaient tout simplement à la mauvaise place. Ils l'avaient toujours été, décréta Frances. Et tous ces grands articles bien argumentés sur des sujets sociaux ? N'importe qui eût pu les écrire, soutenait Frances. Rupert trouva presque immédiatement un autre poste dans un journal catalogué comme fasciste par un fanatique de *The Defender*, mais comme conservateur par le commun des mortels.

— Je suppose que je dois être conservateur, conclut Rupert, si on doit prendre au sérieux ces vieilles étiquettes.

La semaine où ils démissionnèrent, un paquet d'excréments fut glissé sous la porte de la maison de Julia, mais pas la porte d'entrée, celle qui donnait dans l'appartement de Phyllida, au bas des marches extérieures menant au sous-sol. Frances reçut une lettre de menace de mort, anonyme. Rupert aussi eut droit à des menaces de mort, ainsi qu'à des photos de Hiroshima après la bombe. Phyllida était montée – la première fois depuis des mois – pour dire qu'elle refusait d'être embrigadée dans ce « débat ridicule ». Elle n'était pas prête à affronter la « merde », à aucun niveau. D'ailleurs, elle était sur le départ. Elle allait partager un appartement avec une autre femme. Et puis elle disparut.

Quant aux débats empoisonnés sur le fait de protéger ou non la population, il ne devait pas tarder à être généralement admis que, s'il n'y avait pas de guerre depuis si longtemps, c'était parce que les éventuelles nations belligérantes possédaient l'arme nucléaire et ne s'en servaient pas. Restaient quand même des questions auxquelles ce constat n'apportait pas de réponse. Des accidents pouvaient se produire dans les centrales nucléaires, ce qui était souvent le cas, et était habituellement passé sous silence. L'Union soviétique, par exemple, avait connu des accidents qui avaient pollué des régions entières. Il y avait des « dingues » dans le monde qui n'hésiteraient pas à lancer « la bombe » ou plusieurs, mais il était à tout le moins étrange qu'on évoquât en général cette menace au singulier. La population demeurait exposée, mais la violence, l'âpreté, la rage des débats tout simplement retomba, cessa. S'il y avait jamais eu de menace, celle-ci était bien réelle à présent. Mais l'hystérie, elle, s'évanouit.

— Un phénomène étrange, commenta Julia de sa nouvelle voix triste, à l'élocution plus lente.

Wilhelm séjournait toujours chez Julia, et son grand et luxueux appartement était vide. Il ne cessait de dire qu'il allait apporter tous ses livres et mettre fin à cette « situation incroyablement absurde », qui consistait à habiter chez Julia tout en n'y habitant pas. Il n'arrêtait pas de prendre des rendez-vous avec les déménageurs et de les annuler. Wilhelm n'était plus lui-même. Il ne fallait pas le contrarier. Julia était aussi désemparée. Ensemble, tous les deux étaient maintenant comme des malades qui voulaient être responsables l'un envers l'autre, mais leur faiblesse respective le leur interdisait. Julia avait succombé à une pneumonie ; pendant un moment, les deux invalides, confinés à des étages différents, s'envoyèrent mutuellement des mots. Puis Wilhelm insista pour monter rendre visite à Julia. Elle vit ce vieil homme entrer à pas traînants dans sa chambre, en s'agrippant aux battants des portes et aux dossiers des sièges, et trouva qu'il ressemblait à une vieille tortue. Il avait un veston sombre, portait une petite casquette assortie, car il avait toujours froid à la tête, et tendait le cou en avant. Et elle...

La vue de Julia le bouleversa : l'ossature saillante de son visage, ses bras semblables à des bouts de bois.

Tous les deux étaient si malheureux, si peinés ! Comme ceux en proie à une grave dépression, la grisaille qui les entourait leur semblait la seule vérité existante.

— On dirait que je suis vieux, Julia, plaisanta-t-il, tentant de ressusciter en lui l'homme courtois qui lui baisait la main et s'interposait entre elle et toutes les difficultés de la vie.

Ç'avait été leur pacte. Mais il n'avait jamais été rien de tel, se rendait-il compte à présent. Juste un vieux solitaire, dépendant de Julia pour... eh bien ! tout. Et elle, la dame charmante et généreuse, dont la maison avait accueilli tant de monde, même si elle s'en était plainte assez souvent, eût été, sans lui, une vieille folle en manque affectif, entichée d'une jeune fille qui n'était même pas sa petite-fille. Tel était le regard qu'ils portaient l'un sur l'autre et sur eux-mêmes, les mauvais jours, semblables aux ombres qu'une branche dénudée projette sur le sol, un entrelacs fin et vide, privé de la chaleur de la chair, et dont les baisers et les étreintes étaient hésitants. Des fantômes qui cherchaient à se rejoindre.

Johnny apprit que Wilhelm habitait la maison de Julia et vint dire à sa mère qu'il espérait bien qu'il n'était pas question de lui laisser de l'argent.

— Cela ne te regarde pas, répondit Julia. Je refuse d'aborder ce sujet. Et puisque tu es là, je me vois dans l'obligation de te rappeler que j'ai dû pourvoir aux besoins des femmes et des enfants que tu as abandonnés. Aussi je ne te laisse rien. Pourquoi ne demandes-tu pas à ton cher Parti communiste de t'allouer une pension ?

La maison avait été léguée à Colin et à Andrew, tandis que Phyllida et Frances avaient toutes les deux droit à une rente honnête sinon généreuse. Sylvia avait eu beau protester : « Oh ! Julia, je t'en prie, je n'ai pas besoin d'argent », Julia avait quand même mentionné son nom dans son testament ; Sylvia n'avait peut-être pas besoin d'argent, mais Julia, elle, avait besoin de faire ce geste.

Sylvia s'apprêtait à quitter la Grande-Bretagne, sans doute pour longtemps. Elle partait pour l'Afrique, une mission en pleine brousse, en Zimlie.

— Alors je ne te reverrai plus, déclara Julia en apprenant la nouvelle.

Sylvia alla faire ses adieux à sa mère, après avoir d'abord téléphoné. « C'est gentil de ta part de me prévenir », avait dit Phyllida.

L'appartement était situé dans un grand hôtel particulier de Highgate. L'interphone informa la visiteuse qu'ici habitaient le Dr Phyllida Lennox et Mary Constable, physiothérapeute. Un petit ascenseur monta les premiers étages en grinçant, à l'instar d'une cage d'oiseaux docile. Sylvia sonna, entendit un cri. On vint lui ouvrir. Ce n'était pas sa mère, mais une grosse dame pleine de gaieté qui sortait.

— Je vous laisse toutes les deux, dit Mary Constable, montrant par là qu'elle avait reçu des confidences.

La petite entrée avait un air ecclésiastique qui, à l'examen, se révéla être dû à un grand vitrail aux coloris berlingot, représentant saint François d'Assise entouré de ses oiseaux... De facture certainement moderne, il était calé contre une chaise, tel un panneau publicitaire de la spiritualité. La porte s'ouvrait sur une grande pièce dont le principal mobilier était un immense fauteuil drapé d'une sorte de tissu oriental et un divan, inspiré de celui de Freud à Maresfield Gardens[1], austère et inconfortable. Phyllida était à présent une personne corpulente, aux cheveux grison-

1. Contraint de quitter Vienne par le régime nazi, Sigmund Freud vint s'installer à Londres en 1938.

nants, partagés en deux grosses tresses de part et d'autre de son visage de matrone. Elle portait un kaftan multicolore et une multitude de colliers de perles, de boucles d'oreilles et de bracelets. Sylvia, qui gardait le souvenir d'une pleurnicheuse molle et indolente, dut s'adapter à cette femme chaleureuse qui avait visiblement repris confiance en elle.

— Assieds-toi, lança Phyllida, lui indiquant un fauteuil situé hors du coin thérapeutique de la pièce.

Sylvia se posa précautionneusement tout au bord. Une odeur musquée aguichante... Phyllida s'était-elle mise à porter du parfum ? Non, c'était l'encens qui émanait de la pièce d'à côté, dont la porte était ouverte. Sylvia éternua. Phyllida ferma la porte et s'installa dans son fauteuil de confesseur.

— Alors, Tilly, j'entends dire que tu vas convertir les païens ?

— Je vais dans un hôpital, comme médecin. C'est un hôpital de mission. Je serai le seul médecin du coin.

La grande et robuste femme et la jeune fille menue – c'était toujours l'aspect qu'elle avait – prenaient conscience de leurs différences.

— Quelle figure de papier mâché ! s'écria Phyllida. Tu tiens de ton père, une vraie mauviette. Je le surnommais camarade Lilas. Son second prénom était Lillie, d'après un vieux révolutionnaire du temps de Cromwell[1]. Enfin, toujours est-il que j'ai dû me défendre quand il a joué au commissaire politique avec moi. Il était encore pire que Johnny, si tu peux le croire. Il n'arrêtait pas de me harceler. Leur satanée Révolution, ce n'était qu'un prétexte pour harceler le monde ! Ton père m'obligeait à apprendre des textes révolutionnaires par cœur. Je pourrais te réciter

1. John Lilburne (1614-1657), chef des Levellers (les Niveleurs, en français) et inventeur de l'égalitarisme en politique, fut ensuite éliminé par Cromwell.

encore aujourd'hui *Le Manifeste du parti communiste*, j'en suis sûre. Mais, avec toi, c'est le retour à la Bible...

— Pourquoi retour ?

— Mon père était pasteur. À Bethnal Green.

— Alors, à quoi ressemblaient-ils, mes grands-parents ?

— Je ne sais pas. Je ne les ai presque jamais revus après qu'ils m'eurent renvoyée. Je ne pouvais plus les voir. Je suis partie habiter chez ma tante. Manifestement, eux non plus ne voulaient plus me voir pour me chasser ainsi pendant cinq ans. Alors pourquoi aurais-je dû avoir envie de reprendre contact ?

— Est-ce que tu as des photos d'eux ?

— Je les ai déchirées.

— J'aurais aimé les connaître.

— Pourquoi cet intérêt soudain ? Maintenant, tu t'en vas. Aussi loin que possible, je présume. Une petite créature comme toi. Ils doivent être fous pour t'expédier là-bas !

— Quoi qu'il en soit, je suis venue te dire quelque chose d'important. Mais qu'est-ce que c'est que ce « docteur » sur ta plaque ?

— Je suis docteur ès philosophie, non ? J'ai étudié la philo à l'université.

— Mais on n'emploie pas le titre de docteur comme ça dans ce pays. Seuls les Allemands le font...

— Personne ne peut dire que je ne suis pas docteur.

— Tu vas t'attirer des ennuis.

— Personne ne s'est encore plaint.

— C'est le sujet dont je suis venue te parler... Maman, cette thérapie que tu exerces... Je sais que tu n'as besoin d'aucune formation, mais...

— J'apprends sur le tas. Crois-moi, c'est un véritable enseignement.

— Je sais. Des gens m'ont dit que tu les avais aidés.

Phyllida sembla se transformer en une autre femme. Elle rougit, se pencha en avant en joignant les mains, souriante et confuse de plaisir.

— Ils t'ont dit ça ? Tu as entendu de bonnes choses sur moi ?

— Oui, c'est vrai. Mais ce que j'aimerais te suggérer, c'est pourquoi tu ne prends pas vraiment des cours. Il y en a de bons...

— Je me débrouille très bien comme je suis.

— Thé et compassion sont en soi très bien...

— Je peux te le dire à toi, il y a eu des fois où j'aurais pu me contenter de thé et de compassion...

Et sa voix de glisser progressivement vers le glas de ses récriminations. Les muscles de Sylvia la propulsaient déjà hors de son siège, quand Phyllida s'interrompit :

— Non, non, rassieds-toi, Tilly.

Sylvia se rassit et tira de son porte-documents une pile de papiers qu'elle tendit à sa mère :

— J'ai établi une liste des bonnes filières. Un de ces jours, quelqu'un te racontera qu'il a mal au ventre ou à la tête et tu diras que c'est psychosomatique, mais ce sera un cancer ou une tumeur. Alors tu te le reprocheras.

Phyllida garda le silence, les papiers à la main. Entra Mary Constable, toute souriante, inspirant confiance.

— Viens donc voir Tilly, proposa Phyllida.

— Comment allez-vous, Tilly ? s'enquit Mary, allant même jusqu'à embrasser une Sylvia réticente.

— Êtes-vous psychothérapeute aussi ?

— Moi, je suis physio, répondit la compagne de Phyllida. (Son amante ? Qui savait, de nos jours ?) Je forme des étudiants en physiothérapie. Nous prétendons traiter l'être entier à nous deux, expliqua Mary avec entrain, exhalant une familiarité persuasive et de légers effluves d'encens.

— Je dois me sauver, dit Sylvia.

— Mais tu viens d'arriver, protesta Phyllida, satisfaite que Sylvia se comportât conformément à ses attentes.

— J'ai une réunion, se justifia Sylvia.

— On dirait le camarade Johnny.

— J'espère que non ! se récria Sylvia.

— Au revoir, alors. Envoie-moi une carte de ton paradis tropical.

— Ils sortent à peine d'une sale guerre, dit Sylvia.

Sylvia appela Andrew à New York, apprit qu'il était à Paris, puis de là, qu'il était au Kenya. En provenance de Nairobi, elle entendit sa voix, faible et pleine de grésillements.

— Andrew, c'est moi.

— C'est qui ? Maudite ligne ! Enfin, on n'en aura pas de meilleure, cria-t-il. Le high-tech du tiers monde...

— C'est Sylvia.

Malgré la friture, elle entendit sa voix s'altérer :

— Oh, ma chère Sylvia, où es-tu ?

— Je pensais à toi, Andrew.

Elle ne mentait pas, ayant besoin d'entendre sa voix apaisante, confiante, mais ce spectre lointain la déstabilisait. C'était comme un message, disant qu'il ne pouvait pas grand-chose pour elle. Mais qu'espérait-elle ?

— Je te croyais en Zimlie, s'égosilla-t-il.

— La semaine prochaine. Oh, Andrew ! J'ai l'impression de sauter du haut d'une falaise.

Elle avait reçu une lettre du père Kevin McGuire, de la mission Saint-Luc, qui la forçait à contempler fermement un futur qu'elle n'avait pas du tout envisagé jusque-là. Une liste des choses qu'elle devait apporter y était jointe. Des fournitures médicales qui, pour elle, allaient de soi, aussi élémentaires que des seringues, de l'aspirine, des antibiotiques, des antiseptiques, des aiguilles pour les sutures, un stéthoscope et ainsi de suite. « Et certains objets dont se servent les dames, parce que vous aurez du mal à les trouver ici. » Ciseaux à ongles, aiguilles à tricoter, crochets de tricot, pelotes de laine. « Et faites plaisir à un vieil homme qui ne peut pas se passer de sa marmelade Oxford. » Des piles pour radio, une petite radio. Un bon pull, de taille 10, pour Rebecca. « C'est notre femme de ménage, elle a une mauvaise toux. » Un numéro récent de l'*Irish Times*. Un autre de l'*Observer*. Des boîtes de sardines, « si vous réussissez à les glisser quelque part dans un coin. Avec mes salutations, Kevin McGuire. P.S. : Et n'oubliez pas les livres. Apportez-en le plus possible. On en manque. »

C'était un peu rustique là-bas, avait-elle été prévenue.

— Andrew, je panique, je crois...

— Ce n'est pas si méchant. Nairobi n'est pas si méchant. Un tantinet toc...

— Je serai à deux cents kilomètres de Senga.

— Écoute, Sylvia, je passerai te voir à Londres sur le chemin du retour.

— Qu'est-ce que tu fais là-bas ?

— Je distribue des largesses.

— Ah, oui ! Ils l'ont dit. Le Global Money.

— Je finance un barrage, un silo, un système d'irrigation... tout ce que tu peux imaginer.

— C'est vrai ?

— Je n'ai qu'à agiter ma baguette magique et le désert refleurit.

Il était donc ivre. À cet instant, pour Sylvia, rien n'eût pu être pire que ces vantardises retransmises par les ondes. Andrew, son soutien, son ami, son frère... enfin presque, puisqu'il était si bête, si bidon ! Elle cria « Au revoir » et raccrocha en pleurant. Ce fut son pire moment : elle ne devait plus en vivre d'aussi mauvais.

Persuadée qu'Andrew aurait oublié leur conversation, elle n'attendait rien de lui, mais il lui retéléphona de Heathrow deux jours plus tard.

— Maintenant je suis là, ma petite Sylvia. Où pouvons-nous aller pour discuter ?

Il appela Julia de l'aéroport et lui demanda s'il pouvait venir chez elle avec Sylvia pour discuter tranquillement. Son appartement personnel était loué, et Sylvia partageait un logement minuscule avec une consœur, près de l'hôpital.

Julia demeura silencieuse, puis s'écria :

— Je ne comprends pas. Tu me demandes si Sylvia et toi pouvez venir dans cette maison ? Qu'est-ce que tu dis ?

— Tu n'aimerais pas beaucoup que nous te traitions comme si tu faisais simplement partie du décor.

Un silence.

— Tu as toujours une clé, je crois ?

Et de raccrocher.

À leur arrivée, tous deux montèrent directement la saluer. Julia était assise seule, et grave, à sa table, une patience étalée devant elle. Elle tendit une joue à Andrew, ébaucha le même geste avec Sylvia, mais eut du mal à garder la tête dressée et se leva pour embrasser la jeune femme.

— Je te croyais en Zimlie, murmura Julia

— Mais je ne serais pas partie sans dire au revoir !

— C'est un au revoir ?

— Non, la semaine prochaine.

Les yeux perçants de la vieille dame les scrutèrent longuement. Julia brûlait de dire que Sylvia était trop maigre et qu'Andrew avait un air qui ne lui plaisait pas beaucoup. Que se passait-il ?

— Allez donc discuter, ordonna-t-elle, ramassant ses cartes.

Avec mauvaise conscience, ils redescendirent à pas de loup dans le grand salon hanté de souvenirs, et s'installèrent sur le vieux canapé rouge, où ils s'affalèrent dans les bras l'un de l'autre.

— Oh, Andrew, je suis mieux avec toi qu'avec n'importe qui.

— C'est pareil pour moi.

— Et Sophie ?

Un rire acerbe.

— Mieux ! mais c'est fini.

— Oh, mon pauvre Andrew ! Elle est retournée avec Roland ?

— Il lui a envoyé un joli bouquet et elle a fondu.

— Un bouquet de quoi, exactement ?

— Des soucis, pour le chagrin. Des anémones, l'abandon. Et, bien sûr, un millier de roses rouges. Pour l'amour. Oui, il n'a qu'à le dire avec des fleurs. Mais ça n'a pas duré. Il a recommencé à se comporter comme il en a le don et elle lui a envoyé une botte qui voulait dire la guerre : des chardons.

— Elle sort avec quelqu'un ?

— Oui, mais nous ignorons avec qui.

— Pauvre Sophie !

— Mais, d'abord, pauvre Sylvia ! Pourquoi n'entendons-nous jamais parler de toi et d'un type fantastiquement veinard ?

Elle aurait pu avoir un mouvement de recul, mais il l'en empêcha.

— C'est que je n'ai pas de... veine.

— Es-tu amoureuse du père Jack ?

À ce moment-là, elle se remit en position assise et le repoussa.

— Non, comment peux-tu... ? – mais voyant sa figure, qui était compatissante, elle avoua : Oui, je l'ai été.

— Les bonnes sœurs sont toujours amoureuses de leurs prêtres, murmura-t-il.

Elle ne savait pas s'il voulait se montrer cruel.

— Je ne suis pas une bonne sœur.

— Viens ici.

Et de la tirer de nouveau contre lui.

Et elle dit alors d'une petite voix, qui lui rappelait Sylvia enfant :

— Je crois qu'il y a quelque chose qui ne va pas chez moi. J'ai couché avec quelqu'un, un médecin de l'hôpital, et... c'est le problème, tu vois, Andrew. Je n'aime pas le sexe.

Sylvia sanglota dans les bras d'Andrew.

— Eh bien, moi non plus je ne suis pas aussi compétent dans ce domaine que je pourrais l'être. Sophie m'a clairement fait comprendre que j'étais un bon à rien, comparé à Roland.

— Oh, mon pauvre Andrew !

— Ma pauvre Sylvia !

À force de larmes ils s'endormirent, tels des enfants.

Pendant leur sommeil, ils reçurent la visite, d'abord de Colin, parce que l'agitation de son petit chien lui apprit qu'il y avait des intrus dans la maison. La pièce était dans la pénombre. Colin resta un moment à regarder le couple, en tenant closes les mâchoires de l'animal pour l'empêcher d'aboyer.

— Tu es un brave petit soldat, dit-il en redescendant à Vicious, à présent un vieux toutou râpé.

Peu après, Frances entrait. Le salon était obscur. Elle alluma une petite lampe, qui avait servi autrefois à Sylvia de veilleuse contre sa peur du noir, et resta plantée, comme Colin un peu plus tôt, à contempler ce qu'elle parvenait à distinguer, juste leurs têtes et leurs visages. Sylvia et Andrew... Oh, non, non, non ! pensa maternellement Frances, comme si elle croisait les doigts pour conjurer le mauvais sort. Ce serait un désastre. Tous deux avaient besoin – non ? – de quelque chose de plus solide. Mais quand ses fils allaient-ils se caser, trouver la sécurité ?... (Sécurité ? elle pensait vraiment en mère, apparemment c'est inévitable.) Tous les deux avaient la trentaine passée.

C'est notre faute à tous, se disait-elle, entendant par là tout le monde, la vieille génération. Puis, pour se consoler : cela leur prendra peut-être autant de temps qu'à moi, pour être heureux. Alors je ne dois pas perdre espoir.

Bien plus tard encore, Julia descendit à son tour de son pigeonnier. Elle croyait qu'il n'y avait personne dans la pièce, bien que Frances l'eût prévenue que les deux jeunes étaient toujours là, perdus pour le monde. À cet instant, à la lueur de la petite lampe, elle aperçut leurs visages, celui de Sylvia sous celui d'Andrew, sur son épaule. Si pâle, si émacié ! Elle le voyait bien, même à cette lumière. Tout autour d'eux une profonde nuit, car le rouge du canapé rendait l'obscurité plus intense, comme quand un peintre utilise un fond pourpre pour que les noirs rutilent et s'intensifient. À chaque bout de la grande pièce, des fenêtres laissaient entrer juste assez de lumière pour donner une nuance de gris à l'obscurité, pas davantage. C'était une nuit couverte, sans lune ni étoiles. Ils sont vraiment trop jeunes pour avoir l'air si vannés, songea Julia. Les deux visages évoquaient des cendres éparpillées sur les ténèbres.

Elle resta là un long moment, les yeux baissés sur Sylvia, afin de graver ses traits dans sa mémoire. De fait, Julia ne la revit plus. Il y eut un quiproquo sur l'heure du départ de son avion, suivi d'un appel de la jeune femme :

— Julia, oh, Julia ! Je suis tellement désolée. Mais je reviendrai bientôt à Londres, j'en suis sûre.

Wilhelm mourut. Deux cents personnes assistèrent à ses obsèques. Tous ceux qui avaient pris un café au Cosmo avaient dû venir, disait-on. Colin et Andrew, avec leur mère, restèrent ensemble pour soutenir Julia, qui était muette et sans larmes, et avait une mine de papier mâché. « Oh ! mon Dieu ! la crème de la librairie doit être là », entendaient-ils tout autour d'eux. Ils ne s'étaient pas doutés de la popularité de Wilhelm Stein, ni de la considération que lui témoignaient ses pairs. Le sentiment général était qu'en enterrant ce vieux libraire érudit, courtois et aimable, ils disaient adieu à un passé bien plus glorieux qu'il n'était possible de nos jours. « La fin d'une époque », murmuraient les gens, et certains en pleuraient. Ses deux fils, qui étaient arrivés en avion des États-Unis le matin même, remercièrent poliment les Lennox pour tous les ennuis qu'ils leur avaient créés pour l'enterrement et annoncèrent qu'ils se chargeaient du reste : Wilhelm laissait pas mal d'argent !

Julia s'alita et, naturellement, les gens dirent que la disparition de Wilhelm l'avait terrassée. Mais il y avait autre chose, un choc épouvantable, un coup au cœur que personne de la famille ne comprit.

Lorsque le second livre de Colin parut, il fut tout de suite évident que *La Mort malsaine* [1] ne marcherait pas aussi bien que le premier. Et il n'était pas aussi bon non plus, étant en fait un pamphlet contre un gouvernement criminellement irresponsable, coupable de négliger de protéger son peuple contre les retombées radioactives, les bombes et le reste. Une campagne de propagande efficace, inspirée par des agents d'une puissance ennemie étrangère, avait instauré un climat d'hystérie, lequel avait poussé le gouvernement en question, inquiet de sa popularité, à ignorer ses responsabilités. Ce roman suscita des rugissements d'indignation au sein des divers mouvements concernés par la bombe. Certaines critiques furent malveillantes, dont celle de Rose Trimble. Son portrait du président Matthew Mungozi l'avait fait connaître, toutes sortes de possibilités s'offraient à elle, mais elle collaborait désormais au *Daily Post*, célèbre pour sa virulence, et

1. En anglais, *Sick Death*.

s'y sentait chez elle. Elle prit le roman de Colin comme point de départ pour s'attaquer à ceux qui voulaient construire des abris antiatomiques, en particulier les jeunes médecins et, tout particulièrement, Sylvia Lennox. Quant à Colin, « il faut savoir qu'il a des origines nazies. Sa grand-mère, Julia Lennox, était membre des Jeunesses hitlériennes. » Rose ne risquait rien. D'une part, le *Daily Post* était un journal qui prévoyait de payer – souvent – des dédommagements pour écrits diffamatoires et, d'autre part, elle savait que Julia ne daignerait pas relever ce genre de provocation. « Sale vieille garce ! » marmonnait Rose.

Une connaissance du Cosmo avait montré le papier à Wilhelm. Il se demanda s'il devait en parler à Julia, décida que c'était son devoir : et c'était tant mieux, parce qu'« un ami qui leur voulait du bien » lui envoya la coupure anonymement.

— N'y prête pas attention, avait-elle dit à Wilhelm. Ce ne sont pas autre chose que des salauds ! J'ai bien le droit d'employer leur mot préféré, je pense ?

— Ma chère Julia ! s'était exclamé Wilhelm, amusé mais choqué aussi d'entendre ce mot dans sa bouche.

Adossée à ses oreillers, avec la coupure de journal dans sa table de nuit, Julia n'espérait pas dormir au milieu des allées et venues des infirmières. Alors, elle, Julia von Arne, était une nazie désormais ! Ce qui la blessait, c'était la désinvolture de cette affirmation. Bien sûr, cette bonne femme – Julia se souvenait d'une jeune fille antipathique – ne savait pas ce qu'elle faisait. Ils employaient tous sans arrêt des insultes comme « fasciste » ; le premier venu avec qui ils se prenaient de bec était un fasciste. Ils étaient si ignorants qu'ils ne savaient même pas qu'il y avait eu de vrais fascistes, qui avaient déshonoré l'Italie. Pour ce qui était des nazis... il y avait des articles de journaux, des émissions de radio et de télévision sur eux, qu'elle suivait parce qu'elle se sentait directement concernée, mais, visiblement, ces jeunes gens n'avaient rien compris. Ils ne savaient pas, semblait-il, que « fasciste », « nazi » étaient des mots qui signifiaient que des êtres avaient été emprisonnés, torturés, et étaient morts par millions pendant la dernière guerre. C'était l'ignorance et la désinvolture qui remplissaient les yeux de Julia de larmes de rage. Elle se sentait niée, effacée, son passé comme celui de Philip réduits à de simples épithètes par une jeune journaliste ambitieuse dans une feuille à sensation. Julia ne dormait pas (elle s'était discrètement débarrassée de ses somnifères, à l'insu de ses infirmières), empoisonnée par son impuissance. Bien entendu, elle n'intenterait pas de procès et n'écrirait même pas de lettre : Pourquoi donner de l'importance à cette *canaille** en leur répondant ? Wilhelm lui avait soumis un brouillon de mise au point, disant que les von Arne étaient une vieille famille allemande qui n'avait jamais eu le moindre lien avec les nazis. Elle lui avait demandé de ne plus y penser, de ne pas l'expédier. Elle avait eu tort : il aurait dû l'envoyer, pour lui mettre du baume au cœur au moins. Et elle avait eu tort également, à propos de Rose Trimble. Avec sa désinvolture et son manque d'intérêt pour l'histoire, oui, elle était bien de sa génération, mais c'était une haine irraisonnée à l'égard des Lennox qui la poussait, le besoin de « se venger d'eux ». Elle avait oublié ce qui l'avait amenée dans leur maison en premier lieu, ou encore qu'elle avait prétendu qu'Andrew l'avait mise enceinte. Non, c'était cette maison, son confort, la façon dont ses habitants croyaient que tout leur était dû et prenaient soin les uns des autres. Sylvia, cette petite garce bégueule. Frances, la sale vieille reine des abeilles, des guêpes plutôt. Julia qui régentait tout son monde. Et les hommes, des saligauds suffisants. La plume de Rose avait été trempée dans les puits de fiel et de méchanceté qui bouillonnaient et fermentaient sans arrêt dans son for intérieur, et ne pouvaient se calmer que temporairement, chaque fois qu'elle réussissait à transpercer le cœur de ses victimes avec des mots. En les écrivant, elle s'imaginait celles-ci en train de sursauter et de frémir à leur lecture, elle s'imaginait leurs cris de douleur. Voilà pourquoi Julia mourait avant son heure : elle avait la sensation d'avoir été brusquement assaillie par la méchanceté humaine. Elle restait donc appuyée à ses oreillers, dans une chambre où la lumière tombait de la fenêtre et se déplaçait du plancher à son lit, de là jusqu'au mur, et puis dans l'autre sens, le long des murs vers la fenêtre, faible réponse aux ténèbres qui descendaient pour l'enserrer de leurs forces invisibles et hostiles. Elles les avait fuies toute sa vie, elle avait ce sentiment, mais était maintenant engloutie par un monstre de stupidité, de laideur et de vulgarité. Tout était déformé et gâché. Elle ne sortait donc pas de son lit et retournait mentalement à son enfance, au temps où tout était beau, si *schön, schön, schön*. Mais dans ce paradis avait fait irruption cette vieille guerre, et le monde s'était rempli d'uniformes. Le soir, quand la seule lumière brillant dans l'obscurité était la veilleuse qui avait appartenu à Sylvia et avait été montée du salon dans sa chambre, ses frères et Philip, ces beaux et braves jeunes gens, se tenaient autour de son lit dans leurs élégants uniformes immaculés, sans une tache. Elle les suppliait de rester avec elle, de ne pas partir, de ne pas l'abandonner.

Elle parlait à mi-voix en allemand, en anglais et dans son français *comme il faut**, et Colin passait parfois des heures à son chevet, en tenant le petit paquet d'os délicats qu'était désormais sa main. Il était malheureux, plein de remords, à la pensée qu'il ne savait quasiment rien d'Ernst, de Friedrich et de Max, qu'il avait à peine entendu parler de son grand-père. Derrière lui il y avait un gouffre ou un abîme, où la normalité était tombée, où la vie familiale ordinaire avait sombré. Et le voilà lui, le petit-fils, mais il n'avait pas connu son grand-père ni la famille allemande de Julia ! Pourtant, c'était sa famille aussi... Il se pencha vers Julia et l'implora :

— Julia, s'il te plaît, parle-moi de tes frères, de ton père et de ta mère. Est-ce que tu as eu des grands-parents ? Parle-moi d'eux !

Elle émergea de son rêve.

— Qui ? Qui, tu as dit ? Ils sont tous morts, ils ont été tués à la guerre. Il n'y a plus de famille, il n'y a plus de maison. Il ne reste plus rien. C'est terrible, terrible...

Elle n'aimait pas être arrachée à ses souvenirs ou à ses rêves. Elle n'aimait pas non plus le présent, tous ces médicaments, ces cachets et ces infirmières. Et puis elle détestait ce corps jaunâtre de vieillard que celles-ci découvraient en lui faisant sa toilette. Pardessus tout, elle avait une diarrhée persistante, ce qui signifiait que, quel que soit le nombre de fois où on lui changeait son lit et sa chemise de nuit, ou le soin avec lequel on la lavait, sa chambre gardait une odeur. Elle exigeait qu'on y répandît de l'eau de Cologne et s'en frictionnait elle-même le visage et les mains, mais l'odeur de fèces était tenace, et Julia en était mortifiée.

— Terrible, terrible, terrible, marmonnait-elle, vieille bique indomptable, qui versait parfois des larmes de rage.

Elle mourut à son tour. Frances trouva dans sa table de nuit la coupure disant que Julia avait été nazie. Elle la montra à Colin et ils rirent de l'absurdité de ces assertions. Colin déclara que s'il tombait sur Rose Trimble, il songerait peut-être à lui donner une correction, mais Frances, comme Julia, objecta que cette engeance ne méritait pas cette peine.

Les obsèques de Julia ne furent pas aussi réconfortantes que celles de Wilhelm.

Elle était ou avait été plus ou moins catholique, semblait-il, mais n'avait pas demandé l'assistance d'un prêtre pendant sa dernière maladie, et il n'y avait rien non plus sur ses funérailles dans son testament. Finalement, ils optèrent pour un service interconfessionnel, ce qui n'engageait à rien, mais celui-ci leur parut si tristounet qu'ils se remémorèrent qu'elle aimait la poésie. Il fallait lire des poèmes. Mais quels poèmes ? Andrew regarda sur les étagères de sa grand-mère, puis dénicha dans un tiroir de sa table de nuit un exemplaire de Gerard Manley Hopkins. Il avait été lu et relu, certains poèmes étaient même soulignés. C'étaient les « sonnets terribles ». Andrew dit non. Trop pénible de lire ceux-là.

Non, de pire, il n'est rien.
Mes cris s'avancent, en troupeaux, s'entassent en un malheur majeur,
Capital, douleur d'un monde. [1]
Non.

Il choisit *L'Alouette en cage* [2], qu'elle avait aimé, car il y avait une marque au crayon dans la marge, et puis le poème *Le Printemps et l'Automne,* dédié à un jeune enfant, qui commençait par :

Margaret, mènes-tu deuil
Sur le Bois-Doré qui s'effeuille ? [3]

---

1. *No worst there is none. Pitched past pitch of grief/More pangs will, schooled at forepangs, wilder wring...* Poème 41 de Gerard Manley Hopkins, poète mystique victorien converti au catholicisme (1844-1899), dont les œuvres furent publiées à titre posthume par Robert Bridges en 1918. (Traduction de Jean Mambrino).

2. En anglais, *The Caged Sylark*, poème 15.

3. Poème 31. En anglais : *Margaret, are you grieving/Over Goldengrove unleaving ?*

Celui-ci avait également une marque dans la marge, mais c'étaient les poèmes noirs qui portaient les doubles, triples gros traits noirs, avec aussi des points d'exclamation hachés.

La famille eut donc l'impression de trahir Julia en choisissant les poèmes les plus légers. De plus, tous durent s'avouer qu'ils ne connaissaient pas Julia, n'auraient jamais soupçonné ces traits noirs et appuyés dans la marge :

Réveil : je sens le chu du noir, pas le jour.
Quelles heures, déjà, ô quelles noires heures
De nuit ! Mon cœur, quelles visions ! Par quelles voies ! [1]

Il aurait dû y avoir un peu de poésie allemande, mais Wilhelm n'était plus là pour les conseiller.

Andrew lut les poèmes. Il avait la voix douce, mais assez forte pour la circonstance ; peu de gens étaient présents, en dehors de la famille. Mrs Philby se tenait bien à l'écart de ses membres, toute en noir, de son chapeau, réservé aux obsèques, à ses bottines luisantes, un reproche vivant pour eux : elle jouait encore son rôle, qui consistait à leur faire honte de leurs manières débraillées. Aucun d'eux n'était en noir, à part elle. Une rancune vertueuse animait son visage. Pourtant, elle pleura à la fin.

— Mrs Lennox était ma plus vieille amie, confia-t-elle à Frances, sur un ton chargé de réprobation. Je ne remettrai plus les pieds chez vous. C'est pour elle que je venais...

À mi-chemin de la cérémonie, une silhouette maigre, avec des boucles blanches et des vêtements trop grands, flottant au vent qui soufflait entre les

---

1. Poème 45. En anglais : *I wake and feel the fell of the dark, not day./What hours, O what black hours we have spent...* Ces deux derniers poèmes, traduits par Pierre Leyris, ont paru dans *Poèmes accompagnés de proses et de dessins*, éditions du Seuil.

pierres tombales, fit son apparition et déambula d'un pas hésitant vers le groupe funéraire. C'était Johnny, sombre, malheureux, et l'air vieilli prématurément. Il resta bien à l'écart des autres, à demi détourné, comme prêt à fuir. Les mots du service lui étaient un affront, c'était évident. À la fin, ses fils et Frances s'avancèrent vers lui pour lui proposer de rentrer avec eux à la maison, mais il s'en tint à un signe de tête et partit avec raideur. À la sortie du cimetière, il se retourna et les salua de la main droite, ouverte, la paume dirigée vers eux, à hauteur d'épaule.

Sylvia n'assistait pas aux obsèques. Les lignes téléphoniques avec la mission Saint-Luc étaient coupées, à cause d'un gros orage.

Dans l'intervalle, la vie de Frances avec Rupert ne prit pas l'orientation attendue. Elle habitait pratiquement chez lui, même si ses livres et ses documents se trouvaient encore chez Julia. L'appartement était un peu exigu. Le salon, qui servait aussi de salle à manger, avec une minuscule cuisine séparée par un chauffe-plats, faisait le tiers de celui de Julia. La grande chambre, elle, était raisonnable. Les deux petites étaient destinées aux deux enfants, Margaret et William, qui venaient pour le week-end. Lorsque Meriel était partie vivre avec un autre homme, Jaspar, il y avait bien eu des projets pour acheter quelque chose de plus spacieux. Frances aimait plutôt bien les enfants et croyait qu'ils ne la détestaient pas : ils se montraient polis et obéissants. Ils allaient à l'école proche du domicile maternel et partaient en vacances avec leur mère et Jaspar. Puis, lors d'un week-end, ils restèrent guindés, silencieux, et avouèrent que leur mère n'était pas bien. Non, Jaspar n'était plus là. Les enfants évitaient de se regarder en donnant cette information, mais c'était comme s'ils avaient échangé des regards pleins d'effroi.

C'était à ce moment-là que la réalité l'avait rattrapée, c'était ce qu'avait ressenti Frances. Pendant les mois – non, les années déjà – qu'elle avait passés avec Rupert, elle était devenue une autre personne, apprenant lentement à trouver le bonheur tout naturel. Seigneur ! vous imaginez ? S'il n'y avait pas eu Rupert, elle aurait continué la même routine volontariste et mortelle de devoirs, sans amour, sans sexe ni intimité.

Rupert raccompagna les enfants chez leur mère et découvrit ce qu'il avait redouté. Il y avait de cela des années, après la naissance de Margaret, Meriel avait déjà souffert d'une dépression, une vraie. Il l'avait assistée jusqu'au bout, elle s'était rétablie, mais vivait dans la terreur de rechuter. Et elle avait rechuté. Meriel était blottie dans un coin du canapé, le peignoir sale, le regard perdu dans le vide, les cheveux pas lavés et mal coiffés. Postés de part et d'autre de leur père, les enfants fixaient leur mère et se pressaient contre lui pour qu'il les prît dans ses bras.

— Où est passé Jaspar ? demanda-t-il à la femme muette, qui était visiblement à des kilomètres de là, plongée dans les affres terribles des dépressifs.

Au bout d'un moment il répéta sa question et elle répondit, irritée par cette interruption :

— Parti.

— Va-t-il revenir ?

— Non.

Cela semblait être tout ce qu'il allait pouvoir tirer d'elle, mais, à ce moment-là, elle reprit dans un murmure pâteux et indifférent, sans bouger, ni même tourner la tête :

— Il vaut mieux que tu prennes les enfants. Il n'y a rien pour eux ici.

Rupert rassembla livres, jouets, vêtements et fournitures scolaires, sous la direction de Margaret et de William, puis retourna auprès de Meriel.

— Que vas-tu faire ? lui demanda-t-il.

Long silence. Elle secoua la tête, ce qui signifiait de la laisser tranquille, et puis, alors que tous les trois étaient déjà à la porte, elle ajouta, sur le même ton :

— Emmène-moi à l'hôpital. N'importe quel hôpital, ça m'est égal.

Les enfants furent réinstallés dans leurs anciennes chambres. Sur-le-champ, l'appartement fut envahi par leurs affaires. Eux étaient effrayés et silencieux.

Rupert téléphona à leur médecin, qui devait prendre les dispositions pour mettre Meriel dans un hôpital psychiatrique. Il tenta bien de joindre Jaspar, mais ce dernier ne le rappela pas.

Des pensées froides, pénibles, occupaient Frances. Elle savait qu'il y avait peu de chances pour que Jaspar retournât avec Meriel, s'il avait fui l'expérience qui consistait à vivre avec une dépressive. Il avait dix ans de moins qu'elle, était une sommité du monde de la mode, un créateur de vêtements de sport gagnant bien sa vie. Son nom était souvent cité dans les journaux. Pourquoi s'était-il chargé d'une femme avec deux enfants encore jeunes ? Rupert lui avait expliqué que, d'après lui, le jeune homme avait aimé se voir mûr et responsable, prouver qu'il était quelqu'un de sérieux. Il avait la réputation d'être trop branché pour son bien : drogues, fêtes démentes... tout le tralala. Monde auquel il était sans doute retourné. Ce qui voulait dire que Meriel était sans homme et voudrait sans doute récupérer son mari. Et voici deux enfants en état de choc affectif, et elle en mère de substitution ! Oui, elle ressentait ce sentiment de crainte et d'angoisse qui vous étreint quand la vie se répète selon un motif bien connu. Je risque de me retrouver avec les gosses sur les bras, songea-t-elle. Non, je les ai déjà sur les bras. Est-ce bien ce que je veux ?

Margaret avait douze ans, William dix. Ce seraient bientôt des adolescents. Elle n'avait pas peur que Rupert la laisse tomber, se décharge de ses responsabilités sur elle, mais que leur intimité non seulement souffre de la situation – il ne pouvait en être autrement – mais puisse disparaître, aspirée dans les folles exigences des ados. Mais elle appréciait tant Rupert... Il lui plaisait vraiment... Elle aimait cet homme. Sérieusement, elle pouvait dire qu'elle ne savait pas ce qu'était qu'aimer jusque-là... Oui, elle allait dire oui à tout ce qui se présentait. Après tout, même les dépressions passent. Et puis les enfants auraient envie de revoir leur mère.

De l'hôpital où était Meriel arrivèrent des gribouillis, on ne pouvait pas appeler cela des lettres, d'une écriture de chat. « Rupert, ne laisse pas les enfants venir ici. Ce ne serait pas bon pour eux. Frances, Margaret a de l'asthme, il lui faut une nouvelle ordonnance. » Les médecins, auxquels Rupert téléphona, lui dirent qu'elle était très malade, mais devait pouvoir se rétablir. Son précédent épisode avait duré deux ans.

Frances et Rupert étaient allongés côte à côte dans le noir ; elle avait la tête sur son épaule droite et lui, la main droite sur son sein droit. La main de Frances, elle, reposait dans l'entrecuisse de son compagnon, les phalanges contre ses testicules, un poids doux mais respectable, qui lui donnait confiance. Cette scène conjugale et consacrée était la manière dont ils passaient la dernière demi-heure avant de s'endormir, qu'ils eussent fait l'amour ou non. Maintenant il leur fallait aborder le sujet que tous les deux avaient éludé.

— Où était Meriel pendant les deux années où elle a été malade ?

— Essentiellement dans son lit. Elle n'avait pas beaucoup de courage...

— Elle ne pourra pas rester deux ans à l'hôpital.

— Non, il faudra s'occuper d'elle.

— Jaspar ne nous aidera pas, je présume.

— Est-ce bien vraisemblable ?

Il parlait calmement, d'un ton désinvolte même, mais avec une crânerie triste qui la touchait.

— Écoute, Frances, la situation est aussi moche que possible pour toi. Ne t'imagine pas que je n'en sois pas conscient. (Elle n'allait quand même pas dire le contraire, alors elle hésita et lui poursuivit en hâte :) Ce n'est pas moi qui te blâmerai de partir.

Sa voix était sourde.

— Je ne pars pas, simplement je réfléchis.

Il l'embrassa sur la joue, à quoi elle sut que son visage était mouillé de larmes.

— Si tu vendais cet appartement et que nous formions une cagnotte commune pour en acheter un plus grand, le problème resterait quand même entier. La première femme et la deuxième en titre seraient dans des chambres séparées, comme chez un polygame africain...

— Ou comme dans la caricature de James Thurber[1]. Je ne vois pas vraiment Meriel en haut de l'armoire.

Ils rirent, ils riaient vraiment.

— Avons-nous assez d'argent pour une maison ? s'enquit-elle.

— Pas dans un quartier décent de Londres. Et pas une grande...

— Je suppose que Meriel n'aura pas de revenus ?

— Elle n'a jamais été carriériste. (Rupert avait un ton sec, mais très sec : elle comprit que c'était une vieille histoire.) Une femme de l'ancien temps, voilà ce qu'est Meriel ! Ou alors le dernier cri du féminisme ! Et, bien sûr, elle ne travaillait pas quand elle était avec Jaspar, elle menait une vie mondaine. Donc, oui, on peut supposer que nous devrons pourvoir à ses

---

1. James Grover Thurber, écrivain, humoriste et caricaturiste américain (1894-1961). Il est l'auteur, notamment, de *Is Sex Necessary ? or why you feel the way you do ?* (1919), de *The 13 Clocks*...

besoins. (Une pause.) Ils m'ont dit, les médecins, que nous devons nous attendre à des rechutes.

— Je réfléchissais, Rupert. Il y aurait deux femmes sous un toit, mais, au moins, pas au même étage.

— Je parie que tu as déjà expérimenté cette situation, non ?

— Je connais la musique.

— As-tu l'intention de te marier avec moi, Frances ?

— Ce serait certainement préférable pour les enfants si c'était le cas. La maîtresse se transforme en légitime. Ne jamais sous-estimer le conservatisme des enfants.

Frances téléphona à Colin pour lui demander s'ils pouvaient avoir une conversation. Il lui proposa de passer et de lui laisser le soin du repas. Elle se retrouva donc dans la maison de Julia, à la cuisine, à une table qui était la plus petite qu'elle eût jamais vue. Deux chaises. Colin arriva, tout actif et chaleureux.

Ils s'embrassèrent.

— Où est ton petit chien ? demanda Frances.

Il hésita, lui tourna le dos pour sortir des assiettes du réfrigérateur – se servant de celui-ci comme elle-même l'avait si souvent fait pour se cacher ou retarder l'échéance –, posa un potage froid devant elle et s'assit en face d'elle.

— Vicious tient compagnie à Sophie. Elle est en bas.

Elle reposa sa cuillère et encaissa le choc.

— Vous êtes ensemble, toi et Sophie ?

— Elle est malade. C'est une forme de dépression. Le successeur d'Andrew... rien dans le ventre. Elle m'a appelé au secours.

Frances avait assimilé toutes ces nouveautés et se consacrait désormais à sa soupe. Il était bon cuisinier.

— Eh bien, cela jette un nouveau jour sur la situation.

— Éclaire donc ma lanterne.

Elle obtempéra et il montra sa capacité à aller à l'essentiel :

— Enfin, maman, tu es masochiste...

— Le fait est que... – elle allait dire « j'apprécie » mais proféra – j'aime cet homme. Oui, je l'aime.

— C'est un mec bien, approuva son fils.

— As-tu déjà emménagé dans les appartements de Julia ?

— C'est un morceau de curiosité, je ne supporte pas l'idée de le démolir. Mais oui, bien sûr que nous allons nous y installer.

— Et si nous mettions la femme de Rupert au sous-sol ?

— Exactement comme cette pauvre Phyllida.

— Mais pas pour toujours, j'espère. Rupert dit que Meriel mourait d'envie de se débarrasser de lui. Elle n'avait qu'à ne pas faire l'idiote !

— D'accord, alors. Meriel au sous-sol. Sophie et moi en haut de la maison. Nous prendrons l'ancienne chambre de Sylvia, et j'irai travailler au salon. Donc toi, Rupert et les deux petits, vous aurez les six pièces à l'étage d'Andrew et au mien, plus tes anciens appartements. Et puis, bien sûr, il y a cette cuisine, toujours fidèle au poste.

— Je n'y aurais pas pensé si je n'avais pas su que la maison était pratiquement vide. Cela nous donnerait le temps de souffler...

— Ce n'est pas une mauvaise idée.

Avec l'énergie qu'il mettait en toutes choses, il débarrassa les assiettes à soupe et apporta un poisson grillé. Il servit du vin, but le sien, se resservit.

— Et toi et Sophie ?

— Andrew n'était pas bénéfique pour Sophie. Ils se ressemblaient trop. Elle dit que Roland était comme un trou noir au moment critique, et Andrew... Bon, il est plein de bonnes intentions, mais c'est un peu un poids léger, tu dois le reconnaître ? Il ne s'engage pas, expliqua son fils, avec un sourire qui espérait sa complicité. Alors que moi, poursuivit-il, présentant ses arguments, j'assume les gens. J'ai des victimes dans mon passé qui peuvent en témoigner. Bien rongées et mutilées, mais assumées. Non, non, tu ne les connais pas. J'ai vraiment assumé Sophie.

— Deux cinglés sous le même toit, commenta Frances.

— Comme c'est élégamment dit !

— Et ce n'est pas la première fois. Mais quelle importance ! Des enfants de dix et douze ans, ils auront vite grandi, non ?

— D'abord, je n'ai pas remarqué qu'Andrew et moi – ou Sylvia – n'ayons pas eu besoin de cadre familial, même une fois grands. Et deuxièmement... Bon, je n'aurais compris ton attitude péremptoire avec le temps que récemment. Qu'est-ce que quatre ans ? Six ans ? Dix ? Rien. Un simple battement de cils. Il n'y a rien de tel qu'un décès pour s'en rendre compte... Et puis il y a autre chose. T'est-il venu à l'esprit que ces gamins te préfèrent peut-être à leur coupable de maman ?

— Coupable ? Mais elle est malade.

— Elle est partie avec son divin amant, non ? Elle les a abandonnés ?

— Non, elle les a emmenés avec elle. Mais maintenant ils le sont... abandonnés.

— J'espère qu'ils sont au moins supportables. Le sont-ils ?

— Jusqu'ici ils se conduisent comme des enfants modèles. Je n'en sais rien.

— N'es-tu pas frappée par toutes ces coïncidences ?

— Si. Oh, si ! Et c'est pire que ce que tu crois. Meriel est la fille de Sebastian Heath... Ce nom ne te dit probablement rien ? Si ? C'était un célèbre communiste, comme Johnny. Il a été arrêté par les camarades soviétiques et a disparu à jamais.

— J'imagine qu'avoir un père qui a été abattu dans la nuque par son propre bord suffit à expliquer une certaine détresse affective.

— Ensuite, sa mère s'est suicidée. Elle aussi était communiste. Meriel a été élevée par une famille communiste... mais ils ne sont plus communistes, apparemment.

— Donc elle a eu ce qu'on peut appeler à juste titre une enfance brisée.

— D'où mon impression d'être toujours poursuivie par les mêmes...

— Pauvre maman ! s'écria-t-il avec entrain. Peu importe ! Et ne crois surtout pas que tes problèmes de logement seront résolus à titre définitif si tu t'installes ici. J'ai l'intention de me marier.

— Avec Sophie !

— Mon Dieu, non ! Je ne suis pas fou à ce point. C'est juste ma copine. Nous sommes copains. Mais je cherche une femme, c'est certain. Et puis je me marierai et j'aurai quatre enfants, pas ton truc de deux et demi... À ce moment-là, j'aurai besoin de cette maison.

— D'accord, dit sa mère. Entendu.

Le dîner terminé, Frances s'aperçut qu'il commençait à être tard et qu'il était l'heure pour Margaret et William d'aller au lit. La fillette se leva et lui fit face, présentant à Frances son front blanc et virginal, légèrement constellé de taches de rousseur, tel un petit taureau prêt à charger.

— Pourquoi on devrait se coucher ? Tu n'as pas à nous commander, tu n'es pas notre mère !

Et William prenait la relève maintenant. Manifestement, tous les deux avaient discuté de la situation et décidé de faire de la résistance. Deux frimousses butées, deux petits corps hostiles. Rupert, qui était témoin de la scène, était aussi pâle qu'eux.

— Non, je ne suis pas votre mère, mais pendant le temps où je m'occuperai de vous, je crains que vous ne soyez obligés de m'obéir.

— Je refuse, lança Margaret.

— Moi aussi, renchérit William.

Margaret avait une bouille ronde de petite fille qui manquait de définition, des traits qui, à quelques mètres de distance, semblaient s'estomper dans un pâle contour, où seule une petite bouche rose ressortait. En ce moment, la bouche était pincée dans une expression chastement désapprobatrice.

— Nous vous détestons, reprit avec circonspection William, qui avait répété cette phrase avec Margaret.

Frances était excessivement, irrationnellement en colère.

— Asseyez-vous, ordonna-t-elle avec brusquerie.

Surpris, les enfants reprirent leur place à table.

— Maintenant, vous m'écoutez. Je ne prévoyais pas de prendre soin de vous. Ce n'est pas quelque chose que j'ai voulu. (Mais, à cet instant, Frances jeta un coup d'œil à Rupert, qui était complètement désemparé par tout cet horrible imbroglio. Elle poursuivit :) Je veux bien m'occuper de vous, je veux bien m'occuper des repas, de votre linge, de tout ça... mais je ne tolèrerai pas ces bêtises. Vous pouvez oublier vos bouderies et vos enfantillages, je ne les supporterai pas. (Elle était vraiment lancée, et les deux petits visages blêmes et atterrés ne suffirent pas à l'arrêter.) Vous ne le savez pas – et comment le sauriez-vous ? – mais j'ai eu mon compte de claquements de portes, de rebellions d'adolescents et de toutes ces niaiseries infantiles ! (Elle leur criait après. Jamais, jamais elle n'avait crié après un enfant auparavant.) Vous m'entendez ? Et si vous recommencez ce cirque, je m'en vais. Alors je vous avertis. Je m'en irai tout simplement.

Le manque de souffle l'obligea à s'interrompre. Les sourcils de Rupert, d'habitude prêts à l'ironie, lui signalaient qu'elle dépassait la mesure.

— Désolée, reprit-elle, à son intention plutôt qu'à la leur, avant de se corriger : Non, je ne suis pas du tout désolée. Je vous ai dit ça parce que je le pense. Alors réfléchissez bien.

Sans un mot, les enfants se levèrent et disparurent en silence dans leurs chambres. Mais ils allaient se retrouver dans celle de William ou celle de Margaret pour critiquer Frances.

— Bravo, murmura Rupert.

— Bon, tu crois ? répondit Frances, effondrée sur sa chaise, tremblante, effarée de son propre comportement.

Elle posa sa tête sur ses bras.

— Oui, bien sûr. Il fallait bien qu'il y ait une confrontation à un moment donné. À propos, ne crois pas que je trouve ta présence toute naturelle. Je ne t'en voudrais pas si tu partais purement et simplement.

— Mais je ne vais pas partir — elle tendit la main pour prendre la sienne. Oh, mon Dieu ! balbutia-t-elle, tout ça est si...

Il tendit les bras à son tour pour l'attraper. Elle rapprocha sa chaise de la sienne et ils s'enlacèrent, communiant dans leur désarroi.

Une semaine après, ils avaient droit à une répétition du sketch : « Tu n'es pas notre mère, alors pourquoi on devrait t'obéir... ? » et ainsi de suite.

Toute la journée, Frances avait tenté de travailler au gros ouvrage de sociologie qu'elle préparait, sans cesse dérangée par des coups de téléphone des écoles des enfants, de l'hôpital de Meriel et même de Rupert, qui demandait depuis son journal ce qu'il devait rapporter à la maison pour dîner. Elle avait les nerfs à vif, en pelote, en boule. Toute cette situation l'horripilait. Qu'est-ce qu'elle faisait là ? Dans quel piège était-elle tombée ? Aimait-elle même ces enfants ? Cette gamine, avec sa petite bouche pincée de sainte nitouche, et le gamin (ce pauvre gamin !), si épouvanté par ce qui se passait qu'il pouvait à peine les regarder, elle ou son père, et qui se déplaçait comme un funambule, avec un sourire terrifié qu'il essayait de rendre sarcastique.

— D'accord, murmura-t-elle, trop c'est trop !

Repoussant son assiette, Frances se leva de table sans un regard à Rupert, car elle commettait l'irréparable. Elle le frappait alors qu'il était déjà à terre.

— Qu'est-ce que tu veux dire ? s'enquit la fillette – ce qu'elle était encore après tout.

— Qu'est-ce que vous croyez ? Je m'en vais. Je vous avais prévenus.

Frances disparut dans la chambre qu'elle partageait avec Rupert, à pas lents, parce qu'elle avait les jambes raides, non par indécision, mais parce qu'elle leur commandait de l'éloigner de Rupert. Là, elle sortit ses affaires des placards, les empila sur le lit, prit des valises et se mit méthodiquement à les remplir. Elle était dans un état d'esprit opposé à tout ce qu'elle ressentait depuis des semaines. Voilà qu'une situation qui lui avait paru assez raisonnable, bien que difficile, lui donnait l'impression qu'on la traînait pieds et poings liés en prison, telle une jeune promise qui a été emportée par le cours des événements, malgré quelques rares moments d'appréhension, pour se retrouver, la veille des noces, en train de se demander comment elle avait pu être folle à ce point ! Que diable lui avait-il pris d'accepter de s'occuper des enfants de Rupert, même si ce n'était que temporairement ? D'ailleurs, comment savait-elle que ce serait temporaire ? Elle devait se sauver tout de suite, avant qu'il ne fût trop tard. La seule partie de son esprit qui restait quelque part fidèle à ce qu'il avait été était la pensée de Rupert. Frances était incapable de renoncer à lui. Enfin, c'était facile ! Finalement, elle allait s'acheter son appartement, un lieu à elle, et... la porte s'ouvrit. Juste un peu, puis un peu plus. Le gamin était planté dans l'entrebâillement.

— Margaret demande ce que tu fais.

— Je m'en vais, répondit Frances. Ferme cette porte.

La porte s'était refermée, par secousses prudentes, comme si chaque petit degré de fermeture avait été arrêté par un changement d'avis : Devait-il entrer ?

Les bagages étaient prêts et alignés les uns à côté des autres quand Margaret se faufila furtivement dans la pièce, les yeux baissés, la bouche entrouverte. Cette petite bouche rose pincée, à présent gonflée par les larmes.

— Tu pars vraiment ?

— Oui, je pars. (Et Frances qui était convaincue que c'était vrai ajouta :) Referme la porte, doucement.

Peu après, elle sortait de la chambre et trouvait Rupert encore assis à table.

— Ça s'est mal passé, dit-elle, excuse-moi.

Il secoua la tête, fuyant son regard. C'était un être solitaire et courageux, et son chagrin dressait une barrière entre lui et elle. Elle ne pouvait pas le supporter. Elle savait bien qu'elle ne partirait pas, du moins pas comme cela. Dans un dernier sursaut de révolte, elle pensa : Je vais prendre mon propre appartement, il n'a qu'à gérer tout seul le merdier de Meriel et des enfants et venir me voir de temps en temps et...

— Bien sûr que je ne pars pas, reprit-elle. Comment le pourrais-je ?

Il ne bougeait pas, mais c'est qu'il tendait lentement la main la plus proche d'elle. Frances tira une chaise et s'assit dans le creux de son bras, et il inclina la tête afin de la poser contre la sienne.

— Enfin, au moins ils ne t'embêteront plus, dit-il. C'est-à-dire si tu décides de rester...

Les circonstances exigeaient qu'ils cimentent leurs faiblesses en faisant l'amour. Il disparut dans leur chambre et elle se préparait à le suivre, après avoir éteint les lumières. Elle se dirigea vers la porte de la fillette, avec l'intention d'entrer pour lui dire bonsoir, « N'y pense plus, je ne parlais pas sérieusement », mais ce qu'elle entendait, c'étaient des sanglots, d'affreux sanglots étouffés, désespérés, qui duraient depuis un certain temps. Frances resta derrière la porte, puis appuya sa tête contre le battant, dans une flambée de : Oh, non, je ne peux pas, je ne peux pas..., mais le bruit pathétique de l'enfant la démolissait. Elle inspira un bon coup, entra dans la pièce et vit la petite fille sursauter sur son oreiller, puis la retrouva blottie dans ses bras.

— Oh ! Frances, Frances ! Pardon, je ne le pensais pas...

— Tout va bien. Je ne vais pas partir. Je parlais sérieusement tout à l'heure, mais maintenant j'ai changé d'avis.

Baisers, câlins et nouveau départ.

Avec le garçon, ç'allait être plus dur. Enfant meurtri, coincé à l'intérieur de sa carapace de fierté, il retenait ses larmes, repoussait des bras consolateurs, y compris ceux de son père ; il n'avait pas confiance en eux. Il avait vu sa mère, si malade et si silencieuse, descendre si profondément en elle-même qu'elle ne l'entendait plus quand il lui parlait, et c'était cette vision qui ne le quittait plus pendant qu'il se pliait docilement à ce qu'on lui disait, allait à l'école, se mettait à ses devoirs, aidait à débarrasser la table ou à faire son lit. Si seulement Frances et Rupert avaient deviné ce qui se passait chez William, s'ils avaient compris sa souffrance et sa farouche solitude... Mais qu'auraient-ils pu y changer ? Ils étaient même rassurés par ce petit garçon discipliné, qui se révélait – n'est-ce pas ? – être plus facile que Margaret.

Sylvia se trouvait aux arrivées de l'aéroport de Senga, lesquelles abritaient le tapis roulant à bagages, les services de l'Immigration, les douanes et tous les passagers de l'avion. Du premier coup d'œil, on pouvait séparer ces derniers en deux groupes : les Noirs, en épais costumes trois-pièces, et les Blancs, en jeans et T-shirts, avec les pulls avec lesquels ils avaient quitté Londres noués à la taille. Les Noirs étaient exubérants et maniaient réfrigérateurs, cuisinières, téléviseurs et pièces de mobilier pour les mettre dans des positions où ils pourraient être soumis à l'approbation des douaniers, laquelle leur était accordée, car les fonctionnaires se répandaient en compliments, trop heureux de se montrer généreux avec leurs gribouillis de craie rouge, au fur et à mesure que chaque énorme caisse se présentait devant eux. Sylvia avait un sac fourre-tout, pour ses affaires personnelles, et deux énormes valises, réservées aux fournitures médicales et aux articles demandés par le père McGuire ; des listes étaient arrivées jusqu'à Londres, toutes accompagnées du message : « Ne vous sentez pas obligée de me les apporter s'il y a un problème. » Dans l'avion, Sylvia avait entendu des Blancs parler des douanes, de leur imprévisibilité, de leur favoritisme à l'égard des Noirs, qui étaient autorisés à faire entrer de quoi meubler des maisons entières. À côté de Sylvia était assis un homme silencieux, en jean et T-shirt comme les autres, mais il portait à son cou une croix en argent, suspendue à une chaîne. Ne sachant pas si c'était un phénomène de mode, elle lui avait timidement demandé s'il était prêtre et avait appris que c'était le frère Jude de la mission quelque chose – le nom, qui ne lui était pas familier, n'était pas parvenu à ses oreilles – et s'était enquise si elle devait s'attendre à des ennuis avec ses grosses valises. Après avoir entendu son histoire, le lieu où elle se rendait – il connaissait le père McGuire –, il promit à Sylvia de l'aider au passage de la douane, où elle le retrouva juste avant elle dans la queue. Il restait en arrière, laissant passer les autres, parce qu'il guettait un jeune Noir qui l'accueillit par son nom, s'informa si les valises étaient destinées à la mission, les dédouana, puis se tourna vers Sylvia et ses bagages.

— C'est une amie du père McGuire. Elle est médecin. Elle apporte des fournitures à l'hôpital de Kwandere.

— Oh ! une amie du père McGuire, répéta le jeune, tout sourires, tout amitié. Je vous prie de bien vouloir lui transmettre mes meilleurs sentiments.

Et il traça le signe rouge magique sur les valises. Elle se débrouilla à l'immigration, munie de tous les papiers nécessaires, et puis les voyageurs se retrouvèrent sur les marches de l'aérogare, par une matinée limpide et brûlante. Une jeune femme qui portait un short bleu trop large, un T-shirt à fleurs et une grande croix en argent s'avança à la rencontre de Sylvia.

— Ah ! s'exclama le sauveur de Sylvia. Je vois que vous êtes dans de bonnes mains. Tiens, sœur Molly !

Et de s'éloigner vers un groupe qui l'attendait.

Sœur Molly devait la conduire à la mission Saint-Luc. Elle déclara qu'il n'y avait aucune raison de s'attarder à Senga et qu'elles devaient partir immédiatement. Elles se mirent en route, à bord d'un camion cabossé, et s'enfoncèrent tout droit dans un paysage d'Afrique que Sylvia était prête à admirer dès qu'elle y serait habituée. Pour le moment, il lui était complètement étranger. La chaleur était vraiment étouffante. Le vent qui soufflait dans la cabine du camion était chargé de poussière. Sylvia se cramponnait à la portière et écoutait Molly, qui parlait sans arrêt, principalement du camp masculin de son établissement religieux, dont elle se plaignait qu'il ne comptait que de sales phallocrates. Cette expression, qui, à Londres, avait perdu la saveur de l'inédit, s'échappa de ses lèvres souriantes, frappée de neuf. Quant au pape, il était réactionnaire, sectaire, bourgeois, trop vieux et misogyne. Et quel dommage qu'il semblât en si bonne santé ! Dieu lui pardonne ses outrances de langage !

Ce n'était pas ce que Sylvia avait espéré entendre. Elle ne s'intéressait pas beaucoup au pape, même si elle savait qu'elle l'aurait dû, en tant que catholique, et n'avait jamais trouvé la phraséologie du féminisme extrémiste conforme à son expérience. Sœur Molly roulait très vite, d'abord sur de bonnes routes, puis sur d'autres, de plus en plus mauvaises. Une heure plus tard environ, le véhicule s'arrêtait devant un groupe de constructions, une ferme, semblait-il. Là, Molly déchargea Sylvia et ses bagages sur ces mots :

— Je vais vous laisser ici. Et ne vous laissez pas marcher sur les pieds par Kevin McGuire ! C'est un ange, je ne dis pas le contraire, mais tous ces vieux prêtres à l'ancienne mode sont les mêmes...

Elle repartit dans un cahot, saluant de la main Sylvia et tout autre témoin éventuel de la scène.

Sylvia se retrouva invitée à prendre une tasse de thé par Edna Pyne, dont la voix, pleine d'étranges voyelles, laissait percer surtout une pointe d'apitoiement sur soi que Sylvia ne connaissait que trop bien. Quant au visage, plus tout jeune, il trahissait l'insatisfaction. Cedric Pyne, lui, avait de longues jambes brûlées par le soleil, avec le short le plus étriqué que Sylvia eût jamais vu. Ses yeux bleus, comme ceux de sa femme, étaient rougis. La luminosité autour de la galerie où ils étaient installés était si aveuglante que Sylvia garda ses regards fixés sur le couple, pour éviter la dure lumière jaune, et ne vit guère qu'eux lors de cette première visite. Déposer des voyageurs et des livraisons chez les Pyne faisait partie d'un trafic régulier, c'était clair, car quand ils furent remontés en voiture, dans une Jeep cette fois, il y avait des paquets de journaux et de courrier adressés au père McGuire, ainsi que deux jeunes Noirs, dont Sylvia vit tout de suite que l'un était mal en point.

— Je vais à l'hôpital, lança le malade.

À quoi Sylvia répondit :

— Moi aussi.

Les deux étaient à l'arrière et elle devant, avec Cedric, qui conduisait à la manière de sœur Molly, comme s'il voulait gagner un pari. Ils cahotèrent sur une route non goudronnée pendant environ dix-sept kilomètres, puis avancèrent au milieu d'arbres poussiéreux. Devant eux se dressait un bâtiment bas, au toit en tôle ondulée, et plus loin, sur une crête, d'autres constructions étaient éparpillées à la ronde, parmi d'autres arbres poussiéreux.

— Dites à Kevin que je ne peux pas attendre, dit Cedric Pyne. Revenez nous voir quand vous voulez.

Là-dessus il redémarra, des volutes de poussière dans son sillage. Sylvia avait mal à la tête. Elle songea qu'elle n'avait presque jamais quitté Londres de sa vie, et cette coupure lui avait paru jusqu'ici une chose très normale, au lieu de la dépossession qu'elle pressentait déjà. Les deux jeunes Noirs s'en allèrent à l'hôpital en lui disant à bientôt, une formule assez décontractée, mais la mine du malade était un appel d'urgence.

Sylvia monta avec ses valises sur une minuscule galerie en ciment vert poli, puis pénétra dans une pièce modeste, meublée d'une table faite de simples planches teintées, de chaises au siège tressé de lanières de cuir, de rayonnages de livres qui couvraient un mur entier et de quelques images pieuses, toutes de Jésus, sauf une qui représentait une vue vaporeuse des monts Mourne[1].

Une petite femme noire menue apparut, accueillante, tout sourires, dit à Sylvia qu'elle s'appelait Rebecca et qu'elle allait lui montrer sa chambre.

---

1. En Irlande du Nord.

La chambre en question, qui donnait dans la pièce principale, était assez grande pour contenir un étroit lit de fer, une petite table, deux chaises droites et quelques étagères murales en guise de bibliothèque. Aux murs, il y avait des clous et des cintres pour ses vêtements. Une modeste commode, du genre de celles des hôtels d'autrefois, avait échoué ici. Un crucifix était accroché au-dessus de son lit. Les murs étaient en brique, le sol aussi, et le plafond en bambou refendu. Rebecca annonça qu'elle allait servir le thé et disparut. Sylvia s'écroula sur une chaise, en proie à un sentiment qu'elle ne sut identifier. Oui, des impressions nouvelles. Oui, elle s'y attendait, savait qu'elle se sentirait étrangère, dépaysée. Mais cela, qu'est-ce que c'était ? Des vagues d'amères sensations de néant la submergèrent, et après avoir regardé le crucifix pour trouver ses repères, elle pensa seulement que le Christ Lui-même devait être surpris de Se trouver là. Mais elle, Sylvia, n'était pas surprise de trouver le Christ dans un endroit aussi pauvre, si ? Qu'est-ce que c'était, alors ? Dehors, des colombes roucoulaient et les poules n'arrêtaient pas de caqueter. Je ne suis qu'une enfant gâtée, se dit Sylvia, ce mot remontant quelque part du fond de son enfance. La cathédrale Westminster, oui. Une cabane en brique, apparemment non. La poussière volait devant la fenêtre. À en juger par la vue qu'elle avait depuis celle-ci, cette maison ne pouvait comporter plus de trois ou quatre pièces. Où était donc la chambre du père McGuire ? Où Rebecca dormait-elle ? Elle ne comprenait rien à rien, et après que Rebecca lui eut apporté son thé, Sylvia lui dit qu'elle avait la migraine et allait s'étendre.

— Oui, docteur, vous n'avez qu'à vous étendre et vous vous sentirez bientôt mieux, approuva Rebecca, avec la bonne humeur reconnaissable des chrétiens.

Les enfants de Dieu ont le sourire et sont toujours prêts. (Comme les hippies.)

Rebecca tira les rideaux, de la toile à matelas noir et blanc, ce qui, subodorait Sylvia, aurait été considéré du dernier chic dans certains milieux londoniens.

— Je vous appellerai pour le déjeuner.

Le déjeuner. Sylvia avait l'impression que ce devait être déjà le soir, la journée lui avait paru si longue. Mais il n'était que onze heures.

Elle s'allongea, la main sur les yeux, regarda la lumière dessiner ses doigts fins, s'assoupit et fut réveillée une demi-heure plus tard par Rebecca, qui lui apportait une nouvelle tasse de thé, accompagnée des excuses du père McGuire. Celui-ci était retenu à l'école et il la verrait au déjeuner. Il lui suggérait de prendre son temps jusqu'au lendemain matin.

Après avoir transmis le conseil du père, Rebecca fit remarquer que le patient de la ferme des Pyne attendait de voir le médecin, qu'il y en avait d'autres dans le même cas et que le médecin pourrait peut-être... Sylvia enfila une blouse blanche, opération que Rebecca sembla simplement observer, mais d'un air qui poussa Sylvia à lui demander :

— Que faut-il que je mette, alors ?

Aussitôt Rebecca répondit que la blouse ne resterait pas longtemps blanche et que le docteur avait peut-être une vieille robe qu'elle pourrait mettre.

Sylvia ne portait jamais de robes. Elle avait toujours sur elle son plus vieux jean, qu'elle avait mis pour voyager. Elle attacha ses cheveux en arrière avec un foulard, ce qui lui donna un air de ressemblance avec Rebecca sous son mouchoir. Elle descendit un sentier indiqué par cette dernière, qui repartit dans sa cuisine. Le long du chemin poudreux poussaient des hibiscus, des lauriers-roses et du plumbago, tous poussiéreux aussi, mais les arbustes donnaient l'impression d'être à leur place, dans cette chaleur aride et sous ce soleil, piqué dans un ciel où il n'y avait pas un nuage. Le sentier sinueux dévalait un versant rocheux ; en face d'elle se profilaient quelques toits de paille sur des poteaux de soutènement fichés dans la terre rougeâtre, de même qu'une remise, dont la porte était entrouverte. Une poule en émergea. D'autres volatiles étaient couchés sur le flanc sous les fourrés, haletants, le bec ouvert. Les deux jeunes qui avaient voyagé à l'arrière du véhicule étaient blottis sous un grand arbre. L'un des deux se leva en disant :

— Mon ami est malade, il est trop malade...

Sylvia le voyait bien.

— Où se trouve l'hôpital ?

— Ici, c'est l'hôpital.

Alors Sylvia s'aperçut que des gens étaient étendus çà et là, sous les arbres, les buissons ou les abris de paille. Certains étaient infirmes.

— Pendant longtemps, pas de médecin, reprit le jeune. Et maintenant nous avons un nouveau médecin.

— Qu'est-il arrivé au médecin ?

— Il buvait trop trop. Et en conséquence le père McGuire a dit qu'il fallait qu'il parte. Et en conséquence on vous attend, docteur.

Sylvia regarda alors autour d'elle, cherchant des yeux où pouvaient être ses instruments et sa pharmacie – les outils de son métier – et se dirigea vers la remise. Effectivement, il y avait trois niveaux d'étagères. Dessus, un énorme bocal d'aspirine, vide. Plusieurs flacons de cachets pour le paludisme, vides. Un gros tube de pommade, sans étiquette et vide lui aussi. Un stéthoscope pendait à un clou, derrière la porte. Il ne marchait plus. L'ami du jeune malade souriait, planté à côté d'elle.

— Il n'y a plus de médicaments, déclara-t-il.

— Comment t'appelles-tu ?

— Aaron.

— Tu n'es pas de la ferme des Pyne ?

— Non, j'habite ici. Je suis parti pour accompagner mon ami dès que nous avons su qu'une voiture arrivait.

— Comment es-tu allé là-bas, alors ?

— À pied.

— Mais... cela en fait du chemin, non ?

— Non, c'est pas trop loin.

Elle revint avec lui auprès du jeune malade qui, après avoir été mou et inerte, tremblait désormais violemment. Elle n'avait pas besoin de stéthoscope pour donner son diagnostic.

— Est-ce qu'il a pris des médicaments ? demanda-t-elle. C'est le paludisme.

— Oui, il avait des médicaments de Mr Pyne, mais il n'y en a plus maintenant.

— Première chose, il faut qu'il boive.

Dans la remise elle trouva trois gros bidons en plastique à bouchon à vis remplis d'eau, mais celle-ci avait une odeur. Elle ordonna à Aaron d'apporter un peu du précieux liquide au malade. Mais il n'y avait ni tasse, ni bol, ni verre. Rien.

— Quand l'autre médecin est parti, j'ai bien peur qu'il y ait eu des vols.

— Je vois.

— Oui, telle était la situation, j'en ai bien peur.

Sylvia comprit qu'elle entendait son expression « J'ai bien peur » comme celle-ci avait dû sonner il y avait longtemps, quand c'était encore une nouveauté. Aaron employait ces mots en guise de formule d'excuse. Il y avait longtemps, quand ils disaient « J'ai bien peur », s'attendaient-ils à un coup ou à une semonce ?

Quelle chance qu'elle eût apporté un stéthoscope neuf et une pharmacie de base !

— Y a-t-il un verrou pour cette porte ?

— Je ne sais pas, j'en ai bien peur.

Aaron fit mine de chercher partout, comme si le verrou pouvait se trouver dans la poussière.

— Et oui, le voilà ! s'écria-t-il, le dénichant enfoui dans le chaume de la remise.

— Et la clé ?

Il se remit à chercher, mais la clé, c'était trop demander.

Elle n'allait quand même pas confier son maigre stock à une remise qui ne fermait pas. Pendant qu'elle restait là indécise, à se dire qu'elle ne comprenait rien à tout ce qui l'entourait, qu'il lui fallait une clé, sans parler de la remise, Aaron déclara :

— Et regardez, docteur, j'ai bien peur que le mur ne soit pas très solide ici... Regardez.

Il appuya sur les briques du mur du fond, qui s'écroulèrent vers l'extérieur. Un carré avait été soigneusement dégagé de son mortier, afin de ménager un assez grand trou : n'importe qui pouvait entrer.

Elle fit une tournée rapide de ses patients, allongés ici et là, mais c'était parfois difficile de les distinguer de leurs amis ou des parents qui les accompagnaient. Une épaule luxée. Elle la remit en place séance tenante, dit au jeune homme de rester là pour se reposer, de ne pas bouger de quelque temps, mais il s'enfonça dans la brousse d'un pas chancelant. Des coupures suppurantes. Un autre cas de paludisme, c'était son impression. Une jambe enflée comme un traversin, la peau apparemment près d'éclater. Elle retourna dans sa chambre, revint avec une lancette, du savon, une bande et une bassine empruntée à Rebecca, et, accroupie, incisa la jambe, d'où des flots de pus s'écoulèrent dans la poussière, créant sans doute un magnifique nouveau foyer d'infection. Cette patiente gémit de gratitude : une jeune femme, dont les deux enfants étaient blottis près d'elle, l'un en train de téter, même s'il semblait avoir au moins quatre ans, et l'autre agrippé à son cou. Rebecca lui banda la jambe, dans l'espoir de la protéger de la poussière, recommanda à la mère de ne pas en faire trop, même si c'était probablement absurde, et puis examina une femme enceinte, proche du terme. Le bébé se présentait par le siège.

Elle réunit ses instruments et la bassine, et prévint qu'il lui fallait parler au père McGuire. Elle demanda à Aaron ce que lui et le malade atteint de paludisme comptaient manger. Il répondit que Rebecca aurait peut-être la gentillesse de leur donner un peu de *sadza*[1].

Sylvia trouva le père McGuire attablé dans la pièce de devant, en train de déjeuner. C'était un homme imposant, avec une soutane râpée, un généreux toupet de cheveux blancs, des yeux sombres compatissants et un air accueillant et jovial.

Sylvia fut chaleureusement invitée à s'asseoir avec lui pour partager un petit hareng en boîte – apporté par les soins de la jeune femme – et elle accepta. Puis, toujours sur l'invitation du père, elle dégusta une orange.

Debout, Rebecca les observait. Elle leur rapporta qu'on disait à l'hôpital que Sylvia ne pouvait pas être médecin, elle était trop petite et trop menue.

— Dois-je leur montrer mes diplômes ? s'exclama Sylvia.

— Je m'en vais leur montrer la force de ma main, tonna le père McGuire. Ce qu'il faut entendre comme impertinence !

— Il me faut une remise qui ferme, déclara Sylvia. Je ne peux pas tout descendre et tout remonter plusieurs fois par jour...

— Je dirai au maçon de reboucher le trou dans le mur.

— Et le verrou ? La clé ?

1. Version zimbabwéenne du gâteau de semoule de maïs, plat de base commun à toute l'Afrique sub-saharienne.

— Ça, c'est plus difficile. Il faut que je voie si on en a un. Je pourrais demander à Aaron de faire un saut chez les Pyne pour leur demander un verrou à clé.

Il alluma une cigarette et en proposa une à Sylvia. Elle n'avait presque jamais fumé, mais dans ces circonstances elle lui en fut reconnaissante.

— Ah, oui ! reprit-il. Vous êtes debout depuis lontemps. C'est toujours la même chose le premier jour qu'on passe loin de chez soi. Notre journée commence à cinq heures et demie et se termine – du moins, la mienne – à neuf. Et vous irez bien vous coucher à ce moment-là, quoi que vous pensiez aujourd'hui, avec vos habitudes londoniennes...

— J'irais bien tout de suite, acquiesça Sylvia.

— Alors vous devriez faire une petite sieste, comme moi maintenant.

— Mais ces pauvres malheureux en bas ? Puis-je avoir une tasse, au moins, pour leur donner un peu d'eau ?

— Vous pouvez. Ça, c'est au moins en notre pouvoir. Nous avons des tasses.

Sylvia dormit une demi-heure et fut réveillée par Rebecca, qui lui apportait du thé. Rebecca s'était-elle aussi reposée ? Elle sourit quand Sylvia lui posa la question. Aaron et son ami avaient-ils quelque chose à manger ? Le docteur Sylvia ne devait pas s'inquiéter pour eux, lui répondit-elle avec le sourire.

Sylvia redescendit vers l'assemblage de remises, d'abris et d'arbres ombreux, où les malades attendaient, étendus ici et là. Beaucoup d'autres étaient arrivés, ayant entendu parler de la venue d'un nouveau médecin. Il y avait un bon nombre d'infirmes maintenant, des manchots ou des unijambistes. De vieilles blessures qui n'avaient jamais été correctement suturées ou même nettoyées. Ceux-là étaient les victimes de la guerre, qui s'était terminée assez récemment somme toute. Elle pensait qu'ils s'étaient traînés jusqu'à l'« hôpital » parce qu'ici, au moins, leur condition était reconnue, validée. Ils étaient des blessés de guerre, ce qui leur donnait droit aux cachets. Aux analgésiques, à l'aspirine, à de la pommade, à n'importe quoi, en fait. Ces très jeunes hommes, dont certains étaient encore des gamins, étaient les héros de la guerre, et on leur devait bien quelque chose. Mais Sylvia disposait de si peu de médicaments qu'elle était parcimonieuse. Ils obtinrent donc d'elle des tasses d'eau, accompagnées de questions compatissantes : « Comment as-tu perdu ta jambe ? — La bombe a explosé quand je me suis assis. — Oh, je suis désolée ! Ce n'est vraiment pas de chance. — Non, c'est vraiment pas de chance. — Et toi, qu'est-ce qui est arrivé à ton pied ? — Un rocher est tombé du haut du kopje sur une mine terrestre et j'étais là. — Je suis navrée pour toi, ça a dû te faire très mal. — Oui, j'ai crié et mes camarades ils m'ont fait taire, parce que l'ennemi n'était pas loin. »

Vers la fin de l'après-midi, alors que le soleil jaune était déjà bas, apparut un homme courbé, très grand et très maigre, le visage furieux, qui lui dit s'appeler Joshua, et que son travail était de l'aider.

— Vous êtes infirmier ? Vous avez été formé ?

— Non, je n'ai pas de formation. Mais je travaille tout le temps ici.

— Alors, où étiez-vous tout à l'heure ? demanda Sylvia, curieuse de savoir, sans que ce fût un reproche dans son esprit.

Mais il lui répondit, voulant se montrer insolent, d'une insolence cérémonieuse, proche de la formule « Allez au diable ! » :

— Pourquoi aurais-je dû être ici alors qu'il n'y avait pas de docteur ?

Il était sous l'influence d'une substance quelconque. Non, pas de l'alcool. De quoi, alors ? Oui, elle sentait l'odeur de l'herbe.

— Qu'est-ce que tu as fumé ?
— De la *dagga*[1].
— Il en pousse ici ?
— Oui, il en pousse partout.
— Si tu dois travailler avec moi, alors je ne peux pas te laisser fumer de la *dagga*.

En se dandinant d'un pied sur l'autre, les bras ballants, il grommela :

— Je ne pensais pas travailler aujourd'hui.
— Quand l'ancien médecin est-il parti ?
— Il y a longtemps, un an déjà.
— Où se mettent les malades quand il pleut ?
— S'il n'y a pas de place pour eux sous les auvents, ils se mouillent. Ce sont des Noirs, c'est assez bon pour eux...
— Mais vous avez un gouvernement noir maintenant, les choses vont donc changer.
— Oui, dit-il ou plutôt gronda-t-il. Oui, maintenant tout va changer et nous profiterons aussi des bonnes choses.
— Joshua, observa-t-elle en souriant, si nous devons travailler ensemble, alors nous devons tâcher de nous entendre.

À ce moment-là, une ébauche de sourire apparut sur son visage.

— Oui, ce serait une bonne chose si nous... nous entendons.
— Tu ne t'entendais pas avec celui qui est parti, je suppose. À propos, c'était un médecin blanc ou un médecin noir ?
— Un médecin noir. Enfin, peut-être pas un vrai médecin. Mais il buvait comme un trou. C'était un chenapan.
— Un quoi ?
— Un mauvais bougre. Ce n'est pas comme vous.

---

1. Mot d'origine hottentote : « chanvre ».

— J'espère que je ne boirai pas comme un trou, au moins.

— Moi aussi je l'espère, docteur.

— Je m'appelle Sylvia.

— Docteur Sylvia.

Il était toujours courbé et se dandinait toujours d'une jambe sur l'autre, mais sa physionomie était désormais figée dans une expression renfrognée. C'était comme s'il avait décidé : Maintenant, je dois montrer mon opposition.

— Le docteur Sylvia remonte voir le père McGuire, lança-t-elle. Il m'a dit d'être là-bas à la nuit tombée, pour dîner.

— J'espère que le Dr Sylvia profitera bien de son dîner.

En riant, il s'éloigna sur un sentier qui s'enfonçait dans la brousse. Puis elle l'entendit chanter. Un chant subversif, songea-t-elle : c'était un hymne révolutionnaire, souvenir de la guerre, une insulte à tous les Blancs.

Déjà à table, le père McGuire buvait du jus d'orange, à côté d'une lampe à pétrole qui sifflait. Un autre verre attendait Sylvia.

— Nous avons l'électricité, mais il y a une coupure de courant, annonça-t-il.

Rebecca apparut avec un plateau, et l'information qu'Aaron avait transmis un message comme quoi, cette nuit, il allait rester avec son ami en bas, à l'hôpital.

— Pourquoi ? Il habite ici ?

Sans la regarder, le prêtre expliqua qu'Aaron avait une famille au village, mais qu'il allait dorénavant dormir dans cette maison le soir. Son expression et celle de Rebecca indiquaient à Sylvia qu'il y avait quelque chose de gênant dans cette situation, aussi les questionna-t-elle. C'était absurde, répondit le père McGuire, ridicule, et il ne pouvait que s'en excuser, mais le jeune homme devait habiter la maison pour sauver les apparences. Sylvia n'avait pas compris. Le père semblait impatient, offensé même, qu'elle l'obligeât à mettre les points sur les i.

— Ce n'est pas considéré comme convenable, explosa-t-il, qu'un prêtre partage le même toit qu'une femme !

— Comment ? s'exclama Sylvia.

Elle était aussi contrariée que lui.

Rebecca émit la remarque que les gens parlaient toujours. C'était une chose à laquelle il fallait s'attendre.

D'un petit air sage teinté d'amertume, Sylvia répliqua que les gens avaient mauvais esprit et le père McGuire acquiesça. Oui, c'était ainsi.

Ensuite, mais après un silence, le père ajouta qu'il avait été proposé que Sylvia loge chez les sœurs, en haut de la colline.

— Quelles sœurs ?

— Nous avons des bonnes sœurs, dans une maison sur la colline. Mais étant donné que vous n'êtes pas religieuse, j'ai pensé que vous seriez mieux ici.

Il y avait tant de non-dits. Sylvia reporta ses regards sur Rebecca.

— Nos bonnes sœurs sont censées nous aider à l'hôpital, mais tout le monde n'est pas fait pour le boulot ingrat d'infirmière.

— Elles sont infirmières ?

— Non, je ne dirais pas ça. Elles ont suivi des cours de secourisme. Mais je vous suggère de prendre des dispositions pour qu'elles vous lavent les bandes, les pansements et les draps de lit. Voyons, vous n'avez pas des réserves de pansements jetables ? Non. Vous devriez donc demander à Joshua de porter tous les jours ce qui est à laver chez les sœurs. Et moi je leur enseignerai qu'elles doivent se charger de cette besogne pour la gloire de Dieu.

— Joshua n'aimera pas faire ça, mon père, objecta Rebecca.

— Pas plus que tu n'aimerais le faire, Rebecca. Nous avons donc un problème.

— C'est le travail de Joshua, pas le mien.

— Donc il vous reste un petit problème à régler, Sylvia. J'attends avec intérêt de voir comment vous allez vous y prendre.

Il se leva, dit bonsoir et alla se coucher. Sans regarder Sylvia, Rebecca dit à son tour bonsoir et se retira.

Un mois s'était écoulé. La brèche du mur de la remise était réparée ; il y avait même un verrou et une clé. Bricolés avec la toile de jute utilisée pour emballer le tabac, des stores avaient été tendus autour de deux des auvents de paille et pouvaient être réglés afin de protéger du vent et de la poussière, sinon d'une grosse pluie. On avait aussi construit une nouvelle case, avec des murs et un toit de roseau. Une grande, avec des trous aménagés dans les murs pour laisser entrer le jour. À l'intérieur, il faisait bon et frais. Le sol était en terre battue. Les malades pouvaient vraiment s'y abriter. Sylvia avait guéri des cas de surdité ancienne, causés par un simple bouchon de cérumen durci. Elle avait aussi guéri des cataractes. Ayant reçu des médicaments de Senga, elle était en mesure de traiter les cas de paludisme, mais les trois quarts d'entre eux étaient des malades chroniques. Elle plâtrait des membres, cautérisait des plaies et les suturait, distribuait des médications contre les maux de gorge et la toux, recourant parfois, quand elle n'en avait plus, aux remèdes de bonne femme, souvenirs d'Irlande du père McGuire. Elle disposait d'une petite maternité et mettait des bébés au monde. Tout cela était plutôt satisfaisant, mais elle était frustrée en permanence de ne pas être chirurgien. Or c'était nécessaire. Les cas graves et urgents pouvaient être transportés dans un hôpital à trente kilomètres de là, mais les retards étaient parfois préjudiciables ou même fatals. Elle aurait dû être capable de réaliser des césariennes ou des appendicectomies, d'amputer une main ou d'ouvrir un genou présentant une mauvaise fracture. Il y avait une zone d'ombre où il était difficile de dire si elle était dans la légalité ou non : elle pouvait inciser un bras afin d'accéder à un ulcère, débrider une plaie suppurante pour la nettoyer au moyen d'instruments de chirurgie. Si seulement elle avait su alors à quel point elle aurait besoin du savoir-faire d'un chirurgien, alors qu'elle avait suivi toutes sortes de cours qui ne lui servaient à rien maintenant...

Sylvia remplissait également le type de tâche que ne rencontraient jamais les médecins européens. Elle avait fait la tournée des villages avoisinants pour inspecter les réserves en eau et trouvé beaucoup de rivières sales et de puits pollués. Les eaux étaient basses à cette période de l'année et formaient souvent des mares stagnantes où prospérait la bilharziose. Elle apprit à des femmes de ces villages à reconnaître certaines maladies et à savoir quand lui amener les patients. De plus en plus de monde venait à elle, parce qu'on la voyait un peu comme une faiseuse de miracles, surtout à cause des oreilles nettoyées à la seringue. Sa réputation était vantée par Joshua, car cela contribuait à la sienne, ternie par son association avec le précédent mauvais médecin. Sylvia et lui « s'entendaient bien », mais elle fermait les yeux sur ses accusations contre les Blancs, souvent véhémentes. De temps en temps, elle lâchait :

— Mais Joshua, je n'étais pas là ! Comment serais-je à blâmer ?

— C'est pas de chance, docteur Sylvia. Tu es à blâmer si je le dis. Maintenant nous avons un gouvernement noir et je dis qu'il marche. Un jour, ici il y aura un bel hôpital et nous aurons nos propres médecins noirs...

— Je l'espère.

— Et alors tu pourras rentrer en Angleterre et guérir tes propres malades. Est-ce que vous avez des malades en Angleterre ?

— Bien sûr que nous en avons.

— Et des pauvres ?

— Oui.

— Aussi pauvres que nous ?

— Non, rien de semblable.

— C'est parce que vous nous avez tout volé.

— Si tu le dis, Joshua, alors il en est ainsi.

— Et pourquoi n'es-tu pas chez toi pour t'occuper de vos malades ?

— Très bonne question. Je me la pose souvent moi-même.

— Mais ne t'en va pas encore. Nous avons besoin de toi jusqu'au moment où nous aurons nos propres médecins.

— Mais vos médecins n'iront pas travailler dans des trous misérables comme ici ! Ils veulent tous rester à Senga.

— Mais ce ne sera plus un trou misérable. Ce sera un endroit riche et beau, comme l'Angleterre.

Le père McGuire, lui, disait à Sylvia :

— Non, écoute-moi, mon enfant. J'ai à te parler sérieusement, en tant que ton confesseur et conseiller.

— Oui, mon père.

Cette situation avait pris un tour un peu comique : même s'il n'était pas vrai de dire qu'elle avait oublié son catholicisme, elle devait certainement redéfinir ses convictions. Elle était devenue catholique à cause du père Jack, un homme maigre et austère, consumé par un ascétisme auquel il n'était pas préparé. Ses yeux accusaient le monde qui l'entourait, et ses gestes étaient toute vigilance envers la faute et le péché. Elle avait été amoureuse de lui et croyait ne pas lui avoir été indifférente. Jusqu'ici il avait été l'amour de sa vie. Pour Sylvia, le père Jack avait été synonyme de sacerdoce, de foi, de religion. Or la voilà maintenant dans cette maison au fin fond de la brousse avec le père McGuire, un homme d'un certain âge, facile à vivre et qui goûtait les plaisirs de la table. On aurait pu croire qu'avec un régime à base de semoule, de bœuf, de tomates et de fruits en conserve, rarement frais, il n'était pas possible d'être gastronome. Sottise ! Le père Kevin grondait Rebecca si la semoule n'était pas bonne. Et son bœuf devait être parfait, à point, et les pommes de terre... Sylvia avait de l'affection pour Kevin McGuire, c'était un brave homme, comme le lui avait dit sœur Molly, mais ce à quoi elle avait été sensible, c'était à la fervente abstinence d'un être très différent, aux splendeurs de la cathédrale Westminster et, une fois, à une courte excursion à Notre-Dame, dont le souvenir brûlait comme la manifestation visible de tout ce qu'elle aimait le plus au monde. Une fois par semaine, le dimanche soir, dans une petite chapelle en brique nue, meublée de tabourets et de chaises du cru, la population locale assistait à la messe, qui était célébrée dans la langue indigène, et dansait... Les femmes se levaient de leurs sièges pour danser leur culte avec énergie, elles chantaient aussi – oh, oui ! que c'était beau ! – et c'était un événement convivial et bruyant, comme une fête. Sylvia se demandait si elle avait jamais été vraiment une authentique catholique, si elle l'était en ce moment même, bien que le père McGuire la rassurât dans son rôle de mentor. Elle s'interrogeait : dans la petite chapelle où la poussière voltigeait, n'aurait-elle pas préféré que l'office eût été célébré en latin, que les fidèles se fussent levés et agenouillés, et eussent chanté les répons selon l'ancienne liturgie ? Oui, elle aurait préféré. Elle détestait la messe telle qu'elle était célébrée par le père Kevin McGuire, elle détestait ces danses charnelles et l'exubérance des cantiques qui, elle le savait, étaient un assouplissement des chaînes de leurs vies misérables et limitées. Et elle n'aimait certainement pas les religieuses sous leurs robes bleu et blanc, semblables à des uniformes de collégiennes.

— Sylvia, lui répétait-il, vous devez apprendre à prendre les choses moins à cœur.

— Je ne peux pas le supporter, mon père ! s'écria-t-elle. Ce que je vois me hérisse. Les neuf dixièmes ne sont pas nécessaires...

— Oui, oui, oui. Mais les choses sont ainsi et pas autrement. Elles sont ainsi aujourd'hui. Mais elles vont changer, j'en suis sûr. Oui, elles vont sûrement changer. Mais, Sylvia, je vois en vous l'étoffe des martyrs, et ce n'est pas bon. Iriez-vous au bûcher avec le sourire, Sylvia ? Oui, je crois que oui. Vous vous consumez. Tenez, je vais vous délivrer une ordonnance, exactement comme vous faites pour ces malheureux. Vous devez prendre trois repas corrects par jour. Vous devez vous coucher plus tôt ; je vois de la lumière sous votre porte à onze heures, minuit ou plus tard. Et puis vous devez aller vous promener dans la brousse tous les soirs. Ou rendre des visites. Vous pouvez toujours prendre ma voiture pour aller voir les Pyne. Ce sont de braves gens.

— Mais je n'ai rien de commun avec eux !

— Enfin, Sylvia, ne sont-ils pas assez bien pour vous ? Saviez-vous qu'ils ont passé toute la guerre dans cette ferme ? Ils étaient assiégés. Leur maison a même été incendiée au-dessus de leurs têtes. Ce sont des gens courageux.

— Mais au service de la mauvaise cause.

— Oui, c'est vrai, oui, bien sûr. Mais ce ne sont pas des démons juste parce que les nouveaux journaux racontent que tous les fermiers blancs le sont...

— Je ferai de mon mieux pour m'améliorer. Je sais que je m'implique trop.

— Vous et Rebecca... toutes les deux, vous êtes comme des petits pikas par une année de sécheresse. Mais, dans son cas, elle a six enfants et aucun d'eux n'a assez à manger. On ne se nourrit pas de...

— Je n'ai jamais mangé autant. La nourriture ne m'intéresse pas, semble-t-il.

— Quel dommage que nous ne puissions pas partager entre nous certains traits de caractère ! Moi, j'aime bien manger, Dieu me pardonne ! Oui, j'aime ça.

L'existence de Sylvia s'était transformée en un circuit qui allait de sa chambrette à la table de la grande salle, de là à l'hôpital, puis retour à la case départ. Sans fin. Elle s'était même à peine aventurée dans la cuisine, domaine de Rebecca, n'avait jamais pénétré dans la chambre du père McGuire et savait seulement qu'Aaron dormait quelque part au fond de la maison. Lorsque le prêtre n'était pas paru au dîner, et que Rebecca lui avait dit qu'il était malade – oui, il tombait souvent malade –, Sylvia était entrée pour la première fois dans son antre. Il y flottait une forte odeur de transpiration plus ou moins rance, les âcres relents de la maladie. Il était adossé à ses oreillers, mais glissait de côté, la tête ballante sur ses épaules. Mis à part sa poitrine qui palpitait, il était complètement inerte. Le paludisme. C'était la phase de latence du cycle.

Les petites fenêtres, dont l'une était fêlée, étaient ouvertes sur la terre humide, par où entrait la fraîcheur qui rivalisait avec la fétidité ambiante. Le père McGuire était glacé, moite, sa chemise de nuit trempée de sueur et plaquée sur son corps, ses cheveux emmêlés. Saison chaude ou pas, il risquait d'attraper froid. Sylvia appela Rebecca et, malgré ses protestations, les deux femmes soulevèrent le père pour l'installer sur une chaise, une en paille tressée, qui se tassa sous son poids.

— Je veux refaire son lit quand le père est malade, mais il dit toujours : « Non, non, laisse-moi. »

— Eh bien ! c'est moi qui vais m'en charger...

Les draps furent donc changés, le patient se laissa retomber en arrière. Et puis, alors qu'il se plaignait d'avoir mal à la tête, Sylvia lui fit sa toilette dans son lit. Rebecca détournait les yeux des attributs de la virilité du père et n'arrêtait pas de répéter qu'elle était désolée.

— Je suis désolée, mon père, je suis désolée...

Une chemise de nuit propre, une citronnade. Un nouveau cycle commença, avec les violents frissons et suées du paludisme ; le père serrait les dents et s'agrippait aux montants de fer du chevet de son lit. Les fièvres, la fièvre quarte, la fièvre tierce, les tremblements, les raideurs, les crises et les frissons de la maladie qui avait prospéré, il n'y avait pas si longtemps, dans les marécages londoniens, dans ceux d'Italie, et avait été importée de tous les coins du monde où il y avait des terrains palustres, n'avaient jamais été observés par Sylvia avant son arrivée ici, même si elle avait potassé la question dans l'avion. Et maintenant il ne s'écoulait pas un jour, apparemment, sans qu'une personne livide et épuisée ne s'écroulât sur les matelas de roseau sous les auvents en paille et n'y restât allongée en frissonnant.

— Est-ce que vous prenez vos cachets ? cria Sylvia.

Cette maladie rend sourd, le paludisme rend sourd, à moins que ce ne soient les médicaments. Le père McGuire répondit qu'il les prenait, mais, étant donné qu'il avait la tremblote trois ou quatre fois par an, il était persuadé de ne plus rien avoir à attendre de l'aide des cachets.

Après en avoir fini avec cet accès, il se trouva de nouveau trempé ; il fallut encore changer son lit. Rebecca montra sa lassitude en emportant les draps. Sylvia lui demanda s'il n'y avait pas une femme au village qui pouvait les aider pour la lessive. Rebecca répondit qu'elles avaient d'autres occupations. « Et vos bonnes sœurs alors ? proposa-t-elle au malade. — Je ne crois pas que Rebecca aimerait ça », répondit-il. Rebecca était jalouse de son statut et ne voulait pas le partager. Sylvia avait renoncé à essayer de comprendre ces rivalités complexes, aussi suggéra-t-elle alors Aaron. Le prêtre tenta une plaisanterie, comme quoi Aaron était un intellectuel désormais et qu'on ne pouvait plus exiger de lui ce type de tâche. Sous la tutelle du père McGuire, il commençait des études qui feraient de lui un prêtre.

Aaron serait-il trop bon pour explorer les arbres et les buissons à la recherche de larves de moustique ?

— Vous découvrirez qu'il est trop bon pour une telle mission, je pense.

— Alors pourquoi pas les sœurs ?

Sylvia se retint d'ajouter qu'elles ne lui paraissaient pas trop se fatiguer, mais le père McGuire affirma qu'elles ne sauraient pas reconnaître une larve en la voyant.

— Nos bonnes sœurs ne sont pas du tout des passionnées de la jungle !

Les moustiques déposaient leurs œufs dans la première flaque venue. Les larves noires, aussi vivaces à cette phase de leur existence qu'elles le seront au moment de chercher qui elles pourront bien dévorer, peuvent se cacher dans le repli d'une vieille feuille sèche de papaye ou dans le couvercle rouillé d'une boîte de biscuits oubliée sous un fourré. La veille, entre les racines courbes d'un pied de maïs, Sylvia avait aperçu des larves dans un petit renfoncement creusé par un ruisseau échappé d'une inondation. Le soleil asséchait l'eau sous ses yeux, les larves étaient condamnées, alors elle ne les avait pas tuées. Mais, deux heures plus tard, il y avait eu une averse et, si elles n'avaient pas été emportées par l'eau pour mourir sur la terre, elles auraient achevé triomphalement leur cycle.

Le père McGuire semblait à demi conscient. Elle se dit que son état était pire que ce qu'il pensait... à long terme. Mais il se remettrait vite de cette crise. Comme il avait la figure rubiconde, on ne remarquait pas facilement une certaine pâleur, voire un teint jaune latent. Il était anémique. C'était à cause du paludisme. Il aurait dû prendre des pilules de fer. Il aurait dû prendre des vacances. Il aurait dû...

Dehors, dans l'obscurité, des formes blanches tournoyaient au vent annonciateur de la pluie toute proche : la grande lessive que Rebecca avait terminée un peu plus tôt. Sylvia resta au chevet du prêtre qui somnolait, attendant la prochaine crise, et promena ses regards autour de la chambre, avec une attention renouvelée.

Des murs de brique, comme les siens, le même plafond de bambou refendu, le sol de brique. Dans un coin, une statue de la Vierge. Sur les murs, encore la Vierge, des reproductions classiques, inspirées ne fût-ce que vaguement de la Renaissance italienne, bleu et blanc, avec les yeux baissés, et un peu déplacées ici, dans la brousse, non ? Mais attendez ! sur un tabouret en bois sombre, et sculptée dans le même bois, une Marie autochtone, une jeune femme robuste, donnait le sein à son bébé. Voilà qui était mieux. Un chapelet d'ébène était pendu à un clou planté dans le mur, près du lit, à un endroit où le prêtre pouvait l'atteindre.

Pendant les années soixante, le tumulte idéologique qui frappait le monde avait pris une forme spécifique dans l'église catholique : celle d'un bouillonnement qui avait tenté de détrôner la sainte Vierge. La sainte Mère n'était plus « dans le coup » et, avec elle, les chapelets. Sylvia n'avait pas eu d'enfance catholique : elle n'avait donc jamais trempé ses doigts dans les bénitiers d'eau bénite, ni ne les avait entrelacés de jolis chapelets, ni ne s'était jamais signée, ni n'avait jamais non plus échangé d'images pieuses avec d'autres petites filles. (« Je te donnerai trois saint Jérôme contre une sainte Vierge. ») Elle n'avait jamais prié la Vierge, seulement Jésus. Par conséquent, quand elle rejoignit l'Église, ce qu'elle n'avait pas connu ne lui manqua pas, et elle n'avait appris que petit à petit, à force de rencontrer des prêtres, des religieuses ou des membres du clergé plus âgés, qu'une révolution avait eu lieu qui en avait laissé beaucoup en deuil, de la Vierge en particulier. (Celle-ci devait être réhabilitée des décennies plus tard.) En attendant, dans des régions du monde où ne pénétraient pas les regards vigilants sur l'hérésie ou la rechute dans le péché, les prêtres et les religieuses gardèrent leurs chapelets, leur eau bénite, leurs statues et leurs représentations de la Vierge, dans l'espoir que personne ne s'apercevrait de rien.

Pour un être comme Rebecca, qui avait une petite image de la sainte Mère fixée par un clou au poteau central de sa case, cet argument idéologique eût semblé trop bête pour en discuter, mais elle n'en avait jamais entendu parler.

Sur le mur de la chambre de Sylvia, à même la brique, était épinglée une grande reproduction de la *Vierge aux rochers*, ainsi que d'autres saintes Vierges plus petites. À partir de ce mur, on pouvait conclure facilement que c'était une religion qui adorait les femmes. Le crucifix était un objet dérisoire, en comparaison. Rebecca s'asseyait parfois au pied du lit de Sylvia, les mains jointes, pour contempler le Léonard de Vinci en soupirant, les yeux débordant de larmes. « Oh ! ils sont si beaux ! » On pouvait dire que la Vierge s'était échappée par les interstices du dogme, grâce à l'art. Si elle ignorait avoir une tendresse toute particulière pour la sainte Mère, Sylvia savait fort bien qu'elle ne pouvait pas vivre sans des reproductions de ses tableaux préférés. Les mites attaquaient les bords des affiches. Il fallait demander à quelqu'un de lui en rapporter des neuves.

Elle s'endormit sur son siège, les yeux fixés sur la statuette sulpicienne du père McGuire, en s'étonnant des raisons de ce choix, si on pouvait avoir une vraie statue, un vrai tableau. Elle ne songerait jamais à confier ses pensées au père qui avait grandi au Donegal, dans une petite maison remplie d'enfants, et était venu tout droit de son séminaire ici, en Zimlie. Il n'aimait pas le Léonard de Vinci, alors ? Il était resté un long moment dans l'embrasure de la porte de la chambre de Sylvia, parce que Rebecca lui avait crié : « Mon père, mon père, venez voir ce que le Dr Sylvia nous a apporté ! » Ses mains jointes sur le ventre et entrelacées du chapelet s'étaient levées, puis étaient retombées, pendant qu'il restait planté là, à regarder.

— Ce sont les visages des anges, proféra-t-il à la fin, et le peintre a dû avoir une vision. Aucune mortelle n'a jamais eu cette expression-là...

Le lendemain matin, pendant que la lessive de Rebecca séchait une deuxième fois après avoir été trempée par l'orage, Sylvia demanda à Aaron s'il voulait bien fouiller la brousse, en quête de larves, mais il objecta qu'il craignait de devoir étudier ses livres pour le père McGuire.

Elle alla à pied au village, tomba sur quelques jeunes – qui auraient dû être à l'école – et leur proposa de l'argent pour battre la brousse. « Combien ? » Et elle leur répondit : « Je vous donnerai une grosse somme que vous pourrez vous partager. — Mais combien ? » À la fin, ils exigeaient des bicyclettes, des manuels pour l'école et des T-shirts neufs. C'était parce qu'ils considéraient tous les Blancs comme aussi riches et ayant accès à tout ce qu'ils voulaient. Elle se mit à rire, puis ils l'imitèrent et il fut convenu qu'ils auraient ce qu'elle tenait à la main, une poignée de dollars zimliens : de quoi s'acheter des bonbons au bazar. Ils disparurent dans la brousse en rigolant et en faisant les pitres : leur quête ne serait pas très sérieuse. Ensuite, elle se rendit à l'hôpital, où elle trouva Joshua occupé à recoudre une longue estafilade, assez profonde.

— Tu n'étais pas là, docteur Sylvia.

— Je devais arriver dans cinq minutes.

— Comment pouvais-je le savoir ?

C'était là un problème entre eux. Désormais, il suturait des plaies et s'acquittait bien de sa tache. Mais il s'était attaqué à des blessures qui exigeaient plus de compétences qu'il n'en avait, et elle lui avait ordonné d'arrêter. Tous deux scrutèrent le visage du gamin, qui gardait les yeux baissés sur son bras, où l'aiguille se faufilait dans les chairs qui tressaillaient. Courageux, il se mordait les lèvres. Joshua terminait maladroitement sa suture ; Sylvia lui prit l'aiguille des doigts et le remplaça. Puis elle se dirigea vers la remise fermée à clé pour la distribution des médicaments. Il lui emboîta le pas, laissant des relents de *dagga* dans son sillage.

— Camarade Sylvia, je voudrais être médecin. Toute ma vie, c'est ce que j'ai voulu.

— Personne n'acceptera un usager du *dagga* en formation.

— Si je recevais une formation, je m'arrêterais de fumer.

— Et qui va payer ta formation ?

— Toi, tu peux payer. Oui, tu n'as qu'à payer pour moi.

Il savait – comme tout le monde – que Sylvia avait financé les nouvelles constructions, payait les médicaments et aussi son salaire. Mais derrière elle, croyait-on, se cachait un des donateurs internationaux, une organisation humanitaire. Elle avait eu beau répéter à Joshua que non, c'était son argent à elle, il refusait de la croire.

Sur un antique plateau de cuisine cédé par Rebecca, Sylvia disposa des gobelets de médicaments et de petits tas de cachets, dont beaucoup de vitamines. Avec son plateau, elle s'avança vers l'arbre où étaient étendus ou assis la plupart des patients et commença à distribuer ses gobelets, ainsi que les cachets avec de l'eau.

— Je voudrais être médecin, réitéra Joshua avec brusquerie.

— Sais-tu ce que ça coûte, des études de médecine ? lui lança-t-elle par-dessus l'épaule. Écoute, montre à ce jeune homme comment avaler son remède. Je sais qu'il n'a pas très bon goût.

Johsua s'adressa au gamin, qui protesta mais prit sa potion. Âgé d'une douzaine d'années, il souffrait de malnutrition, mais avait en plus des vers, de plusieurs variétés.

— Alors, dis-moi combien ça coûte.

— Eh bien, approximativement, tout compris, cent mille livres sans doute.

— Alors, tu paies pour moi.

— Je ne possède pas une somme pareille.

— Alors qui a payé pour toi ? Le gouvernement, peut-être ? C'était Caring International ?

— C'est ma grand-mère qui a payé mes études.

— Tu dois dire à notre gouvernement de me permettre d'être médecin et puis tu dois leur dire aussi que je serai un bon médecin.

— Pourquoi votre gouvernement noir devrait-il écouter cette affreuse Blanche, Joshua ?

— Le président Matthew a dit que nous serions tous instruits. Moi, c'est l'instruction que je veux. Il nous l'a promis quand les camarades se battaient encore dans la brousse, notre camarade président nous a promis à tous le collège et des études. Alors tu vas voir le président et tu lui demandes de tenir ses promesses.

— Je vois que tu as confiance dans les promesses des politiciens, observa-t-elle, s'agenouillant pour soulever une femme affaiblie par ses couches et qui avait perdu son bébé.

Elle la serra contre elle, sentant la peau sombre rugueuse et glacée sous ses mains, alors qu'elle aurait dû être chaude et lisse.

— Des politiciens, médita Joshua. Tu les appelles des politiciens ?

Elle comprit que le camarade président et le gouvernement noir – le sien – étaient, dans son esprit, différents des politiciens, qui étaient blancs.

— Si je dressais la liste des promesses faites par votre camarade Mungozi pendant que tes camarades combattaient dans la brousse, on pourrait tous bien rigoler, déclara Sylvia, qui reposa délicatement la tête de la femme sur un bout de tissu plié qui l'isolait de la terre rendue boueuse par la pluie. Cette femme, reprit-elle, elle a des parents pour la nourrir ?

— Non, elle vit seule. Son mari est mort.

— De quoi est-il mort ?

Le sida pénétrait à peine dans la conscience collective, et Sylvia soupçonnait que, pour certains des décès qu'elle voyait, il ne fallait pas se fier aux apparences.

— Il avait des ulcères, il était trop maigre et puis il est mort.

— Quelqu'un doit alimenter cette femme, poursuivit Sylvia.

— Rebecca pourrait peut-être lui apporter un peu de la soupe qu'elle prépare pour le père McGuire.

Sylvia demeura silencieuse. C'était son plus grave problème. D'après son expérience, les hôpitaux nourrissaient leurs patients, mais ici, s'il n'y avait pas de famille, alors les patients ne mangeaient pas. Et si Rebecca descendait de la soupe ou n'importe quoi d'autre de la table du prêtre, cela provoquerait des jalousies. Si Rebecca voulait bien en descendre... Une bagarre l'opposait à Joshua pour savoir qui devait s'en charger. Et, pensa Sylvia, cette malheureuse allait mourir. Dans un hôpital normal, elle eût certainement survécu. Si on la mettait dans un véhicule pour la transporter à l'hôpital à une trentaine de kilomètres de là, elle serait morte avant d'arriver. Sylvia avait en magasin du Complan[1], produit qu'elle ne classait pas parmi les aliments mais parmi les médicaments. Elle demanda à Joshua d'aller en préparer un peu pour sa malade, en pensant : Je gaspille mes précieuses ressources pour une moribonde.

— Pourquoi ? protesta Joshua. Elle va mourir bientôt.

Sylvia, sans un mot, alla à la remise, qu'elle avait eu l'imprudence de ne pas fermer à clé, et trouva une vieille femme qui tendait le bras vers une étagère pour attraper un flacon de médicaments.

— Qu'est-ce que tu veux ?

— Je veux *muti*, docteur, j'ai besoin *muti*.

Sylvia entendait ces mots plus souvent qu'aucun autre. Je veux des médicaments, je veux *muti*.

— Alors, viens là où les autres attendent que je les examine.

— Oh ! merci, merci, docteur, glousa la vieille, avant de sortir en courant de la remise pour disparaître dans la brousse.

— C'est une vaurienne, déclara Joshua. Elle cherche à vendre les médicaments au village.

— Je n'ai pas fermé à clé le dispensaire.

C'est ainsi qu'elle avait baptisé la remise, en se moquant intérieurement d'elle-même.

---

1. Boisson fortifiante, à base de poudre de lait écrémé, d'huile végétale, de vitamines et d'oligo-éléments.

— Pourquoi tu pleures ? Tu es triste pour moi parce que je ne peux pas être médecin ?

— Pour ça aussi, répondit Sylvia.

— Je sais ce que tu sais. Je t'observe et j'apprends ce que tu fais. Je n'aurais peut-être pas besoin de grandes études.

Elle mélangea le Complan et le porta à la malheureuse qui n'en avait plus besoin ; elle était agonisante, son souffle s'envolait par petites saccades.

Joshua parla à un petit garçon, assis près de sa mère malade :

— Va au village et dis à Clever de creuser une tombe pour cette femme. Le médecin le paiera. (L'enfant détala. À l'adresse de Sylvia, il ajouta :) Je veux que tu formes mon fils Clever, enseigne-lui ce que tu sais, il peut apprendre ici.

— Clever ? C'est son nom [1] ?

— Quand il est né, sa mère a dit qu'il devait s'appeler Clever afin qu'il soit intelligent. Et il l'est, elle avait raison.

— Quel âge a-t-il ?

— Six ans.

— Il devrait être à l'école.

— À quoi sert d'aller à l'école quand il n'y a ni maître ni livres pour apprendre ?

— Le maître sera remplacé.

— Mais il n'y a pas de livres à l'école.

C'était vrai. Sylvia hésita et Joshua revint à la charge.

— Il peut venir ici et apprendre ce que tu sais. Moi, je peux lui enseigner ce que je sais déjà. Tous les deux, nous pouvons être médecins.

— Joshua, tu ne comprends pas. Ici, je n'utilise qu'une toute petite partie de mes connaissances. Ne vois-tu pas ? Ce n'est pas un véritable hôpital. Un véritable hôpital a...

1. En anglais, « intelligent ».

Elle perdit espoir, se détourna et secoua la tête devant l'énormité de la chose, exactement comme Joshua l'eût fait, c'était un geste africain, puis s'accroupit pour ramasser une brindille et se mit à dessiner un bâtiment dans la terre meuble et humide. Elle se demandait ce que Julia dirait si elle la voyait à cette heure. Elle était assise sur ses talons, les genoux écartés, en face de Joshua, dans la même position, mais lui était installé légèrement, souplement, sur les muscles de ses cuisses, alors qu'elle se maintenait en équilibre d'une main à terre, à côté d'elle. De l'autre, elle traçait une construction à plusieurs étages et fixait Joshua en poursuivant :

— Voilà à quoi ressemble un hôpital. Et puis il y a un service de radiologie. Tu sais ce qu'est un service de radio ? Ça a...

Sylvia se remémora le centre hospitalier où elle avait été interne, en embrassant du regard les auvents de paille au-dessus des matelas en roseau, la remise qui servait de dispensaire, la case où les femmes accouchaient, à même des paillasses. Elle était de nouveau en larmes.

— Tu pleures parce que c'est un mauvais hôpital, mais ce serait à moi, ce serait à Joshua de pleurer...

— Oui, tu as raison.

— Et tu dois dire à Clever qu'il peut venir ici.

— Mais il doit aller à l'école ! Il ne peut pas être médecin, ni même infirmier, sans passer ses examens.

— Je n'ai pas les moyens de lui payer l'école.

Sylvia payait déjà les frais de scolarité pour quatre des enfants de Joshua et trois de Rebecca. Le père McGuire, lui, payait pour deux autres de Rebecca, mais, comme prêtre, il ne touchait pas beaucoup d'argent.

— C'est un de ceux pour qui je paie actuellement ?

— Non, tu ne paies pas encore pour lui.

En théorie, l'école était gratuite et l'avait été au début. À travers tout le pays, les parents, à qui l'on avait promis que leurs enfants recevraient une instruction, aidèrent à bâtir des écoles, dispensant gracieusement leur main-d'œuvre. La sincérité de leur dévouement implanta des écoles là où il n'en existait pas. Mais maintenant il y avait des frais à payer et ceux-ci augmentaient tous les trimestres.

— J'espère que tu ne vas pas avoir d'autres enfants, Joshua. C'est de la folie.

— Nous savons que c'est un complot des Blancs de nous empêcher d'avoir des enfants, pour que nous nous affaiblissions et que vous fassiez ce que vous voulez.

— C'est ridicule ! Pourquoi crois-tu à ces bêtises ?

— Je crois ce que je vois de mes yeux.

— Comme tu vois un complot des Blancs pour vous tuer avec le sida...

Lui l'appelait Slim. « Il a le Slim », disaient les gens. Il ou elle a attrapé la maladie qui fait perdre du poids. Joshua avait assimilé tout ce que Sylvia savait sur le sida et était probablement mieux informé que les membres du gouvernement, qui niaient toujours son existence. Mais il était certain que le sida avait été introduit à dessein par les Blancs. Une maladie mise au point dans quelque laboratoire américain, dans le but d'affaiblir les Africains.

Le Selous Hotel de Senga, qui avait été interracial, s'était attiré l'opprobre longtemps avant l'indépendance. Mais c'était désormais un établissement confortable à l'ancienne mode, souvent utilisé pour des réunions sentimentales de personnes qui avaient été emprisonnées sous les Blancs – des Blancs par des Blancs –, ou proscrites, ou encore interdites, ou seulement harcelées et humiliées. C'était toujours un des meilleurs hôtels, mais les nouveaux, conformes aux normes internationales, s'élevaient déjà à toute allure dans le ciel, telles des flèches à l'assaut de l'avenir, une image du président Matthew souvent citée dans les brochures touristiques.

Ce soir-là, une tablée d'une vingtaine de convives était bien en vue au centre de la salle à manger, où des hôtes de moindre importance murmuraient entre eux : « Regardez, voilà le Global Money ! – Et voilà les gens de Caring International... » À un bout se trouvait Cyrus B. Johnson, patron de la section de Global Money qui avait affaire à ce nouvel Oliver Twist, l'Afrique : un homme très soigné, aux cheveux argentés, ayant l'habitude de l'autorité. Près de lui était assis Andrew Lennox et, de l'autre côté, Geoffrey Bone, respectivement de Global Money et de Caring International. Geoffrey était un expert de l'Afrique depuis quelques années. Sa société était cause que des centaines de tracteurs les plus récents et les plus modernes, livrés gracieusement à une ex-colonie plus au nord, étaient en train de pourrir et de rouiller en bordure de tant de champs : pièces détachées, savoir-faire et carburant avaient manqué, indépendamment de l'accord des populations locales, qui eussent préféré quelque chose de moins grandiose. Il était également cause que du café avait été planté dans des régions de la Zimlie, où il avait instantanément périclité. Au Kenya, des millions de livres déboursées par ses soins avaient disparu dans des poches cupides. Ici, en Zimlie, il déboursait encore des millions qui allaient subir le même sort. Ces erreurs n'avaient en rien retardé sa carrière, comme ç'aurait pu être le cas en des temps moins sophistiqués. Il était directeur adjoint de CI, en contact permanent avec GM. Son voisin de table était son toujours fidèle admirateur, Daniel, dont la crinière rousse était plus que jamais un phare : Daniel était récompensé de ses décennies de dévotion par un poste mirifique, secrétaire de

George. James Patton, à présent député travailliste de Shortlands dans les Midlands, se trouvait là à l'occasion d'un voyage d'enquête, mais, en réalité, parce que le camarade Mo, en visite à Londres, l'avait rencontré chez Johnny, où il lui avait proposé :

— Pourquoi ne viens-tu pas nous voir ?

Cela ne signifiait pas que le camarade Mo était désormais plus zimlien que citoyen de tout autre coin d'Afrique. Mais il connaissait le camarade Matthew – bien entendu, comme il semblait connaître tous les nouveaux présidents – et, quand il passait chez Johnny, il distribuait les invitations comme s'il était l'ambassadeur d'une Afrique générique, un lieu bienfaisant et bourgeonnant, dont les bras étaient toujours ouverts. Par exemple, c'était au camarade Mo et à ses contacts que Geoffrey devait son éminente position ; c'était grâce, encore, à la remarque que le camarade Mo avait glissée à quelque puissant personnage, comme quoi Andrew Lennox était un avocat brillant et prometteur – et il le connaissait bien, il « le connaissait depuis qu'il était petit » – que Global Money avait débauché ce dernier d'une société rivale pour le recruter. D'autres individus assis autour de cette table, parmi eux le camarade Mo, avaient été des habitués de chez Johnny : l'aide internationale était l'héritage spirituel légitime des camarades. À l'autre bout de la table, et à l'opposé de Cyrus B. – ainsi que le surnommait affectueusement la moitié du monde –, se trouvait le camarade Franklin Tichafa, ministre de la Santé, une personnalité imposante, dotée d'une panse énorme et d'un ou deux doubles mentons, toujours aimable, toujours souriant, mais ses yeux avaient à cette époque-ci tendance à éluder les questions. Si lui et Cyrus B. étaient plus tapageusement vêtus que tous les autres invités présents, ils n'étaient pas plus contents d'eux-mêmes. Ces gens, avec une collection de représentants d'autres organisations de bienfaisance, éparpillés ce soir-là dans d'autres palaces, avaient passé quelques jours à sillonner la Zimlie en voiture, à séjourner dans les villes dotées d'hôtels acceptables et à participer à des visites de sites touristiques et de célèbres réserves naturelles. À l'occasion de déjeuners, de dîners ou d'excursions en car – car c'est là où se prennent réellement les décisions qui concernent les nations –, ils étaient tous tombés d'accord que ce qu'il fallait à la Zimlie, c'était un rapide développement de l'industrie secondaire, déjà sensible même si c'était parfois à l'état embryonnaire. Mais il y avait des problèmes avec le président Matthew, lequel était toujours dans sa phase marxiste, ce qui contrariait toute tentative de moderniser la Zimlie, et beaucoup de gens intriguaient pour se mettre dans la position de pouvoir profiter de la manne providentielle.

Le lendemain avait lieu la fête des Héros de l'indépendance et le camarade Franklin voulait que tous y assistent.

— Votre présence réjouira notre camarade président, dit-il. Je veillerai à ce que vous soyez tous bien assis.

— J'ai pris une réservation pour aller au Mozambique demain matin, annonça Cyrus B.

— Annulez-la ! Je vous trouverai une bonne place sur l'avion d'après-demain.

— Je suis désolé, j'ai rendez-vous avec le président.

— Toi, tu ne refuseras pas, ordonna Franklin à Andrew d'une voix bourrue, à cause d'un quelconque désagrément dont il ne parvenait pas à se souvenir.

— Si, je dois refuser. Je pars en voiture rendre visite à Sylvia. Tu te rappelles Sylvia ?

Franklin resta silencieux. Ses yeux se détournèrent.

— Je crois me rappeler. Oui, il me semble me rappeler que c'était une sorte de parente, non ?

— Oui, et elle travaille comme médecin à Kwadere. J'espère que je prononce bien ce nom.

Franklin sourit sur sa chaise.

— Kwadere ? Je ne savais pas qu'il y avait encore un hôpital là-bas. Ce n'est pas une région développée de la Zimlie.

— Mais je vais la voir, il m'est donc impossible de venir à ta magnifique cérémonie.

Une brusque mélancolie avait éteint le pétillement des yeux de Franklin ; il resta silencieux, le front plissé. Puis il se ressaisit et s'écria :

— Mais je suis sûr que notre grand ami Geoffrey sera là, lui !

Geoffrey était aujourd'hui un bel homme bien bâti, qui attirait les regards comme il le faisait déjà plus jeune, et les millions qu'il avait à sa disposition lui avaient donné un éclat argenté quasi visible, le lustre de l'autosatisfaction.

— Je serai certainement là, monsieur le Ministre, je ne voudrais pas manquer pas cela.

— Mais un si vieil ami ne devrait pas m'appeler monsieur le Ministre, se récria Franklin, dispensant Geoffrey de cette formalité d'un sourire.

— Merci, répondit Geoffrey, s'inclinant légèrement. Ministre Franklin, peut-être ?

Franklin partit d'un gros rire satisfait.

— Et avant votre départ, Geoffrey, j'aimerais que vous passiez à mon bureau pour que je vous fasse visiter les lieux.

— J'espérais que vous m'inviteriez à rencontrer votre femme et vos enfants. Je me suis laissé dire que vous aviez six enfants maintenant ?

— Oui, six, et bientôt sept. Soucis de famille et d'argent, répondit Franklin en regardant fixement Geoffrey.

Mais il ne l'invita pas chez lui.

Rires, des rires bon enfant. On redemanda du vin. Mais Cyrus B. allégua qu'il était un vieil homme qui avait besoin d'une bonne nuit de sommeil et se retira, en déclarant qu'il espérait les voir à la conférence des Bermudes, le mois d'après.

— Notre vieille amie, Rose Trimble, s'est bien débrouillée, je crois, reprit Franklin. Notre président apprécie beaucoup son travail.

— On ne peut pas nier que Rose se débrouille bien, approuva Andrew avec un sourire charmeur, que Franklin interpréta mal.

— Et puis vous êtes de si bons amis ! s'écria-t-il. C'est si bon à entendre. Et quand vous la verrez, s'il vous plaît, transmettez-lui mon meilleur souvenir.

— Je n'y manquerai pas, promit Andrew, encore plus aimable.

— Nous pouvons donc espérer bientôt une aide généreuse, s'emballa Franklin, qui était légèrement éméché. Une aide généreuse, très généreuse, pour notre pauvre pays exploité...

Là-dessus, le camarade Mo, qui n'avait pas encore apporté sa pierre, déclara :

— À mon point de vue, il ne devrait y avoir aucune aide du tout. L'Afrique devrait tenir toute seule debout.

Il eût pu tout aussi bien lancer une bombe sur la table. Clignant légèrement des yeux, avec un sourire confus qui lui découvrait les dents, il soutint les regards surpris des autres. Lui et tous ses contemporains avaient fermé les yeux sur la moindre nouvelle en provenance d'Union soviétique ou y avaient applaudi. Puis, avec des camarades beaucoup moins nombreux, il avait fêté tout nouveau massacre en Chine. Enfin, avec encore moins de monde, il avait ruiné l'agriculture de son pays, en forçant de malheureux fermiers à former des fermes collectives, avec l'aide des brutes du gouvernement qui rouaient de coups et harcelaient quiconque résistait. Peu de causes qu'il avait encouragées ou favorisées s'étaient révélées rien moins que scandaleuses. Mais ici et maintenant, à cette table, en cette compagnie, ce qu'il disait était inspiré, c'était la pure vérité, et pour l'avoir dit, tout le reste eût dû sûrement lui être pardonné.

— Ça ne nous avancera à rien, expliqua-t-il. Pas à long terme. Saviez-vous que la Zimlie, au moment de l'indépendance, était au même niveau que la France à la veille de la Révolution ?

Nouveaux rires, des rires de soulagement cette fois. D'abord, la France avait été citée, la Révolution française. Ils étaient de nouveau en terrain de connaissance.

— Non, la Révolution n'était pas due aux mauvaises récoltes, aux intempéries... En fait, la France était prospère. Et ce pays aussi... ou il l'était jusqu'à ce qu'on ait peut-être adopté une politique légèrement malencontreuse.

Il y eut un silence qui frisait la panique.

— Qu'est-ce que tu dis ? s'exclama Daniel, furieux et choqué, le visage cramoisi sous ses cheveux roux. Insinues-tu que ce pays s'en sortait mieux du temps des Blancs ?

— Non, répondit Mo. Je n'ai pas dit ça. Quand ai-je dit ça ? (Sa voix devenait indistincte : avec soulagement, tous constatèrent qu'il était un peu soûl.) Je dis que c'est le pays le plus développé d'Afrique, mis à part l'Afrique du Sud.

— Qu'est-ce que tu dis, alors ? insista le ministre Franklin, toujours courtois, mais cachant mal sa colère.

— Je dis que vous devriez construire sur des fondations très solides et tenir debout tout seuls. Sans quoi Global Money et Caring International, et puis ce fonds-ci et ce fonds-là – la présente compagnie exceptée –, corrigea-t-il maladroitement, levant son verre à leur santé en un salut circulaire, tous vous dicteront quoi faire. Ce n'est pas comme si ce pays était une zone sinistrée, comme certains qu'on pourrait citer. Vous avez une économie saine et de bonnes infrastructures.

— Si je ne te connaissais pas si bien, répliqua le ministre Franklin, qui alla même jusqu'à regarder autour de lui pour voir si quelqu'un avait entendu ce dangereux discours, je t'accuserais d'être à la solde de l'Afrique du Sud, d'être un agent au service de notre grand voisin...

— D'accord, répondit le camarade Mo. N'appelle pas encore la police de la pensée. Des journalistes ont déjà été arrêtés et jetés en prison pour délit d'opinion, il y a seulement quelques jours. Nous sommes entre amis, j'ai exprimé ma pensée. Je dis ce que je pense, c'est tout !

Un silence. Geoffrey consulta son bracelet-montre. Docilement, Daniel l'observa. Plusieurs personnes se levèrent sans un regard au camarade Mo, qui resta assis, en partie par obstination, en partie parce qu'il allait avoir du mal à marcher droit.

— Nous pourrions peut-être avoir une discussion sur ce sujet ? lança-t-il à Franklin.

Il s'exprimait avec naturel, intimement : après tout, ne se connaissaient-ils pas depuis des années et ne discutaient-ils pas de l'Afrique bruyamment, mais toujours en toute amitié, chaque fois qu'ils se retrouvaient ?

— Non, répondit le camarade Franklin. Non, camarade, je crois que j'en resterai là sur ce sujet.

Il se leva à son tour de table. Jusqu'alors silencieux, deux Noirs à une table voisine se levèrent aussi, révélant ainsi leur qualité d'assistants ou de gardes du corps. Franklin leva le poing à hauteur d'épaule pour saluer Geoffrey et Daniel, ainsi que divers autres représentants de la générosité internationale, puis sortit, flanqué d'un poids lourd de part et d'autre.

— Je vais me coucher, annonça Andrew. Je me lève tôt demain matin.

— Je crois que le camarade Franklin a peut-être oublié qu'il nous a promis des places pour la fête de demain, dit Geoffrey d'un ton maussade, comme s'il en faisait reproche au camarade Mo.

— Je vais m'en occuper, l'assura le camarade Mo. Vous n'avez qu'à donner mon nom. Je vous réserverai des places dans la tribune des V.I.P.

— Mais moi aussi je veux une place, intervint le représentant de la Chambre des communes, James.

— Oh ! pas de souci, se récria le camarade Mo, agitant les mains comme si celles-ci répandaient largesses, invitations, billets. Que ça ne t'empêche pas de dormir ! Tu entreras, tu verras.

Son moment de vérité était passé, vaincu par ce démon qu'est la pression exercée par l'entourage.

Le matin où Andrew était attendu, il y eut des problèmes à l'hôpital. En descendant au milieu des buissons de nouveau poussiéreux, elle vit des poules couchées et haletantes, le bec grand ouvert. Cette fois-ci, ce n'était pas un moyen de protection contre la chaleur. Pas d'eau dans les boîtes en fer où elles buvaient ! Rien à manger dans leur auge ! Elle trouva Joshua en train d'osciller, brandissant un couteau, au-dessus d'une jeune femme accroupie, terrifiée, les deux mains levées pour l'éviter. Il empestait la *dagga*. On aurait dit qu'il avait l'intention d'assassiner cette femme, qui avait un bras enflé. Sylvia lui prit le couteau des doigts.

— Je t'avais prévenu que, si tu fumais encore de la *dagga*, alors ce serait la fin pour toi. C'est fini, Joshua. Est-ce que tu comprends ?

Son visage furieux avec ses yeux tout rouges ainsi que son corps puissant et menaçant se dressaient au-dessus d'elle.

— Les poules sont en train de mourir, reprit-elle. Elles n'ont plus d'eau.

— C'est le travail de Rebecca.

— Vous étiez convenus entre vous que tu t'en chargerais.

— C'est à elle de s'en charger.

— Bon alors, laisse-moi. Va-t'en.

D'un air digne, il se dirigea vers un arbre à une vingtaine de mètres de là, s'écroula dessous et resta assis, la tête enfouie dans ses bras. Presque immédiatement, il bascula, assoupi ou inconscient. Son petit garçon, Clever, observait la scène. Il avait pris l'habitude de rôder dans les parages, impatient de remplir toute menue tâche qu'on lui confiait.

— Clever, veux-tu nourrir les poules et leur donner à boire ? demanda alors Sylvia.

— Oui, docteur Sylvia.

— Alors, regarde-moi, que je te montre comment on fait.

— Je sais comment on fait.

Elle l'observa pendant qu'il allait chercher de l'eau, remplissait les boîtes en fer, jetait du grain. Les poules se précipitèrent vers les boîtes et burent tout leur soûl, mais l'une d'elles était bien bas. Elle lui ordonna de la porter à Rebecca.

À la société de location de voitures, Andrew eut du mal à trouver le type de véhicule auquel il était habitué. Ils étaient tous antiques à faire peur.

— Vous n'avez pas autre chose ?

Il savait bien que tous les véhicules neufs d'importation allaient directement à la nouvelle élite. Mais, d'un autre côté, les touristes étaient les bienvenus.

— Vous devez vous procurer de meilleures voitures que celles-ci si vous voulez attirer les touristes, lança-t-il à la jeune femme noire derrière son bureau.

L'expression de son visage montrait qu'elle était d'accord avec lui, mais il n'allait quand même pas critiquer ses supérieurs ! Il opta pour une Volvo cabossée, demanda s'il y avait un pneu de rechange, s'entendit répondre que oui, mais qu'il n'était pas très bon. Étant donné que le temps passait, il décida de tenter le coup. Il avait reçu de Sylvia des instructions détaillées dans ce goût : « Cherche la route du barrage des Koodoos[1], franchis le col du Bœuf noir, puis, dès que tu aperçois un gros village, prends le chemin de terre qui tourne à droite, continue sur environ cinq kilomètres, tourne encore à droite à hauteur du gros baobab. Tu verras le panneau de la mission Saint-Luc sur le même poteau que la ferme des Pyne. »

Andrew trouva le paysage impressionnant, dans le style grandiose mais hostile, à cause de la sécheresse, de la poussière en suspension dans l'air, même s'il savait qu'il y avait eu des pluies récemment. Il avait déjà visité la Zimlie plusieurs fois, mais n'avait jamais eu à s'y diriger tout seul. Il se perdit, mais passait enfin devant le panneau des Pyne quand il aperçut, sur la route devant lui, un grand Blanc qui agitait les bras. Andrew s'arrêta et cet homme l'aborda :

— Je m'appelle Cedric Pyne. Pourriez-vous transporter ce machin jusqu'à la mission ? Nous savions que vous étiez en route.

Un gros sac atterrit à l'arrière, et le fermier se sauva pour regagner sa maison, à quelques centaines de mètres de distance. Andrew en déduisit que son interlocuteur ou quelqu'un autre avait guetté la poussière soulevée par la voiture. Il désespérait de voir jamais la mission, quand il distingua un bâtiment de brique bas,

1. Mot hottentot, qui désigne le nyala, antilope du sud de l'Afrique.

entouré de gommiers, et, plus loin, les constructions plates et également basses, semblables à des baraquements, qu'il savait être une école. Il se gara. Une femme noire souriante sortit sur la galerie, qui lui apprit que le père McGuire était à l'école et que le Dr Sylvia arrivait à l'instant.

Il la rejoignit sur la galerie et la suivit dans le salon de devant, où il fut invité à s'asseoir.

L'expérience africaine d'Andrew se limitait à l'Afrique des présidents, des gouvernements en place, des fonctionnaires et des grands hôtels, mais il n'était jamais descendu au niveau de l'Afrique qui s'offrait maintenant à ses regards. Cette misérable petite pièce le choquait, précisément parce que c'était un défi. Quand il parlait Global Money, distribuait les subsides de Global Money, était une source de largesses inépuisables, il ne s'agissait pas d'autre chose, n'est-ce pas ? Mais ce lieu-ci était une mission, pour l'amour de Dieu ! C'était l'Église catholique romaine, non ? N'était-elle pas censée être riche ? Un accroc déparait le rideau de cretonne qui tentait de masquer l'éclat éblouissant du soleil, lequel venait juste de monter assez haut pour ne pas taper en plein. De minuscules fourmis noires trottinaient sur le sol. La Noire lui apporta un verre de jus d'orange. Tiède. Pas de glaçons ?

La cuisine où se trouvait la femme noire s'ouvrait à sa droite. Il y avait une autre porte à sa gauche, entrebâillée. Derrière le battant, un peignoir était pendu à un clou : c'était celui de Sylvia, il s'en souvenait. Il entra dans la chambre. Le sol de brique rouge nue, les murs également de brique, le plafond de roseau clair et luisant qui était maintenant comme une deuxième peau pour Sylvia, lui parurent scandaleusement rudimentaires. Cette pièce était si exiguë, si dépouillée ! Sur la petite commode s'alignaient des photos, dans des cadres d'argent. Il y avait Julia et, là, Frances. Un instantané de lui, où il avait vingt-cinq ans environ, lui renvoya un sourire débonnaire, fantasque. Cela lui fit mal, son moi de jeunesse lui fit mal ; il se détourna, se passa inconsciemment les mains sur le visage, comme pour restaurer ce visage lisse et confiant, cette innocence. Narguant cet environnement, si inamical pour lui, Andrew songea qu'à cette époque il n'avait pas goûté le fruit du bien et du mal. Consciencieusement, il fixa le crucifix qui symbolisait une Sylvia qui lui était absolument inconnue, s'efforçant de l'accepter, de l'accepter, elle. Ses vêtements étaient accrochés à des clous dans le mur. Ses chaussures, des sandales pour la plupart, étaient alignées dessous. En se retournant, il vit le Léonard de Vinci sur la cloison d'en face. Les autres représentations de la Vierge à l'enfant, il les ignora. Enfin une chose décente en ce lieu !

À ce moment-là, il entendit quelqu'un approcher. Il alla à la fenêtre ouverte sur la galerie et aperçut Sylvia qui montait le sentier. Elle portait un jean, un corsage bouffant semblable à celui qu'il avait vu sur la servante noire, et ses cheveux, décolorés par le soleil, étaient attachés en arrière avec un élastique. Un profond sillon s'était creusé entre ses yeux. Brûlée et desséchée par le feu du ciel, sa peau était brun foncé. Dans son souvenir, elle n'avait jamais été aussi maigre. Andrew sortit. Elle le reconnut et se rua vers lui. Une longue étreinte les réunit, pleine de tendresse et de souvenirs.

Il voulait voir l'hôpital ; elle hésitait, sachant qu'il ne comprendrait pas ce qu'il allait découvrir. Comment le pourrait-il, alors qu'elle-même avait mis tant de temps ? Mais ils redescendirent ensemble le sentier, et elle lui montra la remise qu'elle appelait le dispensaire, les divers abris et la grande case dont elle était visiblement fière. Des Noirs étaient étendus ici et là sur des paillasses, à l'ombre des arbres. Deux hommes surgirent de la brousse, soulevèrent une femme qu'Andrew croyait endormie pour l'allonger sur une litière de branches tressées, recouverte de feuillages pour plus de confort, et s'enfoncèrent avec elle entre les arbres.

— Morte, énonça Sylvia. En couches. Mais elle était malade. Je suis sûre que c'était du sida.

Il ne savait pas quelle réaction elle attendait de lui. Si elle attendait même une réaction. Elle avait l'air... quoi ? Révoltée ? Stoïque ?

De retour à la maison, ils virent que le père McGuire était rentré. Andrew le trouva antipathique et se mit à parler, comme c'était son habitude face aux cas difficiles. Il passait les trois quarts de sa vie dans des commissions, des congrès ou des conférences, toujours président et responsable de délégués de centaines de pays, représentant des intérêts et des revendications contradictoires. Jamais personne n'eût mieux mérité ce néologisme technocratique de « facilitateur » ; il n'était et ne faisait pas autre chose : aplanir les chemins et assurer des débouchés. Certains de ces personnages recourent au silence, gardant des visages indéchiffrables jusqu'au moment où ils entrent en lice avec des arguments concluants, mais d'autres communiquent. Les flots de paroles courtoises et aimables d'Andrew dissolvaient les dissensions, et il était habitué à voir des visages contrariés ou soupçonneux s'épanouir en de grands sourires pleins d'espoir.

Andrew leur parla du dîner de la veille qui, dans sa bouche, devint une comédie de mœurs légèrement humoristique et aurait provoqué l'hilarité d'auditeurs un tantinet familiers de ce milieu. Mais ces deux-là – sans parler de la femme noire plantée au milieu – ne sourirent même pas, et Andrew se dit : Bien sûr, ce sont de vrais ploucs, ils n'ont pas l'habitude... Et pourtant Sylvia et le prêtre restaient debout derrière leurs chaises, alors que lui s'était déjà assis, prêt à jouer au chef, et attendait un sourire de leur part. Mais il ne les captivait pas, absolument pas, et le regard qu'ils échangèrent l'éclaira brusquement : ils souhaitaient dire le bénédicité. Le feu de la mortification lui monta au visage.

— Excusez-moi, balbutia-t-il en se relevant.

Le père McGuire récita quelques mots en latin qu'Andrew fut incapable de suivre, puis Sylvia dit amen d'une petite voix claire dont Andrew se souvenait dans une lointaine autre vie.

Tous les trois prirent place. Andrew était si gêné par ce qu'il voyait comme une gaffe sociale de sa part qu'il resta silencieux.

La servante noire, dont il connaissait le nom, Rebecca, servit alors le déjeuner. Il y avait du poulet, celui qui était mort de déshydratation le matin même. Sa chair était coriace. Le prêtre dit à Rebecca que cela ne rimait à rien de cuire un poulet trop frais, mais elle expliqua qu'elle avait voulu cuisiner en l'honneur de leur visiteur. Elle avait préparé une gelée de fruits et le père McGuire, qui se régalait, convint qu'ils devraient avoir des visiteurs plus souvent.

Sylvia savait qu'Andrew les observait ; il se forçait à manger son poulet et avalait sa gelée à la cuillère, comme si c'était un médicament.

Il désirait connaître l'histoire de l'hôpital. La vue de celui-ci et la présence de Sylvia sur place l'avaient en effet choqué. Comment pouvait-on appeler hôpital une installation aussi misérable ? Mais son dégoût pour ce lieu, ses doutes, étaient partagés, ressentis par Sylvia, par le prêtre et aussi par Rebecca, qui écoutait, le dos tourné à la cuisine, les mains jointes. Il n'aimait pas Rebecca, d'ailleurs. Et il se méfiait profondément de l'air de ressemblance qu'il y avait entre Sylvia et elle : le corsage de style indigène, certaines manies, certains tics du visage et des yeux, dont Sylvia était inconsciente. Andrew passait le plus clair de son temps en compagnie de « personnes de couleur »... Et comment appeler autrement Sylvia avec cette tête-là, presque aussi sombre de peau que Rebecca ? Il était sûr de ne pas nourrir de préjugés racistes. Non, mais c'étaient des préjugés de classe, et l'on confond souvent les deux. À quoi jouait Sylvia, à se laisser aller ainsi ?

Ces pensées, toutes lisibles sur sa figure, bien qu'il sourît et déployât le charme de son moi social, liguaient les trois autres contre lui. Le trio, dont Andrew détestait carrément deux membres, était uni dans les critiques que celui-ci lui inspirait.

Les émotions du père McGuire se manifestèrent sous la forme d'une question :

— Ce costume blanc... qu'est-ce qui vous a pris de le mettre pour venir nous rendre visite dans nos terres poussiéreuses ?

Andrew savait fort bien que ç'avait été une bêtise. Il possédait une douzaine de costumes en lin blanc ou crème qui lui permettaient de garder l'air élégant et décontracté dans le tiers monde. Mais la poussière ne l'avait pas épargné ce jour-là, et il avait surpris l'inspection sévère de Sylvia, qui voyait un symptôme dans cette tenue.

— C'est aussi bien que tu n'aies pas vu l'hôpital tel qu'il était quand j'ai débarqué, déclara Sylvia.

— C'est tout à fait vrai, approuva le prêtre. Si vous êtes choqué par ce que vous voyez aujourd'hui, qu'auriez-vous dit alors ?

— Je n'ai pas dit que j'étais choqué.

— Nous sommes habitués à lire certaines expressions sur le visage de nos visiteurs, je crois, reprit le père McGuire, mais si vous voulez comprendre cet hôpital, alors demandez à nos villageois ce qu'ils en pensent.

— Nous pensons que le Dr Sylvia nous a été envoyée par Dieu, intervint Rebecca.

Ce qui réduisit Andrew au silence. Ils restèrent à table, à boire un méchant café, ce dont le prêtre s'excusa. Le bon café était difficile à trouver, le moindre article d'importation était si cher, il y avait des pénuries de tout, et celles-ci étaient dues à l'incompétence, voilà tout... Il continua ses récriminations expertes et acerbes, puis s'entendit, soupira et s'interrompit :

— Dieu me pardonne de me plaindre d'une vétille comme le mauvais café !

L'histoire de l'hôpital, il ne devait jamais la connaître, comprit Andrew, conscient que c'était de sa faute. Il n'avait qu'une envie, partir, mais une visite de l'école avait été programmée. Ils allaient devoir sortir dans la lumière aveuglante et brûlante qui entrait par la fenêtre. Le père McGuire annonça qu'il allait piquer un somme et sortit pour aller dans sa chambre. Sylvia et Andrew restèrent à table. Tous deux avaient sommeil, mais ils tenaient bon. À ce moment-là, Rebecca entra pour débarrasser la table.

— Tu as apporté les livres ? demanda-t-elle directement à Andrew.

La façon dont Sylvia gardait les yeux baissés montrait qu'elle avait eu l'intention de lui poser la question, mais avait appréhendé ce moment. Elle lui avait envoyé une liste d'ouvrages après qu'il lui eut téléphoné pour la prévenir de son arrivée. Il les avait oubliés, bien qu'elle eût écrit sous cette fameuse liste : « S'il te plaît, Andrew, s'il te plaît. »

— Je les ai oubliés, je suis désolé, répondit-il en se tournant vers Rebecca, qui écarquilla les yeux.

— Non !

Puis elle éclata en pleurs et se rua hors de la pièce, laissant son plateau sur la table. Sylvia y empila les assiettes et les tasses, toujours sans regarder Andrew.

— Ces livres signifient beaucoup pour nous, murmura-t-elle. Je sais que tu ne peux pas comprendre à quel point.

— Je te les enverrai.

— Ils seront probablement volés en chemin. Peu importe, n'y pense plus.

— Bien sûr que j'y penserai.

Alors il se souvint d'avoir vu des étagères murales dans sa chambre et, au-dessus, un carton imprimé : Bibliothèque.

— Attends, reprit-il, retournant dans la chambre de Sylvia.

Elle le suivit. Il y avait deux livres sur les étagères : le premier un dictionnaire, et le deuxième *Jane Eyre*. Tous deux étaient en lambeaux. Une feuille de papier était clouée au mur : « Ouvrages de bibliothèque. Sorties/Retours ». *Le Voyage du pèlerin. Le Seigneur des anneaux. Le Christ s'est arrêté à Eboli. Les Raisins de la colère. Pleure, ô pays bien-aimé. Le Maire de Casterbridge. La Sainte Bible. L'Idiot. Les Quatre Filles du Dr March. Sa Majesté des mouches. La Ferme des animaux. Le Livre de la vie*. C'étaient les livres que Sylvia avait apportés avec elle, fonds qui s'accroissait avec chaque nouvel arrivant, à qui l'on mendiait ses ouvrages personnels pour les ranger sur ces étagères.

— Drôle de petite collection, commenta humblement Andrew.

Il était réellement ému aux larmes.

— Tu vois, répondit Sylvia, nous avons besoin de livres. Ils aiment les livres et nous ne pouvons pas nous en procurer. Et ceux-là commencent à être fatigués...

— Je t'enverrai ce que tu as demandé, je te le promets, murmura-t-il.

Elle ne dit pas un mot. Elle ne dit rien, comme elle avait appris à le faire et s'y entraînait, il le savait. Il la soupçonnait de prier Dieu tout bas afin qu'Il lui donnât la patience.

— Vois-tu, tenta-t-elle, tu ne comprends pas la signification des livres. Tu vois quelqu'un assis dans une case, le soir, en train de lire à la lueur d'une bougie... Tu vois quelqu'un qui sait à peine lire se décarcasser.

Sa voix chevrotait.

— Oh, Sylvia ! Je suis si désolé...

— Ne t'inquiète pas.

La liste qu'elle lui avait envoyée était dans le porte-documents qu'Andrew avait emporté avec lui. Pourquoi ? Il ne s'en séparait jamais.

Fioretti de la Vierge Marie. La Théorie et la Pratique de la bonne gestion en Afrique sub-saharienne. Comment bien écrire en anglais. Les Tragédies de Shakespeare. Les Nus et les Morts. Sire Gauvain et le Chevalier vert. Le Jardin secret. Le Centre ne peut tenir. La Mécanique à la portée de tous. Mowgli. Les Maladies du bétail en Afrique australe. Shaka le roi zoulou. Jude l'obscur. Les Hauts de Hurlevent. Tarzan. Etc.

Il regagna la salle à manger et vit que le père McGuire était réapparu, reposé. Les deux hommes sortirent dans la fournaise et Sylvia s'écroula sur son lit en pleurant. Elle avait promis à tous ceux qui étaient passés et repassés à la maison demander des livres qu'une nouvelle livraison allait arriver. Elle se sentit abandonnée. Dans son esprit, Andrew représentait la tendresse, la gentillesse ; c'était le grand frère à qui elle pouvait confier n'importe quoi, demander n'importe quoi... Mais c'était un étranger désormais. Ce costume blanc éclatant ! Je vous demande un peu, mettre du lin blanc pour visiter la mission Saint-Luc ! Du lin blanc, ce devait être comme de s'enduire les doigts de crème épaisse. Elle avait l'impression que ce costume était subtilement une insulte envers elle, envers le père McGuire, envers Rebecca. Autrefois, par le passé, elle aurait pu le lui dire, ils en auraient peut-être ri.

Elle s'endormit, se réveilla et prépara du thé ; Rebecca ne revenait qu'à l'heure du dîner. Mais elle avait confectionné des biscuits pour le visiteur.

Les deux hommes rentrèrent. Andrew souriait, mais les lèvres serrées, et il avait l'air vanné : bon, il n'avait pas dormi.

— Et voilà mon thé ! s'exclama le père McGuire. Je peux vous dire que j'en ai besoin, mon enfant. Oui, c'est vrai.

— Eh bien ? lança Sylvia à Andrew.

Elle parlait d'un ton agressif, puisqu'elle savait ce qu'il avait vu.

Six baraquements, dont chacun comprenait quatre salles de classe, bourrées d'enfants, des petits aux jeunes gens, garçons et filles. Tous leur avaient souhaité la bienvenue avec exubérance et tous s'étaient plaints auprès de ce représentant des hautes sphères du pouvoir qu'il leur fallait des manuels scolaires, ils n'en avaient pas. Il y avait parfois un seul manuel pour toute une classe.

— Comment pouvons-nous faire nos devoirs, monsieur ? Comment pouvons-nous étudier ?

Dans toute l'école, il n'y avait pas un globe terrestre ni un atlas. Quand Andrew leur avait posé la question, les enfants ne savaient pas où ils étaient passés. De jeunes enseignants surmenés et frustrés l'avaient pris à part pour le supplier de leur procurer des livres pour leur apprendre comment enseigner. Eux-mêmes avaient dix-huit ou vingt ans, sans qualifications ou presque, en tout cas aucune qui leur permît de faire la classe.

Andrew n'avait jamais vu lieu plus déprimant : ce n'était pas une école. Le père McGuire l'avait escorté de baraquement en baraquement ; il marchait à grands pas dans la poussière pour fuir le soleil et se réfugier dans les zones d'ombre, et le présentait comme un ami de la Zimlie. Son aura de Global Money – bien que le père McGuire n'eût pas mentionné le nom magique – s'était répandu dans toute l'école. Il était accueilli par des cris de bienvenue et des chansons. Partout où il tournait ses regards, il voyait des visages remplis d'expectative.

— Je vais vous raconter l'histoire de cet endroit, avait dit le prêtre. Nous, c'est-à-dire la mission, avions une école ici depuis des années, depuis la création de la colonie. C'était une bonne école. Nous n'avions guère plus de cinquante élèves. Certains sont au gouvernement aujourd'hui. Saviez-vous que la plupart des dirigeants africains sont sortis des écoles des missions ? Pendant la guerre, le camarade président Matthew a promis à tout enfant de ce pays un bon enseignement secondaire. Les établissements ont été implantés partout d'urgence, ils se multiplient actuellement. Mais il n'y a pas de professeurs, il n'y a pas de livres, pas de cahiers. Quand le gouvernement a réquisitionné notre école... ce fut la fin de tout. Je ne pense pas que les enfants que vous avez vus aujourd'hui finiront au gouvernement ou même à aucune position qui exige d'être instruit...

Puis, après avoir bu un peu de thé, il reprit :

— Les choses vont s'améliorer. Vous voyez le pire. C'est une région pauvre.

— Et il existe beaucoup d'écoles comme celle-ci ?

— Ça oui ! acquiesça tranquillement le père McGuire. Beaucoup, énormément.

— Et alors, que va-t-il advenir de ces enfants ? Même si certains d'entre eux semblent être déjà adultes...

— Ils seront chômeurs, répondit le père McGuire. Ils seront chômeurs, oui, c'est ce qui les attend.

— J'imagine que je ferais mieux de rentrer, dit Andrew. J'ai un avion à prendre à neuf heures.

— Voyons, si je puis me permettre de vous poser une question. Y a-t-il une possibilité que vous puissiez faire un geste pour nous ? Pour l'école ? l'hôpital ? Penserez-vous encore à nous après avoir retrouvé le confort et les agréments de... Où avez-vous dit que vous êtes installé ?

— À New York. Je crains que vous n'ayez mal compris. Nous devons attribuer de l'argent... un gros prêt... à la Zimlie, mais pas...

— Vous voulez dire que nous ne méritons pas votre attention ?

— La mienne, si ! s'écria Andrew avec le sourire. Mais Global Money vise les niveaux supérieurs de... Mais j'en parlerai à quelqu'un. Je parlerai à Caring International.

— Nous vous en serions extrêmement reconnaissants, dit le père McGuire.

Sylvia resta muette. Le sillon qu'elle avait entre les yeux lui donnait l'air d'une petite sorcière courroucée.

— Sylvia, pourquoi ne viens-tu pas passer des vacances à New York ?

— Mais oui, vous devriez, renchérit le prêtre. C'est vrai, vous devriez, mon enfant.

— Merci, je vais y réfléchir.

Elle fuyait leurs regards.

— Et auriez-vous l'obligeance de déposer quelque chose pour nous chez les Pyne ? Vous n'aurez qu'à le déposer, ce n'est pas la peine d'entrer si vous êtes pressé.

Ils se dirigèrent vers la Volvo. Le sac destiné aux Pyne fut chargé à l'arrière.

— Je t'enverrai tes livres, mon ange, promit-il à Sylvia.

Quinze jours plus tard, un sac postal arriva de Senga par courrier spécial, en moto. Des livres partis de New York, expédiés par avion à Senga et réceptionnés par InterGlobe, qui s'était occupé des formalités douanières et les avait transportés jusqu'ici.

— À combien se montent les frais ? s'enquit le père McGuire, offrant le thé à l'exilé des néons de Senga.

— Vous voulez dire la totalité ? répliqua le porteur, un jeune Noir dégourdi en uniforme. Eh bien, c'est marqué ici. (Il sortit les reçus.) Cela sera revenu à l'expéditeur à tout juste cent livres pour la remise au destinataire, répondit-il, admiratif devant l'importance de la somme.

— On pourrait bâtir une salle de lecture avec cet argent... ou une pouponnière, murmura Sylvia.

— À cheval donné on ne regarde pas dans la bouche, cita le prêtre.

— Moi, je regarde dans sa bouche ! s'obstina Sylvia.

Elle consultait la liste des livres. Andrew avait donné celle de Sylvia à sa secrétaire, qui l'avait égarée. Cette dernière s'était donc précipitée dans la grande librairie la plus proche et avait commandé tous les best-sellers, contente de son idée, et même comblée, comme si elle-même les avait réellement lus : elle avait d'ailleurs la ferme intention de se mettre rapidement à la lecture. Aucun de ces romans ne convenait à la bibliothèque de Sylvia. Finalement, elle les donna à Edna Pyne, qui se plaignait continuellement d'avoir lu cent fois tous ses livres. « On ne prête qu'aux riches. »

L'histoire de l'hôpital que n'entendit pas Andrew était la suivante. Lors de la guerre de Libération, toute cette zone, sur des kilomètres, avait été pleine de combattants, parce qu'elle était montagneuse, trouée de grottes et de ravins, idéale pour la guérilla. Une nuit, en se réveillant, le père McGuire avait vu un jeune penché sur lui, qui le tenait en joue avec son fusil en hurlant :

— Lève-toi et haut les mains !

Le prêtre était engourdi de sommeil, et lent même dans ses meilleurs moments. Le jeune l'injuria et lui dit qu'il était un homme mort s'il ne se pressait pas. Mais c'était un garçon très jeune, dix-huit ans, ou même plus jeune, et il avait plus peur que le père McGuire : son fusil tremblait.

— J'arrive, grommela le père McGuire, en s'extrayant maladroitement de son lit. (Mais il ne pouvait pas garder les mains en l'air, il en avait besoin.) Ne t'emballe pas, reprit-il, j'arrive. (Il enfila son peignoir, tandis que le fusil s'agitait dans tous les sens sous son nez, puis ajouta :) Qu'est-ce que tu veux ?

— Nous voulons des médicaments, nous voulons *muti*. Un de nous très malade.

— Alors viens à la salle de bain.

La pharmacie ne contenait que des comprimés pour le paludisme, de l'aspirine, plus quelques bandes.

— Prends ce que tu veux.

— C'est tout ? s'exclama le jeune. Je ne te crois pas. (Mais il prit quand même tout ce qu'il y avait.) Nous voulons un docteur.

— Allons à la cuisine, dit le prêtre

Une fois là-bas, il invita le guérillero à s'asseoir. Il prépara du thé, sortit des biscuits et les regarda disparaître. Il prit deux miches dans le pain frais de Rebecca et les lui tendit avec un peu de viande froide. Le tout disparut à son tour dans un carré d'étoffe noué aux quatre coins.

— Comment puis-je trouver un docteur ici ? Qu'est-ce que je dois raconter ? Ton peuple n'arrête pas de tendre des embuscades sur la route...

— Dis que tu es malade et que tu as besoin d'un docteur. À l'heure où tu l'attendras, noue un chiffon à cette fenêtre. Nous guetterons le signal et amènerons notre camarade. Il est blessé.

— Je vais essayer, dit le prêtre.

Au moment où le jeune s'évanouissait dans la nuit, il se tourna pour le menacer :

— Ne dis pas à Rebecca que nous sommes passés.

— Alors, tu connais Rebecca ?

— Nous connaissons tout.

Le père McGuire réfléchit, puis écrivit à un confrère de Senga que les services d'un médecin étaient requis pour un cas peu commun. Il devrait rouler en plein jour, ne pas s'arrêter pour rien et songer à avoir une arme sur lui. « Et veillez à ne pas inquiéter nos bonnes sœurs. » Un coup de téléphone : un échange discret, en apparence sur le temps et l'état des récoltes. Puis : « Je vous rendrai visite avec le père Patrick. Il a suivi des études médicales. »

Le prêtre noua un chiffon à la fenêtre et espéra que Rebecca n'avait rien remarqué. Elle ne dit rien : il savait qu'elle comprenait bien plus de choses qu'elle n'en laissait paraître. La voiture des prêtres arriva. Cette nuit-là, deux guérilleros se présentèrent, en alléguant que leur camarade était trop mal pour être transportable. Il leur fallait des antibiotiques. Les prêtres en avaient apporté, ainsi qu'un bon stock de médicaments. Tout fut remis aux soldats, pendant que le père Patrick délivrait ses ordonnances. Le garde-manger fut vidé une nouvelle fois de ce qui restait, bien que les deux jeunes hommes à moitié morts de faim se fussent bourrés le plus possible.

Le père McGuire continua à habiter dans cette maison où n'importe qui pouvait entrer à toute heure. Les religieuses, elles, vivaient à l'intérieur d'une clôture de sécurité, mais il détestait cette idée : il prétendait se sentir prisonnier rien qu'en passant leur rendre visite. Dans sa propre maison, il était exposé et se savait sous surveillance. Il s'attendait à être assassiné ; des Blancs avaient été massacrés, non loin de là. Puis la guerre prit fin. Deux jeunes se montrèrent à sa maison et prétendirent qu'ils étaient là pour le remercier. Rebecca leur donna à manger après s'être fait prier.

— Ce sont de mauvais garçons, dit-elle au prêtre.

Il demanda ce qu'il était advenu du blessé : il était mort. Là-dessus, il les revit dans les parages. Ils étaient sans emploi et furieux parce qu'ils avaient cru que l'indépendance leur apporterait de bons emplois et de belles maisons. Il en embaucha un au groupe scolaire, comme homme à tout faire. L'autre était le fils aîné de Joshua, qui commença l'école dans une classe pleine de petits enfants ; il parlait bien l'anglais mais ne savait ni lire ni écrire. À présent, il était malade, très maigre et couvert d'ulcères.

Avant de se confier à Sylvia, le père McGuire n'avait évoqué ces événements avec personne. Rebecca n'en parlait pas. Les religieuses n'étaient pas au courant.

Il devait garder chez lui un stock toujours plus grand de médicaments, parce que les gens venaient lui en demander. C'est lui qui avait construit la remise et les cabanes au pied de la hauteur et qui avait demandé à Senga la venue d'un médecin : le camarade président Matthew avait promis la gratuité des soins à tout le monde. On lui envoya un jeune homme qui n'avait pas terminé sa formation en raison de la guerre ; il aurait voulu être aide-soignant. Le père McGuire ignorait cela, jusqu'au soir où le jeune homme s'enivra et déclara qu'il désirait finir ses études. Le père McGuire pouvait-il l'aider ? Le père promit de lui écrire une lettre de recommandation s'il arrêtait de boire. Mais la guerre avait traumatisé ce combattant, qui avait vingt ans quand elle avait éclaté : il était incapable de se sevrer. C'était le « médecin » dont Joshua avait parlé à Sylvia. Dans une lettre pleine de bavardages expédiée à la capitale, le père McGuire se plaignit qu'il n'y avait pas d'hôpital ni de médecin à trente kilomètres à la ronde. Il se trouva qu'un prêtre de passage à Londres avait rencontré Sylvia avec le père Jack. Et voilà comment tout était arrivé !

Mais il y avait un bon hôpital de prévu à quinze kilomètres de là, et après son ouverture, cet endroit honteux – selon les mots mêmes de Sylvia – pourrait disparaître.

— Pourquoi honteux ? objecta le prêtre. On a des résultats. Pour nous tous, le jour où vous êtes arrivée est à marquer d'une pierre blanche. Vous êtes une bénédiction pour notre communauté !

Et pourquoi les bonnes sœurs sur leur montagne n'étaient-elles pas aussi une bénédiction ?

Les quatre sœurs qui avaient survécu aux périls de la guerre n'avaient pas toujours été derrière leur clôture de sécurité. Elles enseignaient à l'école, du temps où celle-ci avait encore un bon niveau. La guerre s'était terminée et elles étaient parties. C'étaient des Blanches, mais les religieuses qui les avaient remplacées étaient de jeunes Noires qui avaient fui la misère, l'ennui et parfois le danger en revêtant l'uniforme bleu et blanc qui les mettait à part des autres femmes noires. N'étant pas instruites, elles ne pouvaient pas faire la classe. Elles avaient échoué dans ce trou, qui était une horreur à leurs yeux. Non un moyen de fuir la misère, mais un rappel de celle-ci. Elles étaient toujours quatre : sœur Perpetua, sœur Grace, sœur Ursule et sœur Boniface. L'« hôpital » n'en était pas un et, après que Joshua leur eut ordonné d'y venir tous les jours, elles retrouvèrent ce qu'elles avaient fui : la domination d'un homme noir qui s'attendait à être servi. Elles imaginèrent des subterfuges pour ne pas y aller et le père McGuire n'insista pas : la réalité, c'est qu'elles étaient à peu près inefficaces. Ce qu'elles avaient choisi, c'était les bonnes manières, pas des blessures suppurantes. Quand Sylvia était arrivée, l'inimitié entre le sœurs et Joshua était telle qu'à chaque fois qu'elles le voyaient, elles répétaient qu'elles allaient prier pour lui, et qu'en retour, il les narguait, les insultait et les maudissait.

Elles lavaient effectivement les bandes et les pansements, en se plaignant que c'était sale et dégoûtant, mais toute leur énergie allait en réalité à la chapelle, qui était aussi ravissante et bien entretenue que celles qui les avaient incitées à entrer dans les ordres au temps de leur jeunesse. Ces chapelles avaient été les édifices les plus propres et les plus raffinés à des kilomètres à la ronde. Et maintenant, celle de la mission Saint-Luc, comme les autres, n'avait pas un grain de poussière, parce qu'elle était balayée plusieurs fois par jour, tandis que les statues du Christ et de la Vierge étaient cirées et étincelaient. Et quand la poussière tournoyait, les religieuses s'activaient à fermer portes et fenêtres et à passer le balai avant même qu'elle se soit posée. Les bonnes sœurs servaient la chapelle et le père McGuire, et, disait Joshua en les imitant, elles gloussaient comme des poules à son approche.

Elles tombaient souvent malades, parce qu'elles pouvaient alors retourner à Senga, dans leur maison mère.

Assis toute la journée à l'ombre du grand acacia qui tamisait la lumière du soleil, Joshua espionnait ce qui se passait à l'hôpital, mais souvent avec des yeux qui déformaient ce qu'il voyait. Il fumait de la *dagga* presque sans arrêt. Son petit garçon Clever ne quittait pas Sylvia d'une semelle. Et puis il y eut deux enfants : Clever et Zebedee. Ils n'auraient pas pu être plus éloignés des adorables négrillons aux longs cils recourbés, chers aux cœurs sensibles. Ils étaient maigres, avec de petits visages où brûlaient d'énormes yeux assoiffés de connaissances et – cela devenait évident – affamés de nourritures terrestres aussi. Ils arrivaient à l'hôpital à sept heures, le ventre vide, et Sylvia les faisait monter à la maison, où elle leur préparait des tartines de pain à la confiture, sous les yeux de Rebecca, qui fit remarquer une fois que ses enfants, eux, n'avaient ni pain ni confiture, mais seulement de la semoule froide, et encore pas toujours. Le père McGuire observa la scène et déclara que Sylvia était maintenant mère de deux enfants ; il espérait qu'elle savait ce qu'elle faisait !

— Ils ont bien une mère, protesta-t-elle.

Mais il dit que non. Leur mère était morte sur les routes peu sûres de la Zimlie, et leur père avait été emporté par le paludisme, aussi était-ce à Joshua de s'en occuper : d'ailleurs, ils l'appelaient papa. Sylvia était soulagée d'entendre cette histoire. Joshua avait déjà perdu deux enfants – un troisième venait de décéder – et elle savait pourquoi et quelle était la vraie raison de ces disparitions. Pas la pneumonie qui était inscrite sur leurs actes de décès. Ces deux-là n'étaient donc pas du sang de Joshua : combien utile, combien douloureusement pertinente cette antique expression était-elle devenue ! Tous les deux étaient intelligents, ainsi que Joshua l'avait dit de Clever : il affirmait que son frère avait été maître d'école et sa belle-sœur première de sa classe. Les garçonnets épiaient tous les faits et gestes de Sylvia pour l'imiter, et scrutaient son visage et ses yeux pendant qu'elle parlait, de sorte qu'ils savaient ce que Sylvia attendait d'eux avant même qu'elle ouvrît la bouche. Ils soignaient les poulets et les poules couveuses, ramassaient les œufs sans jamais en casser un, couraient dans tous les sens avec des gobelets d'eau et de médicaments destinés aux patients. Accroupis de part et d'autre d'elle, ils la regardaient réduire des membres ou inciser des abcès, et elle s'obligeait sans cesse à garder en mémoire qu'ils avaient quatre et six ans, pas deux fois plus. C'étaient des éponges à savoir. Mais ils n'allaient pas à l'école. Sylvia les obligeait à monter à la maison à quatre heures, après avoir fini à l'hôpital, et leur donnait des leçons. D'autres enfants voulaient se joindre à eux, ceux de Rebecca pour commencer. Elle ne tarda pas à diriger l'équivalent d'une petite maternelle. Mais quand les autres désiraient être comme Clever et Zebedee et travailler à l'hôpital, elle leur disait non. Pourquoi cette préférence ? Ce n'était pas juste, non ? Elle avança le prétexte que c'étaient des orphelins. Mais il y en avait d'autres au village.

— Eh bien, mon enfant, lui dit le prêtre, vous commencez maintenant à comprendre pourquoi l'Afrique brise le cœur des gens. Connaissez-vous l'histoire de l'homme à qui l'on demandait pourquoi il longeait la plage après la tempête et rejetait à la mer les étoiles de mer qui y étaient échouées, alors qu'il y en avait des milliers d'autres en train de mourir ? Il répondit que c'était parce que les quelques-unes qu'il pouvait sauver seraient heureuses de se retrouver dans l'eau.

— Jusqu'à la prochaine tempête, alliez-vous ajouter, mon père ?

— Non, mais je l'ai peut-être pensé. Et que vous puissiez partager cette opinion m'intéresse.

— Vous voulez dire que j'aie une vision plus réaliste, pour employer votre expression, mon père ?

— Oui, c'est bien mon expression. Mais je vous l'ai déjà dit souvent. Vous avez trop d'étoiles dans les yeux pour votre bien.

Le camion Studebaker, une vieille guimbarde donnée par les Pyne à la mission pour remplacer son camion qui avait fini par rendre l'âme, attendait sur la piste. Sylvia avait demandé à Rebecca de dire au village qu'elle se rendait à Growth Point[1] et pouvait prendre six personnes à l'arrière. Une vingtaine avaient déjà grimpé à bord. Sylvia était accompagnée de Rebecca et de deux de ses enfants ; celle-ci avait insisté pour que ce soit eux qui soient de la fête, pas les rejetons de Joshua, pas cette fois.

Sylvia avertit les passagers à l'arrière que les pneus étaient très usés et risquaient facilement d'éclater. Personne ne bougea. La mission avait bien formulé une demande pour avoir des pneus, même d'occasion, mais c'était un mince espoir. Ensuite, Rebecca s'ex-

1. En anglais, « Pôle de croissance ».

prima d'abord dans un premier dialecte, puis dans un autre, et aussi en anglais. Personne ne bougea davantage.

— Roulez lentement et tout ira bien, dit une femme à Sylvia.

Sylvia et Rebecca se hissèrent sur la banquette avant avec les deux enfants. Le camion démarra au pas. À l'embranchement des Pyne, ils furent arrêtés par leur cuisinier, qui prétendait devoir aller à Growth Point, qu'il n'y avait plus rien à manger à la maison et que sa femme... Rebecca éclata de rire, et d'autres rires lui répondirent à l'arrière ; l'homme grimpa et trouva une place tant bien que mal. Rebecca, qui était assise à côté de Sylvia, se retourna pour jeter un coup d'œil à l'arrière, où les autres gloussaient et taquinaient le cuisinier : il y avait eu un petit drame dont Sylvia ne devait jamais avoir connaissance.

Growth Point était à huit kilomètres de la mission. Le gouvernement blanc avait conçu l'idée qu'il devait y avoir un réseau de noyaux autour desquels les communes se développeraient : un commerce, un bureau du gouvernement, la police, une chapelle, un garage. L'idée fut couronnée de succès, et le gouvernement noir la fit sienne. Personne ne discuta. Bien qu'embryonnaire, ce Growth Point était en plein essor : il y avait une demi-douzaine de petites maisons, un nouveau supermarché. Sylvia se gara devant le bureau du gouvernement, une modeste construction qui se dressait au milieu de la poussière blanche où dormaient quelques chiens. Tout le monde descendit du camion en se bousculant, sauf les fils de Rebecca qui devaient rester à le garder, sinon il serait entièrement désossé, y compris de ses pneus. Ils reçurent un peu de Pepsi et un pain au lait chacun, avec la consigne d'aller prévenir leur mère si un individu avait un comportement louche.

Les deux femmes entrèrent ensemble dans le bureau, dont la salle d'attente contenait déjà une douzaine de personnes, et s'assirent côte à côte au bout d'un banc. Sylvia était la seule Blanche présente, mais, avec sa peau hâlée et son foulard pour se protéger de la poussière, elle et Rebecca se ressemblaient : deux femmes petites et menues, l'une et l'autre avec un visage soucieux, dans ce décor intemporel de demandeurs qui attendaient leur tour, accablés d'ennui. De l'intérieur, derrière une porte sur laquelle on lisait *Mr M. Mandizi* dans une peinture blanche défraîchie sur fond brun, résonnait une voix sonore et autoritaire. Sylvia fit une grimace à Rebecca, qui la lui rendit. Le temps passa. La porte s'ouvrit brusquement ; une jeune Noire apparut, en larmes.

— C'est honteux, murmura un vieux Noir, qui était loin dans la queue.

Il eut un claquement de langue, puis secoua la tête.

— C'est honteux, répéta-t-il plus fort, alors qu'un gros Noir imposant, dans le complet trois-pièces obligé, se plantait sur le seuil et leur en imposait à tous.

— Au suivant, lança-t-il, avant de reculer et de refermer la porte, de sorte que le prochain solliciteur dut frapper et attendre qu'on lui dise d'entrer.

Le temps passa. Celui-ci sortit heureux ; au moins, il ne pleurait pas. Et il tapa doucement dans ses mains, sans un regard pour personne, si bien que ce salut ou cet applaudissement était destiné à lui-même.

La voix sonore de l'intérieur se refit entendre :

— Au suivant !

Sylvia donna un peu d'argent à Rebecca et la chargea d'aller acheter aux enfants un casse-croûte et une boisson, et de s'assurer qu'ils étaient toujours là. Ils étaient bien là, endormis. Rebecca rapporta un Fanta que les deux femmes se partagèrent.

Deux heures de plus s'écoulèrent.

Puis ce fut leur tour et le fonctionnaire, voyant que c'était une Blanche, s'apprêtait à appeler son voisin sur le banc, quand le vieux Noir répéta encore :

— C'est une honte. La femme blanche attend comme nous autres.

— C'est à moi de décider à qui c'est le tour, répliqua Mr Mandizi.

— Très bien, dit le vieil homme, mais ce que vous faites n'est pas bien. Nous n'aimons pas ce que vous faites.

Mr Mandizi hésita, mais tendit alors le doigt vers Sylvia et réintégra son bureau.

Sylvia sourit pour remercier le vieil homme et Rebecca lui parla à mi-voix dans leur dialecte. Hilarité générale. Qu'est-ce qu'il y avait de drôle ? Sylvia pensa de nouveau qu'elle ne le saurait jamais. Mais, au moment d'entrer dans le bureau, Rebecca lui chuchota :

— Je lui ai dit qu'il était comme un vieux taureau qui sait tenir les jeunes.

Encore souriantes, elles arrivèrent devant Mr Mandizi. Il leva les yeux de ses papiers, fronça les sourcils, constata la présence de Rebecca et allait s'adresser à elle sans ménagements quand elle s'engagea dans les salutations rituelles.

— Bonjour... non, c'est déjà l'après-midi, je vois. Alors, bon après-midi.

— Bon après-midi, répondit-il.

— J'espère que vous allez bien.

— Si vous allez bien, moi aussi je vais bien...

Et ainsi de suite. Même tronqué, c'était un impressionnant rappel des bonnes manières.

Puis, se tournant vers Sylvia :

— Que voulez-vous ?

— Monsieur Mandizi, je suis de la mission Saint-Luc et je suis venue vous demander pourquoi notre commande de préservatifs n'est pas arrivée. Vous deviez nous l'envoyer le mois dernier.

Mr Mandizi sembla enfler. Il se leva à demi de son bureau et son regard surpris prit un air offensé.

— Et pourquoi devrais-je parler préservatifs avec une femme ? demanda-t-il. Ce n'est pas ce que je m'attends à entendre.

— Je suis le médecin de l'hôpital de la mission. L'an dernier, le gouvernement a promis que des préservatifs seraient à la disposition de tous les hôpitaux de brousse.

Manifestement, Mr Mandizi n'avait pas entendu parler de cet oukase, mais il se donna alors du temps en tamponnant son front, luisant de transpiration, au moyen d'un immense mouchoir blanc. Il avait le genre de visage qui manque d'autorité. Par nature, il était aimable et désireux de plaire : le froncement de sourcils qu'il s'imposait ne lui seyait pas.

— Et puis-je vous demander ce que vous allez faire de tous ces préservatifs ?

— Monsieur Mandizi, vous devez savoir qu'il existe une grave maladie... C'est une nouvelle maladie, très grave, qui se transmet par les relations sexuelles.

Son expression était celle d'un homme contraint d'avaler des couleuvres.

— Oui, oui, dit-il, mais nous savons que cette maladie est une invention des Blancs. C'est pour nous obliger à porter des préservatifs, afin que nous n'ayons pas d'enfants et que notre peuple s'affaiblisse.

— Pardonnez-moi, monsieur Mandizi, mais vous êtes dépassé. Il est vrai que votre gouvernement a affirmé que le sida n'existait pas, mais maintenant il dit qu'il existe peut-être et que les hommes doivent donc porter des préservatifs.

Sur son large visage noir aimable, une ombre de dérision succéda au froncement de sourcil. À ce moment-là, Rebecca s'adressa directement à lui, dans leur langue, et cela semblait une bonne chose, car Mr Mandizi écouta, le visage tourné vers elle, vers cette femme que, dans sa culture, il n'aurait pas écoutée sur de tels sujets. En tout cas, pas en public.

Il revint à Sylvia :

— Vous pensez que cette maladie sévit ici, dans cette région, chez nous ? Slim est ici ?

— Oui, j'en suis sûre. J'en suis sûre, monsieur Mandizi. Les gens en meurent. Vous savez, le problème c'est le diagnostic. Les gens peuvent mourir de pneumonie, de tuberculose, de diarrhées ou de lésions de la peau – d'ulcères – mais la véritable cause, c'est le sida, c'est Slim. Et il y a énormément de malades. Beaucoup plus que lors de mon arrivée à l'hôpital...

Rebecca reprit alors la parole et Mr Mandizi l'écouta, sans la regarder, mais en hochant la tête.

— Vous voulez donc que je téléphone à la direction centrale pour leur demander de m'envoyer les préservatifs en question ?

— Nous n'avons pas eu non plus les comprimés contre le paludisme. Nous n'avons reçu aucun médicament.

— C'est le Dr Sylvia qui nous a acheté des médicaments avec son propre argent, ajouta Rebecca.

Mr Mandizi inclina la tête, réfléchit. Puis, soudain un homme différent, demandeur à son tour, il se pencha en avant pour s'enquérir :

— Pouvez-vous savoir d'un simple regard si quelqu'un a le Slim ?

— Non, il y a des tests pour ça.

— Ma femme n'est pas bien. Elle tousse sans arrêt.

— Ce n'est pas nécessairement le sida. A-t-elle perdu du poids ?

— Elle est maigre. Elle est « trop trop » maigre !

— Vous devriez l'amener au grand hôpital.

— Je l'y ai amenée. Ils lui ont donné *muti*, mais elle est toujours malade.

— De temps en temps j'envoie des prélèvements à Senga... si le malade n'est pas trop atteint.

— Vous êtes en train de dire que si quelqu'un est très malade, vous n'envoyez pas de prélèvements ?

— Certains viennent me voir quand ils sont si malades que je sais qu'ils ne survivront pas. Et ça ne sert à rien de dépenser de l'argent en prélèvements...

— Dans notre culture, déclara Mr Mandizi, retrouvant son autorité grâce à cette formule si souvent utilisée, dans notre culture, nous avons de bons médicaments, mais vous les Blancs, les méprisez.

— Mais je ne les méprise pas du tout. Je suis amie avec notre *n'ganga* local. Parfois, je lui demande de m'aider. Mais lui-même dit qu'il ne peut rien contre le sida.

— C'est peut-être pour cette raison que ses médicaments n'ont pas aidé ma femme ?

Mais en entendant ce qu'il venait de dire, tout son corps sembla se figer sous l'effet de la panique et il resta pétrifié, les yeux fixes, avant de se lever d'un bond.

— Vous devez me suivre maintenant... Oui, maintenant... Elle est là, dans ma maison, à cinq minutes d'ici.

Les poussant devant lui, il entraîna les deux femmes hors du bureau, à travers les solliciteurs silencieux, à qui il promit d'être de retour à son bureau dans dix minutes.

— Attendez-moi.

Dans la fournaise aveuglante et poudreuse, Sylvia et Rebecca se laissèrent conduire vers une des maisons neuves : dix bien alignées, telles des boîtes posées dans la poussière, identiques aux grosses villas neuves qui poussaient à Senga, mais réduites à l'échelle du Growth Point de Kwadere. Les bougainvillées écarlates, violettes et magenta sous lesquelles elles étaient enfouies témoignaient de leur standing : c'était ici qu'habitaient tous les fonctionnaires du cru.

— Entrez, entrez, les pressa Mr Manduzi.

Elles se retrouvèrent dans une pièce exiguë, encombrée d'un canapé et de ses deux fauteuils, d'un buffet, d'un réfrigérateur et d'un pouf, puis dans une chambre entièrement remplie par un grand lit, où reposaient une femme malade et, à ses côtés, une Noire ravissante et potelée, qui éventait la dormeuse avec une liasse de feuilles d'eucalyptus, dont le parfum tentait de triompher des relents morbides. Mais la malade dormait-elle ? Sylvia se pencha au-dessus d'elle, constata avec horreur que cette femme était mal, très mal... Elle se mourait. Au lieu que sa peau noire soit resplendissante de santé, elle était grise ; des ulcères lui couvraient le visage, qui était si maigre qu'on eût dit une tête de mort posée sur l'oreiller. Il n'y avait presque plus de pouls ; sa respiration était très faible, ses yeux à demi ouverts. À son contact, les doigts de Sylvia eurent une sensation de froid. Sylvia tourna la tête vers le mari désespéré, incapable de parler, et Rebecca se mit à pleurer doucement près d'elle. La jeune femme potelée fixait le vide et continua à agiter son éventail.

Sylvia revint dans l'autre pièce en trébuchant et s'adossa contre le mur.

— Monsieur Mandizi, murmura-t-elle, monsieur Mandizi.

Il s'avança vers elle, lui prit la main, se pencha pour la regarder dans les yeux et chuchota :

— Est-elle très malade ? Ma femme...

— Monsieur Mandizi...

Il se laissa tomber en avant, de sorte que son visage disparut dans le creux de son bras appuyé au mur. Il était si proche de Sylvia qu'elle le prit par les épaules et le serra contre elle pendant qu'il sanglotait.

— J'ai peur qu'elle meure, chuchota-t-il encore.

— Oui, je suis désolée, je pense qu'elle est en train de mourir.

— Que dois-je faire ? Que dois-je faire ?

— Monsieur Mandizi, avez-vous des enfants ?

— Nous avons eu une petite fille mais elle est décédée.

Des larmes s'écrasaient sur le sol de ciment.

— Monsieur Mandizi, chuchota-t-elle à son tour – elle pensait à la femme saine et potelée dans la pièce voisine – vous devez m'écouter, vous le devez. Je vous en prie, n'ayez pas de rapports sexuels sans préservatif.

C'était une chose si énorme à dire à ce moment-là, c'était grotesque, mais l'horrible urgence de la situation l'y obligeait.

— Je vous en prie, je sais ce que vous devez éprouver. Ne soyez pas fâché contre moi.

Elle chuchotait toujours.

— Oui, oui, oui, j'ai entendu ce que vous avez dit. Je ne suis pas fâché.

— Si vous voulez que je revienne plus tard, quand vous aurez... Je peux revenir vous l'expliquer.

— Non, je comprends. Mais vous, vous ne comprenez pas une chose. (Il s'arracha du mur et se redressa. Son élocution était redevenue normale.) Ma femme est en train de mourir. Mon enfant est mort. Et je sais qui est responsable. Je dois retourner consulter notre bon *n'ganga*.

— Monsieur Mandizi, vous ne pouvez pas simplement dire...

— Si, je le dis. C'est ce que je dis. Un ennemi m'a jeté un sort. C'est la marque d'un sorcier.

— Oh ! Monsieur Mandizi, vous qui êtes un homme instruit...

— Je sais ce que vous pensez. Je sais ce que pensent les gens comme vous...

Il restait planté là, devant elle, le visage convulsé de colère et de suspicion.

— J'irai au fond de cette affaire. (Puis il leur ordonna :) Dites-leur au bureau que je reviens dans une demi-heure.

Sylvia et Rebecca se mirent en marche en direction du camion.

— Et ce prétendu hôpital de la mission, entendirent-elles. Nous sommes au courant. C'est une bonne chose que notre nouvel hôpital soit bientôt construit et que nous disposions d'une vraie médecine dans notre région.

— Rebecca ! s'écria Sylvia. Je t'en prie, ne me dis pas que tu es d'accord avec ce qu'il dit. C'est ridicule.

Rebecca garda d'abord le silence, puis répondit :

— Sylvia, tu vois, dans notre culture ce n'est pas ridicule.

— Mais c'est une maladie ! Tous les jours, nous la comprenons mieux. C'est une terrible maladie.

— Mais pourquoi certains l'attrapent-ils et d'autres non ? Peux-tu me l'expliquer ? C'est la question. Tu comprends ce que je dis ? Il y a peut-être quelqu'un qui voulait du mal à Mr Mandizi ou qui voulait se débarrasser de son épouse. Tu as vu cette jeune femme dans la chambre, avec Mrs Mandizi. Peut-être elle aimerait être la nouvelle Mrs Mandizi ?

— Enfin, Rebecca, nous n'allons pas être d'accord.

— Non, Sylvia, nous n'allons pas être d'accord.

Autour du camion, les gens attendaient déjà d'y grimper. Mais Sylvia les prévint :

— Je ne rentre pas encore à la mission. Et je laisserai monter six personnes, pas plus. Nous allons au nouvel hôpital. La route est mauvaise.

Elle en apercevait le départ : une piste bosselée à travers la brousse.

Rebecca donna des ordres pressants. Six femmes montèrent à l'arrière.

— Je repasse vous prendre dans une demi-heure, ajouta Sylvia.

Le camion roula lourdement, avec des embardées, sur des racines, des pierres et des nids-de-poule, pendant encore deux ou trois kilomètres. Elles arrivèrent à un endroit où les contours d'une future construction avaient été tracés, dans une clairière au milieu des arbres. C'étaient de gros arbres centenaires ; on était dans la vieille brousse, un brin poussiéreuse, mais touffue et verdoyante.

Les deux femmes et les enfants descendirent de la cabine du camion, et les six autres les suivirent. Tous ensemble, ils contemplèrent ce qu'on appelait le nouvel hôpital.

Les Suédois ? Les Danois ? Les Américains ? Les Allemands ? Grâce au gouvernement d'un quelconque pays, attaché aux souffrances de l'Afrique, beaucoup d'argent avait été canalisé jusqu'ici, vers cette clairière, et le résultat se trouvait devant eux. Comme avec un plan d'architecte, nos observatrices devaient recourir à leur imagination pour visualiser la forme des choses à venir, à partir de ces fondations et des murs commencés mais inachevés, car le problème, c'était qu'il mettait du temps à arriver, le prochain versement de l'aide humanitaire, et dans l'intervalle les chambres, les salles communes, les couloirs, les blocs opératoires et les dispensaires s'emplissaient de poussière blanche. Certains murs arrivaient à mi-corps, d'autres étaient à hauteur de genou, des blocs de béton présentaient des trous remplis d'eau. Voyant l'espoir de trouver quelque chose d'utile, les villageoises se précipitèrent et récupérèrent deux bouteilles et une demi-douzaine de boîtes métalliques, qu'elles secouèrent pour les dépoussiérer, avant de les ranger soigneusement dans de grands sacs fourre-tout. On avait pique-niqué ici. Ou alors un vagabond avait allumé un feu la nuit, afin de tenir les animaux à distance. Les figures de ces visiteuses avaient l'expression qu'on voit si souvent de nos jours : Nous ne ferons aucun commentaire, mais quelqu'un a commis une boulette. Mais qui ? Et pourquoi ? Le bruit courait que l'argent affecté à cet hôpital avait été détourné en chemin ; certains disaient que le gouvernement en question n'avait plus d'argent.

De l'autre côté de la clairière, des caisses en bois reposaient de-ci de-là sous les arbres. Les six femmes allèrent les examiner, suivies de Sylvia et de Rebecca. Une des caisses s'était ouverte. Dedans se trouvait du matériel dentaire : un siège de dentiste.

— Dommage que je ne sois pas dentiste ! s'exclama Sylvia. On en aurait bien besoin d'un.

Une autre caisse, fendue latéralement, montrait que son contenu était un fauteuil roulant.

— Oh, docteur ! dit une des femmes. Nous ne devons pas le prendre. L'hôpital sera peut-être construit un jour...

Elle dégagea le fauteuil.

— Nous avons besoin d'un fauteuil roulant, protesta Rebecca.

— Mais les autorités voudront savoir d'où il vient et notre hôpital ne peut pas s'offrir un fauteuil.

— On devrait le prendre, insista Rebecca.

— Il est cassé, constata la femme.

Quelqu'un avait déjà essayé d'extraire le fauteuil de son emballage de bois et une roue s'était détachée.

Il restait quatre autres caisses. Deux des femmes se dirigèrent vers l'une d'elles et entreprirent de forcer le bois pourri. À l'intérieur se trouvaient des bassins hygiéniques. Rebecca, sans regarder Sylvia, porta une demi-douzaine de bassins au camion, puis revint. Une autre femme trouva des couvertures, mais elles étaient mitées, des souris nichaient dedans et des oiseaux y avaient tiré des fils pour garnir leurs nids.

— Ce sera un bon hôpital, lança une des femmes, avec un rire.

— Nous aurons un bel hôpital tout neuf à Kwadere, renchérit une autre.

Les villageoises, qui s'amusaient, éclatèrent de rire, puis Sylvia et Rebecca se mirent de la partie. En pleine brousse, à des kilomètres des philanthropes de Senga (ou aussi bien de Londres, de Berlin ou de New York), des femmes étaient plantées à rire.

Les voyageurs revinrent à Growth Point, passèrent prendre ceux qui attendaient et regagnèrent lentement la mission, guettant tous un pneu éclaté. La chance leur fut favorable. Rebecca et Sylvia descendirent les bassins hygiéniques à l'hôpital. Dans la grande case neuve, construite par Sylvia à son arrivée, les personnes gravement malades utilisaient de vieilles bouteilles, des boîtes en fer, des ustensiles de cuisine au rebut.

— C'est quoi, ces trucs ? s'enquirent les petits garçons du frère de Joshua.

Une fois qu'ils eurent compris, ils furent ravis et coururent dans tous les sens pour les montrer à tous ceux encore assez en forme pour s'y intéresser.

Colin ouvrit à un timide coup de sonnette et se trouva nez à nez avec ce qu'il prit d'abord pour une petite mendiante ou une gitane. Puis avec un rugissement (« Mais c'est Sylvia, c'est ma petite Sylvia ! »), il la souleva de terre pour la porter à l'intérieur. Là, il l'étreignit, et elle versa des larmes sur ses joues, puis se pencha pour frotter les siennes contre lui, à la manière du bonjour des chats.

Une fois dans la cuisine, il l'assit à la table, LA TABLE, de nouveau munie de ses rallonges. Il se servit un flot de vin dans un grand verre et s'attabla en face d'elle, tout plaisir et bienvenue.

— Pourquoi n'as-tu pas prévenu de ton arrivée ? Mais cela n'a pas d'importance. Je ne peux pas te dire combien je suis content de te voir !

Sylvia s'efforçait de se mettre au diapason, car elle était déprimée. Londres a parfois cet effet sur les Londoniens qui l'ont quitté et qui, pendant qu'ils y habitaient, avaient une faible idée de sa pesanteur, de ses innombrables surprises et ressources. Après la mission, Londres lui flanquait un coup quelque part dans la région de l'estomac. C'est une erreur d'aller trop vite de, disons, Kwadare, à Londres ; il faut quelque chose comme l'équivalent d'un sas de décompression.

En souriant, elle absorbait de petites gorgées de vin, ayant peur d'en boire trop, car elle n'avait plus l'habitude de l'alcool à cette époque, et sentait la maison comme une créature vivante tout autour d'elle, au-dessus et au-dessous, SA maison. Celle qu'elle avait su mieux que personne être son foyer, dès qu'elle avait eu conscience de ce qui s'y passait, des atmosphères et des ondes de chaque pièce, et des coins et recoins de l'escalier. En ce moment, la maison était bourrée, elle avait cette intuition, elle était pleine de monde, mais c'étaient des présences étrangères, qui lui étaient inconnues, et elle était reconnaissante à Colin d'être assis là, à lui sourire. Il était dix heures du soir. Dans les étages, quelqu'un passait un air qu'elle aurait dû reconnaître. Probablement un morceau célèbre, comme *Blue Suede Shoes* – ce titre s'imposait à elle –, mais elle ne parvenait pas à mettre le doigt dessus.

— Petite Sylvia, il me semble que tu as besoin de t'engraisser un peu, comme toujours. Puis-je t'offrir quelque chose à manger ?

— J'ai dîné dans l'avion.

Mais il était déjà debout, ouvrait la porte du réfrigérateur, en scrutait les étagères. Sylvia reçut un nouveau coup au cœur. Oui, en plein cœur, cela lui fit mal, car elle pensa à Rebecca, dans sa cuisine, avec son petit frigo et son petit placard qui, pour sa famille qui habitait en bas au village, représentaient le comble de la bonne fortune, des provisions généreuses : elle contempla les œufs qui remplissaient la moitié de la porte du frigo, le lait d'une blancheur éclatante, les récipients bourrés, l'abondance...

— Ce n'est pas vraiment mon territoire, c'est celui de Frances, mais je suis sûr...

Il sortit un pain, une assiette de poulet froid. Sylvia était tentée : c'était Frances qui l'avait fait cuire, la même Frances qui l'avait nourrie. Avec Frances d'un côté et Andrew de l'autre, elle avait survécu à son enfance.

— Quel est ton territoire, alors ? demanda-t-elle en dévorant un sandwich au poulet.

— Je suis dans les étages, tout en haut de la maison.

— Dans les appartements de Julia ?

— Oui, Sophie et moi.

Cela la surprit, au point qu'elle posa son bout de sandwich, comme si elle renonçait pour le moment à la sécurité.

— Sophie et toi !

— Bien sûr, tu n'étais pas au courant. Elle est venue ici pour récupérer... et puis... elle était malade, tu vois...

— Et puis ?

— Sophie est enceinte, avoua-t-il. On va donc se marier.

— Pauvre Colin, dit-elle, avant de rougir de honte.

Après tout, elle n'en savait vraiment rien...

— Pauvre Colin, si l'on veut ! Au fond, je suis très attaché à Sophie.

Elle reprit son sandwich, mais pour le reposer : la nouvelle de Colin lui avait coupé l'appétit.

— Eh bien ! continue. Je vois que tu es malheureux.

— Perspicace Sylvia ! Bon, tu l'as toujours été, même si, en apparence, tu es Miss Je-ne-suis-pas-là.

C'était méchant, et il l'avait dit exprès.

— Non, non, excuse-moi. Vraiment. Je ne suis pas moi-même. Tu m'as prise au dépourvu... Enfin ! peut-être suis-je moi-même dans ces moments-là.

Il se resservit du vin.

— Ne bois pas avant que je sache tout.

Il posa son verre.

— Sophie a quarante-trois ans. C'est tard.

— Oui, mais assez souvent les mères âgées...

Elle le vit tressaillir.

— Exactement. Une mère âgée. Mais, crois-moi ou non, les bébés trisomiques – j'entends dire qu'ils sont tout ce qu'il y a de plus adorables, non ? – et toutes les autres horreurs ne sont pas le pire. Sophie est persuadée que je suis persuadé qu'avec ses câlineries, elle a attiré le bébé dans ses entrailles peu enthousiastes, afin de se servir de moi, parce que le temps file pour elle. Je sais bien qu'elle ne l'a pas fait exprès, ce n'est pas dans son caractère. Mais elle ne veut pas l'admettre. Jour et nuit, j'entends ses gémissements de culpabilité : « Oh, je sais ce que tu penses... » (Et Colin de gémir avec beaucoup d'effet.) Tu sais quoi ? Oui, bien sûr que tu le sais. Aucune jouissance ne rivalise avec celle de la culpabilité. Elle se roule dedans, s'y vautre. Sophie, ma Sophie, elle rigole bien, de savoir que je la déteste parce qu'elle m'a piégée ! Et rien que je puisse dire ne l'arrêtera, parce que c'est si amusant d'être coupable !

Cette confession était la plus sauvage qu'elle eût jamais entendue de ce sauvage de Colin. Elle le vit lever son verre et le vider d'un trait.

— Oh, Colin ! tu vas être soûl et je te vois si rarement !

— Sylvia, tu as raison. (Il remplit de nouveau son verre.) Mais je vais l'épouser, elle est déjà enceinte de sept mois, et nous habiterons en haut, dans l'ancien appartement de Julia... quatre pièces... et je travaillerai tout en bas de la maison... quand il n'y aura personne. (À ce moment-là, son visage, rougi et furibond comme il l'était, s'épanouit pour exprimer cette ivresse de plaisir qui va avec la méditation de l'implacable sens dramatique de l'existence.) Tu savais que Frances a recueilli deux gosses avec son nouveau type ?

— Oui, elle me l'a écrit.

— T'a-t-elle dit qu'il y a aussi une femme, une dépressive ? Elle habite en bas, là où était Phyllida.

— Mais...

— Il n'y a pas de mais. Ça a marché aussi bien que possible. Elle est sortie de sa dépression. Les deux enfants partagent l'étage où nous étions, Andrew et moi. Frances et Rupert, eux, occupent l'appartement qu'elle a toujours eu.

— Donc ça a marché ?

— Mais, maintenant que leur mère a rompu avec son amant, les deux enfants, assez logiquement, se demandent pourquoi leurs parents ne se remettraient pas ensemble. Et Frances n'aurait plus qu'à s'effacer.

— Alors ils sont odieux avec Frances ?

— Pas du tout. C'est bien pire. Ils sont très polis et raisonnables. Le pour et le contre sont discutés à chaque repas. La petite fille, une véritable petite garce à propos, balance ce genre de chose : « Mais ce serait tellement préférable pour nous si tu partais, n'est-ce pas, Frances ? » C'est la petite fille, en fait, pas le garçon. Rupert se raccroche de toutes ses forces à Frances. Ce qui est compréhensible, quand on connaît Meriel.

Sylvia songea à Rebecca, avec ses six enfants, dont deux étaient morts, sans doute du sida – mais peut-être pas –, et son mari généralement absent, Rebecca qui travaillait dix-huit heures par jour sans jamais se plaindre.

Elle soupira, vit l'expression de Colin.

— Comme tu as de la chance, Sylvia, d'être si loin de nos gâchis affectifs si peu édifiants...

— Oui, parfois je suis contente de ne pas m'être mariée... excuse-moi. Continue. Meriel...

— Meriel... Eh bien, tu parles d'un cadeau ! Elle est froide, manipulatrice, égoïste, et a toujours mal traité Rupert. C'est une féministe, tu sais ? Avec toute la loi de la jungle derrière elle... Elle a toujours dit à Rupert que c'était son devoir de l'entretenir. Elle l'a même fait banquer pour avoir sa licence ès une ânerie ou une autre. Ès critique supérieure, je crois. Elle n'a jamais gagné un rond. Et maintenant elle essaie d'obtenir un divorce où il devrait l'entretenir à perpétuité. Elle fait partie d'un groupe de femmes, une communauté féminine secrète – tu ne me crois pas ? – dont le but est d'arnaquer les hommes de tout ce qu'elles peuvent leur soutirer.

— Non, tu inventes !

— Adorable Sylvia, je crois me rappeler que tu n'as jamais pu croire aux aspects les plus déplaisants de la nature humaine. Mais maintenant la roue a tourné et tu ne me croiras jamais... Meriel est allée chez Phyllida pour suivre une thérapie. C'est Frances qui a payé. Ensuite, Frances est allée voir Phyllida qui est une femme assez raisonnable, tout compte fait... Tu es surprise ?

— Bien sûr que oui.

— Et elle a proposé à Phyllida de former Meriel comme conseillère psychosociologue en la payant de ses deniers.

À ce moment-là, Sylvia se mit à rire.

— Oh, Colin ! Oh, Colin...

— Oui, parfaitement. Parce que, tu vois, Meriel n'a aucune qualification. Elle n'a pas terminé sa licence. Mais, en tant que psychosociologue, elle sera financièrement indépendante. La psychosociologie est devenue la tarte à la crème des femmes sans qualification...

Elle a remplacé la machine à coudre des anciennes générations !

— Pas en Zimlie. La machine à coudre est bien vivante et permet toujours aux femmes de gagner leur vie.

Et elle se remit à rire.

— Enfin ! s'exclama Colin. Je commençais à croire que tu ne sourirais jamais. (Il lui resservit du vin. Elle avait vraiment bu tout le sien. Puis il se resservit aussi.) Alors Meriel va déménager pour aller habiter chez Phyllida, parce que l'associée de Phyllida s'installe comme physiothérapeute indépendante. Notre appartement au sous-sol sera donc libre et je m'en servirai pour y écrire. Et, bien sûr, pour fuir mes responsabilités de père.

— Ce qui ne résout pas le problème de Frances dans le rôle de la marâtre. En dehors des enfants, est-elle heureuse ?

— C'est le délire. D'abord, elle aime vraiment ce Rupert. Et qui pourrait l'en blâmer ? Mais tu ne sais pas la nouvelle ? Elle a repris le théâtre.

— Que veux-tu dire ? Je ne savais même pas qu'elle en avait fait.

— Que nous savons peu de choses sur nos proches ! Il s'avère que le théâtre a été la première passion de ma mère. Elle joue dans une pièce avec ma Sophie. En ce moment même, les applaudissements retentissent pour toutes les deux. (Sa voix était maintenant pâteuse. Il plissa le front pour se concentrer sur son élocution.) Merde ! lâcha-t-il. Je suis soûl.

— Je t'en prie, cher Colin, ne bois plus, je t'en prie...

— Tu parles comme Sonia. Bravo !

— Ah ! Tchekhov ! Oui, je vois. Mais je suis de son avis. (Elle rit, mais d'un rire sans joie.) Il y a un homme à la mission... (Mais comment allait-elle rendre sensible la réalité de Joshua à Colin ?) Un Noir.

S'il n'est pas défoncé à l'herbe, il est soûl. Bon, si tu connaissais sa vie...

— Et la mienne ne justifie pas l'alcool ?

— Non, elle ne le justifie pas. Tu préfèrerais donc que ce ne soit pas Sophie.

— Je préfèrerais que ce ne soit pas une femme de quarante-trois ans. (À cet instant, un hurlement jaillit du fond de lui, où il avait attendu tout ce temps.) Tu vois, Sylvia, je sais que c'est ridicule, je sais que je suis un clown triste et pathétique, mais je voulais le jeu des sept familles, je voulais la mère, le père et quatre enfants. Je voulais tout ça et je n'aurai rien de tel avec ma Sophie.

— Non, confirma Sylvia.

— Non. (Il s'efforçait de ne pas pleurer, frottait ses poings sur sa figure comme un enfant.) Et si tu ne souhaites pas être là pour accueillir ma bienheureuse Sophie et ma mère triomphante, qui prennent toutes les deux leur pied avec *Roméo et Juliette*...

— Tu veux dire que Sophie joue Juliette ?

— On lui donne toujours dix-huit ans. Elle a une mine magnifique, elle est magnifique ! La grossesse lui va bien. Tu n'es pas forcée de remarquer qu'elle est enceinte. Pourtant, les journaux en font tout un plat. Sarah Bernhardt jouait Juliette à cent un ans, avec une jambe de bois... Ce genre de truc. Une Juliette enceinte ajoute une dimension inattendue à *Roméo et Juliette*. Mais le public l'adore. Elle n'a jamais été autant applaudie. Elle porte des robes blanches flottantes, et des fleurs blanches aussi dans les cheveux. Sylvia, tu te souviens de ses cheveux ?

Et il fondit alors en larmes, malgré tout.

Sylvia se précipita vers lui, le persuada de se lever de sa chaise et de monter l'escalier pour aller dans le salon où elle s'était réfugiée jadis avec Andrew. Elle serra Colin dans ses bras et l'écouta sangloter, jusqu'au moment où il s'endormit.

Sylvia ne savait pas où trouver un lit dans cette maison. Alors elle laissa un mot à l'attention de Colin, où elle lui disait son désir qu'il « écrive la vérité sur la Zimlie ». Quelqu'un devait bien s'en charger.

Sylvia partit à travers les rues et entra dans le premier hôtel venu.

Elle avait promis d'apparaître pour le déjeuner. Le matin, elle courut les librairies et fit des achats, encore des achats : deux grandes caisses de livres arrivèrent avec elle à la maison de Julia – ce qu'elle était encore pour Sylvia. Elle fut reçue par Frances, qui, comme Colin la veille, l'emmena à la cuisine, l'embrassa comme la fille prodigue et lui donna son ancienne chambre, voisine de la sienne.

— Ne me dis pas que j'ai besoin d'engraisser, la supplia Sylvia. Ne le dis pas.

Frances posa sur la table une corbeille pleine de morceaux de pain ; Sylvia contempla celle-ci et songea combien le père McGuire aurait savouré cette vision. Elle lui rapporterait un bon pain. Une assiette remplie de coquilles de beurre étincelant. Bon, du beurre, elle ne pouvait pas lui en rapporter. Sylvia regardait la nourriture et pensait à Kwadere, pendant que Frances s'affairait à mettre la table. C'était une belle femme aux formes plantureuses. La coupe de ses cheveux blonds – teints – avait dû lui coûter les yeux de la tête. Elle était élégante ; Julia aurait enfin approuvé.

Quatre couverts... Pour qui ? Entra un grand adolescent, qui s'immobilisa pour étudier Sylvia, l'étrangère.

— Voici William, dit Frances. Sylvia habitait ici autrefois. Je te présente Sylvia, la fille de Phyllida, l'amie de Meriel.

— Tiens ! Salut ! répondit-il avant de s'asseoir, aussi solennellement que s'il avait dit « Enchanté de vous connaître. »

Un beau garçon. Il joignit les sourcils et plissa le front en cherchant à démêler l'écheveau, puis il abandonna la partie.

— Frances, reprit-il, je dois être à la piscine à deux heures. S'il te plaît, je peux déjeuner en vitesse ?

— Et moi, je dois être à ma répétition. Je vais te servir en premier.

Justement, ce qui était servi était loin de l'abondante cuisine familiale d'antan. Toutes sortes de plats préparés firent leur apparition. Frances mit une pizza au micro-ondes, puis la posa devant William, qui se mit aussitôt à manger.

— La salade, ordonna Frances.

L'air d'accomplir un effort héroïque, le gamin déposa deux fourchetées de rubans de laitue et un radis dans son assiette et les avala comme si c'étaient des médicaments.

— Bravo ! Sylvia, je suppose que Colin t'a résumé les nouvelles ?

— Je crois que oui. (Les deux femmes laissèrent leurs regards établir le contact. D'où Sylvia conclut que Frances eût été plus loquace si l'enfant n'avait pas été présent.) Je vais manquer un mariage, on dirait, reprit-elle.

— Peut-on parler de mariage ? Dix personnes au bureau d'état civil...

— J'aurais aimé être là quand même.

— Mais tu ne peux pas. Tu n'aimes pas laisser ton... hôpital !

Cette hésitation apprit à Sylvia qu'Andrew avait décrit l'endroit à Frances en termes désobligeants.

— On ne peut pas porter de jugement sur ce qui se passe là-bas en fonction de nos critères.

— Mais je ne portais aucun jugement ! Nous nous demandions si tu ne gâchais pas tes compétences. Après tout, tu as eu des jobs assez chic !

À cet instant, Sophie fit son entrée. Elle portait une sorte de robe d'intérieur ou de peignoir d'autrefois, un imprimé blanc à grosses fleurs noires. C'était une vision, comme Ophélie flottant au fil de l'eau, avec ses longs cheveux de jais dramatiquement striés de blanc, ses yeux ravissants inchangés. Sa grossesse était le plus élégant petit bombement qu'on puisse imaginer.

— À sept mois ! s'exclama Sylvia. Comment fais-tu ?

Elle disparut dans l'étreinte de Sophie. Toutes les deux versèrent des larmes, mais alors qu'on ne pouvait attendre guère autre chose de Sophie, et que cela devenait même une seconde nature chez elle, Sylvia chuchota « Merde ! » et s'essuya les yeux. Frances pleurait aussi. Tout en avalant ses bouchées de pizza, le jeune garçon observait la scène avec une gravité détachée. Sophie s'étendit dans le grand fauteuil en bout de table, soulignant son ventre de ses mains élégantes.

— Sylvia, gémit-elle théâtralement, j'ai quarante-trois ans.

— Je sais. Courage ! Tu as eu les résultats de tes examens ?

— Oui.

— Bon, alors ?

— Mais Colin... – et elle se remit à pleurer. Me pardonnera-t-il jamais ?

— Oh ! encore ces bêtises, s'impatienta Frances, qui connaissait la chanson par cœur.

— D'après ce qu'il me disait hier soir, intervint Sylvia, je ne crois pas que pardonner ou ne pas pardonner soit la question.

— Oh, Sylvia ! Tu es si gentille. Tout le monde est si gentil. Et puis venir ici dans cette maison. Oui, cette maison, j'ai toujours eu l'impression que c'était mon vrai chez-moi. Et toi, Frances... Tu as été une mère pour moi autant que ma vraie mère et maintenant elle est partie, la pauvre...

— Moins une mère qu'une nounou, corrigea Frances.

— Oui, tu le savais ? Elle joue la Nourrice... oh ! merveilleusement, expliqua Sophie. Mais maintenant nous allons avoir une vraie nourrice dans cette maison, parce que je dois continuer le théâtre. Et, bien sûr, Frances aussi.

— Non, je ne pense pas être prête à me charger d'un petit bébé, déclara Frances.

— Bien sûr que non, acquiesça Sophie.

Mais il était clair que c'était précisément ce qu'elle avait espéré.

— Et d'ailleurs, reprit Frances, tu oublies que Rupert, les enfants et moi allons déménager.

— Oh, non ! se lamenta Sophie. Je t'en prie, pas ça. Je t'en prie. Il y a amplement la place pour tout le monde.

Droit comme un I sur sa chaise, le gamin les regardait fixement avec des yeux affolés.

— Pourquoi ? Où allons-nous ? Mais pourquoi, Frances ?

— Eh bien, c'est la maison de Colin et Sophie maintenant et ils vont avoir un bébé.

— Mais il y a plein de place ! protesta haut et fort William, comme pour les réduire au silence avec ses cris. Je ne vois pas pourquoi...

— Chut ! tenta vainement Sophie, en regardant Frances, à qui il revenait de calmer le désespoir du jeune garçon.

— J'aime cette maison, moi, insista William. Je ne veux pas partir. Pourquoi on devrait partir ?

Il se mit à pleurer. Les larmes ravalées, difficiles et douloureuses d'un enfant qui pleure souvent, mais seul, dans l'espoir que personne n'entendra. Il se leva et se rua hors de la pièce. Personne ne souffla mot.

À ce moment-là, Sophie s'enquit :

— Mais Frances, Colin ne t'a pas dit que tu devais partir, si ?

— Non, il ne m'a rien dit.

— Moi non plus, je ne veux pas que tu t'en ailles.

— Nous oublions toujours Andrew. Il doit avoir son idée sur l'avenir de cette maison.

— Pourquoi ? Il s'amuse comme un petit fou à courir le monde. Il ne voudrait pas que nous soyons malheureux.

— Tu ne devrais pas en faire trop, Sophie, dit Sylvia. Tu ne vas quand même pas continuer à jouer jusqu'au terme ?

Maintenant que Sophie n'était plus enflammée par l'excitation des retrouvailles, on voyait bien qu'elle était tendue, hagarde et, à l'évidence, très fatiguée.

Sophie se tordit les mains en tous sens au-dessus de son ventre.

— Eh bien... j'avais pensé... mais peut-être...

— Sois raisonnable, renchérit Frances. C'est déjà assez fâcheux...

— Que je sois si vieille... Oh, oui, je sais.

— Bien, conclut Sylvia. J'aurais aimé dire un mot à Colin.

— Il travaille, l'informa Sophie. Personne n'ose le déranger quand il travaille.

— C'est bien dommage parce qu'il le faut.

Au moment où elle passait devant Frances pour monter, Sophie la serra rapidement dans ses bras.

— Ne pars pas, Frances. Je t'en prie, ne pars pas. Je suis sûre que personne ne veut que tu t'en ailles.

Frances la suivit et trouva William tapi sur son lit, tel un animal à l'affût du danger, ou un être qui souffre. Il répéta à haute voix :

— Je ne veux pas partir, je ne veux pas.

Elle le prit dans ses bras.

— Arrête. Cela n'arrivera peut-être jamais. Il y a de grandes chances pour que cela n'arrive pas.

— Promets-le-moi, alors.

— Comment le pourrais-je ? On ne doit jamais promettre une chose si on n'en est pas sûr.

— Mais tu es presque sûre, non ? tu ne l'es pas ?

— Si, je pense. Si.

Frances attendit, pendant qu'il se préparait pour aller à la piscine.

— Je ne crois pas que Margaret tienne autant que toi à rester ici, lança-t-elle. Je me trompe ?

— Non, elle veut habiter avec sa mère, mais pas moi. Meriel me déteste parce que je suis un garçon. Je veux rester avec toi et mon père.

Frances alla à son tour se préparer pour sa répétition, en songeant qu'il avait coulé de l'eau sous les ponts, depuis qu'elle s'était seulement souvenue qu'elle avait eu l'intention d'avoir un lieu à elle et d'y vivre, autosuffisante et indépendante. L'argent qu'elle avait mis de côté dans ce but avait diminué de manière alarmante. Une tranche avait servi à payer la thérapie de Meriel, dont Frances acquittait également la pension mensuelle. Rupert avait bien vendu l'appartement de Marylebone, mais les deux tiers du montant de la vente étaient revenus aussi à Meriel. Rupert et Frances payaient conjointement un loyer assez cher pour habiter là, dans cette maison, eux deux, plus William et Margaret. Lui prenait en charge les frais de scolarité des enfants. Frances gagnait sa vie grâce à divers ouvrages, opuscules et rééditions, mais quand elle faisait ses comptes, une bonne part de ses gains allait encore à Meriel. Elle se trouvait dans la situation, familière de nos jours, de devoir entretenir une ex-femme.

Elle entra dans la chambre conjugale, avec ses deux lits, celui où elle avait si longtemps dormi seule, et le grand, qui était désormais le centre affectif de sa vie. Elle s'assit sur le petit lit et contempla le pyjama de Rupert, posé plié sur l'oreiller. Celui-ci était en popeline bleu-vert, un pyjama vraiment classique, mais doux et soyeux au toucher. Rupert, à la première rencontre, donnait une impression de solidité, de force, mais ensuite on remarquait la délicatesse de ses traits, ses mains sensuelles...

Frances regrettait-elle d'avoir dit oui à Rupert, à ses enfants, à cette situation – ou non-situation ? Jamais, pas une minute. Elle avait la sensation, sur le tard, d'être tombée par hasard, comme dans un conte de fées, sur une clairière remplie de soleil. Elle rêvait même de paysages similaires et savait que c'était de Rupert qu'elle rêvait. Tous les deux avaient déjà été mariés, avaient pensé que l'on pouvait dire que ces partenaires absolument déplaisants résumaient le mariage, mais ils avaient trouvé enfin un bonheur qu'ils n'attendaient pas ou même auquel ils ne croyaient plus. L'un et l'autre avaient des vies extérieures très occupées, lui à son journal, elle au théâtre. Tous deux connaissaient apparemment des centaines de gens, mais tout cela relevait de la vie mondaine, et ce qui en était au cœur c'était ce grand lit, où tout était sous-entendu et rien n'avait besoin d'être exprimé. Frances se réveillait après un rêve et se disait, avant de le répéter à Rupert, qu'elle avait rêvé de bonheur. L'on pouvait se moquer si on voulait, et certains ne s'en privaient sûrement pas, mais le bonheur existait, le voilà ! Les voilà tous les deux, contents comme des chats au soleil ! Mais ces deux êtres d'âge mûr – la courtoisie voulait qu'on les appelât ainsi – gardaient un secret qui, ils le savaient, se racornirait s'il s'étalait au grand jour. Et ils n'étaient pas les seuls : l'idéologie avait déclaré leur situation impossible, aussi se taisaient-ils.

Revenir dans une maison qui vous a aimée, accueillie, gardée en sécurité, une maison qui vous a prise dans ses bras, que vous avez tirée au-dessus de votre tête comme une couverture et où vous vous êtes réfugiée comme un petit animal perdu... Mais désormais ce n'est plus votre maison, elle appartient à d'autres... Sylvia gravit l'escalier, dont ses pieds connaissaient la moindre marche, le moindre tournant. Ici, elle s'était accroupie pour écouter le bruit et les rires qui montaient de la cuisine, persuadée de n'être jamais acceptée. Et là, Andrew l'avait trouvée, puis l'avait portée dans son lit, bordée, lui avait donné des chocolats tirés de sa poche. Ici se trouvait sa chambre, mais elle devait passer son chemin. Là, ç'avait été celle d'Andrew et de Colin. Maintenant elle montait la dernière volée de marches menant chez Julia. Une fois sur le palier, elle ne sut à quelle porte taper, mais tomba juste, car la voix de Colin lui dit d'entrer. Elle se retrouva dans l'ancien boudoir de Julia et Colin était assis à... Non, ce n'était pas le petit secrétaire de Julia, mais un gros bureau, qui occupait tout un mur. Si tous les objets personnels de Julia avaient été enlevés pour être entièrement remplacés par du mobilier neuf, c'eût été facile, mais voici le fauteuil de Julia et son petit repose-pieds. C'était comme si la pièce l'accueillait et en même temps la rejetait. Colin avait l'air de mener une vie de bâton de chaise. Il était bouffi. Un garçon corpulent qui serait bientôt adipeux s'il...

— Sylvia, pourquoi t'es-tu sauvée ainsi ? s'écria-t-il. Quand ils m'ont dit ce matin...

— Ne t'inquiète pas, ça n'a pas d'importance. J'aimerais vraiment te parler de quelque chose.

— Excuse-moi. Oublie ce que je t'ai dit la nuit dernière. Tu m'as surpris à un mauvais moment. Si j'ai critiqué Sophie... n'y pense plus. J'aime Sophie, je l'ai toujours aimée. Tu te rappelles ? Nous avons toujours formé une équipe.

Sylvia s'installa dans le fauteuil de Julia, sachant qu'elle allait avoir le cœur serré si elle ne prenait pas garde, garde à Julia, et elle n'avait pas envie de cela, elle ne voulait pas perdre du temps à... Colin était face à elle, sur son fauteuil pivotant, le dos tourné au grand bureau. Affalé là, les jambes étendues, il lui sourit avec la cruelle autocritique de l'ivrogne.

— Et il y a autre chose. Quel droit avons-nous d'espérer une forme de normalité ? Avec le passé de notre famille ? Plein de guerre, de ruptures et de camarades... Quelle ineptie !

Il rit et l'odeur de l'alcool emplit la pièce.

— Il te faudra arrêter de boire si tu dois avoir un bébé. Tu pourrais le laisser tomber ou...

— Quoi ? Je pourrais quoi faire, ma petite Sylvia ?

Elle poussa un soupir et, lui présentant cette histoire humblement, comme si elle lui montrait une photo dans un album, expliqua avec douceur :

— Joshua, c'est l'homme dont je t'ai parlé... Un Noir, bien sûr... Il a laissé tomber son fils de deux ans dans le feu. Le petit a été si grièvement brûlé que... Bien sûr, si c'était arrivé dans ce pays, il aurait bénéficié des soins appropriés.

— Enfin, Sylvia, je ne pense pas que je laisserai tomber notre enfant dans le feu. Je suis parfaitement conscient d'être... que je pourrais donner davantage de satisfaction. (C'était si comique qu'elle éclata de rire et Colin l'imita, mais pas tout de suite.) Je suis fêlé. Qu'espères-tu donc de la progéniture de Johnny ? Mais tu sais quelque chose ? Tant que je n'étais qu'un ours dans mon antre, et que je sortais gaiement pour aller au pub, ou avoir une histoire de cœur par-ci par-là et une RE-LA-TION – voilà bien un mot qui élude toute vraie question ! –, eh bien, je ne me faisais pas l'effet d'un fêlé. Mais dès que Sophie s'est installée et qu'on a joué aux sept familles, j'ai su que je n'étais qu'un ours mal léché. Je ne sais pas pourquoi elle me supporte...

— Colin, j'aimerais vraiment te parler de quelque chose.

— Je lui répète qu'en persévérant, elle peut encore faire un mari de moi.

— S'il te plaît, Colin.
— Qu'attends-tu de moi ?
— J'aimerais que tu ailles en Zimlie pour voir les choses par toi-même et que tu écrives la vérité sur ce pays.
Un silence. Le sourire de Colin était légèrement ironique.
— Comme ta proposition me renvoie en arrière ! Sylvia, tu te souviens quand les camarades partaient toujours pour l'Union soviétique ou les pays communistes frères, pour voir par eux-mêmes, et revenaient nous dire la vérité ? En réalité, avec toute la sagesse rétrospective dont les heureux héritiers que nous sommes avons été dotés, nous sommes en droit de conclure que, s'il y a bien un moyen de ne pas découvrir la vérité, c'est d'aller quelque part pour voir par nous-mêmes.
— Tu ne veux donc pas ?
— Non, je ne veux pas. Je ne connais rien à l'Afrique.
— Je pourrais t'aider. Ne vois-tu pas ? Ce qui se passe n'a rien à voir avec ce que raconte la presse.
— Une minute ! (Il pivota avec son fauteuil, ouvrit un tiroir, y pêcha une coupure de journal et lança :) Tu as vu ce papier ?
Il le lui tendit.
« Point de vue : Johnny Lennox. »
— Oui, je l'ai vu. Frances me l'a envoyé. Ce sont de telles absurdités. Le camarade dirigeant n'est pas tel que les journaux le décrivent.
— Surprise, ô surprise !
— Quand j'ai lu le nom de Johnny, je n'arrivais pas à y croire. Il s'est transformé en expert sur l'Afrique, alors ?
— Pourquoi non ? Toutes leurs idoles se sont révélées avoir des pieds d'argile, mais haut les cœurs ! Il y a un stock illimité de grands dirigeants en Afrique,

voyous, brutes, voleurs, afin que tous les malheureux qui ont besoin d'aduler un chef puissent en aduler qui soient noirs de peau.

— Et quand il y a un massacre ou une guerre tribale ou quelques millions de disparus, tout ce qu'ils ont à faire, c'est de murmurer : « C'est une culture différente », renchérit Sylvia, succombant aux plaisirs du persiflage.

— Et puis il faut bien que le pauvre Johnny mange, après tout. De cette manière, il est toujours l'invité d'un dictateur ou d'un autre.

— Ou il participe à une conférence pour discuter de l'essence de la liberté.

— Ou à un symposium sur la pauvreté...

— Ou à un séminaire organisé par la Banque mondiale.

— En fait, c'est une partie du problème... Les anciens rouges ne peuvent pas pérorer sur la liberté et la démocratie, or c'est ce qui est à l'ordre du jour. Johnny n'est plus aussi recherché qu'il l'était. Oh ! Sylvia, tu me manques vraiment. Pourquoi vis-tu si loin ? Pourquoi ne pouvons-nous pas vivre toujours tous ensemble dans cette maison et oublier ce qui se passe à l'extérieur ?

Il s'était animé, avait perdu la pâleur due à sa gueule de bois, il riait même.

— Si je te fournis tous les faits, le matériau de base, tu pourrais écrire des articles...

— Pourquoi ne demandes-tu pas à Rupert ? C'est un journaliste sérieux. (Il ajouta :) C'est un des meilleurs, il est fort.

— Mais quand ils sont si connus, alors ils n'aiment pas prendre de risques. Ils disent tous que la Zimlie est magnifique. Il serait tout seul sur la corde raide.

— Ils sont censés aussi aimer être les premiers.

— Alors pourquoi Rupert n'est-il pas parmi eux ? Je pourrais demander au père McGuire de rédiger un brouillon que tu pourrais prendre comme base.

— Ah, oui ! le père McGuire. Andrew m'a dit qu'il n'avait pas compris la véritable signification de chapon gras avant de le voir ! (Sylvia était contrariée.) Excuse-moi.

— C'est un brave homme.

— Et toi, tu es une brave fille. Nous ne sommes pas dignes de vous... Désolé, désolé, mais ma petite Sylvia, tu ne vois pas que je t'envie ? C'est ta clairvoyance, ta droiture, ta candeur, oui, ta candeur... d'où la tiens-tu ?... Ah, oui ! Bien sûr, tu es catholique. (Il se leva, assit Sylvia sur ses genoux et enfouit son visage dans son cou.) Tu sens le soleil, je te jure. C'est ce que j'ai pensé hier soir quand tu étais si gentille avec moi : Elle sent le soleil...

Elle était mal à l'aise. Lui aussi. Cette position était incongrue pour tous les deux. Elle réintégra son fauteuil.

— Et tu tâcheras de ne pas boire autant ?

— Oui.

— Tu me le promets ?

— Oui, Sylvia, je te le promets.

— Je t'enverrai les matériaux nécessaires.

— Je ferai de mon mieux.

Sylvia frappa à l'appartement du sous-sol, entendit un « Qui est-ce ? » pointu, passa la tête à la porte : du bas de l'escalier, une femme mince, avec un élégant pantalon brun roux, un chemisier assorti et des cheveux cuivrés coupés à la garçonne, avait les yeux levés vers elle. Une femme fine comme une lame.

— J'ai vécu dans cette maison autrefois, lança Sylvia. On m'a dit que vous alliez habiter avec ma mère.

Meriel ne relâcha pas son inspection hostile. À la fin, elle tourna le dos à Sylvia, alluma une cigarette et répondit dans un nuage de fumée :

— Oui, c'est notre projet pour le moment.

— Je m'appelle Sylvia.

— Je l'avais compris.

Les pièces où Sylvia plongeaient ses regards étaient fidèles à ses souvenirs, proches de la piaule d'étudiant, mais en mieux rangées. Meriel semblait plier bagage. Elle se retourna pour ajouter :

— La famille veut récupérer cet espace. Votre mère m'a gentiment proposé un endroit où dormir en attendant que je trouve autre chose.

— Et vous allez travailler avec elle ?

— Après avoir terminé ma formation, je m'installerai à mon compte.

— Je vois.

— Et dès que j'aurai mon propre lieu, je prendrai les enfants avec moi.

— Ah ! Eh bien, j'espère que tout marchera bien. Je suis désolée de vous avoir dérangée. Je voulais juste... jeter un coup d'œil en souvenir du passé.

— Ne claquez pas la porte. Cette maison est très bruyante. Les enfants font ce qu'ils veulent...

Sylvia prit un taxi pour aller voir sa mère. Là-bas, rien non plus n'avait changé ou presque : encens, signes mystiques sur les coussins et les rideaux, et puis sa mère imposante et fâchée, mais tout sourires en signe de bienvenue.

— Comme c'est gentil à toi de te donner la peine de venir me voir !

— Je repars pour la Zimlie ce soir.

Phyllida examina sa fille lentement, en détail.

— Enfin, Tilly, tu as l'air complètement desséchée. Pourquoi n'utilises-tu pas des crèmes hydratantes ?

— J'y penserai. Tu as raison, maman. Je viens de rencontrer Meriel.

— C'est vrai ?

— Mais où est passée Mary Constable ?

— Nous avons eu des mots.

Cette expression provoqua chez Sylvia un flot de souvenirs : elle et sa mère, dans telle pension de famille ou tel meublé, toujours par monts et par vaux, en général à cause des loyers impayés ; des logeuses qui étaient leurs meilleures amies avant de devenir des ennemies, et cette expression « On a eu des mots ». Tant de mots, si souvent. Et puis Phyllida avait épousé Johnny.

— Je suis désolée.

— Il n'y a pas de quoi. Une de perdue, dix de retrouvées. Au moins, Meriel, elle, a eu des enfants. Elle sait ce que c'est que de se voir voler ses enfants...

— Bon, je vais repartir, je suis juste passée.

— Je n'espérais pas que tu t'assoies pour prendre le thé.

— Mais je prendrais bien un thé.

— Les mômes de Meriel. Eh bien, ils ne lui laissent pas une minute de répit...

— Elle sera peut-être contente de s'en débarrasser, alors.

— Ils ne viendront pas ici, c'est donc tout réfléchi.

— Si nous devons prendre le thé, prenons-le. Il est presque l'heure que je parte pour l'aéroport.

— Tu ne ferais pas mieux d'y aller, alors ?

Sylvia se retrouva aux arrivées de l'aéroport de Senga, aussi bondées que lors de son premier passage, et par les deux mêmes groupes de gens, que séparait moins leur couleur de peau que leur statut social. Et pourtant il y avait eu du changement. Quatre, non, cinq ans plus tôt, ç'avait été une foule dynamique et confiante, oui, mais si peu de temps après la guerre d'indépendance, les expressions et les attitudes montraient encore une appréhension avertie, comme si la nouvelle de la paix n'avait pas vraiment été assimilée par la personne tout entière. Les nerfs étaient toujours préparés aux mauvaises nouvelles. Mais à présent cette cohue était exubérante, triomphante avec ses fructueuses courses londoniennes, lesquelles encombraient le petit tapis roulant à bagages grinçant, jusqu'à l'endroit où de grosses valises, des réfrigérateurs, des bagages à main, des meubles basculaient pour être emportés tant bien que mal par leurs propriétaires hilares. Jamais il n'y avait eu de population de voyageurs plus ouvertement satisfaite de soi que celle-ci. Dans l'avion, les mots « la nouvelle nomenclature » avait circulé parmi les Blancs avec la saveur du ragot.

Et revoilà la même séparation dans la tenue vestimentaire : les membres de la nouvelle élite noire en costume trois-pièces, en train d'éponger l'abondante sueur qui ruisselait sur leurs visages au large sourire, et les Blancs décontractés en jean et T-shirt, en route pour une centaine de diverses humbles destinations dans la brousse ou en ville. Ces deux catégories d'êtres si différents ne tardèrent pas à avoir le même point de mire : une jeune femme noire de dix-huit ans peut-être, très jolie, arborant la toilette dernier cri de tel ou tel concepteur de mode, des talons aiguilles et l'irascible froncement de sourcils d'une jeunesse trop gâtée. Elle avait réquisitionné deux des porteurs, qui récupérèrent sur le tapis roulant une, deux, trois, quatre – était-ce tout ? – non, sept, huit valises Vuitton.

— Boy, apportez-moi ça ici, leur ordonna-t-elle d'une voix aiguë et autoritaire qu'elle avait apprise des maîtresses blanches d'antan, mais qu'aucune d'elles n'aurait alors plus osé prendre. Boy, dépêchez-vous. (Elle s'avança vers le début de la queue.) Boy, montrez mes valises au douanier.

Un gros homme noir dans la file d'attente lui dit quelques mots avunculaires, paternalistes, pour prouver à la foule qu'il la connaissait, tandis que cette frimeuse rejetait la tête en arrière et lui décochait un sourire mi-ravi, mi-« Qui es-tu, toi, pour me dire ce que je dois faire ? ». Tous les Noirs contemplaient avec fierté ce produit de leur indépendance, alors que les visages blancs des simples mortels ne se risquaient à aucun commentaire, malgré d'indiscutables échanges de regards. Ils discuteraient de l'incident plus tard, une fois en sécurité chez eux. À la douane, elle lança : « Je suis la fille d'Untel » – un ancien ministre – et aux boys : « Boy, boy, allez, suivez-moi ! » Et elle passa la douane, puis l'immigration comme si de rien n'était.

Sylvia avait quatre grandes caisses et un petit fourre-tout pour ses affaires personnelles. Même si elle voyait des mobiliers entiers marqués OK à la craie par les fonctionnaires des douanes, elle savait bien ne pas pouvoir espérer le même traitement. Cette fois-ci, elle n'avait pas eu de chance avec son voisin de vol. Elle scruta les uns après les autres les visages des douaniers, en quête de la physionomie animée, amicale, de la fois d'avant, mais le jeune homme n'était pas de service ou s'était métamorphosé en l'un de ces fonctionnaires irréprochables. Quand elle arriva en tête de la queue, un individu renfrogné lui fit face.

— Et c'est quoi tout ce que vous avez là ?

— Deux machines à coudre.

— Et pourquoi vous voulez ces machines à coudre ? C'est pour votre commerce ?

— Non, ce sont des cadeaux pour les femmes de la mission de Kwadere.

— Des cadeaux ! Et combien elles vont vous les payer ?

— Rien, répondit Sylvia, avec un sourire.

Elle sentait que les machines à coudre avaient touché son interlocuteur ; peut-être avait-il vu sa mère ou sa sœur s'échiner sur une d'elles. Mais le devoir l'emporta.

— Elles doivent aller au dépôt. Et puis vous serez informée sur le montant de la taxe à payer.

Les deux caisses furent enlevées et mises de côté : Sylvia savait qu'elle avait peu de chances de les revoir. Elles seraient « égarées ».

— Et maintenant qu'est-ce que c'est que tout ça ?

Il frappa sur les côtés des deux caisses restantes comme si c'étaient des portes.

— Des livres pour la mission.

Immédiatement, la tête du bonhomme afficha un air qu'elle ne connaissait que trop bien : l'avidité. Il s'empara d'un levier, força le sommet d'une caisse : des livres. Il en sortit un, tournant les pages, prenant son temps, puis poussa un soupir. Il laissa retomber les livres, se servit de son levier pour reclouer le couvercle en place et demeura indécis.

— S'il vous plaît... On a vraiment besoin de ces livres.

C'était quitte ou double.

— O.K., dit-il.

Sylvia avait troqué deux machines à coudre contre les livres, mais elle savait bien quel eût été le choix des femmes de la mission.

Sylvia franchit l'immigration sans difficulté. De l'autre côté l'attendait sœur Molly, souriante, auréolée par cet éclat de la lumière qui signifie que la pluie a récemment purifié l'air. La saison des pluies avait commencé. En retard, mais elle était là. Sauf que, maintenant, toute la question était de savoir si elle allait durer. Les trois ou quatre dernières années, en effet, les pluies avaient interrompu la longue période d'aridité pour ensuite repartir comme elles étaient venues. Officiellement, la région souffrait de la sécheresse, mais on ne l'eût pas dit ce jour-là, avec ces nuages blancs qui voguaient béatement dans le bleu du ciel, et ces flaques partout. Le soleil se reflétait sur la croix de sœur Molly, faisait briller ses jambes brunes et solides. Saine, c'était le mot qui la définissait. Et le décor aussi était sain : force et vigueur générales, arbres et buissons lavés de frais, et une foule bon enfant qui s'engouffrait dans des voitures officielles ou de modestes autocars. Sylvia se sentit de nouveau elle-même. Son escapade à Londres n'avait pas été un succès, mis à part ses caisses de livres. Mais cette expérience se referma brusquement derrière elle. Londres lui paraissait irréel ; ce paysage-ci, en revanche, était bien réel.

La banquette arrière de la vieille guimbarde de sœur Molly s'affaissa sous le poids des grosses caisses. Sœur Molly se mit aussitôt à bavarder, en commençant par la nouvelle qu'il y avait eu des scandales. Des ministres avaient été accusés de corruption et de détournements de fonds. Elle parlait avec la délectation qui trahit une certaine satisfaction à voir que tout se passe comme prévu.

— Et le père McGuire a dit qu'il y avait certains problèmes à la mission. Saint-Luc a été accusé de vol.

— C'est absurde.

— Les absurdités peuvent être très efficaces.

Et Sylvia s'avisa que le regard de cette religieuse – c'est ce qu'elle était, après tout – était trop réprobateur – un avertissement ? – pour la circonstance. Il y avait quelque chose qui ne tournait pas rond. C'était une jeune femme très accomplie. Elle dirigeait un projet qui recrutait des maîtres d'Amérique et d'Europe pour enseigner deux ans en Zimlie, en raison de la pénurie de maîtres noirs, et cette initiative était – jusqu'ici – bien accueillie par les autorités locales parce qu'elle permettait d'économiser sur les émoluments des enseignants. Certains maîtres se trouvaient dans des écoles de zones reculées, et sœur Molly était presque en permanence en tournée pour voir comment se débrouillaient ses ouailles.

— Certains d'entre eux viennent de familles aisées et n'ont aucune idée de ce qui les attend, puis ils se retrouvent dans une école comme celle de Kwadere et peuvent mal réagir.

Dépressions nerveuses, états dépressifs, effondrements de toutes sortes étaient gérés par cette jeune femme compétente au titre des risques du métier : elle était gentille et réconfortante, et une jeune protégée, originaire de Washington ou de L.A., pouvait se retrouver bercée aux accents graves de « Voyons, voyons », entre les bras de cette Molly qui avait débuté dans la vie dans un modeste foyer du comté de Galway.

— Et puis j'entends dire qu'il y a de nouveaux problèmes à l'école, le directeur s'est sauvé avec la caisse et le père McGuire met encore les bouchées doubles. Voilà qui est étrange, ne trouvez-vous pas ? Tous ces directeurs et ces vilains voleurs, ils se croient invisibles aux yeux du reste d'entre nous et de la police. Qu'est-ce qu'il leur passe donc par la tête à ces misérables, je vous le demande ?

Mais elle n'attendait pas de réponse, elle voulait parler, et que Sylvia l'écoute. Elle revint vite à son centre de gravité, à savoir le Saint Père et ses imperfections : en effet, à part le fait d'être un homme, il « mettait des idées dans la tête » de prêtres qui officiaient dans diverses parties du monde. Entendre cette séquence de mots-là, dans ce contexte-là – car ç'avait toujours été un grief essentiel des Blancs, que les missions « mettaient des idées » dans la tête des Noirs –, provoquait une étrange gaieté, la même que celle qui alimentait les livres de Colin : l'incongruité infinie dont la vie était capable. (Peu avant de partir pour Londres, Sylvia avait entendu de la bouche d'Edna Pyne que l'actuelle délinquance des Noirs était due au fait qu'on leur avait mis des idées dans la tête trop tôt dans leur évolution !)

— Et quelles idées cela peut-il bien être ? réussit à glisser Sylvia dans la conversation, pour entendre seulement la vieille antienne de Molly, selon laquelle le pape était sexiste et ne comprenait pas les épreuves des femmes.

La contraception, disait sœur Molly, voilà la clé, et le pape pouvait bien avoir les clés du paradis, elle refusait de discuter ce point, il n'entendait rien à ce bas monde. Qu'il grandisse avec une tribu de neuf mômes et pas de quoi nourrir toutes ces bouches, et il changerait de langage !

C'est dans cet état de douce et plaisante indignation que sœur Molly roula jusqu'à la mission Saint-Luc, où elle déposa Sylvia et ses caisses de livres.

— Non, je n'entre pas, sinon il me faudra monter au couvent.

La maison du prêtre ensevelie sous la poussière, les gommiers dépenaillés, le soleil qui délimitait le couvent et la demi-douzaine de toits de l'école sur sa crête, cela semblait si dérisoire, une incursion si superficielle dans cet antique paysage – elle était rentrée à la maison, oui, elle avait cette sensation. Tout pouvait être emporté comme un fétu de paille. Elle resta plantée, avec l'odeur de la terre humide dans les narines et la chaleur qui lui montait brusquement le long des jambes. Puis Rebecca surgit en criant :

— Sylvia ! Oh, Sylvia ! (Et les deux femmes tombèrent dans les bras l'une de l'autre.) Oh, Sylvia, vous m'avez tellement manqué !

Mais Sylvia sentait que ce qu'elle étreignait avait des correspondances avec ses sensations d'évanescence, de fugacité. Le corps de Rebecca était le paquet d'os le plus léger, le plus fragile qui soit, et quand elle la tint à bout de bras pour étudier son visage, Sylvia vit que Rebecca avait les yeux creux sous son vieux foulard fané.

— Qu'est-ce qui ne va pas, Rebecca ?

— D'accord, répondit Rebecca, ce qui signifiait : Je vais te le dire.

Mais, d'abord, elle prit Sylvia par la main et la fit entrer dans la maison, où elle l'assit à la table, face à elle.

— Mon Tenderai est malade.

Aucune dérobade, pendant que les deux paires d'yeux se sondaient mutuellement. Deux des enfants de Rebecca étaient déjà décédés, un autre avait été malade longtemps, et maintenant il y avait Tenderai. L'origine de l'infection, c'était le mari de Rebecca, apparemment toujours en bonne santé, bien que maigre et ivrogne. Selon toute probabilité, Rebecca devait être séropositive, mais sans test, comment être sûr ? Et si elle l'était, quoi faire ? Il y avait peu de chances qu'elle couchât à droite et à gauche et répandît le mal fatal.

Sylvia avait été absente une semaine.

— O.K., proféra à son tour Sylvia, recourant à cette nouvelle ou relativement nouvelle locution, qui semblait désormais commencer toute phrase.

Elle voulait dire qu'elle avait assimilé l'information et partageait les craintes de Rebecca.

— Je vais l'examiner pour voir. C'est peut-être seulement une maladie passagère.

— Je l'espère, murmura Rebecca, qui, mettant de côté ses soucis familiaux, ajouta ensuite : Et puis le père McGuire travaille trop dur...

— Il paraît. Et qu'est-ce que c'est que cette histoire de vol ?

— Des sottises. C'est au sujet des caisses de matériel médical, à l'hôpital où nous sommes allées. On raconte que vous les avez volées...

Or Sylvia s'était dit, car à Londres ses pensées avaient été avec la mission, que c'était le simple bon sens de retourner à l'hôpital en ruine afin de récupérer tout ce qui pouvait servir. Mais là, il y avait autre chose et Rebecca ne se décidait pas à le formuler. Elle détourna les yeux et fixa le vide ; son visage tendu trahissait l'embarras et la peur des ennuis.

— Je t'en prie, Rebecca, parle-moi. Qu'y a-t-il ?

Toujours sans regarder Sylvia, Rebecca déclara que ce n'étaient que des bêtises. Les caisses étaient ensorcelées ; elle employa le mot anglais, puis ajouta :

— Le *n'ganga* a prédit qu'il arriverait malheur à tous ceux qui avaient volé quelque chose à l'hôpital.

Là-dessus, elle se leva et annonça qu'il était temps de servir son déjeuner au père McGuire. Elle espérait que Sylvia avait faim parce qu'elle avait préparé un riz au lait spécial.

Tant que Rebecca avait été attablée en face d'elle et que Tenderai et les autres enfants, morts ou vivants, avaient occupé leurs esprits, une franchise et une confiance absolues avaient uni les deux femmes. Mais Sylvia était certaine que Rebecca ne lui en dirait pas davantage, car celle-ci savait que, sur ce sujet, elle ne comprendrait pas.

Sylvia s'assit sur son lit, cernée par les murs de brique, et contempla les madones de Leonardo de Vinci qui semblaient lui souhaiter la bienvenue. Puis elle se tourna vers le crucifix au-dessus de son lit, avec l'intention délibérée d'exprimer certaines idées qui s'étaient imposées à elle. Quelqu'un qui adhérait aux miracles de l'Église catholique romaine ne devait pas accuser les autres de superstition : c'était l'enchaînement de ses pensées, et l'on était loin d'une critique de la religion. Le dimanche, les fidèles qui venaient célébrer l'Eucharistie avec le père McGuire s'entendaient dire qu'ils buvaient le sang du Christ et mangeaient Son corps. Elle en était peu à peu venue à comprendre combien l'existence des populations noires au sein desquelles elle vivait était profondément imprégnée de superstitions, et son désir, c'était de comprendre cette réalité, pas d'enfiler ce qu'elle voyait comme de « brillantes perles intellectuelles ». Du style de celles que pouvaient échanger Colin et Andrew, pensa-t-elle. Mais il n'en restait pas moins vrai qu'il y avait un domaine où elle, Sylvia, n'avait pas accès ni ne devait émettre de critique, pas plus chez Rebecca que chez n'importe quel ouvrier journalier noir, même si celle-ci était sa meilleure amie.

Si le père McGuire refusait de l'aider, il lui faudrait aller chez les Pyne. Au déjeuner, elle aborda le sujet, tandis que Rebecca écoutait, debout devant le buffet, et ajoutait, après que le prêtre lui eut demandé confirmation :

— O.K., c'est vrai. Et maintenant les personnes qui ont pris les objets tombent malades et les gens disent que c'est à cause de ce qu'a prédit le *n'ganga*.

Le père McGuire n'avait pas l'air en forme. Il avait le teint jaune et, sur ses larges pommettes d'Irlandais, les taches hectiques flamboyaient. Il était impatient et de mauvaise humeur. C'était la seconde fois en cinq ans qu'il devait doubler son horaire d'enseignement. Et puis l'école tombait en ruine et Mr Mandizi se bornait à répéter qu'il avait informé Senga de la situation. Le père retourna à l'école sans faire sa petite sieste habituelle. Sylvia et Rebecca, elles, déballèrent les livres et confectionnèrent des étagères de fortune avec des planches et des briques : de part et d'autre de la petite table de toilette, un mur entier ne tarda pas à être tapissé de livres. Rebecca avait pleuré en apprenant que les machines à coudre avaient été saisies, elle qui avait espéré gagner un peu plus d'argent en cousant sur la sienne, mais les larmes qu'elle versa en regardant les livres, puis en les touchant étaient des larmes de joie. Elle baisa même les volumes.

— Oh, Sylvia ! c'est si merveilleux que vous ayez pensé à nous rapporter des livres !

Sylvia descendit à l'hôpital, où Joshua sommeillait sous son arbre, comme s'il n'avait pas quitté celui-ci en son absence, et où les petits garçons l'accueillirent à grands cris. Elle s'occupa de ses patients, dont beaucoup étaient là pour des toux et des rhumes qui accompagnaient les brusques changements de température au début des pluies. Ensuite, elle prit la voiture pour se rendre chez les Pyne, qui tenaient une place précise dans sa vie : quand elle avait besoin d'informations, c'est là qu'elle allait.

Les Pyne avaient acheté leur ferme après la Seconde Guerre mondiale, dans les années cinquante, lors de la dernière vague d'immigration blanche. Ils cultivaient essentiellement du tabac et avaient bien mené leur affaire. Située sur une hauteur, la maison avait vue sur de hautes montagnes très pentues qui, pendant la saison sèche, étaient bleues de fumée et de brume, mais montraient à présent nettement du vert – la végétation – et du gris – des rochers de granite. La galerie à colonnes était assez large pour abriter des réceptions, qui, avant l'indépendance, avaient été nombreuses, mais devenaient rares désormais, après le départ de tant de Blancs. Sur le plancher ciré de rouge s'éparpillaient des tables basses, des chiens et quelques chats. Cedric Pyne y était assis et avalait son thé, en caressant la tête de son Ridgeback préféré, une femelle appelée Lusaka. Élégante avec son pantalon sport et son chemisier, la peau luisante de crème solaire, Edna Pyne était installée à côté du service à thé, sa chienne Sheba, la sœur de Lusaka, collée contre son fauteuil. Elle écoutait son mari pérorer sur l'incompétence du gouvernement noir. Sylvia buvait son thé et prêtait aussi l'oreille.

Si elle avait dû supporter jusqu'au bout sœur Molly sur le sujet du pape et de son machisme invétéré, entendre tous les jours le père McGuire répéter qu'il était un vieil homme et n'était plus à la hauteur de sa tâche, qu'il allait rentrer en Irlande, s'il lui avait fallu entendre encore Colin se lamenter sur sa relation avec Sophie, elle devait à présent encore ronger son frein avant de pouvoir à son tour exprimer ses propres soucis.

Le hic de la situation – les fermiers blancs – était facile à comprendre. Cible principale de la haine des Noirs, ils étaient accablés d'injures chaque fois que le Leader ouvrait la bouche, mais gagnaient les devises étrangères qui maintenaient le pays à flot, surtout pour payer les intérêts de prêts exigés par... Mentalement, Sylvia vit Andrew, un garçon souriant et doucereux, tendre un immense chèque barré de lignes de zéros et recevoir de l'autre main un autre chèque avec un nombre de zéros équivalent. C'était le résumé visuel qu'elle avait imaginé pour expliquer le mécanisme de Global Money à Rebecca, qui avait gloussé, poussé un soupir, puis murmuré : « O.K. »

À cause de son socialisme, auquel le Leader avait adhéré sur le tard avec toute la force d'une conversion, divers principes qu'il croyait essentiels au marxisme avaient acquis la valeur de commandements. L'un d'eux voulait qu'aucun travailleur ne soit renvoyé. Cela signifiait que tout employeur charriait un poids mort d'employés qui, se sachant intouchables, buvaient, ne travaillaient pas, traînassaient au soleil et volaient tout ce qu'ils trouvaient, exactement comme leurs chefs. C'était là un des points de la litanie des doléances si souvent entendue par Sylvia. Un autre était que l'on ne pouvait pas se procurer de pièces détachées pour les machines qui tombaient en panne, comme il était impossible d'en acheter des neuves. Celles qui étaient importées allaient directement aux ministres et à leurs familles. Ces griefs, les plus fréquents, étaient moins importants que le premier, qui, comme tant de faits élémentaires, cruciaux, essentiels, était rarement cité, simplement parce qu'il était à l'évidence trop vital pour avoir besoin d'être exprimé. Comme les fermiers blancs étaient constamment menacés d'être expulsés après confiscation de leurs terres, ils ne se sentaient aucunement en sécurité, ne savaient pas s'ils devaient investir ou non, vivaient d'un mois sur l'autre dans l'incertitude. À ce moment-là, Edna Pyne interrompit son mari pour dire qu'elle en avait assez, qu'elle voulait partir.

— Qu'ils se mettent au travail et ils comprendront alors ce qu'ils ont perdu avec notre départ !

Leur ferme, achetée sous forme d'hectares vierges, sans même un champ défriché, encore moins cette grosse maison, était maintenant équipée de toutes sortes d'installations agricoles : granges, hangars, enclos à chevaux, citernes, puits artésiens et, dernier aménagement, un grand barrage. Cela représentait tout leur capital. À leur arrivée, ils n'avaient rien.

Cedric rembarra sa femme sur un ton cinglant que Sylvia avait déjà entendu :

— Je ne cèderai pas. Il leur faudra me sortir de force d'ici !

Alors Edna entama sa complainte. Depuis l'indépendance, on avait du mal à acheter des denrées de base, tel que du bon café ou du poisson en boîte. « Ils » n'étaient même pas capables d'assurer un approvisionnement correct des ouvriers en maïs ; elle devait en garder un magasin bourré jusqu'au toit pour la prochaine fois où la main-d'œuvre monterait mendier de quoi manger. Elle en avait plein le dos des injures. Ils – les Pyne – prenaient en charge les frais de scolarité de douze enfants noirs maintenant, mais pas un de ces salauds de Noirs du gouvernement ne voulait le reconnaître ! Ils n'étaient que blabla et incompétence, c'étaient des incapables. Seul comptait à leurs yeux ce qu'ils pouvaient ramasser pour eux, elle en avait assez de...

Chaque fois qu'un visage nouveau apparaissait sur cette galerie, son mari savait qu'elle devait vider son sac, tout comme elle savait que c'était nécessaire aussi pour lui. Il garda le silence, embrassant du regard les champs de tabac – verdoyants – jusque là où les nuages de la saison des pluies s'amoncelaient pour ce qui semblait être devenu un orage d'après-midi.

— Tu es fou, Cedric lui dit directement sa femme, prolongement évident de nombreuses altercations privées. Nous devrions arrêter les frais et émigrer en Australie comme les Freeman et les Butler.

— Nous ne sommes plus aussi jeunes qu'avant, répliqua Cedric. Tu oublies toujours cet aspect des choses.

Mais elle poursuivit :

— Les inepties qu'il nous faut supporter ! La femme du cuisinier est malade parce qu'on lui a jeté le mauvais œil. En fait, elle a des crises de paludisme parce qu'elle n'aime pas prendre ses pilules. Je leur répète, je n'arrête pas de leur répéter que s'ils ne prennent pas les pilules contre le paludisme, ils vont être malades. Mais je vais vous confier un truc. Leur *n'ganga* a plus de choses à dire sur ce qui se passe dans le secteur que n'importe quel fonctionnaire du gouvernement !

Sylvia s'immisça dans ce flot bouillonnant.

— C'est ce que je voulais vous demander. J'ai besoin de vos conseils.

Aussitôt deux paires d'yeux bleus lui accordèrent leur attention : donner des conseils, voilà ce à quoi ils se savaient préparés. Sylvia leur raconta son histoire à grands traits.

— Et maintenant je suis donc une voleuse. Mais quel est ce sort qui a été jeté sur le nouvel hôpital ?

Edna se permit un petit rire irrité.

— Et c'est reparti ! Vous voyez ? Quelle idiotie ! Quand il n'y a plus eu d'argent pour l'hôpital...

— Qui l'a construit ? Tantôt j'entends dire que ce sont les Suédois, tantôt les Allemands. Qui est-ce ?

— Quelle importance ! Les Suédois, les Danois, les Américains, oncle Tom Cobbleigh... Mais l'argent s'est volatilisé du compte bancaire de Senga et les donateurs se sont retirés. La Banque mondiale, Global Money, Caring International ou je ne sais qui – il y a des centaines de ces bonnes âmes – tentent bien de trouver de nouveaux financements, mais jusqu'ici ça n'a rien donné. Nous ne savons pas ce qui se passe. En attendant, les caisses de matériel pourrissent sur place, c'est ce que disent les Noirs.

— Oui, je les ai vues. Mais pourquoi envoyer du matériel avant que l'hôpital soit même construit ?

— Typique de leur part ! s'exclama Edna Pyne, avec la satisfaction de celle à qui les faits donnent raison, une fois de plus. Ne demandez pas pourquoi. Si c'est le fruit de leur foutue incompétence, alors ne vous donnez même pas cette peine. Cet hôpital était censé être à pied d'œuvre en moins de six mois. Eh bien ! je vous demande un peu, quelle blague ! Enfin, qu'est-ce qu'on peut espérer de ces idiots de Senga ? Le grand chef local, Mr Mandizi, comme il se présente lui-même, est donc allé voir le *n'ganga* pour lui demander de faire courir le bruit qu'il avait jeté un sort à quiconque aura volé dans les caisses ou y aura seulement touché.

Cedric Pyne laissa échapper un bref rire glapissant.

— Très bon, approuva-t-il. Continue, Edna, c'est assez futé.

— Si tu le dis, chéri. Enfin, ça a marché. Mais, ensuite, il semblerait que vous soyez allée là-bas et que vous vous soyez servie. Ce qui a rompu le sort.

— Une demi-douzaine de bassins hygiéniques. Nous n'en avions même pas un à notre hôpital...

— Une demi-douzaine, c'est trop, commenta Cedric.

— Mais pourquoi ne m'a-t-on rien dit ? Six femmes de notre village m'accompagnaient, ainsi que Rebecca. Elles se sont contentées de... se servir. Elles ne m'ont rien dit.

— Voyons, le contraire eût été étonnant, non ? Vous êtes la mission, vous représentez Dieu le Père et l'Église à la fois, et puis le père McGuire leur reproche toujours leurs superstitions. Mais avec vous à leurs côtés, elles ont sans doute cru que le *muti* de Dieu était plus efficace que celui du sorcier...

— Eh bien ! cela ne s'est pas révélé être le cas. Parce qu'il y a des gens qui meurent maintenant et c'est parce qu'ils ont volé dans les caisses, d'après ce que dit Rebecca. Mais c'est le sida.

— Ah ! le sida...

— Pourquoi réagissez-vous ainsi ? C'est un fait.

— Il ne manquait plus que ça, répondit Edna Pyne. Voilà pourquoi ! Ils viennent du village et veulent du *muti*. J'ai beau leur dire qu'il n'existe aucun *muti* contre le sida, ils ont l'air de croire que j'en ai de côté mais que je ne veux pas leur en donner.

— Je connais le *n'ganga*, reprit Sylvia. De temps en temps, je lui demande de m'aider.

— Eh bien ! persifla Cedric, c'est une innocente promenade dans l'antre du lion, si vous voulez...

— Ne touchez pas à ça, ajouta Edna d'un ton geignard, à bout de nerfs, et comptant bien le faire sentir.

— Chaque fois que j'ai des cas rebelles à notre médecine – comme j'en ai eu – je l'appelle, quand Rebecca me dit qu'ils croient qu'on leur a jeté le mauvais œil. Je lui demande de leur assurer qu'ils n'ont pas été... ensorcelés ou que sais-je encore ... Je lui jure que je ne veux pas m'ingérer dans sa médecine, que je lui demande juste son aide. La dernière fois, il est allé voir chacun des malades qui étaient couchés là... je les croyais condamnés. J'ignore ce qu'il leur a raconté, mais certains d'entre eux se sont levés et sont repartis sur leurs deux jambes... ils étaient guéris.

— Et les autres ?

— Les *n'ganga* connaissent le sida... Slim. Ils le connaissent mieux que les représentants du gouvernement. Le nôtre m'a dit qu'il ne savait pas guérir le sida. Il m'a dit aussi qu'il pouvait traiter certains des symptômes, comme la toux. Ne comprenez-vous pas ? Je suis contente de recourir à sa médecine, j'ai si peu de moyens. La moitié du temps, je n'ai même pas d'antibiotiques. Quand je suis entrée dans la case qui me sert de pharmacie, cet après-midi – je suis allée à Londres –, il n'y avait presque plus rien, les trois quarts de ce que je possédais ont été dérobés.

D'abord stridente, sa voix était devenue larmoyante.

Les Pyne échangèrent un regard.

— Vous ne savez plus où donner de la tête. Cela ne sert à rien de prendre les choses autant à cœur.

— C'est toi qui dis ça ? s'exclama Cedric.

— D'accord, concéda Edna, avant de s'adresser à Sylvia : Je sais comment c'est. Vous revenez d'Angleterre, vous fonctionnez à l'adrénaline et vous continuez sur votre lancée et puis... pschitt ! vous êtes claquée et dans l'incapacité de bouger pendant deux jours. Tenez, vous allez vous étendre une heure. Je vais appeler la mission pour les prévenir.

— Attendez ! s'écria Sylvia, se rappelant la question la plus importante qu'elle voulait leur poser.

Au déjeuner, Sylvia avait appris qu'elle-même – Sylvia – était une espionne sud-africaine.

En pleurant, puisqu'il semblait qu'elle ne pouvait plus se retenir, Sylvia les mit au courant. Edna éclata de rire.

— Je vous en prie, cela ne mérite pas des larmes, dit-elle. Nous sommes censés aussi être des espions. Qui veut noyer son chien l'accuse de la rage. On peut dépouiller des espions sud-africains de leurs fermes avec bonne conscience...

— Ne dis pas de bêtises, Edna, intervint Cedric. Ils n'ont pas besoin de ce prétexte. Ils n'ont simplement qu'à se servir...

À l'intérieur du cercle protecteur du bras d'Edna, Sylvia se laissa conduire à une grande chambre, à l'arrière de la maison, et mettre au lit. Edna tira les rideaux et sortit de la pièce. Les mouvements des nuages dessinaient des ombres fugitives sur la fine cotonnade des rideaux, le soleil jaune de la fin d'après-midi revint, puis l'obscurité fut brutale, des coups de tonnerre retentirent et la pluie crépita bruyamment sur le toit métallique. Sylvia s'endormit. Elle fut réveillée par un Noir souriant qui lui apportait une tasse de thé. Pendant la guerre de libération populaire, le cuisinier des Pyne, en qui ils avaient toute confiance, avait montré le chemin de la maison aux guérilleros, puis était allé les rejoindre.

— Il n'avait pas d'autre solution que de les rejoindre, lui avait expliqué le père McGuire. Ce n'est pas un mauvais bougre. Maintenant, il travaille pour les Finlay, à Koodoo Creek. Non, bien sûr, ils ne connaissent pas son histoire. Ça les avancerait à quoi ?

Les commentaires du prêtre sur les événements actuels étaient aussi détachés que ceux d'un historien, même si l'on ne pouvait en dire autant de ses récriminations personnelles. Intéressant à signaler : à en juger les intonations de voix, l'indigestion du père McGuire avait le même ordre d'importance que les critiques de sœur Molly à l'égard du pape, les doléances des Pyne à l'égard du gouvernement noir... ou encore les larmes de Sylvia parce que sa pharmacie était vide.

Apéritif sur la véranda : l'orage était passé, les arbustes et les fleurs miroitaient, les oiseaux s'égosillaient. Le paradis. Et si c'était elle, Sylvia, qui avait créé cette ferme, bâti cette maison, travaillé si dur, n'eût-elle pas réagi comme les Pyne ? Un puissant sentiment d'injustice, en effet, leur empoisonnait la vie. Pendant qu'on servait les boissons, et qu'on jetait des friandises à Lusaka et à Sheba, dont les ongles raclaient et cliquetaient sur le ciment lorsqu'elles sautaient en l'air en claquant des mâchoires, les Pyne n'arrêtaient plus de parler, obsédés et amers, et Sylvia les écoutait. Un jour, elle avait lancé sur cette même véranda – c'était une novice à l'époque – :

— Mais si vous, je veux dire les Blancs, aviez éduqué les Noirs, alors il n'y aurait pas tous ces problèmes aujourd'hui, non ? Ils seraient formés et compétents.

— Que voulez-vous dire ? Bien sûr que nous les avons éduqués.

— Il existait un plafond dans l'administration, avait insisté Sylvia. Ils ne pouvaient pas dépasser un niveau assez bas.

— C'est absurde !

— Non, ce n'est pas absurde, avait concédé Cedric. Non, nous avons commis des erreurs...

— Qui, nous ? s'écria Edna. Nous n'étions pas là à l'époque.

Mais si des « erreurs » sont gravées dans un paysage, un pays, une histoire, alors... Cent ans plus tôt, les Blancs étaient arrivés dans un pays grand comme l'Espagne. Deux ou trois cent mille Noirs peuplaient tout cet immense territoire. On pourrait penser – ici, le ON est l'Œil de l'Histoire, braqué depuis l'avenir – qu'il n'était pas nécessaire de prendre la terre de quiconque, avec tant d'espace. Mais ce dont cet Œil, doté d'une vision rationnelle, ne devait pas tenir compte, c'étaient des pompes et de l'avidité de l'Empire. D'ailleurs, si les Blancs désiraient occuper le sol et se l'approprier, au moyen de clôtures hermétiques et de frontières nettement définies, tandis que l'attitude des Noirs envers la terre voulait que ce soit leur mère et que nul ne puisse la posséder individuellement, alors il se posait aussi la question de la main-d'œuvre bon marché. Quand les Pyne avaient émigré dans les années cinquante, il n'y avait encore qu'un million et demi de Noirs dans toute cette belle contrée et à peine deux cent mille Blancs. Un paysage désert, aux yeux d'une Europe surpeuplée. Au moment où les Pyne avaient monté cette ferme, les mouvements nationalistes zimliens n'étaient pas encore nés. Êtres naïfs, pour ne pas dire ignorants, ils avaient débarqué d'une petite ville du Devon, prêts à travailler dur pour faire fortune.

En ce moment, ils regardaient de leurs fauteuils les oiseaux piquer des poinsettias, étincelants de gouttelettes de pluie, dans la vasque qui leur était destinée, et scrutaient les montagnes toutes proches à cause de l'air purifié. Un des deux dit que rien ne l'obligerait à partir, et l'autre qu'elle en avait sa claque d'être traitée de scélérate, qu'elle en avait assez.

Sylvia les remercia du fond du cœur pour leur gentillesse, consciente qu'ils la prenaient pour une drôle de petite créature aux idées trop sentimentales, et reprit la route de la mission à travers la brousse qui s'obscurcissait. Là-bas, au souper, elle remit sur le tapis l'histoire comme quoi elle était une espionne sud-africaine, et le père McGuire lui confia à son tour que lui-même avait été victime de cette accusation. C'était au moment où il avait déclaré à Mr Mandizi que l'école était une honte pour un pays civilisé. Où étaient donc les manuels ?

— Il règne une forme aiguë de paranoïa en ce moment, mon enfant, conclut-il. Ce serait une bonne chose si vous ne vous trituriez pas les méninges à ce sujet...

À cinq heures, le lendemain matin, alors que le soleil était encore une pâle lueur jaune derrière les gommiers, Sylvia sortit sur la petite galerie et, dans la clarté de l'aurore, distingua une silhouette tragique, les mains tordues devant elle, la tête courbée par la souffrance ou le chagrin... Elle reconnut Aaron.

— Qu'y a-t-il, Aaron ?

— Oh, docteur Sylvia ! Oh, docteur Sylvia... (Il s'avança vers elle de côté, en traînant les pieds, ralenti par un conflit intérieur : les larmes ruisselaient sur son visage habituellement avenant.) Je ne l'ai pas fait exprès. Oh ! je suis désolé, désolé... Pardonne-moi, miss Sylvia. Le démon m'a possédé. C'est la raison de mon acte, j'en suis sûr.

— Aaron, j'ignore de quoi tu parles.

— J'ai volé ta photo, et c'est pour ça que le père m'a battu.

— Aaron, je t'en prie...

Il s'écroula sur le sol en brique de la véranda, appuya sa tête contre la mince colonne et se mit à sangloter. Il était trop tôt pour que Rebecca soit déjà à la cuisine. Sylvia s'assit à côté du garçon et, sans dire un mot, se contenta de rester là. Et, quelques instants plus tard, c'est là que le père McGuire les trouva, en sortant pour savourer la fraîcheur matinale.

— Qu'est-ce que c'est que cette histoire maintenant ? Je t'avais pourtant recommandé de ne rien dire au Dr Sylvia !

— Mais j'ai trop honte. S'il te plaît, demande-lui de me pardonner.

— Où étais-tu passé ces trois derniers jours ?

— J'ai eu peur, je me suis caché dans la brousse.

Cela expliquait ses tremblements : il avait froid parce qu'il avait faim. La chaleur irradiait déjà de l'est.

— Va à la cuisine, fais-toi un bon thé fort, avec plein de lait et de sucre, et prépare-toi une tartine de confiture.

— Oui, mon père. Je suis vraiment désolé, mon père.

Aaron disparut, peu pressé de prendre son repas reconstituant, alors qu'il devait être complètement affamé. Arrivé à hauteur de Sylvia, il la regarda par-dessus son épaule.

— Eh bien, mon père ?

— Il a volé votre petite photo dans le joli cadre d'argent.

— Mais...

— Eh non, Sylvia, vous ne devez pas la lui donner. Elle a retrouvé sa place sur votre table. Il m'a raconté qu'il aimait la tête de la vieille dame. Il voulait la regarder. Il n'a aucune notion de la valeur de l'argent, je crois.

— Alors l'incident est clos.

— Mais je l'ai battu, je l'ai même battu trop fort. Il a saigné. Le vieil homme que je suis n'est ni en forme, ni très sage. (Le soleil s'était levé, jaune et brûlant. Une cigale retentit, puis une autre, et une colombe entonna sa plainte.) Je ferai des heures supplémentaires au purgatoire...

— Avez-vous pris vos pilules de vitamines ?

— Pour ma défense, je dois dire que ces malheureux comprennent beaucoup trop facilement le proverbe « Qui aime bien châtie bien. » Mais... ce n'est pas une excuse. Je suis censé apprendre à Aaron à être un homme de Dieu. Et il ne peut pas être autorisé à voler...

— C'est de la vitamine B qu'il vous faut, mon père. Pour vos nerfs. Je vous en ai rapporté de Londres.

Éclats de voix dans la cuisine, celles de Rebecca et d'Aaron.

— Rebecca, cria le prêtre, Aaron doit s'alimenter. (Les voix se turent.) Il commence à faire chaud. Rentrons.

Il rentra, elle le suivit. Rebecca posait le tableau du petit déjeuner sur la table.

— Il a mangé tout le pain que j'ai fait hier.

— Alors il te faut en refaire, Rebecca.

— Oui, mon père. (Elle eut une hésitation.) Je crois qu'il avait l'intention de rapporter la photo. Il voulait juste la regarder pendant que Sylvia n'était pas là.

— Je sais. Je l'ai corrigé trop fort.

— O.K.

— Oui.

— Sylvia, qui est cette vieille dame ? demanda Rebecca. Elle a une belle tête.

— Julia, elle s'appelait Julia. Elle est morte. C'était ma... Elle m'a sauvé la vie quand j'étais très jeune, je pense.

— O.K.

L'homme doit être austère de nature, plutôt que par décision de punir la chair. Persuadé qu'avoir été admis chez les Jésuites était une garantie suffisante pour aller au paradis, le Leader n'était guère le genre de personne à descendre en soi-même dans l'idée de s'améliorer. Et quand il apprit que la frugalité était censée être une bonne chose, il se remémora sa petite enfance, où il avait souvent eu faim et manqué du strict nécessaire. Dans certaines parties du monde, les vertus de tempérance vous viennent facilement. Son père, qui travaillait comme homme à tout faire dans une mission jésuite, était souvent ivre. Sa mère était une créature silencieuse, généralement mal portante, et il était enfant unique. Une fois ivre, son père avait l'habitude de le frapper ; quant à sa mère, elle était régulièrement battue à cause de son incapacité à avoir d'autres enfants. Il n'avait pas encore dix ans quand il s'opposa à son père pour protéger sa mère ; les coups destinés à cette dernière tombèrent sur ses bras et sur ses jambes, lui laissant des cicatrices.

C'était un petit garçon intelligent ; il fut remarqué par les frères et promis aux études supérieures. Efflanqué comme un chien errant – selon la description qu'en donna le père Paul –, menu, physiquement maladroit, il ne savait pas jouer aux jeux de ballon et servait souvent de tête de Turc, spécialement au père Paul, qui l'avait pris en grippe. Il y avait eu d'autres pères, professeurs et guérisseurs d'âmes, mais ce fut le père Paul qui incarna l'expérience du monde blanc pour l'enfant : un petit maigrichon de Liverpool, marqué par une enfance difficile, et dont la langue montrait du mépris pour les Noirs. Les Cafres étaient des sauvages, des animaux, guère différents des babouins. Encore plus que les autres maîtres, il châtiait bien. Il frappait Matthew pour son obstination, pour son insolence, pour le péché d'orgueil, parce qu'il parlait sa langue natale, parce qu'il avait traduit un proverbe *shona* [1] en anglais et s'en était servi dans une dissertation : « Ne te querelle pas avec ton voisin s'il est plus fort que toi. »

C'était une lourde responsabilité, telle était la vision des choses du père Paul, de débarrasser ses élèves de pareille arriération. Matthew détestait tout chez le père Paul : son odeur le répugnait, il suait abondamment, n'était pas assez soigné, et sa soutane noire dégageait un âcre fumet bestial. Matthew abhorrait les poils roux qui pointaient hors de ses oreilles et de ses narines et hérissaient le dos de ses fines mains blanches osseuses. Le dégoût physique du gamin était parfois si fort que des vagues de pure fureur meurtrière le submergeaient ; il les contenait en tremblant, les yeux brûlants.

Il n'était pas bavard. Au début, il lisait des livres pieux. Puis un élève d'une mission sœur vint suivre une retraite et Matthew tomba sous le charme d'une personnalité espiègle et exubérante, mais encore plus sous celui de ses opinions. Ce garçon, plus âgé que lui, était politisé à la manière informelle de cette époque – bien avant les mouvements nationalistes – et lui donna des auteurs noirs à lire, des Américains

1. Population bantoue qui vit au Zimbabwe et au Mozambique.

– Richard Wright, Ralph Ellison[1], James Baldwin –, ainsi que des brochures d'une secte religieuse noire qui préconisait de tuer tous les Blancs, la progéniture du Diable. Toujours brillant, toujours silencieux, Matthew alla à l'université, laissant le père Paul derrière lui. Là-bas, on l'a décrit longtemps après, quand il fut devenu le Leader, comme « un jeune silencieux et observateur, un ascète, toujours en train de lire des ouvrages de politique, intelligent, peu doué pour l'amitié, un solitaire ».

Au moment de l'explosion des mouvements nationalistes, Matthew trouva vite sa place, en tant que chef de son groupe local. Comme il ne lui était pas facile de participer aux débats et aux discussions, et qu'il restait souvent plutôt hors du coup, aspirant vraiment à être aussi à son aise et sociable que les autres, il acquit une réputation de juge impartial et de fin politique, et, bien sûr, d'homme de savoir, puisqu'il avait tant lu. Ensuite, il devint dirigeant du parti, après une vilaine petite empoignade pour le pouvoir. Sa maxime préférée : « La fin justifie les moyens. » La guerre de libération populaire débuta et il prit le commandement de l'une des armées rebelles. Comme tous les politiciens, il fit des promesses tous azimuts, la plus fertile en maux futurs étant que toute personne noire du pays se verrait octroyer assez de terre pour être cultivateur. Des inepties mineures, comme de dire que les bains parasiticides pour le bétail étaient un maléfice de l'homme blanc, ou que maintenir des courbes hypsométriques revenait à se prosterner devant les préjugés blancs, étaient des vétilles, en comparaison de cette première imposture, à savoir qu'il y aurait de la terre pour tous. Mais, à l'époque, il ne savait pas

1. Auteur de *Invisible Man* (1952) et disciple de Richard Wright, il participa aux activités du Federal Writer's Project dans le cadre du New Deal, qui joua un rôle majeur dans la conquête de l'identité noire américaine.

qu'il finirait en Leader du pays tout entier. Quand son parti arriva en tête à l'indépendance, il avait secrètement du mal à croire qu'il pouvait être choisi à la place de candidats au pouvoir plus charismatiques : il ne croyait pas pouvoir être aimé. Respecté... craint... Ah ! oui, il avait besoin de cette reconnaissance, le chien errant en avait et en aurait besoin le restant de sa vie. Après avoir été converti – encore une fois par une personnalité forte et persuasive – au marxisme, il prononça des discours rhétoriques, copiés sur ceux d'autres dirigeants communistes. Dans le tréfonds de son être, il admirait les princes forts et brutaux. Une fois chef du gouvernement, il voyagea tout le temps, comme le font les leaders, toujours en Amérique, en Éthiopie, au Ghana ou en Birmanie, choisissant rarement la compagnie des Blancs, car il ne les aimait pas. Comme il lui fallait arborer la façade d'un homme d'État, il devait dissimuler ses sentiments, mais il exécrait les Blancs, avait même horreur de se trouver dans la même pièce. À l'étranger, il gravitait instinctivement autour des dictateurs, dont certains ne tarderaient pas à être déboulonnés, voir les statues de Lénine qui devaient joncher l'ex-Union soviétique. Il adorait la Chine, admirait le Grand Bond en avant, la Révolution culturelle, était allé là-bas en visite plus d'une fois, emmenant avec lui dans son entourage le camarade Mo, qui l'avait initié aux contraintes du pouvoir bien avant qu'il n'y soit parvenu.

Il n'eut pas plus tôt pris le pouvoir qu'il devint prisonnier de sa peur des autres. Il ne voyait que quelques copains et une jeune femme de son village, avec qui il couchait. Il ne sortait jamais de sa résidence sans une escorte armée ; sa voiture était blindée – cadeau d'un dictateur – et il avait une garde personnelle qui lui avait été offerte par le despote le plus haï d'Asie. Tous les soirs, au moment où le soleil se couchait, la rue où se trouvait sa résidence était fermée à la circulation, de sorte que les citoyens étaient obligés d'emprunter des rues détournées. En attendant, alors qu'il était autant emmuré que n'importe quelle victime de fiction forcée de bâtir de ses propres mains un mur autour d'elle, il n'y avait pas de leader africain plus aimé de son peuple, ni dont on attendait davantage. Il aurait pu faire n'importe quoi de la populace, que ce soit en bien ou en mal : tels des serfs de l'ancien temps, ils le vénéraient comme un monarque qui allait redresser tout ce qui n'allait pas. Ils le suivraient partout où il les mènerait. Mais ce n'était pas un meneur. Ce petit homme angoissé se cachait dans la prison qu'il s'était érigée.

Entre-temps, l'« opinion progressiste » du monde entier l'adulait aussi, et tous les Johnny Lennox, tous les anciens staliniens, les libéraux, qui ont toujours aimé un homme fort, disaient de lui : « Il est vraiment compétent, vous savez. Un homme intelligent, voilà le camarade président Matthew Mungozi ! » Et ceux qui avaient été sevrés de la rhétorique lénifiante du monde communiste la retrouvaient en Zimlie.

À l'intérieur de cette forteresse étayée par la peur, il aurait pu arriver que nul ne puisse ouvrir de brèche, mais quelqu'un y parvint, une femme. C'est à une réception en l'honneur de l'Organisation de l'Unité africaine qu'il la rencontra, cette belle Noire, Gloria, qui avait tous les hommes à ses pieds pendant qu'elle flirtait et distribuait ses sourires. Mais, en réalité, elle n'avait d'yeux que pour celui qui se tenait bien à l'écart et suivait tous ses gestes comme un chien affamé observe le trajet de la nourriture jusqu'aux autres bouches que la sienne. Elle savait qui il était et l'avait toujours su, avait dressé ses plans et espérait que ce serait un jeu d'enfant. Et ce ne fut pas autre chose. De près, elle était fascinante ; le moindre petit détail la concernant ensorcelait Matthew. Elle avait une certaine manière de remuer les lèvres, comme si elle écrasait un fruit entre celles-ci, et ses yeux étaient doux et rieurs, mais pas pour se moquer de lui, il s'en était assuré, si persuadé était-il que les autres ne s'en privaient pas. Et puis elle était si à l'aise là où il ne l'était pas : dans sa chair, dans son corps superbe, dans ses mouvements, dans le plaisir même de bouger, avec la nourriture et avec sa propre beauté. Le simple fait d'être à ses côtés donnait à Matthew un sentiment de libération. Elle lui susurra qu'il avait besoin d'une femme comme elle, et il savait que c'était vrai. Elle l'intimidait aussi par sa sophistication. Elle avait suivi des études universitaires en Amérique et en Angleterre, comptait des amis partout chez les célébrités grâce à son tempérament, pas à cause de la politique. D'ailleurs, elle parlait politique avec un cynisme railleur qui le choquait, même s'il s'efforçait de l'égaler. Bref, il était fatal qu'il ne tarderait pas à y avoir un beau mariage, et le fiancé nageait dans le bonheur. Tout était facile là où ç'avait été difficile, non, souvent impossible. Elle lui dit qu'il était sexuellement refoulé et le guérit de ce complexe autant que sa nature à lui le permettait. Elle déclara qu'il lui fallait s'amuser davantage, qu'il ne savait pas vivre. Quand il lui parla de son enfance démunie et maltraitée, elle le couvrit de gros baisers sonores et lui enfouit la tête entre ses énormes seins pour le bercer.

Elle riait de lui pour tout.

Or, au début de son mandat, Matthew avait dissuadé les camarades, ses compagnons, la direction du parti, de donner libre cours à leur cupidité. Il leur avait interdit de s'enrichir. C'était la dernière des influences de son enfance, et puis des Jésuites, qui lui avaient enseigné que la pauvreté était proche de la piété. Quoi qu'ils aient pu être d'autre, les pères étaient pauvres et se privaient de tout. Maintenant Gloria lui répétait qu'il était fou, qu'elle devait acquérir cette grande maison-ci, cette ferme-là, puis qu'elle voulait une autre ferme et aussi quelques hôtels qui arrivaient sur le marché avec le départ des Blancs. Elle le convainquit qu'il devait ouvrir un compte bancaire en Suisse et veiller à ce qu'il y eût de l'argent dessus. Quel argent ? voulut-il savoir. Et elle le méprisa pour sa naïveté. Mais chaque fois qu'elle parlait argent, il revoyait dans les mains fines de sa mère les misérables billets et pièces remis par son père à la fin du mois. D'ailleurs, au début, quand il s'était attribué un salaire, il avait pris soin qu'il ne fût pas plus élevé que celui d'un haut fonctionnaire. Gloria changea tout cela, balayant les scrupules de son mari de son mépris, de son rire, de ses caresses et de son sens pratique, car elle avait pris la vie de Matthew en charge et, en tant que Mère du Pays, pouvait facilement s'assurer que l'argent tombât dans son escarcelle. C'était elle qui détournait tranquillement vers ses propres comptes les grosses sommes qui affluaient des organisations caritatives et autres bienfaiteurs.

— Oh ! sois bête alors ! s'écriait-elle quand il protestait. C'est à mon nom. Ce n'est pas de ta responsabilité.

Les batailles autour de l'âme d'un individu sont rarement aussi claires et visibles – et aussi courtes – que celles livrées par le démon pour le camarade Matthew. Et la Zimlie, déjà mal gouvernée sur la base d'un marxisme mal digéré et de bribes d'idéologie, ou de slogans tirés de manuels d'économie, plongea alors rapidement dans la corruption. Immédiatement, la devise entama sa dévaluation régulière mais rapide. Les richards de Senga s'engraissaient un peu plus tous les jours, tandis que dans des endroits comme Kwadere, l'argent qui coulait en mince filet se tarit alors complètement.

Gloria devenait de plus en plus fascinante, de plus en plus belle, de plus en plus riche, acquérant encore une nouvelle ferme, une forêt, des hôtels, des restaurants, qu'elle portait comme en sautoir. Désormais, chaque fois que le camarade président Matthew allait à l'étranger pour rencontrer son monde préféré, les dirigeants corrompus, débauchés et immensément riches de la nouvelle Afrique et de la nouvelle Asie, il ne restait plus silencieux quand ils étalaient leurs richesses et se glorifiaient de leur cupidité. Lui aussi pouvait maintenant se vanter de la sienne et ne s'en privait pas. Et quand ces hommes lui montraient leur admiration, en le couvrant de cadeaux et de flagorneries, ce vide au fond de lui, où il y aurait toujours un chien errant famélique avec la queue entre les pattes se trouvait comblé, au moins passagèrement, et Gloria le caressait, le flattait, le cajolait, le lutinait, le léchait, le suçait, le serrait contre ses gros seins et mangeait de baisers les anciennes cicatrices de ses jambes.

— Mon pauvre Matthew ! Mon pauvre petit !

La veille du jour où elle était repartie pour Londres, Sylvia s'était arrêtée sur le chemin, là où les buissons de lauriers-roses, d'hibiscus et de plumbago s'arrêtaient, et avait contemplé l'hôpital de cette hauteur, avec une fierté impardonnable. Tout le monde pouvait désormais employer le terme « hôpital » pour décrire cet ensemble de constructions. Aucun subside n'arrivait plus depuis longtemps par le camarade Mandizi, mais la chute de la monnaie zimlienne signifiait que de menues sommes à Londres devenaient importantes ici. Par exemple, dix livres, le prix d'un petit sac de provisions à Londres, permettait ici de construire une case ou de reconstituer le stock d'analgésiques et de comprimés contre le paludisme.

En bas, il y avait à présent deux « salles », de longs abris au toit de paille, à hauteur normale d'un côté, mais qui arrivait au ras du sol de celui où la pluie tombait le plus souvent. Chacune contenait une douzaine de paillasses, équipées de bonnes couvertures et d'oreillers. Sylvia projetait une troisième salle, car les lits existants étaient déjà occupés par les malades de ce sida ou de ce Slim que le gouvernement venait de pleinement reconnaître sans détours, avec des appels à l'aide aux donateurs étrangers. Elle savait qu'au village on les appelait des « mouroirs », et envisageait d'en ouvrir encore une autre, destinée à des patients seulement atteints de paludisme ou à des femmes en travail, les misères plus ordinaires de la chair. Elle avait fait construire une vraie petite maison de brique, qu'elle appelait sa salle de consultation ; dedans trônait un lit à pieds, confectionné par les gars du village : des lanières de cuir tendues sur un cadre et un bon matelas par-dessus. Là, elle examinait les gens, délivraient ses ordonnances, plâtraient les bras et les jambes, suturaient les plaies. Dans toutes ces tâches, elle était assistée de Clever et Zebedee. C'était elle qui avait financé les nouvelles constructions et les médicaments. Tout. Elle savait que certains disaient au village : Et pourquoi ce ne serait pas à elle de payer ? Elle nous a tout volé, d'abord. C'était Joshua qui était à l'origine de ces récriminations. Rebecca la défendait en répétant à tout le monde que, sans Sylvia, il n'y aurait pas d'hôpital.

Le soir de son retour de Londres, postée exactement à la même place, Sylvia regardait son hôpital, assaillie par cette faiblesse du cœur et de la détermination qui affecte si souvent les personnes tout juste revenues d'Europe. Ce qu'elle voyait en bas, ce misérable assemblage de huttes ou d'abris, n'était tolérable que si elle ne pensait pas à Londres, ou à la maison de Julia, avec sa solidité, sa sécurité, sa permanence, et dont chaque pièce regorgeait de tant d'objets qui avaient une fonction précise, répondaient à un besoin parmi une multitude d'autres, de sorte que tous ses occupants étaient quotidiennement entourés, comme par autant de domestiques silencieux, d'ustensiles, d'outils, d'appareils, de gadgets, de surfaces où s'asseoir et poser des choses. Une complexité de choses toujours en train de se multiplier.

De bon matin, Joshua roulait de son coin devant la bûche qui se consumait au milieu de la case, tendait la main vers la marmite où s'était figée la semoule de la veille, y piochait à l'aide d'une spatule quelques gros morceaux qu'il avalait en vitesse pour se remplir le ventre, buvait de l'eau à un broc en fer posé sur l'étagère qui courait autour de la case, puis esquissait quelques pas dans les herbes, urinait, s'accroupissait peut-être pour déféquer, prenait son bâton taillé dans un bois de la brousse et parcourait les deux kilomètres qui le séparaient de l'hôpital, où, le dos contre un arbre, il se laissait glisser à terre pour rester assis là toute la journée.

Sylvia, une « croyante » comme l'appelait Rebecca – « Je leur ai dit au village que tu étais une croyante » –, devait être en admiration devant ce témoignage des pauvres d'argent, et sans doute en esprit, n'est-ce pas ? bien qu'elle-même ne s'estimât pas habilitée à juger ces matières. Cette immense métropole, couvrant tant de kilomètres carrés, si riche, si RICHE... et puis ce groupe de huttes et d'abris misérables : l'Afrique, la magnifique Afrique, qui l'accablait avec ses besoins, voulant tout, manquant de tout. Et partout des Blancs et des Noirs qui travaillaient si dur pour... Eh bien, quoi ? Mettre un sparadrap sur une vieille plaie suppurante. Et c'était bien ce qu'elle faisait !

Sylvia eut la sensation que son être véritable, sa substance, l'essence même de sa foi, s'écoulaient pendant qu'elle restait là. Un coucher de soleil, un déclin de l'astre de la saison des pluies... Un nuage noir, bas sur l'horizon rouge, dardait de gros rais épais, semblables aux pointes d'or qui rayonnent de la tête d'un saint. Elle se sentait bafouée, comme si un voleur intelligent la dépouillait en se gaussant d'elle. Que faisait-elle ici ? Et quel bien apportait-elle vraiment ? Et surtout, où était passée cette innocence de la foi qui l'avait soutenue à son arrivée ? En quoi croyait-elle, au fond ? En Dieu, oui, elle pouvait toujours le dire, si personne n'exigeait de définitions précises. Elle avait vécu une conversion, aussi classique dans ses symptômes qu'une crise de paludisme, une conversion à la foi – qui était le nom utilisé par le père McGuire –, et était consciente que cela avait commencé avec l'ascétique père Jack, dont elle avait été amoureuse, bien qu'à l'époque, elle eût protesté que c'était Dieu qu'elle aimait d'amour. Il ne restait rien de toute cette courageuse conviction ; elle savait juste qu'elle devait suivre son devoir ici, dans cet hôpital, parce c'était ici que le destin avait conduit ses pas.

Son état d'esprit pouvait aussi être décrit de façon clinique : il l'était d'ailleurs, dans cent manuels de catéchisme. Les docteurs de sa foi lui diraient : « Ne t'inquiète pas, ce n'est rien, nous connaissons tous des saisons sèches. »

Mais elle n'avait nul besoin de ces experts de l'âme, elle n'avait pas besoin du père McGuire, elle était capable de poser elle-même son diagnostic. Alors pourquoi donc désirer un mentor spirituel, si elle n'allait pas lui parler, simplement parce qu'elle savait à l'avance ce qu'il dirait ?

Mais la vraie question, c'était celle-ci : Pourquoi serait-il si facile au père McGuire de parler de « saison sèche », alors que, pour elle, c'était comme une condamnation à l'auto-excommunication ? Ce qu'elle avait mis dans sa conversion, c'était un cœur assoiffé, en demande, et de la colère aussi, même si elle ne se l'était avoué que récemment. Elle pouvait se voir, telle qu'elle avait été à l'époque, en ce pauvre Joshua, chez qui la colère couvait toujours, jaillissait de lui sous forme de récriminations et d'exigences. Qui était-elle pour critiquer Joshua ? Elle avait su ce que c'était d'être en colère au point d'être intoxiquée par ce sentiment, même si, en ce temps-là, elle avait cru chercher des bras consolateurs, ceux de Julia. Et maintenant allait-elle critiquer Julia, parce que son amour n'avait pas suffi à apaiser ce désir, si bien qu'elle était passée au père Jack ? Le travail toujours, et rien que le travail. Elle se retrouvait donc sur cet aride versant de montagne d'Afrique, persuadée que tout ce qu'elle tentait ou pourrait tenter était aussi efficace que de verser l'eau d'une timbale dans la poussière par un jour torride.

En Europe, songea-t-elle, à moins d'être venu voir sur place, il n'y avait personne qui soit capable de comprendre ce degré de dénuement absolu, une pénurie de tout, chez un peuple à qui ses dirigeants avaient précisément tout promis. Et c'est là qu'une horreur sourde semblait s'insinuer en elle. C'était comme l'horreur du sida, le mal secret et silencieux qui était venu de nulle part. Des singes, disait-on, peut-être même des singes qui jouaient parfois dans les arbres de la région. Le voleur qui vient à la faveur de la nuit, voilà sous quels traits lui apparaissait le sida !

Son cœur se serra... Elle devait demander à Clever et à Zebedee d'informer les maçons qu'il leur fallait une autre bonne construction de brique et qu'elle allait dire oui aux demandes de classes supplémentaires émises par le village.

Le père McGuire apprit qu'il allait donc y avoir davantage de classes et fit remarquer qu'elle avait l'air fatigué, qu'elle devait prendre soin d'elle.

C'était le moment ou jamais où elle eût pu évoquer sa saison sèche et même en plaisanter, au lieu de quoi elle lui recommanda de ne pas oublier de prendre ses vitamines. Et pourquoi ne faisait-il plus sa sieste ? Comme elle, il écouta ses observations patiemment, avec le sourire.

Colin avait été prié par Sylvia de « faire lui-même quelque chose pour l'Afrique » – il voyait bien comment il s'était décrit la chose pour la tourner en dérision. « L'Afrique ! » Comme s'il était dupe ! Il y avait ce continent au bas du globe, symbolisé dans l'esprit de la majorité par un enfant avec une sébile de mendiant à la main. Sauf que Sylvia ne lui avait pas parlé de l'Afrique, mais de la Zimlie. Et combien de fois avait-il dit pour blaguer que la Mrs Jellaby[1] de Dickens résumait la situation ? à savoir des gens aux petits soins pour l'Afrique, alors qu'ils auraient pu répondre à des besoins locaux. Pourquoi l'Afrique ? Pourquoi pas Liverpool ? Comme d'habitude, la gauche européenne s'intéressait à des événements d'ailleurs : elle s'était identifiée à l'Union soviétique ; résultat, elle s'était supprimée. Aujourd'hui, il y avait l'Afrique, l'Inde, la Chine, tout ce qu'on pouvait imaginer, mais particulièrement l'Afrique. C'était son devoir de faire quelque chose. Sylvia avait parlé de mensonges. On racontait des mensonges sur l'Afrique. Bon, quoi de neuf ? Qu'espérait-on ? Ainsi Colin pestait-il et grognait-il comme un ours en cage dans un logement qui était trop petit maintenant que le bébé était né, légèrement ivre, mais pas trop, parce qu'il avait pris au sérieux les remarques de Sylvia. Et qu'est-ce qui donnait à penser à sa Sylvia qu'il était capable d'écrire sur l'Afrique ? Ou qu'il connaissait des gens qui seraient intéressés ? Il n'avait aucune relation dans ce monde-là : quotidiens, magazines, télévision. Il s'en tenait à ce qu'il savait faire, écrire des livres... Mais attendez ! Il connaissait justement la personne, oui, il la connaissait.

Pendant la longue période où il avait fréquenté les pubs et discuté avec les habitués des bancs publics en compagnie de son petit chien, il s'était fait un copain,

1. Héroïne du roman de Dickens, *Bleak House* (1852-1853), elle convertit les Africains mais néglige ses propres enfants.

un bon vivant. Les années soixante-dix : Fred Cope passait sa jeune vie, comme c'était *de rigueur** en ce temps-là, à manifester, agresser des policiers, crier des slogans et, en général, à se faire remarquer, mais quand il était avec Colin, qui méprisait tout cela, il se laissait persuader, au moins de temps en temps, de garder l'esprit critique aussi. Les jeunes gens avaient tous deux conscience que l'autre était un aspect de lui-même tenu en laisse. Après tout, si son jugement ne le lui avait pas interdit, le caractère de Colin le portait à rechercher la confrontation bruyante. Quant à Fred Cope, il découvrit la responsabilité et la tempérance dans les années quatre-vingt. Il s'était marié, il avait une maison. Dix ans plus tôt, il s'était moqué de Colin parce qu'il habitait Hampstead : ce nom était utilisé péjorativement par tous ceux qui voulaient être dans le coup. Les socialistes de Hampstead, le roman de Hampstead, le quartier de Hampstead... Ces expressions prêtaient toujours à ricaner, mais dès qu'ils en avaient les moyens, les contestataires achetaient des maisons à Hampstead. Et même Fred Cope. Il était maintenant rédacteur en chef d'un quotidien, *The Monitor*, et tous les deux se retrouvaient de temps à autre pour boire un verre.

A-t-il jamais existé une génération qui n'ait pas vu avec étonnement – même s'il faut sûrement toujours s'y attendre – les gros bras, les délinquants et les rebelles de leur jeunesse se transformer en porte-parole de la raison ? Colin téléphona à Fred Cope, en se rappelant que les défenseurs de la raison avaient souvent du mal à se remémorer leurs folies passées. Les deux garçons se donnèrent rendez-vous dans un pub un dimanche et Colin se jeta à l'eau :

— J'ai une sœur... enfin, une sorte de sœur, qui travaille en Zimlie et elle est passée me voir pour dire que nous racontons tous des inepties sur le cher camarade président Matthew. En réalité, c'est un peu un escroc.

— Ne le sont-ils pas tous ? murmura Fred Cope, reprenant son ancien rôle de sceptique patenté face à toute forme d'autorité, avant d'ajouter : C'est un des bons, non ?

— Je suis dans une fausse position, avoua Colin. (C'était la voix de Colin, mais avec les mots de Sylvia.) Elle est venue me voir, elle était dans tous ses états. Je crois que cela pourrait valoir le coup de... prendre un autre avis.

Le rédacteur sourit.

— Le problème, c'est que ce n'est pas bien de les juger selon nos critères. Leurs difficultés sont immenses. En outre, c'est une culture complètement différente...

— Pourquoi n'est-ce pas bien ? Ton point de vue est paternaliste quand même. Et puis est-ce que nous ne sommes pas rassasiés de ne pas juger les autres selon nos critères ?

— Oui, oui, oui, répondit le journaliste. Je vois ce que tu veux dire. Bon, je vais prendre mes informations.

Ayant surmonté ce que tous deux avaient ressenti comme un moment de gêne, ils tentèrent de retrouver la suprême irresponsabilité des années antérieures, quand les opinions de Colin avaient été telles qu'il avait à peine osé les exprimer en dehors du havre de sécurité de sa famille, et que la vie du jeune Fred lui semblait alors un festival prolongé de liberté et d'anarchie. Mais cela ne servit à rien. Fred attendait un deuxième bébé. Colin, comme d'habitude, ne pensait qu'au roman qu'il était en train d'écrire. Il savait bien qu'il aurait dû sans doute se démener davantage pour Sylvia, mais depuis quand le fait d'être au beau milieu d'un roman n'était-il pas la meilleure des excuses ? D'autre part, il avait toujours mauvaise conscience au sujet de Sylvia et ne comprenait pas pourquoi. Il avait oublié combien il lui en avait voulu de venir habiter chez Julia et comment il s'en était pris à sa mère. Maintenant, il se souvenait de cette période avec fierté : Sophie et lui, tous les deux, et n'importe qui d'autre alors de passage, pouvaient évoquer affectueusement la partie de rigolade que ç'avait été. Mais il savait fort bien qu'il avait toujours envié la complicité de son frère avec Sylvia. Aujourd'hui, il trouvait agaçante la bigoterie de celle-ci et ce qu'il voyait comme un besoin névrotique d'auto-sacrifice. Et sa dernière visite, où, à la fin, Colin l'avait soulevée pour l'asseoir sur ses genoux, quelle situation embarrassante pour tous les deux ! Et pourtant il lui était attaché, oui, très attaché. Il avait été tenu de faire quelque chose pour l'Afrique et il l'avait fait.

Mais attendez ! Il y avait Rupert qui l'avait écouté jusqu'au bout pour déclarer, comme Fred Cope, qu'« ils » (parlant de l'Afrique dans son ensemble ?) ne devaient pas être jugés selon « nos » critères. « Mais la vérité, alors ? » avait protesté Colin, sachant, d'après sa longue et douloureuse expérience, que la vérité serait toujours une parente pauvre. Or Rupert n'était pas un des héritiers spirituels du camarade Johnny : si cela avait été le cas, il eût pu alors considérer le fait d'aider et de contribuer à la manifestation de la vérité un peu comme une sonnerie de clairon. Même si « la vérité » n'avait encore filtré d'Union soviétique qu'au goutte-à-goutte, en comparaison des grosses louches qui devaient être accessibles dans un délai de dix ans ; même si ce grand empire existait encore (bien que personne, situé même vaguement à gauche, n'eût rêvé de songer seulement à le qualifier d'empire), il en était sorti, il en sortait assez d'éléments pour servir d'aiguillon et rappeler constamment que la vérité devait être à l'ordre du jour de tout le monde. Mais Rupert n'avait jamais été qu'un bon libéral.

— Tu ne penses pas que dire la vérité fait parfois plus de mal que de bien ? objectait-il maintenant.

— Non, très certainement pas, répliqua Colin.

Puis, après le déménagement de Meriel, Colin oublia la supplique de Sylvia dans le remue-ménage occasionné par l'installation de son bureau dans l'appartement du sous-sol. Il lui fallait achever ce nouveau livre : tout compte fait, Julia n'avait pas laissé suffisamment d'argent pour qu'aucun d'entre eux puisse ne pas travailler, se la couler douce.

Fred Cope collationna des articles sur la Zimlie tirés des archives de son journal et d'autres et conclut que c'était vrai : la Zimlie avait toujours eu droit au bénéfice du doute. Un des spécialistes qui signait souvent des articles sur la Zimlie était Rose Trimble. Bon, elle n'avait jamais été très objective. Alors qui d'autre ? *The Monitor* avait un correspondant local à Senga, et il fut convié à apporter sa pierre : « La première décennie de la Zimlie ». L'article qui arriva au journal était plus critique que la plupart des autres, tout en rappelant à ses lecteurs que l'Afrique ne devait pas être jugée selon les critères européens. Fred Cope en envoya une copie à Colin. « J'espère que ces feuillets sont plus dans la ligne de ce que tu suggérais ? » Suivait un post-scriptum : « Ça te dirait de me torcher un papier sur la question de savoir si le principe de Proudhon, "La propriété, c'est le vol", est responsable de la corruption et de l'effondrement des sociétés modernes ? Je serais le premier à reconnaître que mes pensées sur le sujet m'ont été soufflées par le fait que notre maison a été cambriolée trois fois en deux ans... »

L'article de *The Monitor* fut remarqué par le rédacteur en chef d'une feuille pour laquelle Rose Trimble avait régulièrement écrit sur la Zimlie et le camarade président Matthew ; elle fut alors priée de retourner en Zimlie pour voir si ce qu'elle trouverait là-bas confirmait le tableau critique de *The Monitor*.

Rose était déjà un nom dans le monde de la presse. Elle le devait à son éloge opportun de la Zimlie, mais ce n'avait été qu'un début. Tout avait bien marché pour elle. Elle eût facilement pu reprendre à son compte : « Dieu soit loué qui m'a accordé avec Son heure[1] ! », si elle avait lu une ligne de poésie ou était capable d'employer le mot Dieu sans un petit sourire narquois. En habitant la maison de Julia, elle s'était sentie complexée, mais une fois partie, c'étaient eux qui lui avaient paru inférieurs. Elle était un pur produit des années quatre-vingt. Ses qualités étaient recherchées désormais, à une époque où réussir, s'enrichir et écraser ses amis soulevaient des applaudissements officiels. Elle était impitoyable, avide ; d'instinct, elle était méprisante envers les autres. Tout en restant en relation avec le journal comparativement sérieux pour lequel elle écrivait ses papiers sur la Zimlie, elle avait trouvé sa voie dans *World Scandals*, où sa mission consistait à débusquer les défaillances ou les rumeurs, puis à traquer sa victime jour et nuit jusqu'à ce qu'elle puisse apporter triomphalement des révélations. Plus ce malheureux (ou cette malheureuse) était haut placé(e) dans la vie publique, mieux c'était. Elle campait sur le paillasson des gens, fouillait dans les poubelles, soudoyait des proches ou des amis pour mettre au jour ou inventer des faits attentatoires : elle était experte dans ce travail de charognard et on la craignait. Elle était célèbre, en particulier, pour ses « portraits », qui portaient le journalisme vers de nouveaux sommets de ressentiment, et trouvait la tâche facile parce qu'elle était sincèrement incapable

1. « ... Et a pris notre jeunesse et nous a tirés du sommeil/Dotés d'une main assurée, d'un œil clair et aiguisé. » *Cf.* « La Paix », in *1914 et autres poèmes* (1915), sonnet de Rupert Brocke (1887-1915), poète-soldat rimbaldien du Corps expéditionnaire britannique en Méditerranée, qui mourut en 1915 à bord d'un navire-hôpital français, non loin de l'île de Scyros, dans la mer Égée. (En anglais : *God be thanked who has matched me with His Hour/And caught our youth and wakened us from sleeping/With hand made sure, clear eye and sharpened...*)

de voir le bien chez quiconque : elle était persuadée que la vérité devait être toujours déshonorante, et que c'était dans le déplaisant que résidait l'essence véritable d'une personne. Cette forme de sarcasme, de dérision, ce persiflage, lui venait du tréfonds de son être et correspondait à toute une génération. C'était comme si une cruelle et vilaine réalité avait été mise à nu en Angleterre, quelque chose qui était resté caché jusque-là, mais évoquait désormais un mendiant qui écartait ses guenilles pour exhiber ses ulcères. Ce qui avait été respecté était désormais méprisé ; les convenances, le respect des autres étaient grotesques. Le monde était présenté aux lecteurs au travers d'un écran grossier qui passait à la trappe tout ce qui était agréable ou aimable : le ton était donné par Rose Trimble et ceux de son espèce, qui ne croyaient pas qu'on pût faire une chose autrement que par intérêt. Rose exécrait par-dessus tout les gens qui lisaient des livres ou faisaient semblant, car ce n'était qu'un faux-semblant ; elle haïssait les arts, dénigrait particulièrement le théâtre – elle se vantait d'avoir inventé le terme de « théâtreux » pour les gens de théâtre – et aimait les films violents et glauques. Elle ne côtoyait que des individus comme elle, fréquentait des pubs et clubs précis, et tout ce monde n'avait pas conscience de représenter un phénomène nouveau, que les générations précédentes eussent méprisé et catalogué comme la presse à scandales, destinée uniquement aux bas-fonds de la société. Au reste, l'expression lui semblait à présent un vague compliment, une garantie de courage dans la poursuite de la vérité. Mais comment pouvait-elle, comment pouvaient-ils savoir ? Ils dédaignaient l'histoire parce qu'ils ne l'avaient jamais étudiée. Une seule fois dans sa vie, elle avait exprimé dans ses écrits son approbation et son admiration : c'était à propos du camarade président Matthew Mungozi, et puis, plus récemment, de la camarade Gloria, qu'elle adorait pour sa cruauté. Une seule fois, sa plume n'avait pas distillé du fiel. Elle lut donc l'article du correspondant de *The Monitor* avec fureur, et aussi avec quelque chose proche d'un début de panique.

Par l'intermédiaire d'un journaliste qui collaborait à *The Monitor,* elle apprit que c'était Colin Lennox qui en était à l'origine. Et qui diable était Colin pour avoir une opinion sur l'Afrique ?

Elle détestait Colin. Elle avait toujours vu les romanciers et les poètes comme des faux-monnayeurs, qui créaient du rien avec du vent et s'en tiraient à bon compte. Elle avait été trop novice pour son premier roman, mais elle avait débiné le deuxième et les Lennox en général, et son troisième avait provoqué chez elle une crise de rage. Celui-ci parlait de deux êtres, en apparence différents l'un de l'autre, mais qui s'aimaient d'un amour tendre et presque anormal ; la simple durée de celui-ci leur semblait à tous deux un tour du destin. Bien qu'engagés avec d'autres partenaires, dans d'autres aventures, ils se retrouvaient comme des conspirateurs pour communier dans le sentiment qu'ils avaient de se comprendre mutuellement comme personne d'autre avant eux. Les critiques dans l'ensemble apprécièrent le livre et le trouvèrent poétique et évocateur. L'un d'eux dit qu'il était « elliptique », mot qui rendit Rose complètement hystérique : elle dut même le chercher dans le dictionnaire. Elle lut le roman, essaya du moins ; mais, en réalité, elle ne pouvait rien lire de plus difficile qu'un article de journal. Bien entendu, il y était question de Sophie, cette sale petite bêcheuse. Eh bien, qu'ils prennent garde tous les deux, voilà tout ! Rose avait un dossier sur les Lennox, constitué de bric et de broc, et dont certains éléments avaient été glanés il y avait belle lurette, quand elle fouinait dans la maison, en quête de quelque chose à se mettre sous la dent. En effet, elle s'était juré de « les avoir » un jour. Elle s'asseyait souvent pour feuilleter le fameux dossier. C'était une femme assez obèse désormais, le visage figé en permanence dans un sourire malveillant, lequel se transformait en rire goguenard dès qu'elle avait la certitude d'avoir trouvé le mot ou la formule capable de réellement faire mouche.

Dans l'avion de Senga, elle se trouvait à côté d'un homme imposant qui prenait trop de place. Elle avait demandé à changer de rangée, mais l'appareil était plein. Son voisin s'agitait sur son siège, d'une façon que Rose jugea agressive et dirigée contre elle, et lui lançait des regards obliques, pleins de mauvaise foi masculine. Le bras du gêneur reposait sur l'accoudoir entre eux. Plus de place pour son propre bras. Elle posa l'avant-bras à côté du sien, pour revendiquer son dû, mais il ne broncha pas. Or garder cette position obligeait Rose à se concentrer, sinon son bras aurait glissé. Il retira le sien pour commander un whisky au steward qui proposait des rafraîchissements, se le jeta instantanément derrière la cravate et en commanda un autre. Rose admira ses manières autoritaires avec le steward, dont les sourires étaient hypocrites, elle le savait. Elle demanda à son tour un whisky et l'avala d'une traite, pour ne pas être en reste, et garda le verre à la main, dans l'attente d'un autre.

— Bougres de tire-au-flanc ! murmura cet homme, en qui Rose reconnaissait un ennemi des femmes. Ils croient pouvoir tout se permettre impunément...

Ne sachant pas de quoi il se plaignait, Rose se limita à une formule passe-partout :

— Ils sont tous les mêmes.

— Tout à fait. Il n'y en a pas un pour racheter l'autre.

À cet instant, Rose vit deux Noirs, qui étaient à l'arrière de l'appareil, avancer, sur un signe de main du steward, pour se rendre en classe affaires ou peut-être même en première.

— Regardez-moi ça ! Ils font les importants, comme d'habitude...

Son idéologie exigeait de Rose qu'elle protestât, mais elle se retint : oui, c'était un de ces Blancs indécrottables, mais neuf heures de promiscuité s'étiraient devant eux.

— S'ils passaient moins de temps à frimer et davantage à gérer leur pays, alors ce serait quelque chose !

Son épaule et son bras menaçaient maintenant d'écraser Rose.

— Excusez-moi, mais les sièges sont petits. (Et, d'un coup d'épaule, elle le repoussa vigoureusement à sa place. Il rouvrit ses yeux mi-clos pour la regarder fixement.) Vous occupez trop d'espace.

— Vous-même n'êtes pas exactement un poids léger.

Mais il retira son bras.

À ce moment-là, on servit le dîner, mais il refusa d'un geste.

— Je suis gâté pour la bonne bouffe, dans ma ferme !

Rose, elle, accepta le petit plateau et se mit à se restaurer. Elle était voisine d'un fermier blanc. Pas étonnant qu'il la dégoûtât. Une nouvelle fois, elle se demanda si elle ne devait pas changer de place. Non, elle profiterait de cette occasion pour voir si elle ne pouvait pas en tirer la matière d'un article. Ostensiblement, il la regardait manger. Elle était consciente d'être trop gourmande et décida de laisser le dessert du chef.

— Tenez, je vais le prendre si vous n'en voulez pas, proposa-t-il, tendant la main pour attraper le petit ramequin de crème gluante. (Et de l'avaler d'un trait.) Pas terrible, commenta-t-il. Rustique même. Oui, je suis habitué à bien bouffer. Ma femme est une bonne vivante. Et mon boy cuisinier aussi.

Mon boy !

— Alors vous ne l'avez pas volé, dit-elle dans le jargon politique du moment.

— Pardon ? (Il savait qu'elle le désapprouvait, mais ne se doutait pas de la raison. Elle décida de ne pas se tracasser.) Vous, à quoi vous occupez-vous quand vous êtes à la maison ? Et, à propos, où est votre maison ? Vous rentrez ou vous partez ?

— Je suis journaliste.

— Oh ! Nom de Dieu ! Il ne manquait plus que ça. Alors, j'imagine que vous préparez encore un petit article sur les charmes du régime noir ?

Le professionnalisme de Rose se réveilla.

— D'accord alors, dit-elle. À vous la parole.

Et il obtempéra, il parla. Tout autour d'eux continuait le remue-ménage du service des repas, des rafraîchissements et des produits hors taxes. Puis les lumières s'éteignirent et il parlait toujours. Il s'appelait Barry Angleton. Il avait cultivé la terre de Zimlie toute sa vie, et son père avant lui. Ils avaient autant de droits que... et ainsi de suite. Rose ne l'écoutait pas, parce qu'elle avait déjà compris qu'il lui plaisait, même si elle ne l'aimait très certainement pas. Cette voix passionnée et bougonne lui donnait la sensation de fondre dans de la mélasse chaude.

Les relations de Rose avec les hommes avaient toujours été malheureuses, à cause de l'époque. Bien sûr, c'était une féministe pure et dure. Elle s'était mariée à la fin des années soixante-dix : un camarade, rencontré lors d'une manifestation devant l'ambassade américaine. Il acquiesçait à tout ce qu'elle racontait sur le féminisme, les hommes, la condition féminine : souriant, il rivalisait avec elle de formules aussi progressistes que les siennes, mais elle savait que ce n'était que servilité hypocrite et qu'il ne comprenait pas réellement les femmes ni son funeste héritage machiste. Elle le critiquait en tout et il le supportait, d'accord avec elle que des millénaires de culpabilité ne pouvaient se corriger en un jour.

— Tu as sans doute raison là, Rosie, abondait-il tranquillement dans son sens, avec un petit air judicieux, au moment où elle concluait une harangue qui englobait tout, de la dot de la femme à l'excision féminine.

Et puis il souriait. Il souriait toujours. Son visage blond et joufflu, désireux de plaire, la mettait en fureur. Elle l'exécrait, tout en se disant que c'était fondamentalement un bon sujet d'étude. Comme elle détestait presque tout, elle était déconcertée, parce que détester son mari n'était pas une raison suffisante pour un examen de conscience, bien qu'elle se demandât parfois si son habitude de le poursuivre de ses reproches acerbes jusque dans le lit ne pouvait peut-être pas expliquer son début d'impuissance. Mais plus il était d'accord avec elle, plus il souriait, inclinait la tête et lui ôtait les mots de la bouche, plus elle le méprisait. Et quand elle avait demandé le divorce, il s'était exclamé :

— D'accord. Tu es trop bien pour moi, Rosie, je l'ai toujours dit.

Sur les marches extérieures de l'aérogare, elle le vit donner de l'argent à un porteur d'une façon qui la fit bouillir, tant il se montra arrogant et plein de morgue. À cet instant, après l'avoir observée avec sa grosse valise, qui cherchait des yeux la voiture qu'elle avait réservée, il la rejoignit à grands pas.

— Je vais vous déposer en ville, lâcha-t-il.

Il souleva sa propre valise pour contrebalancer celle de Rose et s'éloigna en direction du parking. L'instant d'après, une grosse Buick s'arrêtait devant elle, la portière avant ouverte. Elle monta. Un Noir s'était matérialisé pour mettre les bagages de Rose et ceux de

Barry dans le coffre. Barry distribua encore de l'argent.

— J'avais réservé une voiture.

— Dommage ! Le chauffeur trouvera un autre client.

Dans l'avion, il avait conclu une tentative de sondage par ces mots :

— Pourquoi ne venez-vous pas à la ferme voir par vous-même ?

Elle avait refusé et le regrettait désormais. À cet instant, il renouvela son invitation :

— Venez prendre votre petit déjeuner à la ferme.

Rose connaissait les abords de l'agglomération de Senga, qu'elle considérait comme un trou mortel et prétentieux. En réalité, sa véritable opinion sur la Zimlie était l'opposé de ce qu'elle écrivait sur le sujet. Seul le camarade président Matthew justifiait sa prose, et à présent...

— Pourquoi pas ? répondit-elle après une hésitation.

— Elle me dit : « Pourquoi pas ? » et attend une réponse...

Ils ne traversèrent pas la ville mais passèrent au large et se retrouvèrent instantanément en pleine brousse. Ce n'est pas tout le monde qui aime l'Afrique et qui, après l'avoir quittée, n'aspire qu'à revenir à une promesse riante et de toute éternité hospitalière. De tels êtres existaient, Rose le savait ; comment ne l'aurait-elle pas su, alors que les amoureux de ce continent sont si bruyants et parlent toujours comme si leur amour était la preuve d'une vertu intérieure ? C'était trop grand, pour commencer. Il y avait une disproportion entre la ville – qui se voyait comme une métropole – et les cultures, les étendues sauvages. Trop de satanée brousse et de montagnes chaotiques, avec toujours la menace d'un fâcheux bouleversement de l'ordre ! Rose n'était guère sortie des villes, sauf pour de courtes promenades dans un parc. Elle aimait les trottoirs, les pubs, les mairies, avec des gens qui y prononçaient des discours, et les restaurants. Maintenant elle se disait que c'était une bonne chose de connaître pour de bon une ferme blanche et un fermier blanc, même si elle ne pouvait pas, bien sûr, consigner les doléances de ce dernier, qui portaient presque toutes sur les Noirs. Cela était tout simplement hors de question. Mais elle pouvait dire, en toute sincérité, qu'elle élargissait son horizon.

Après s'être garé devant une grosse maison de brique crue au milieu d'un bosquet de gommiers qu'elle trouva hideux, il déclara qu'elle devait faire le tour, gravir le perron et entrer, pendant que lui allait à la cuisine commander le petit déjeuner. Il n'était encore que sept heures et demie ; normalement, elle escomptait dormir une heure de plus. Déjà haut, le soleil était brûlant, les couleurs trop vives, tout en rouges, violets et verts vifs, et une poussière rosâtre recouvrait le sol. Les chaussures de Rose disparurent à moitié dessous.

Au moment où il la quittait, elle avait entendu :

— Ma femme est absente cette semaine. Je dois moi-même organiser cette satanée cuisine...

Cela ne ressemblait pas à une invitation à se mettre au lit et à abréger les préliminaires. Au moment où elle atteignait le haut des marches et arrivait dans une véranda ouverte sur trois côtés, qu'elle prit d'abord pour une pièce encore inachevée, il fit une brève apparition.

— Il y a un satané problème avec les granges, annonça-t-il. Entrez et le boy vous servira votre petit déjeuner. Je vous rejoins dans un moment.

Rose ne prenait jamais de petit déjeuner. Elle n'en avait aucune envie en ce moment. Mais elle pénétra dans un salon spacieux, qui lui fit penser qu'un peu de douceur ne serait pas de trop – de jolis coussins, peut-être ? – et de là, dans une autre pièce où trônait une grande table, avec un vieil homme noir, tout sourires.

— Si vous voulez bien vous asseoir, dit le domestique.

Elle s'assit et découvrit tout autour d'elle des assiettes d'œufs, de bacon, de tomates et de saucisses.

— Avez-vous du café ? demanda-t-elle au domestique.

C'était la première fois de sa vie qu'elle adressait la parole à l'un d'entre eux. C'est-à-dire à un Noir.

— Ah, oui ! Je vous en prie, du café. J'ai du café pour la pat'onne, répondit le vieil homme avec empressement, avant de lui en verser.

Agréable surprise, le café qu'elle vit couler du bec d'argent était bien serré. Elle se servit elle-même un œuf et une tranche de bacon. À cet instant, le maître de maison entra à grandes enjambées. Il jeta un bout de ferraille sur un fauteuil, tira une chaise avec un raclement et se mit à table.

— C'est tout ? s'exclama Barry, dédaignant l'assiette de Rose et remplissant bien la sienne. Allez, forcez-vous...

Elle prit un autre œuf et, consciente de ne pas avoir l'air aussi dégagé qu'elle l'eût souhaité, s'enquit :

— Et où est votre femme, m'avez-vous dit ?

— Elle vadrouille. Les femmes vadrouillent, vous ne le saviez pas ?

Elle eut un sourire poli. Il y avait quelques heures qu'elle avait compris que la révolution féministe n'avait pas pénétré partout dans le monde.

Il continua à empiler des œufs et du bacon, buvait une tasse de café derrière l'autre, puis prétendit qu'il devait faire le tour de la ferme pour voir ce que les Cafres avaient inventé en son absence. Elle devrait l'accompagner pour se rendre compte par elle-même. Sa première réaction fut de dire non, puis elle se ravisa devant son regard sombre. « Toujours difficile à obtenir ! » fut le commentaire de son hôte, apparemment dépourvu de tout sous-entendu. Elle eût préféré qu'il lui dise : « Entre dans cette chambre, tu trouveras un lit, couche-toi et je te rejoins. » Finalement, elle passa des heures à cahoter dans un vieux camion d'un point de la ferme à un autre, où un groupe de Noirs, un mécanicien ou encore un individu en cotte de travail les attendaient chaque fois, et où il donnait des ordres, discutait, n'était pas d'accord, cédait sur un : « Ouais, O.K., tu as peut-être raison, on va essayer à ta manière. » Ou un : « Pour l'amour de Dieu, regarde ce que tu as fait, je te l'avais dit, je te l'avais dit, non ? Maintenant refais-le et comme il faut cette fois. » Elle ne savait pas ce qu'elle voyait, à quoi tout le monde jouait, et tandis que des vaches malodorantes apparaissaient sous ses yeux, ce qui, elle le savait, était normal dans une ferme, elle ne comprenait absolument rien à rien et avait la migraine. De retour à la maison, le thé fut servi sur un simple claquement de mains du maître. Il était en nage, son visage était rouge et moite, il avait du cambouis à une manche ; elle le trouvait irrésistible, mais il la prévint qu'il devait aller se pencher sur la paperasse. Nom de Dieu ! ce gouvernement le tuait avec ses papiers. Pouvait-elle se débrouiller toute seule jusqu'à l'heure du déjeuner ? Rose s'installa dans la véranda, cernée d'une luminosité éblouissante, sur une cretonne engageante par son côté familier, et regarda des magazines sud-africains. Le monde de sa femme, sans doute, qui était aussi celui de Rose.

Une heure s'écoula. Déjeuner. De la viande, beaucoup. Rose savait bien que la viande était politiquement incorrecte, mais elle adorait ça et s'en goinfra.

Ensuite, elle eut sommeil. Il lui jetait des regards qu'elle croyait pouvoir interpréter comme une invite, mais cela se révéla faux, car il lança :

— Je vais me pieuter. Votre chambre est par là.

Là-dessus, il partit à grands pas dans une direction. Elle trouva sa valise posée sur le sol de pierre, près d'un lit où elle s'écroula et dormit, jusqu'au moment où lui parvint un claquement de mains, accompagné du cri « Le thé est servi ». Elle tomba de son lit et découvrit Barry sur la véranda, face au plateau du thé, ses longues jambes brunes étendues devant lui sur ce qui semblait des mètres.

— Je pourrais dormir une semaine, confia-t-elle.

— Oh ! allons donc ! vous vous en êtes payé une tranche hier soir en ronflant sur mon épaule...

— Oh ! mais je n'ai pas...

— Si, si. Allez, servez le thé. Soyez une mère pour moi...

À l'extérieur de la galerie s'étalait l'après-midi africain, tout en lumière crue jaune et en chants d'oiseaux. Rose avait de la poussière sur les mains ; il y en avait aussi sur le sol de la véranda.

— Satanée sécheresse ! Il n'a pas réellement plu sur ces terres depuis trois ans. Le bétail ne va pas survivre si la pluie ne tombe pas bientôt.

— Pourquoi sur ces terres ?

— On est sous le vent. Je l'ignorais quand je les ai achetées.

— Ah !

— Bon, j'espère que vous commencez à saisir. Enfin, au moins, si vous rentrez pour écrire que nous sommes un ramassis de Simon Legree[1], vous vous serez donné la peine de voir par vous-même...

Elle ne savait pas qui était Simon Legree, mais supposa, logiquement, que ce devait être un genre de raciste blanc.

— Je fais de mon mieux.

— Et personne ne peut vous battre.

Il s'agita de nouveau, puis sauta sur ses pieds.

---

1. Le méchant contremaître d'esclaves dans le roman de Harriet B. Stowe, *La Case de l'oncle Tom*.

— Je vais jeter un coup d'œil aux veaux. Vous voulez venir ?

Elle savait qu'elle aurait dû accepter, mais répondit qu'elle préférait rester tranquille.

— Dommage que ma chère moitié ne soit pas là. Vous auriez quelqu'un avec qui papoter...

Et il disparut pour ne rentrer qu'à la tombée de la nuit. Le dîner. Ensuite, il y eut le journal parlé, pendant lequel il invectiva le présentateur noir pour avoir mal prononcé un mot, avant de murmurer :

— Désolé, il faut que je pose ma tête. Je suis vanné.

Et il alla se coucher.

Voilà comment s'était déroulé un séjour qui se trouva durer cinq jours. Étendue éveillée dans son lit, Rose espéra que les bruits qu'elle percevait étaient ceux des pas de Barry qui se dirigeaient furtivement vers elle, mais pas de chance ! Et pourtant elle avait fait vraiment le tour de la ferme avec lui et s'était efforcée d'assimiler ce qu'elle pouvait. Au cours de conversations qui paraissaient toujours trop brèves, écourtées par une urgence ou une autre, toutes dramatiques d'une manière qui semblait – n'est-ce pas ? – excessive (un tracteur en panne, un feu de brousse, une vache encornée...), elle avait appris que son vieux pote Franklin était « l'un des pires de cette bande de voleurs », que son idole le camarade Matthew était aussi corrompu qu'ils le devenaient tous et savait autant diriger un pays que lui, Barry Angleton, savait diriger la Bank of England. Elle cita le nom de Sylvia Lennox, mais s'il la connaissait de nom, tout ce qu'il savait c'était qu'elle était chez les missionnaires de Kwadere. Autrefois, ajouta-t-il, quand il était petit, personne n'avait de mots assez durs pour les missionnaires, qui instruisaient les Cafres au-dessus de leur condition, mais maintenant les gens commençaient à penser, et lui-même était d'accord avec eux, qu'il était dommage que leur instruction n'eût pas été complète, parce que ce dont ce pays avait besoin, c'était d'une poignée de Cafres solidement formés. Enfin, on apprend à tout âge !

Son épouse ne rentra pas avant le départ de Rose, même si elle téléphona et laissa un message pour son mari.

— C'est une bonne chose que vous soyez là, déclara cette bourgeoise suffisante. Cela lui permet de penser à autre chose qu'à lui et à ses terres. Les hommes sont tous les mêmes...

Cette remarque, formulée avec les mots consacrés de la complainte féministe, mais si éloignée des subtilités de son groupe de femmes, permit à Rose de répondre que les hommes étaient en effet les mêmes dans le monde entier.

— Quoi qu'il en soit, dites au patron que je fonce chez Betty cet après-midi et que je vais ramener un de ses chiots. (Elle poursuivit :) Et puis, tenez, soyez juste envers nous pour une fois et écrivez quelque chose de gentil...

Barry accueillit la nouvelle avec ce commentaire :

— Eh bien ! qu'elle ne se figure pas que ce chien dormira sur notre lit comme le dernier...

Dans l'itinéraire de Rose, le prochain arrêt, prévu à l'origine pour être le premier, si le destin et Barry Angleton n'avaient pas interféré, était un vieil ami du camarade Johnny, Bill Case, lequel avait été un communiste sud-africain, avait été jeté en prison, puis avait fui pour se réfugier en Zimlie et y poursuivre sa carrière de juriste, ce qui consistait à défendre les opprimés, les démunis et les victimes de mauvais traitements, qui se révélaient être peu ou prou les mêmes sous un gouvernement noir que sous un blanc. Bill Case était célèbre, un véritable héros. Rose était impatiente d'entendre de sa bouche, enfin, « la vérité » sur la Zimlie.

Quant à Barry, pour qui elle eût écarté les jambes sur commande, le maximum qu'elle avait obtenu de lui dans ce domaine c'était, quand il l'avait déposée en ville, sa remarque comme quoi il l'aurait bien invitée à déjeuner s'il n'avait pas été marié. Mais elle y vit une galanterie aussi routinière que son : « Au revoir, à bientôt ! »

Bill Case... Au sujet des communistes sud-africains sous l'apartheid, il faut dire, d'abord, que peu de gens ont été aussi courageux, peu ont combattu l'oppression avec plus de sincérité... Mais, attendez ! Au même moment, les dissidents d'Union soviétique affrontaient la tyrannie communiste avec un dévouement égal. Rose avait réglé le problème du devenir de l'Union soviétique en préférant ne pas y penser : elle n'était pas responsable, si ? Et elle n'avait pas passé une heure chez Bill Case qu'elle découvrait que c'était aussi son attitude. Depuis des années, il affirmait que l'Union soviétique incarnait une nouvelle civilisation qui avait à jamais aboli les anciennes inégalités, dont les préjugés raciaux étaient actuellement les plus significatifs. Et maintenant, même au fin fond des provinces, qui était là où se trouvait Senga, capitale ou pas, il était admis que l'Union soviétique n'était pas aussi sensationnelle qu'on le prétendait. Bien sûr, ce n'était pas admis par les autorités noires, dédiées à la splendeur du communisme. Cependant, Bill ne parlait pas de ce grand rêve déçu, mais de sa version locale : Rose entendit de sa bouche ce qu'elle avait écouté les jours derniers au contact de Barry. Au début, elle avait cru que Bill s'amusait, en parodiant à son intention ce à quoi il devait savoir qu'elle avait eu droit. Mais non, ses critiques étaient aussi réelles, aussi détaillées et révoltées que celles du fermier. Les fermiers blancs étaient mal traités, ils étaient les boucs émissaires pour tous les ratages du gouvernement et devaient quand même faire rentrer les devises étrangères, ils étaient injustement imposés. Quel dommage que ce pays se soit laissé aller à devenir le petit laquais lèche-cul de la Banque mondiale, du Fonds monétaire international et de Global Money !

Pendant ces quelques jours, Rose avait fini par se rendre à une évidence pénible : elle avait misé sur le mauvais cheval, avec le camarade Matthew. Elle allait devoir se rétracter, repartir en chasse, tenter quelque chose pour rétablir sa réputation. Il était trop tôt pour qu'elle boucle un article décrivant le camarade Leader comme il le méritait : malgré tout, son dernier panégyrique ne datait que de trois mois. Non, elle s'écarterait de son sujet, trouverait une petite diversion, se fixerait un nouvel objectif.

De chez Bill Case, elle émigra chez Frank Diddy, le sympathique rédacteur en chef de *The Zimlia Post*, un ami de Bill. L'aimable hospitalité de l'Afrique l'enchantait : c'était l'hiver à Londres, et elle vivait aux frais de la princesse. *The Post*, elle ne l'ignorait pas, était méprisé par tout être doté d'intelligence. Bon, par les trois quarts des citoyens nationaux. Tous ses éditoriaux étaient de la même veine : « Notre grand pays a surmonté avec succès une nouvelle difficulté mineure. La semaine dernière, la centrale électrique est tombée en panne, en raison des demandes de notre économie à croissance rapide et, dit-on, des menées d'agents secrets sud-africains. Nous ne devons jamais relâcher notre vigilance vis-à-vis de nos ennemis. Nous ne devons jamais oublier non plus que notre Zimlie, notre prospère pays socialiste, est la cible de tentatives de déstabilisation. Vive la Zimlie ! »

Frank Diddy, découvrit-elle, considérait que ce genre de littérature était destiné à amadouer les chiens de garde du gouvernement, qui les suspectaient, lui et ses confrères, d'« écrire des mensonges » sur l'évolution du pays. Depuis l'indépendance, les journalistes de *The Post* n'avaient pas eu la part belle. Ils avaient été arrêtés, placés en détention sans motif, relâchés, arrêtés de nouveau, menacés. Et puis les gros bras de la police secrète, connus simplement dans les bureaux comme « les boys », avaient débarqué au journal et aux domiciles des journalistes pour menacer ces derniers d'arrestation et d'emprisonnement au moindre signe d'insoumission. Quant au reste, la vérité sur la Zimlie, elle entendit le même son de cloche que chez Barry Angleton et Bill Case.

Elle chercha à décrocher un entretien avec Franklin, sans se laisser démonter, même si elle avait l'intention de lui poser ce type de question : « On raconte que vous possédez quatre hôtels, cinq fermes et une forêt de bois durs, que vous abattez en toute illégalité. Est-ce vrai ? » Elle estimait que le ver de la vérité devait sortir en se tortillant du trou où il était caché. Elle était son égal. C'était un ami, non ?

Bien qu'elle se vantât en permanence de cette amitié, en réalité, elle n'avait pas revu Franklin depuis plusieurs années. Au début de l'indépendance, époque où tout le monde était à tu et à toi, elle était arrivée en Zimlie, avait téléphoné et avait été invitée à le rencontrer, bien que jamais seul à seul, parce qu'il était toujours avec des amis, des collègues, des secrétaires et, même à une occasion, avec sa femme, une créature timide qui se bornait à sourire, sans jamais ouvrir la bouche. Franklin lui présenta Rose comme étant « sa meilleure amie quand (il) étai(t) à Londres ». Par la suite, quand elle l'appelait de Londres, ou à son arrivée à Senga, elle apprenait qu'il était en réunion. Qu'elle, Rose, puisse être congédiée avec ce type de mensonge, était une insulte. Pour qui se prenait-il, merde ? Il aurait dû être reconnaissant envers les Lennox, ils s'étaient montrés si gentils avec lui. NOUS nous sommes montrés si gentils avec lui !

Cette fois-ci, quand elle avait téléphoné au bureau du camarade ministre Franklin, elle avait été étonnée qu'il l'eût prise en ligne immédiatement avec une formule chaleureuse :

— Rose Trimble ! Alors, il y a longtemps qu'on ne s'est pas vus. Tu es justement la personne à qui j'ai envie de parler...

Franklin et elle s'étaient donc retrouvés, cette fois dans un coin du salon du *Butler's Hotel*, un endroit chic conçu pour que les dignitaires en visite ne puissent se livrer à des comparaisons défavorables entre cette capitale et n'importe quelle autre. Franklin était énorme à présent, il remplissait son fauteuil, et sa grosse bouille dégoulinait en bajoues et doubles mentons noirs et luisants. Ses yeux semblèrent petits à Rose, alors qu'ils étaient grands, attendrissants et charmeurs dans son souvenir.

— Allons, Rose, nous avons besoin de ton aide. Hier seulement, notre camarade président en personne disait que nous avions besoin de ton aide.

Ce « *nous* » professionnel informa Rose que ces derniers mots étaient semblables à son propre « le camarade Franklin est un ami cher ». Tout le monde citait le camarade président Matthew dans une phrase sur deux, pour l'invoquer ou le maudire. Les mots « camarade Matthew » devaient tinter et ronronner dans l'éther, tel l'indicatif d'une populaire émission de radio.

— Oui, Rose, c'est une bonne chose que tu sois dans la région, reprit-il avec un sourire, lui jetant des regards rapides et méfiants.

« Ils sont tous paranos », avait-elle entendu dire par Barry, Frank, Bill et le flot d'hôtes, qui entraient et sortaient des maisons de Senga avec le style dégagé des coloniaux... Doucement ! des POST-coloniaux.

— Alors, Franklin, vous avez des problèmes, à ce que j'entends ?

— Des problèmes ! Notre dollar a rechuté cette semaine. Il vaut le trentième de ce qu'il valait à l'indépendance. Et tu sais qui est responsable ? (Il se pencha en avant, la menaçant de son doigt potelé.) C'est la communauté internationale.

Elle s'était attendue aux agents sud-africains.

— Mais le pays marche si bien. Je l'ai lu aujourd'hui encore dans *The Post*.

Il se redressa énergiquement sur son siège pour mieux lui faire face, en soutenant sa corpulence avec ses coudes.

— Oui, c'est une réussite. Mais ce n'est pas ce que disent nos ennemis. Et c'est là que tu interviens.

— Voilà trois mois à peine que j'ai écrit un papier sur le Leader.

— Et c'était un beau papier, vraiment. (Il ne l'avait pas lu, elle le voyait bien.) Mais il en paraît d'autres qui entachent la bonne réputation de ce pays et accusent notre camarade président de nombreux méfaits.

— Franklin, on raconte que vous êtes tous très riches, que vous raflez les fermes, que vous êtes tous propriétaires de terres et d'hôtels... de tout !

— Mais qui dit cela ? C'est un mensonge. (Il agita la main en tous sens pour écarter lesdits mensonges et se renversa dans son fauteuil. Elle garda le silence. Il la regarda à la dérobée, levant la tête à cet effet, avant de la laisser retomber.) Je suis un homme pauvre, geignit-il. Un homme très pauvre. Et j'ai beaucoup d'enfants. Et puis tous mes parents... Toi tu comprends, j'en suis sûr, que dans notre culture, si un homme réussit, alors tous ses parents rappliquent et nous devons les entretenir et instruire tous les enfants.

— Et c'est une très belle culture, approuva Rose, qui, de fait, trouvait réellement ce concept réconfortant.

Il n'y avait qu'à la regarder ! Quand elle s'était trouvée sans ressources toutes ces années auparavant, où avait donc été sa famille ? Et puis le fils riche d'une famille de gros capitalistes avait abusé d'elle...

— Oui, nous en sommes fiers. Nos anciens ne meurent pas seuls dans des maisons de retraite glacées et nous n'avons pas d'orphelins...

Ça, Rose savait que ce n'était pas vrai. Elle avait entendu parler des conséquences du sida : orphelins laissés dans le besoin, grands-mères très âgées qui élevaient des enfants ayant perdu leurs parents.

— Nous aimerions que tu écrives sur nous, que tu dises la vérité sur nous. Je te demande de décrire ce que tu vois ici, en Zimlie, afin de couper court à ces contre-vérités. (Il embrassa du regard le salon élégant de l'hôtel, les garçons souriants dans leur livrée.) Tu peux le constater toi-même, Rose. Tu n'as qu'à regarder autour de toi.

— J'ai entrevu une liste dans un de nos quotidiens. Une liste des ministres et des hauts fonctionnaires et de vos biens à tous. Certains possèdent pas moins de douze fermes...

— Et pourquoi ne posséderions-nous pas de fermes ? N'ai-je pas le droit d'avoir des terres parce que je suis ministre ? Et quand je prendrai ma retraite, comment vais-je vivre ? Je t'assure, je préférerais de beaucoup être un simple fermier qui vit sur son exploitation avec sa famille. (Il plissa le front.) Maintenant, il y a cette sécheresse. Dans la vallée de Buvu, toutes mes bêtes sont mortes. La ferme n'est que poussière. Mon nouveau puits artésien s'est tari. (Des larmes coulèrent sur ses joues.) C'est une chose terrible de voir partir tes *mombies*. Les fermiers blancs, eux, ne souffrent pas. Ils ont tous des barrages et des puits artésiens !

Il vint à l'idée de Rose qu'elle tenait peut-être là son sujet. Elle pouvait écrire sur la sécheresse qui, semblait-il, frappait tout le monde, régions sous le vent ou pas, ce qui signifiait qu'elle n'aurait pas à prendre parti. Elle ne connaissait rien aux phénomènes de sécheresse, mais pouvait toujours demander à Frank et à Bill de la briefer, et serait ainsi en mesure de concocter quelque chose qui n'offenserait pas les dirigeants de la Zimlie : elle ne voulait surtout pas mettre un terme à ces relations lucratives. Non, elle pouvait toujours devenir une militante écologiste... Ces pensées agitaient son esprit pendant que Franklin pérorait sur la position de la Zimlie à l'avant-garde du progrès et des réalisations socialistes, en terminant par les agents sud-africains et la nécessité de rester vigilant.

— Ces espions sud-africains ?

— Oui, des espions. C'est le mot juste. Ils sont omniprésents. Ce sont eux, les responsables des mensonges. Nos forces de sécurité ont des preuves. C'est leur objectif de déstabiliser la Zimlie, afin que l'Afrique du Sud puisse s'emparer de notre pays et l'annexer à son empire du mal. Tu sais qu'ils attaquent le Mozambique ? Maintenant ils s'étendent dans toutes les directions. (Il la regarda d'un air inquiet pour voir quel effet ses paroles produisaient sur elle.) Alors, tu écriras des articles en notre faveur dans la presse anglaise pour expliquer la vérité ?

Légèrement essoufflé, Franklin entreprit de s'extraire de son fauteuil.

— Ma femme me répète que je devrais suivre un régime, mais c'est dur quand on est face à un bon repas... Et, malheureusement, nous les ministres, devons nous acquitter de tant de fonctions...

Le moment de la séparation était venu. Rose hésita. Un flot de souvenirs affectueux du Franklin jeune, pour qui elle avait, après tout, volé des fringues – non, mieux, elle lui avait appris à voler par lui-même – la poussait à le prendre dans ses bras. Et s'il acceptait de l'enlacer, cela pèserait lourd. Mais il tendit la main et elle la serra.

— Non, ce n'est pas ainsi qu'on fait, Rose. Tu dois apprendre la poignée de main à l'africaine, comme ci et comme ça... (En effet, c'était un salut expressif, qui montrait qu'on avait du mal à lâcher un bon ami.) J'attends donc de tes nouvelles. Tu m'enverras des copies de tes papiers. Je compte dessus.

Et il se dirigea vers la porte du salon où une paire de gros bras l'attendaient, ses gardes du corps.

Elle avait confié à Frank Diddy qu'elle réalisait un entretien avec le ministre Franklin, avait noté qu'il avait été impressionné. En ce moment même, elle lui décrivait cet entretien comme si ç'avait été une réussite, mieux, un point d'avance sur lui.

— Bienvenue au club ! Peut-être aimerais-tu t'essayer à un de nos petits éditoriaux ?

Ce fut le seul commentaire du rédacteur en chef de *The Zimlia Post*.

Elle décida qu'elle ne voulait pas écrire sur la sécheresse, n'importe qui pouvait s'en charger. Il lui fallait un point de départ... Dans *The Post*, qu'elle épluchait avec un mépris tout professionnel à la table du petit déjeuner, elle lut : « La police signale un vol de matériel au nouvel hôpital de Kwadere. La valeur de plusieurs milliers de dollars s'est volatilisée. Les soupçons se tournent vers les indigènes. »

Le pouls de Rose s'accéléra nettement. Elle montra l'entrefilet à Frank Diddy, qui haussa les épaules.

— Ce genre d'affaire est fréquent.

— Où pourrais-je me renseigner ?

— Ne te donne pas cette peine, cela n'en vaut pas le coup.

Kwadere. Barry avait bien dit que Sylvia était là-bas. Oui, il y avait autre chose. Quand Andrew passait par Londres, c'était souvent annoncé dans les journaux. Andrew faisait l'actualité, ou, du moins, Global Money à travers lui. La dernière fois, il y avait plusieurs mois, elle lui avait téléphoné :

— Salut, Andrew, c'est Rose Trimble.

— Salut, Rose.

— Je travaille au *World Scandals* maintenant.

— Je ne pense pas que mes activités intéresseraient *World Scandals*.

Mais il y avait eu une époque, quelques années auparavant, où il avait accepté de prendre un café avec elle. Pourquoi avait-il accepté ? Par culpabilité, c'est tout ! Ç'avait été la première pensée de Rose. Même si elle avait oublié qu'elle l'avait accusé de l'avoir mise enceinte – les menteurs ont la mémoire courte –, Rose savait bien qu'il avait une dette envers elle. Et ce rendez-vous lui rappela qu'elle l'avait trouvé jadis si séduisant qu'elle n'avait pas pu le laisser partir. Il était toujours aussi séduisant : cette élégance désinvolte, ce charme. Elle s'était dit qu'il lui avait brisé le cœur. Elle avait été prête à élever Andrew au rang de « l'amour de sa vie », mais comprit peu à peu qu'il lui donnait un avertissement. Tout ce blabla souriant était destiné à l'inciter à ficher la paix aux Lennox. Mais pour qui se prenait-il donc ? En tant que journaliste, c'était le boulot de Rose de dire la vérité ! C'était comme son arrogance bourgeoise ! Il tentait de subvertir la liberté de la presse ! Le café avait duré un bon moment, où il avait frimé en insinuant ceci puis cela, mais elle lui avait extorqué des nouvelles de la famille. Par exemple, que Sylvia se trouvait à Kwadere, qu'elle était médecin. Oui, c'était l'idée qu'elle avait eue derrière la tête. Maintenant, elle possédait l'information que Sylvia, qu'elle détestait toujours, était médecin à Kwadere, où l'on avait volé du matériel hospitalier. Rose tenait son sujet.

Quelques jours après que Sylvia et Rebecca eurent rangé les nouveaux livres le long des murs de la chambre de Sylvia, un groupe de villageois l'attendaient de pied ferme au moment où elle sortait pour descendre à l'hôpital. Un jeune homme s'avança en souriant.

— Docteur Sylvia, s'il te plaît, donne-moi un livre. Rebecca nous a dit que tu nous as apporté des livres.

— Mais il faut que j'aille à l'hôpital maintenant. Revenez ce soir.

Comme ils étaient repartis à contrecœur, en se retournant pour jeter des coups d'œil à la maison du père McGuire, où les appelaient les nouveaux livres !

Toute la journée, elle s'était activée avec Clever et Zebedee, qui avaient assuré la permanence pendant qu'elle était à Londres. Ils étaient si rapides, si vifs, que cela lui crevait le cœur, à cause de leur potentiel et de ce qui risquait de leur arriver. Où à Londres, non, où en Angleterre, ou bien en Europe, des enfants sont-ils aussi avides d'apprendre que ceux-là ? pensait-elle... était-elle obligée de penser. Ils avaient appris à déchiffrer l'anglais tout seuls sur les étiquettes de colis de vivres. Après avoir fini leur travail, tous les deux restaient à la maison pour lire, à la lueur de la bougie, des livres au fur et à mesure plus difficiles.

Leur père somnolait toujours toute la journée sous son arbre, une grande main squelettique pendant sur un genou relevé, lequel formait une bosse osseuse entre deux grands os recouverts d'une peau sèche et grisâtre. Il avait eu plusieurs pneumonies. Il était en train de mourir du sida.

Au coucher du soleil, ils étaient une centaine à faire le pied de grue devant la maison du père McGuire. Le père était déjà là au moment où elle remontait de l'hôpital.

— Allons, mon enfant, ce n'est pas trop tôt. Vous devez remédier à la situation.

Sylvia se tourna vers la foule et déclara qu'elle allait tous les décevoir ce soir-là, mais qu'elle allait s'arranger pour que les livres aient leur place au village.

— Et qui les gardera en sûreté pour vous ? demanda une voix. On va les voler...

— Non, personne ne les volera. Demain, je m'en occupe.

Le prêtre et elle regardèrent les villageois une nouvelle fois déçus s'égailler dans la brousse qui s'obscurcissait, sur des chemins qui leur demeuraient invisibles, entre les grosses pierres et les herbes.

— Parfois, je pense qu'ils voient avec leurs pieds. Et maintenant vous allez rentrer. Vous allez vous asseoir et vous allez manger et, ensuite, passer la soirée avec moi, et nous écouterons la radio. Nous avons les piles neuves que vous nous avez apportées.

Le soir, Rebecca n'était pas là. Elle préparait un semblant de repas, qu'elle laissait sur des assiettes au réfrigérateur, et était de retour chez elle à deux heures de l'après-midi. Mais, ce jour-là, elle entra pendant qu'ils étaient à table.

— Je suis venue, annonça-t-elle, parce que je dois vous parler.

— Assieds-toi, répondit le prêtre.

Un protocole, qui, apparemment, n'avait jamais rien eu d'officiel, voulait que Rebecca ne s'attablât pas avec eux quand elle était dans son rôle de domestique. Toutes les suggestions du père McGuire dans le sens contraire avaient été déclinées. Par elle. Ce ne serait pas convenable. Mais quand elle était en visite, comme en ce moment, elle s'asseyait et, si on l'y invitait, prenait un biscuit dans l'assiette et le posait devant elle ; ils savaient qu'elle le gardait pour ses enfants. Sylvia poussa l'assiette vers elle et Rebecca compta cinq autres biscuits. Devant leurs regards interrogateurs – il lui restait trois enfants en vie –, elle avoua qu'elle nourrissait Clever et Zebedee.

— Nous devons trouver une solution pour les livres. J'en ai discuté avec tout le monde. Il y a une case vide... celle de Daniel. Vous voyez qui c'était ?

— Nous l'avons inhumé dimanche dernier, acquiesça le prêtre.

— O.K. Et ses enfants sont déjà morts. Mais personne ne veut plus reprendre cette case. Ils disent qu'elle porte malheur – elle employa leur mot.

— Daniel est mort du sida, non à cause d'âneries sur le mauvais *muti*, répliqua le père McGuire, employant le mot indigène pour les potions du *n'ganga*.

Au cours de leur long partenariat, Rebecca et le prêtre avaient déjà eu de nombreuses discussions, dont il devait sortir vainqueur parce qu'il était prêtre et qu'elle était chrétienne, mais elle souriait à présent :

— O.K.

— Tu veux dire que la case ne porte pas malheur aux livres ?

— Non, Sylvia, c'est vrai. C'est d'accord pour les livres. Nous allons donc prendre les étagères et les briques de ta chambre et les remonter dans la case de Daniel. C'est mon Tenderai qui les surveillera.

Ce jeune garçon était très malade, au point qu'il ne lui restait que quelques mois à vivre : tout le monde savait qu'on lui avait jeté un sort.

Rebecca lut leurs pensées sur leurs visages.

— Il est assez bien pour garder les livres, affirma-t-elle doucement. Et puis il aime les livres et il ne sera donc pas si malheureux...

— Il n'y a pas assez de livres pour tous.

— Si, il y en a assez. Tenderai leur demandera de sortir un livre juste une semaine et de le rapporter. Il couvrira les livres avec du papier journal. Il obligera tout le monde à payer... (Et comme Sylvia allait protester :) Non, très peu. Peut-être dix cents... Oui, ce n'est rien, mais c'est suffisant pour montrer à tout le monde que les livres sont chers et que nous devons tous en prendre soin.

Rebecca se leva. Elle avait mauvaise mine. Sylvia la grondait parce qu'elle travaillait trop dur, avec ses enfants malades qui la réveillaient la nuit.

— Rebecca, tu travailles trop dur, répéta-t-elle alors.

— Je suis robuste, je suis comme toi, Sylvia. Je peux bien travailler parce que je ne suis pas grosse. Un chien trop gros dort couché au soleil, grouillant de mouches, mais un chien maigre reste éveillé et les chasse à coups de dents.

Le prêtre rit.

— Je m'en servirai pour mon homélie de dimanche.

— À votre disposition, mon père.

Elle lui fit sa révérence, comme on lui avait appris à le faire à l'école devant tout aîné. Elle joignit ses mains maigres et sourit. Puis elle reprit à l'intention de Sylvia :

— Je vais demander à quelques garçons de passer pour descendre tes livres à la case, ainsi que les planches et les briques. Pose tes livres personnels sur ton lit pour qu'ils ne les prennent pas aussi.

Elle partit.

— Quel dommage que Rebecca ne puisse pas diriger ce malheureux pays, à la place des incompétents que nous avons sur le dos !

— Faut-il vraiment croire qu'un pays a le gouvernement qu'il mérite ? Je ne crois pas que ces pauvres gens méritent leur gouvernement...

Le père McGuire inclina la tête, puis reprit la parole :

— Avez-vous songé que la raison pour laquelle ces bouffons indécents ne se sont pas encore fait couper la gorge, c'est peut-être parce que les *povos* [1] aimeraient être à leur place et savent qu'ils feraient la même chose si l'occasion s'en présentait ?

---

1. En portugais, « peuples ».

— Est-ce vraiment ce que vous croyez ? s'indigna Sylvia.

— Ce n'est pas pour rien que nous avons la prière : « Et ne nous laissez pas succomber à la tentation ». Et il y en a une autre, son pendant : « Mais délivrez-nous du mal. »

— Vous êtes vraiment en train de dire que la vertu est purement une question de ne pas être tenté ?

— Ah ! la vertu... Tiens, voilà un mot dont je trouve l'emploi difficile.

Sylvia, c'était visible, était au bord des larmes, et le prêtre s'en aperçut. Il se dirigea vers le buffet, revint avec deux verres et une bouteille de bon whisky. C'était Sylvia qui la lui avait apportée. Il leur servit une bonne rasade à tous les deux, inclina la tête vers elle et avala son verre.

Sylvia regarda le liquide doré dessiner des motifs à la lumière de la lampe : un friselis riche et onctueux qui se déposa en une mare ambrée. Elle but une gorgée.

— J'ai souvent pensé que je pourrais finir alcoolique.

— Non, Sylvia, vous ne pourriez pas.

— Je comprends pourquoi on prenait l'apéritif dans l'ancien temps.

— Pourquoi l'ancien temps ? Les Pyne prennent l'apéritif toujours à l'heure pile.

— Quand le soleil descend, je me dis souvent que je donnerais n'importe quoi pour vider une bouteille. C'est si triste, un coucher de soleil...

— C'est la couleur du ciel qui nous rappelle les munificences du Seigneur dont nous sommes exilés.

Sylvia était surprise : d'ordinaire, il n'était pas porté sur ce genre de propos.

— Maintes fois j'aurais bien voulu être loin de l'Afrique, mais je n'ai qu'à regarder le soleil décliner sur ces montagnes et je n'en partirais pour rien au monde.

— Encore un jour de passé et toujours rien de nouveau, murmura Sylvia. Rien de changé.

— Ah ! Alors, vous voulez changer le monde au bout du compte ?

Sa remarque avait touché un point sensible. Les absurdités de Johnny m'ont peut-être contaminée ? s'interrogea-t-elle.

— Comment pourrait-on ne pas vouloir le changer ?

— Comment ne pas vouloir le voir changer ? Mais en voulant le changer soi-même... Non, il y a de la diablerie là-dedans.

— Et qui pourrait ne pas être d'accord après ce que nous avons appris ?

— Et si vous avez retenu la leçon, alors vous valez mieux que la plupart. Mais c'est un rêve trop fort pour lâcher ses victimes.

— Mon père, seriez-vous en train de me dire que vous n'avez jamais eu envie de crier dans les rues et de jeter des pierres sur les Britanniques, quand vous étiez jeune ?

— N'oubliez pas, je viens d'une famille pauvre. J'étais aussi pauvre que certains de ces malheureux en bas, au village. Il n'y avait qu'une porte de sortie pour moi. Je n'avais qu'une voie. Je n'ai pas eu le choix...

— Oui, je ne vous vois pas autre chose que prêtre, par nature.

— Mais c'est vrai... Pas d'autre choix que celui qui m'était offert.

— Mais quand j'entends sœur Molly bavarder comme un moulin à paroles... Si elle n'avait pas sa croix sur la poitrine, on ne devinerait jamais que c'est une religieuse.

— Avez-vous jamais songé que, partout en Europe, il n'y avait qu'une seule solution pour les jeunes filles pauvres ? Elles ont pris le voile pour éviter à leurs familles d'avoir à les nourrir. Les couvents ont donc été bourrés de jeunes femmes qui auraient préféré élever des familles... ou exercer n'importe quelle sorte de métier au monde. Il y a cinquante ans, sœur Molly serait devenue folle dans un couvent, parce qu'elle n'était pas faite pour ça. Mais aujourd'hui – le saviez-vous ? – elle a annoncé à ses Mères supérieures : Je quitte ce couvent et je serai une religieuse du monde. Un jour, j'espère qu'elle se dira : Je ne suis pas une religieuse, je n'en serai jamais une. Et elle quittera simplement son ordre, aussi simplement que cela. C'était une jeune fille pauvre et elle a pris la porte de sortie. C'est tout. Oui, et je sais ce que vous pensez : ce ne sera pas aussi facile de partir pour ces pauvres sœurs noires sur la montagne que cela l'est pour sœur Molly...

Tous les jours, lorsqu'elle redescendait au village après déjeuner, devant chaque hutte, sous les arbres, sur des bûches ou des tabourets, Sylvia trouvait les gens en train de lire ou de peiner pour apprendre à écrire, un cahier calé devant eux ou posé sur leurs genoux. Elle leur avait promis de venir d'une heure à deux heures et demie pour superviser les cours. Elle aurait bien proposé midi, mais savait que le père McGuire ne l'autoriserait pas à sauter un repas. En revanche, elle n'avait pas besoin de faire la sieste après tout. En moins de quinze jours, une soixantaine de livres avaient transformé ce petit village de brousse, où les enfants allaient à l'école sans recevoir d'instruction et où les trois quarts des adultes auraient pu suivre quatre ou cinq ans de cours de rattrapage. Sylvia était allée en voiture chez les Pyne, qui se rendaient à Senga, était partie avec eux et avait acheté une collection de cahiers, de stylos à bille et de crayons, un atlas, un petit globe terrestre et quelques manuels scolaires sur les méthodes d'enseignement. Dans le fond, elle ne savait pas comment un professionnel devait s'y prendre, et les enseignants de l'école perchée sur la hauteur, où la poussière formait à présent des tas ou volait en nuages, n'avaient eux non plus reçu aucune formation pédagogique. Elle était passée aussi à l'aérogare pour dédouaner ses machines à coudre, mais nul n'était au courant de rien.

Installée devant la case de Rebecca, où un grand arbre jetait une ombre profonde même en pleine journée, elle enseignait du mieux qu'elle pouvait jusqu'à soixante personnes : elle les faisait lire, composait des modèles d'écriture et adossait l'atlas à une étagère ou contre un tronc d'arbre pour illustrer ses leçons de géographie. Ses élèves pouvaient compter parmi eux les maîtres de l'école qui l'aidaient, tout en apprenant en même temps.

Les colombes roucoulaient dans les frondaisons. Pour tous c'était l'heure ralentie de la journée, et Sylvia avait les paupières lourdes, mais elle ne dormirait pas, non, elle ne dormirait pas. Rebecca distribuait de quoi boire dans des bassins hygiéniques en aluminium et acier inoxydable dérobés à l'hôpital abandonné. Il n'y avait pas beaucoup d'eau : la sécheresse était terrible. Des cruches et des bidons perchés sur la tête, les femmes se levaient à trois ou quatre heures du matin pour aller à pied jusqu'à une rivière éloignée, les eaux de la plus proche étant basses et nauséabondes. On ne se lavait pas beaucoup ; il n'y avait plus de lessives, à coup sûr. C'était tout juste si les femmes pouvaient garder assez de liquide pour la boisson et la cuisine. Les gens sentaient fort. Sylvia associait désormais cette odeur à la patience, à l'endurance et à la colère contenue. Après avoir bu une gorgée aux bassins volés de Rebecca, elle avait la sensation qu'elle aurait dû avoir, mais que justement elle n'avait pas, en buvant le sang du Christ au moment de l'Eucharistie. Les visages de cette foule de tous âges, des enfants aux vieilles personnes, étaient extatiques, apaisés, attentifs au moindre mot. L'instruction, c'était l'instruction dont la plupart d'entre eux avaient eu soif toute leur vie et qu'ils avaient espéré obtenir après les promesses de leur gouvernement. À deux heures et demie, Sylvia nommait dans la foule un garçon ou une fille plus avancé que les autres et les chargeait de lire quelques paragraphes d'Enid Blyton – une grande favorite –, de *Tarzan* – encore un ! –, du *Livre de la Jungle*, plus difficile mais apprécié, ou du champion toutes catégories, *La Ferme des Animaux*, qui était leur propre histoire, comme ils disaient. Ou alors l'atlas circulait de main en main, ouvert à la page qu'ils venaient d'étudier, afin de bien s'enfoncer dans le crâne ce qu'ils savaient.

Toujours est-il que chaque matin, après s'être assurée que son hôpital marchait bien, elle faisait ses visites à domicile. Elle emmenait soit Clever soit Zebedee, car il fallait bien qu'un des deux restât pour s'occuper des patients. Mais elle avait aussi des patients dans les cases du village, ceux atteints de longues maladies chroniques, au chevet desquels le *n'ganga* et elle échangeaient des regards exprimant ce qu'ils prenaient soin de ne pas dire. Car, s'il y avait une chose que ce médecin de brousse comprenait aussi bien, et peut-être mieux que n'importe quel praticien ordinaire, c'était le prix d'un bon moral. La majeure partie de ses *muti*, de ses envoûtements et de ses pratiques magiques étaient élaborés à cette seule fin, c'était évident : garder en état un système immunitaire euphorique. Mais quand cet homme intelligent et elle échangeaient un certain type de regard, cela signifiait alors que, d'ici peu, leur patient ne tarderait pas à monter parmi les arbres du nouveau cimetière, qui était en fait celui du sida ou de Slim, bien à l'écart du village. Les fosses étaient profondes, parce qu'on craignait que le mal qui avait tué ces malheureux puisse s'échapper et s'attaquer à d'autres.

Sylvia savait, étant donné que Clever le lui avait dit – pas Rebecca elle-même –, que cette femme raisonnable et pratique, dont le prêtre et elle dépendaient tous deux, était persuadée que ses trois enfants étaient morts et un quatrième malade parce que l'épouse de son frère cadet, qui l'avait toujours haïe, avait eu recours à un *n'ganga* plus efficace que celui du village pour s'en prendre à sa petite famille. Elle était stérile, voilà le problème, et croyait Rebecca responsable, croyait même que celle-ci avait payé des amulettes, des potions et des envoûtements afin que sa belle-sœur n'eût pas d'enfants.

Certains pensaient qu'elle n'avait pas d'enfants parce qu'on devait retrouver plus d'objets volés à l'hôpital abandonné dans sa case que dans n'importe quelle autre. L'ustensile réputé pour être le plus dangereux parmi les marchandises dérobées était le fauteuil de dentiste qui avait traîné, à un moment donné, au beau milieu du village et sur lequel jouaient les enfants, mais on l'avait enlevé de là et jeté dans une ravine pour se débarrasser de ses influences maléfiques. Les singes verts avaient remplacé les enfants, sans dommage apparent. Une fois, Sylvia avait vu un vieux babouin perché dessus, un brin d'herbe entre les lèvres, regarder autour de lui d'un air contemplatif, tel un grand-père qui passait la fin de ses jours assis sur sa véranda.

Edna Pyne monta dans son antique camion pour se rendre à la mission, parce qu'elle était poursuivie par ce qu'elle appelait son chien noir, qui portait même un nom. « Pluto est encore à mes trousses, » lui arrivait-il de raconter, en soutenant que les deux chiens de la maison, Sheba et Lusaka sentaient quand ce revenant des ténèbres était là et lui montraient les dents. Cedric, lui, ne riait pas de cette petite fantaisie quand elle blaguait à ce sujet, mais prophétisait qu'elle tournait aussi mal que les Noirs avec leurs superstitions idiotes. Cinq ans plus tôt encore, Edna avait eu des amies dans les fermes voisines, qu'elle pouvait aller voir d'un coup de voiture en cas de déprime, mais il n'en restait plus une seule. Elles avaient qui une exploitation à Perth (Australie), qui dans le Devon, ou elles avaient « sauté le pas » pour s'installer en Afrique du Sud... Elles étaient parties. Edna avait soif de papotages féminins, consciente d'être isolée dans un désert de virilité : son mari, le personnel chargé de l'entretien de la maison et du jardin, les visiteurs de passage, inspecteurs du gouvernement, géomètres, experts des courbes hypsométriques, et les nouveaux touche-à-tout noirs qui leur imposaient toujours plus de règlements. C'étaient tous des hommes. Edna espérait trouver Sylvia disponible pour un brin de causette, même si elle ne l'appréciait pas autant qu'elle savait que le jeune médecin le méritait : elle était admirable, oui, mais un peu dingue. Quand elle arriva à la maison du père McGuire, celle-ci semblait vide. Elle entra dans l'obscurité fraîche, et Rebecca sortit de la cuisine avec, dans les mains, un torchon qui n'était pas très net. Mais la sécheresse limitait la propreté dans sa propre maison aussi : le puits artésien n'avait jamais été plus bas.

— Le Dr Sylvia est-elle là ?

— Elle est à l'hôpital. Il y a une jeune fille en travail. Et le père McGuire a pris la voiture pour aller rendre visite à l'autre père, à l'ancienne mission.

Edna s'assit comme si elle avait reçu un coup derrière les genoux. Elle laissa sa tête retomber contre le dossier et ferma les yeux. Quand elle les rouvrit, Rebecca était toujours plantée devant elle, dans l'expectative.

— Mon Dieu ! s'exclama Edna. J'en ai assez, j'en ai vraiment assez...

— Je vais préparer du thé, dit Rebecca, se retournant pour se retirer.

— Dans combien de temps pensez-vous que le docteur va revenir ?

— Je ne sais pas. C'est une naissance difficile. Le bébé se présente par le siège.

À cette expression clinique, Edna ouvrit de grands yeux. Comme la majorité des Blancs âgés, elle avait un esprit compartimenté, c'est-à-dire plus compartimenté que les trois quarts d'entre nous. Elle savait certains Noirs aussi intelligents que la plupart des Blancs, mais par intelligent elle entendait instruit. Or Rebecca travaillait à la cuisine.

Une fois que le plateau à thé eut été posé devant elle, Rebecca s'était déjà tournée pour partir, Edna s'entendit dire :

— Assieds-toi, Rebecca – avant d'ajouter : Tu as une minute ?

Rebecca n'avait pas le temps, elle avait couru toute la matinée. Étant donné que son fils, celui qui allait lui chercher de l'eau à la rivière, était avec son père, qui avait bu la veille au soir jusqu'à la folie furieuse, elle, Rebecca, avait dû descendre de l'eau de cette cuisine, après avoir demandé la permission au père McGuire, non pas une mais cinq fois. Le puits de la maison était bas : partout l'eau semblait s'enfoncer dans la terre, toujours plus difficile à atteindre. Mais Rebecca voyait bien que cette femme blanche était bouleversée et avait besoin d'elle. Elle s'assit et attendit. Elle songea que c'était une chance que Mrs Pyne soit venue avec sa voiture, parce que le père McGuire avait pris la sienne et que Sylvia lui avait dit qu'il serait peut-être nécessaire de conduire la patiente à l'hôpital pour une césarienne.

Les mots qui fermentaient et bouillonnaient à l'intérieur d'Edna depuis des heures et des jours, jaillirent alors de sa bouche en un flot brûlant, amer, accusateur, chargé d'apitoiement sur soi-même, même si Rebecca n'était pas la bonne confidente. Pas plus que ne l'était Sylvia, à ce compte-là.

— Je ne sais plus quoi faire, gémit Edna, dont les yeux écarquillés fixaient, non Rebecca, mais la bordure en perles bleues de l'émouchette jetée sur le plateau à thé. Je suis au bout du rouleau. Je crois que mon mari est devenu fou. Enfin, ils sont fous, non ? les hommes, non ? Tu n'es pas d'accord ?

Rebecca, qui, la nuit dernière, avait fui les coups et les étreintes de son époux délirant, sourit et confirma que oui, les hommes étaient parfois difficiles.

— Tu peux le dire. Connais-tu la dernière ? Voilà qu'il a acheté une autre ferme ! Il prétend que si ce n'avait pas été lui, un des ministres aurait mis la main dessus, alors pourquoi pas lui ? Je veux dire, si c'était ton peuple, ce serait très bien, mais il dit pouvoir payer. Elle a été proposée au gouvernement, qui n'en a pas voulu, alors c'est lui qui l'achète. Il construit un barrage là-bas, près des montagnes.

— Un barrage, murmura Rebecca, s'animant. (La position assise lui avait provoqué une petite somnolence.) O.K.... un barrage... O.K.

— Bon, dès qu'il l'aura construit, un de ces cochons de Noirs mettra le grappin dessus. C'est toujours la même chose. Ils attendent qu'on fasse quelque chose de bien, comme un barrage, puis ils s'en emparent. Pourquoi fais-tu donc cela ? je lui demande, mais il me répond... (Edna était assise, un biscuit dans une main et une tasse dans l'autre. Ses mots se bousculaient trop pour lui permettre de boire son thé.) Je voudrais partir, Rebecca. Tu me donnes tort ? Eh bien, tu me donnes tort ? Ce n'est pas mon pays, enfin, c'est ce que ton peuple dit et je suis d'accord avec vous, mais mon mari, lui, affirme que c'est autant le sien que le vôtre, alors il a acheté... (Un gémissement fusa de ses lèvres. Elle reposa sa tasse, puis le biscuit, sortit d'une secousse un mouchoir de son sac à main et s'essuya la figure avec. Ensuite, elle resta un moment silencieuse, se pencha en avant et effleura la bordure de perles bleues entre ses doigts.) Jolies perles. C'est toi qui les a fabriquées ?

— Oui, c'est moi.

— Très jolies. Bravo ! Et puis il y a autre chose. Le gouvernement nous critique sans arrêt, on nous traite de tous les noms. Mais, sur notre propriété, il y a trois fois plus de gens qu'il ne devrait y en avoir, ils arrivent quotidiennement de la terre communale et nous les nourrissons, nous nourrissons tout ce monde parce qu'ils meurent de faim sur la terre communale à cause de la sécheresse. Bon, tu le sais, n'est-ce pas, Rebecca ?

— O.K., oui, c'est vrai. Ils meurent de faim. Le père McGuire a ouvert un point de ravitaillement à l'école, parce que les enfants arrivent en classe si affamés qu'ils restent juste assis à geindre.

— Voilà ! Mais votre gouvernement n'a jamais un mot aimable pour aucun de nous.

Elle pleurait, à grosses larmes, telle une enfant trop fatiguée. Rebecca sentit que cette femme ne pleurait pas sur les victimes de la famine, mais à cause de ce qu'elle-même appelait le « trop trop ». « C'est trop trop, disait-elle à Sylvia, trop trop à supporter pour moi. »

Et elle s'asseyait, pressait ses mains sur sa figure et se balançait en poussant un gémissement régulier, pendant que Sylvia allait chercher des comprimés – un sédatif – que Rebecca avalait docilement.

— Je me dis parfois que c'est vraiment trop, ça me dépasse, geignit Edna, tout en reprenant quand même du poil de la bête, à entendre sa voix. C'était déjà assez moche avant la sécheresse, mais maintenant avec la sécheresse, le gouvernement et tout le reste...

À ce moment-là, Clever apparut dans l'encadrement de la porte pour informer Rebecca que le Dr Sylvia lui avait ordonné de courir chez les Pyne et de leur demander de prendre une voiture pour conduire la femme en travail à l'hôpital.

Mais Edna Pyne était là ! Son visage s'illumina et il se livra même à une petite danse sur place, sous la véranda.

— O.K., maintenant elle ne va pas mourir. Le bébé est coincé, les informa-t-il, mais si elle peut arriver à l'hôpital à temps...

Clever redescendit la côte comme une flèche et Sylvia ne tarda pas à apparaître, soutenant une femme drapée dans une couverture.

— Je vois que je puis être utile après tout, observa Edna, en allant aider Sylvia à tenir la femme qui sanglotait et gémissait.

— Si seulement les travaux du nouvel hôpital avançaient ! s'exclama Sylvia.

— On peut toujours rêver.

— Elle a peur de la césarienne. Je n'arrête pas de lui dire que ce n'est rien.

— Pourquoi ne pas réaliser vous-même l'intervention ?

— On commet des erreurs. La seule erreur terrible, idiote, ridicule, impardonnable que j'ai commise, c'est de ne pas avoir choisi chirurgie. (Elle parlait d'une voix froide, sèche, mais Edna reconnaissait les mêmes symptômes que sa crise émotive : Sylvia laissait échapper la vapeur et il ne fallait pas y prêter attention.) J'envoie Clever avec vous. J'ai un homme vraiment mal en point en bas.

— J'espère que je n'aurai pas à mettre un bébé au monde...

— Voyons, vous vous débrouilleriez aussi bien que n'importe qui. Mais Clever est très adroit. Et puis j'ai donné à la parturiente quelque chose pour retarder un peu les contractions. Sa sœur l'accompagne.

Une silhouette attendait devant la voiture. Elle tendit les bras ; la femme en travail s'y réfugia et se remit à gémir.

Sylvia redescendit à l'hôpital en courant. La voiture démarra. La route était mauvaise et le trajet prit près d'une heure, parce que la patiente poussait un cri à chaque cahot. Edna accompagna les deux Noires jusqu'à l'intérieur de l'hôpital, un ancien édifice construit sous les Blancs et censé accueillir quelques milliers de personnes, mais dont on attendait aujourd'hui qu'il en soignât un demi-million.

Edna monta à la place du conducteur et Clever s'installa à ses côtés. Il aurait dû être assis à l'arrière, s'avisa-t-elle, mais sans grande conviction. Elle l'écouta babiller sur le Dr Sylvia et les classes sous les arbres, les manuels, les cahiers, les stylos à bille, qui étaient bien mieux que l'école. Sa curiosité s'éveilla et, au lieu de déposer le gamin à l'embranchement pour qu'il regagne la mission, elle l'y reconduisit et se gara.

Il était à peine midi et demi. Sylvia était attablée avec le prêtre, en train de déjeuner, à la place même où Edna se trouvait un peu plus tôt. Invitée à s'asseoir pour partager leur repas, Edna allait accepter, mais Sylvia dit qu'il lui fallait redescendre au village, qu'Edna ne devait pas se croire personnellement visée. Aussi cette dernière, une femme qui aimait bien manger, laissa-t-elle le prêtre lui préparer un sandwich, des rondelles de tomate entre deux bouts de pain non beurrés – oui, le beurre était une denrée rare alors, avec la sécheresse – et suivit-elle Sylvia. Elle ne savait pas à quoi s'attendre et était impressionnée. Bien entendu, tous les autres savaient qui était Mrs Pyne et des sourires de bienvenue l'accueillirent. Ils lui apportèrent même un tabouret et oublièrent sa présence. Elle s'assit, après avoir fourré le sandwich dans son sac, parce qu'elle soupçonnait que certaines des personnes présentes devaient avoir faim, et elle ne pouvait quand même pas manger devant eux. Seigneur ! songea-t-elle. Qui eût pu croire que je verrais deux tranches de pain sec et une rondelle de tomate comme un luxe scandaleux ?

Elle écouta Sylvia lire de l'anglais, en articulant soigneusement tous les mots : un extrait d'un auteur africain dont elle n'avait jamais entendu parler, bien qu'elle sût qu'il y avait des Noirs qui écrivaient des romans, tandis que l'assistance écoutait comme si... Mon Dieu, ils auraient pu être à l'église ! Ensuite, Sylvia pria un jeune homme, puis une fillette, d'expliquer aux autres de quoi parlait l'histoire. Ils se débrouillèrent bien et Edna s'aperçut qu'elle se sentait soulagée : elle voulait que cette initiative fût un succès et était contente de son état d'esprit.

Sylvia invita une vieille femme à leur relater une sécheresse dont elle se souvenait du temps où elle était petite. La vieille parlait un anglais gauche et cahotant, et Sylvia demanda à une jeune fille de répéter ses paroles dans un meilleur anglais. Cette sécheresse-là ne semblait guère différente de celle-ci. Le gouvernement blanc avait distribué du maïs dans les zones sinistrées par la sécheresse, dit la vieille, provoquant des applaudissements appréciatifs qui ne pouvaient être qu'une critique de leur propre régime. Une fois le récit terminé, Sylvia demanda à ceux qui savaient écrire de noter leurs souvenirs et à ceux qui ne savaient pas d'inventer une histoire qu'ils pourraient raconter le lendemain.

Il était deux heure et demie. Sylvia chargea la vieille femme qui avait évoqué la sécheresse de surveiller les autres, une centaine environ, puis remonta à la maison avec Edna. Maintenant elles allaient prendre le thé, et Sylvia et elle pourraient se poser pour discuter, elle aurait enfin son brin de causette... Mais, bizarrement, son besoin de parler et d'être écoutée semblait l'avoir abandonnée.

— Ce sont de si braves gens, lança Sylvia. Je ne supporte pas ce gâchis humain...

Elles étaient hors de la maison, près de la voiture.

— Eh bien, répondit Edna, nous sommes tous meilleurs que nous avons l'occasion de l'être, j'imagine.

À la manière dont Sylvia se retourna pour la regarder fixement, elle vit que ce n'était pas le genre de propos qu'on s'attendait à entendre de sa part. Et pourquoi pas ?

— Vous aimeriez que je vienne vous aider pour votre école... ou vos patients ?

— Oh, oui ! Vous voulez bien ? vous voulez bien, vraiment ?

— Faites-moi savoir quand vous aurez besoin de moi, répondit Edna, qui remonta dans sa voiture et démarra en ayant l'impression d'avoir fait un grand pas et d'être entrée dans une nouvelle dimension.

Elle ne se doutait pas que si elle avait proposé à Sylvia séance tenante : « Puis-je commencer dès maintenant ? », cette dernière lui eût répondu avec reconnaissance : « Oh, oui ! venez m'aider avec ce malade, il a un tel accès de paludisme qu'il tremble à en mourir. » Mais Sylvia considéra que c'était la politesse qui avait parlé en Edna et ne repensa plus à sa proposition.

Quant à Edna, elle avait le sentiment d'avoir laissé passer sa chance toute sa vie. Une porte s'était entrouverte, mais elle avait préféré ne rien voir. L'ennui, c'est qu'elle se gaussait des bonnes âmes depuis des années, et le fait qu'elle-même en devienne une, comme d'un coup de baguette magique... Elle avait pourtant proposé ses services et était sérieuse. L'espace d'un instant, elle n'avait plus été l'Edna Pyne qu'elle connaissait, mais quelqu'un de très différent. Elle se garda de raconter à Cedric qu'elle avait conduit une Noire à l'hôpital. Et s'il pestait pour le carburant et la difficulté de s'en procurer... En revanche, elle lui dit qu'elle avait visité le village où des objets volés sur le site de l'hôpital inachevé étaient visibles.

— Bravo ! fut son commentaire. Mieux vaut ça que de pourrir dans la brousse...

Mr Edward Phiri, inspecteur d'académie, avait écrit au principal du collège d'enseignement secondaire de Kwadere pour prévenir qu'il arrivait à neuf heures du matin et espérait déjeuner avec lui et le personnel enseignant. Sa Mercedes – une troisième main, il n'était pas ministre et n'avait pas droit à une neuve – était tombée en panne non loin du poteau indicateur des Pyne. Il abandonna son véhicule et, d'humeur massacrante, parcourut à pied les quelques centaines de mètres qui le séparaient encore de la maison des Pyne. Là, il trouva Cedric et Edna devant leur petit déjeuner. Il se fit annoncer, dit qu'il devait parler à Mr Mandizi, à Growth Point, pour qu'il vienne le chercher et le conduise à l'école, mais apprit que la ligne téléphonique était coupée depuis un mois.

— Enfin ! Pourquoi n'a-t-elle pas été réparée ?

— J'ai bien peur que vous ne deviez poser la question au ministre des Communications. Le réseau téléphonique tombe sans arrêt en panne et cela prend des semaines de le rétablir.

C'était Edna qui parlait, mais Mr Phiri regardait son mari, l'homme, dont le rôle était de commander. Cedric, qui lui parut peu conscient de ses responsabilités, ne disait rien.

Mr Phiri resta planté, à contempler la table mise.

— Vous prenez votre petit déjeuner bien tard. J'ai l'impression qu'il y a des heures que j'ai pris le mien.

— Cedric était aux champs dès cinq heures, riposta Edna sur le même ton accusateur. Il faisait à peine jour. Vous voulez peut-être vous asseoir pour prendre une tasse de thé... ou un deuxième petit déjeuner ?

Mr Phiri s'assit, ayant retrouvé sa bonne humeur.

— Peut-être bien que oui. Mais je suis surpris d'entendre que vous êtes à pied d'œuvre si tôt, dit-il à l'adresse de Cedric. J'avais l'impression que vous en preniez à votre aise, les fermiers blancs.

— Vous avez beaucoup de fausses impressions, je crois, répliqua Cedric. Mais maintenant je dois vous prier de bien vouloir m'excuser. Je dois retourner au barrage.

— Au barrage ? Quel barrage ? Il n'y a aucun barrage indiqué sur la carte.

Edna et Cedric échangèrent des regards. Maintenant, ils suspectaient ce fonctionnaire d'avoir simulé une panne dans le but de jeter un coup d'œil à leur propriété. La mention de la carte était pour ainsi dire un aveu.

— Dois-je demander qu'on refasse du thé ?

— Non, celui qui est déjà infusé fera l'affaire. Et peut-être ces œufs qui restent ? Dommage de les gaspiller, je trouve.

— Il n'y a pas de gaspillage. Le cuisinier les mangera pour son petit déjeuner.

— Voilà qui me surprend ! Je ne suis pas partisan de gâter le personnel. Mes boys ont de la *sadza*, certainement pas des œufs de ferme !

Apparemment inconscient de son incorrection, Mr Phiri s'assit en souriant, pendant qu'Edna remplissait son assiette d'œufs au plat, de bacon et de saucisses. Au moment de se mettre à manger, il susurra :

— Je pourrais peut-être vous accompagner pour voir le barrage ? Étant donné que, manifestement, je ne dois pas aller à l'école ce matin...

— Pourquoi pas ? lança Edna. Je vous y conduirai d'un coup de voiture. Et quand vous aurez fini, quelqu'un de la mission vous ramènera à Growth Point.

— Et ma voiture abandonnée sans défense sur la route ? On va me la voler.

— Ça me semble plus que probable, approuva Cedric, du même ton sec et hostile qu'il avait adopté dès le début et qui offrait un tel contraste avec la voix d'écorchée vive de sa femme.

— Alors, vous pourriez peut-être charger un de vos ouvriers de garder ma voiture ?

Le mari et la femme échangèrent un nouveau regard. Edna, renvoyée à son moi responsable par la rage de son mari, dont Mr Phiri n'avait pas conscience, l'exhortait silencieusement à acquiescer. Cedric se leva de table, passa à la cuisine, revint.

— J'ai prié mon cuisinier de demander à l'apprenti jardinier de bien vouloir garder votre voiture, dit-il. Mais peut-être devrions-nous prendre des dispositions pour la redémarrer ?

— Quelle bonne idée ! s'exclama Mr Phiri, qui avait terminé ses œufs et mangeait à présent des boules de friandises sucrées, qu'il savourait visiblement. Mais comment faire ?

Edna savait que Cedric ravalait une réponse du style : « Et pourquoi devrais-je m'en inquiéter ? » et suggéra en vitesse :

— Cedric, tu pourrais essayer la radio.

— Ah ! Vous avez donc une radio ?

— Les piles sont usées. Il n'y en a plus de disponibles dans les magasins en ce moment, comme vous avez dû vous-même le constater.

— C'est vrai. Mais vous pourriez essayer quand même ?

Cedric n'avait pas voulu avouer l'existence d'un poste radio parce qu'il n'avait aucune envie de gaspiller son électricité pour Mr Phiri.

— Je vais essayer, mais je ne vous promets rien.

Il disparut une deuxième fois.

— Mais c'est quoi, ces délicieuses sucreries que je mange ? s'enquit Mr Phiri, qui s'empiffrait.

— De la papaye confite.

— Il faut que vous m'en donniez la recette. Je dirai à ma femme de m'en préparer.

— Mais elle doit l'avoir déjà. Je l'ai entendue à une émission radio, « Optimisons nos produits ! »

— Je suis surpris que vous écoutiez une émission destinée aux femmes noires pauvres.

— Cette pauvre Blanche écoute les émissions pour les femmes ! Et si votre épouse est trop bien pour ça, alors elle manque quelque chose...

— Cette pauvre... (Mr Phiri rit de bon cœur, sincèrement, puis, s'avisant que c'était une remarque dont il subodorait l'insolence, il termina d'un ton aigre :) La bonne blague !

— Je suis contente que vous l'appréciez.

— O.K.

Sous-entendu : Cela suffit.

Mais Edna s'entêtait :

— Mais c'est une très bonne émission. J'y ai appris plein de choses. Tout ce que vous voyez sur cette table vient de la ferme.

Mr Phiri prit son temps pour examiner attentivement ce festin, mais ne voulait pas admettre que certains plats lui étaient peu familiers : terrine de poisson, pâté de foie, poisson au curry...

— Les confitures, bien sûr. Puis-je goûter celle-ci ? (Il tendit la main vers un pot.) De la roselle... de la roselle[1]... Mais cette plante pousse partout à l'état sauvage !

— Et puis après ? si elle donne de la bonne confiture... (Mr Phiri repoussa le pot sans y goûter.) On m'a

1. Connue encore sous le nom de carcade (hibiscus), oseille de Guinée ou *bissap*, on en tire aussi une boisson acidulée.

dit que les religieuses de la mission ne mangent pas les pêches superbes qui poussent dans leur jardin, elles ne mangent que des fruits en boîte, parce qu'elles ne veulent pas être prises pour une population primitive.

Elle eut un petit rire malveillant.

— J'ai entendu dire que votre mari a acheté la ferme voisine de la vôtre ?

— Elle était à vendre. Les vôtres n'en ont pas voulu. Elle vous a pourtant été proposée. C'était contre ma volonté, je vous l'assure.

À cet instant, ils se dévisagèrent mutuellement, mais pour de bon, comme cela n'était pas encore arrivé jusqu'ici : leurs regards avaient tout exprimé sauf un esprit de conciliation.

Mr Phiri n'aimait pas cette femme. D'abord, par principe : c'était l'épouse d'un fermier blanc, en qui il voyait avant tout l'une des irréductibles qui avaient pris les armes pendant la guerre de libération pour défendre les propriétés, les routes ou les points de distribution des munitions : cette région était un secteur où la guerre avait été féroce. Oui, il se l'imaginait bien en treillis militaire avec un fusil, braqué peut-être sur lui. Et pourtant il n'était qu'un gamin pendant la guerre, en sécurité à Senga : le conflit ne l'avait absolument pas touché.

De son côté, elle exécrait cette classe de fonctionnaires noirs, les appelait des petits Hitler et se délectait à répéter toutes les rumeurs qui lui revenaient sur eux. Ils traitaient leurs domestiques noirs comme des chiens, plus mal que n'importe quel Blanc ne se le serait jamais permis, les Noirs ne voulaient pas travailler pour d'autres Noirs, préféraient être employés par des Blancs. Ils abusaient de leur pouvoir, ils acceptaient des pots-de-vin, ils étaient – et c'était leur principal péché – incompétents. Dès le premier coup d'œil, elle avait exécré cet homme en particulier.

Ces deux êtres, la Blanche hypertendue et desséchée et le Noir obèse et sûr de lui, se regardaient donc en chiens de faïence, laissant leurs visages parler pour eux.

— O.K., murmura enfin Mr Phiri.

Par bonheur, rentra Cedric.

— J'ai reçu un message juste avant que ce maudit appareil ne rende l'âme. Mandizi est en route. Mais il dit qu'il n'est pas bien aujourd'hui.

— Mr Mandizi, j'en suis sûr, sera aussi rapide que possible, mais nous aurons le temps d'aller voir votre nouveau barrage.

Les deux hommes sortirent pour se diriger vers le camion, garé sous un arbre, et ni l'un ni l'autre n'eurent un seul regard pour la femme. Elle sourit toute seule, avec ce pli des lèvres amer, expert, d'un être qui se nourrit d'amertume.

Cedric roulait vite sur les chemins de terre accidentés, à travers les champs, les kopjes et les étendues de brousse. Mr Phiri était à peine sorti de Senga dans sa vie et, comme Rose, ne savait comment interpréter ce qu'il voyait.

— Et qu'est-ce qui pousse ici ?

— Du tabac. C'est ce qui soutient votre économie.

— Ah ! voilà donc ce fameux tabac !

— Vous voulez dire que vous n'avez jamais vu de cultures de tabac ?

— Quand je quitte Senga pour inspecter des établissements, je suis toujours si pressé, c'est que je suis un homme occupé. Voilà pourquoi je suis si content d'avoir la chance de visiter une vraie ferme, en compagnie d'un fermier blanc.

— Certains de vos fermiers noirs cultivent un bon tabac. Vous ne le saviez pas ?

Mr Phiri resta silencieux, parce qu'ils longeaient le pied d'une colline à moitié éboulée. Là, devant eux, s'étendait un terrain vague : des tas, des monceaux et des remblais de terre jaune et nue, et une pelleteuse qui peinait à déplacer celle-ci, en équilibre sur des pentes et des déclivités improbables.

— Nous y sommes, dit Cedric, sautant à bas de la cabine.

Il s'avança vers le chantier, sans se retourner pour voir si l'inspecteur le suivait. Un Noir, le copain du conducteur de la pelleteuse, vint à la rencontre du fermier et tous deux se penchèrent sur un vague plan, plantés côte à côte au bord d'une tranchée dans le sol d'un jaune intense. Mr Phiri progressa prudemment entre les amas jaunâtres, en tâchant de ne pas salir ses chaussures. De la poussière s'envolait du sommet des tas. Son beau costume était déjà tout poudreux.

— Bon, c'est tout.

Cedric se retourna.

— Mais où est votre barrage ?

— Là.

Cedric tendit le doigt.

— Mais... une fois fini, il sera grand comment ?

Cedric tendit le doigt une nouvelle fois.

— Là... là... de cette ligne d'arbres au kopje et de là, jusqu'où nous sommes.

— Un grand barrage, alors ?

— Ce ne sera quand même pas le Kariba[1].

— O.K., dit Mr Phiri.

Il était déçu. Il s'était attendu à voir un lac d'eau douce brune, avec des vaches plantées dedans jusqu'aux flancs, et, au-dessus, des arbres épineux, d'où pendaient des nids de tisserins. Il était incapable de se souvenir réellement d'avoir vu ce paysage, mais c'était ce qu'un barrage évoquait pour lui.

— Quand sera-t-il plein ?

---

1. Lac artificiel créé sur le Zambèze grâce à la construction du barrage du même nom, dont l'équipement électrique alimente le Zimbabwe et la Zambie.

— Vous pourriez peut-être prendre des mesures gouvernementales pour qu'il tombe une bonne pluie ? C'est notre troisième saison pratiquement sans précipitations...

Mr Phiri rit, mais il se sentait comme un écolier et cela ne lui plaisait pas beaucoup. Il n'arrivait pas à s'imaginer le demi-cercle d'eau qui allait s'étendre ici, au pied des montagnes.

— Si vous ne voulez pas manquer Mr Mandizi, nous devrions rentrer.

— O.K.

C'était O.K. au sens premier : Oui, je suis d'accord.

— Je vais vous ramener par un autre chemin, lança Cedric, même s'il n'était pas dans son intérêt d'impressionner cet homme qui avait l'intention de lui voler sa ferme. Mais il désirait partager son amour et sa fierté pour ce qu'il avait arraché à la brousse. À deux kilomètres de la maison, un troupeau de vaches mangeaient des épis de maïs secs. Elles avaient l'air hagard des bêtes victimes de la sécheresse. Ce que Mr Phiri voyait, c'étaient du bétail, des *mombies*, et il mourait d'envie d'en être propriétaire. À leur vue, ses yeux s'étaient remplis d'émerveillement : il ne comprenait pas qu'elles étaient en péril.

— Je vais devoir abattre les veaux à la naissance, dit Cedric d'une voix dure.

Mr Phiri fut secoué.

— Mais, mais... Oui, je l'ai lu dans le journal, balbutia-t-il, mais c'est terrible. (Il vit que des larmes coulaient sur les joues du fermier blanc.) Ce doit être terrible, répéta-t-il, avec un soupir. (Avec tact, il s'efforçait de ne pas regarder Cedric. Il éprouvait une sincère sympathie pour lui, mais ne savait pas ce qu'il ferait si le Blanc craquait et se mettait à pleurer.) Abattre des veaux... mais n'y a-t-il rien... rien...

— Les pis sont vides de lait, expliqua Cedric. Et puis quand les vaches sont maigres comme ça, les veaux ne valent rien à la naissance.

Ils étaient déjà revenus à la maison.

Mr Mandizi venait d'arriver, mais Cedric le prit d'abord pour un suppléant : l'homme n'était plus que l'ombre de lui-même

— Vous avez perdu beaucoup de poids, remarqua Cedric.

— Oui, c'est ainsi.

Il avait déposé le mécanicien devant la Mercedes et ouvrait à présent la portière arrière de la voiture.

— Montez, je vous prie, dit-il à Mr Phiri.

Puis il s'adressa à Cedric d'un ton officiel :

— Vous devriez faire réparer votre émetteur, je vous entendais à peine.

— Il est toujours permis d'espérer ! répliqua Cedric.

— Et maintenant, à l'école ! lança Mr Phiri, qui était accablé à cause des veaux.

Il ne dit pas un mot pendant le trajet jusqu'à la mission.

— Voici la maison du prêtre.

— Mais, moi, je veux voir la maison du directeur.

— Il n'y a pas de directeur. J'ai bien peur qu'il ne soit en prison.

— Mais pourquoi n'y a-t-il pas de remplaçant ?

— Nous avons bien demandé un remplaçant, mais, voyez- vous, ce n'est pas un poste attractif. Les candidats préfèrent être affectés dans les villes. Ou le plus près possible d'une ville...

L'indignation rendit son énergie à Mr Phiri, et il entra à grands pas dans la petite maison, suivi de son subordonné. Il n'y avait personne. Il tapa dans ses mains et Rebecca apparut :

— Dis au prêtre que je suis là.

— Le père McGuire est à l'école. Vous le trouverez en suivant ce chemin.

— Et pourquoi ne viendrais-tu pas ?

— J'ai quelque chose au four. Et le père McGuire vous attend.

— Et pourquoi est-il là-bas ?

— Il enseigne aux grands. Je crois qu'il enseigne dans beaucoup de classes, parce que le directeur n'est plus là.

Rebecca se tourna pour rentrer dans sa cuisine.

— Où vas-tu ? Je ne t'ai pas dit que tu pouvais partir.

Lentement Rebecca fit une profonde révérence, puis garda les mains jointes, les yeux baissés.

Mr Phiri la foudroya du regard, ignora Mr Mandizi, qui savait qu'on se moquait de lui.

— Très bien, tu peux partir maintenant.

— O.K., murmura Rebecca.

Les deux hommes suivirent le sentier poudreux ; le soleil leur tapait sur la tête et les épaules.

Dès huit heures, ce matin-là, le chahut régnait dans les nombreuses salles de classe de l'école, tant les enfants étaient surexcités d'attendre le grand homme. Leurs maîtres, qui n'étaient pas, après tout, beaucoup plus vieux que certains d'entre eux, étaient aussi euphoriques. Mais aucune voiture n'était arrivée ; on entendait seulement le chant des colombes, et quelques cigales dans le bosquet d'arbres près de la citerne, qui était vide. Tous les enfants étaient assoiffés depuis des semaines ; certains avaient même faim et, en effet, n'avaient eu à manger que ce que le père McGuire leur avait distribué pour le petit déjeuner : des morceaux de gros pain blanc sucré et du lait reconstitué. Neuf heures, puis dix. La classe reprit ; le vacarme de plusieurs centaines de voix en train de psalmodier leurs récitations en raison de l'absence de manuels scolaires et de cahiers était audible à un kilomètre de l'école et ne cessa qu'avec l'apparition de Mr Phiri et de Mr Mandizi, accablés par la chaleur et en nage.

— Que se passe-t-il ? Où est l'instituteur ?

— Ici, répondit doucement un jeune homme avec le sourire, mort de trac.

— On est dans quelle classe ? Qu'est-ce que c'est que tout ce raffut ? Je n'ai pas souvenance que les leçons orales sont au programme. Où sont vos cahiers ?

À ces questions, cinquante enfants exubérants répondirent en chœur :

— Camarade inspecteur, camarade inspecteur, nous n'avons pas de cahiers, nous n'avons pas de livres, s'il vous plaît, donnez-nous des cahiers. Et des crayons, oui, des crayons. Ne nous oublie pas, camarade inspecteur.

— Et pourquoi donc n'ont-ils pas de cahiers ? demanda solennellement Mr Phiri à Mr Mandizi.

— Nous avons bien rempli les formulaires de demande, mais on ne nous a envoyé ni cahiers ni manuels.

Cela remontait à trois ans, mais il avait peur de l'avouer devant les élèves et leur enseignant.

— Mais s'il y a du retard, alors relancez-les à Senga.

C'était irrémédiable.

— Il y a trois ans que cette école n'a reçu ni livres ni cahiers.

Mr Phiri regarda fixement son subordonné, puis le jeune professeur et les enfants.

— Camarade inspecteur, monsieur, nous faisons de notre mieux, énonça le jeune professeur, mais c'est difficile sans livres.

Le camarade inspecteur se sentit piégé. Dans certains établissements – enfin, une minorité d'entre eux –, les livres manquaient, il le savait. C'est qu'il s'aventurait rarement hors des villes et s'arrangeait pour que les écoles qu'il inspectait soient en milieu urbain. Il y existait bien des pénuries, mais ce n'était pas terrible, non, que quatre ou cinq enfants se partagent un abécédaire ou utilisent du papier d'emballage pour écrire leurs leçons ? Mais pas de livres, rien du tout ! Situation critique : il explosa de colère.

— Regardez vos sols. Depuis combien de temps n'ont-ils pas été balayés ?

— Il y a tant de poussière, répondit le professeur à mi-voix, de honte. La poussière...

— Parle plus fort.

À ce moment-là, les enfants intervinrent :

— La poussière entre et, dès qu'on la balaie, elle revient.

— Levez-vous pour me parler.

Étant donné que les fonctionnaires s'étaient présentés sans façon à la porte, le jeune professeur n'avait pas ordonné aux enfants de se lever, mais un grand raclement de pieds et de chaises se fit alors entendre.

— Et d'où vient que ces enfants ne savent pas comment on doit accueillir un représentant du gouvernement ?

— Bonjour, camarade inspecteur.

Ce fut la formule de salutations, maintes fois répétée, par laquelle lui répondirent les enfants, tous toujours hilares et surexcités à cause de cette visite, qui allait avoir pour résultat qu'ils auraient enfin des cahiers, des crayons et peut-être même un directeur.

— Nettoyez-moi ce sol, dit Mr Phiri au maître d'école, qui souriait comme un mendiant qu'on congédie.

— Monsieur Phiri, camarade inspecteur, monsieur... – il courait derrière les fonctionnaires pendant qu'ils se dirigeaient vers la classe voisine.

— Qu'est-ce qu'il y a ?

— Si vous pouviez rappeler au ministère de nous envoyer nos stocks de livres... (À présent il trottait à leur hauteur, comme un messager qui tente de remettre un pli urgent et, ayant renoncé à tout semblant de dignité, tordait ses mains en pleurant :)

Camarade inspecteur, il est si difficile d'enseigner quand on n'a ni...

Mais les fonctionnaires étaient déjà entrés dans la classe voisine, d'où retentirent presque aussitôt les hurlements de rage et les imprécations de Mr Phiri. Il n'y resta qu'une minute, passa à la classe suivante. Nouvelle tempête de cris. Le maître de la première classe, qui était resté planté à écouter pour se donner le temps de se remettre, reprit alors ses esprits et retourna auprès de ses élèves qui l'attendaient assis, encore pleins d'espoir. Cinquante paire d'yeux brillants se fixèrent sur lui : Oh ! apporte-nous de bonnes nouvelles !

— O.K., proféra-t-il.

Et leurs visages se rembrunirent.

Le jeune maître faisait son possible pour retenir ses larmes. Des claquements de langue de sympathie retentirent et on entendit murmurer : « C'est honteux ! »

— Nous allons commencer la leçon d'écriture.

Il se tourna face au tableau noir et, à l'aide d'un morceau de craie, écrivit d'une écriture ronde et bien lisible d'enfant : « Aujourd'hui, le camarade inspecteur est venu à l'école. »

— À toi, Mary.

Une jeune fille obèse, de seize ans peut-être, mais qui avait l'air plus âgé, s'extirpa de la masse des bureaux entassés côte à côte, prit le bout de craie et recopia la phrase. Elle fit une petite révérence – le maître avait été dans cette même classe deux ans plus tôt ! – et retourna à sa place. Silencieux, les élèves écoutaient les cris qui provenaient d'une salle du bâtiment voisin. Les enfants espéraient tous être appelés au tableau pour pouvoir montrer ce dont ils étaient capables. Le problème, c'est qu'ils manquaient de craie. Le professeur avait un morceau, plus deux bâtons entiers, qu'il gardait dans sa poche, parce que les placards de l'école étaient régulièrement fracturés, même s'ils étaient plus ou moins vides. Il était hors question d'interroger tous les élèves un à un.

Le tumulte que déplaçaient Mr Phiri et Mr Mandizi résonna juste devant leur salle de classe – oh ! ils revenaient ? au moins, il y avait une belle phrase écrite au tableau – non, ils passaient à grands pas. Les enfants se précipitèrent aux fenêtres pour voir partir le camarade inspecteur. Deux dos disparurent en direction de la maison du prêtre. Derrière eux s'en profilait un troisième, la soutane noire et poussiéreuse du père McGuire, qui agitait la main et leur criait de s'arrêter.

En silence, les enfants revinrent s'asseoir à leurs tables. Il était près de midi, l'heure de la pause déjeuner. Ceux qui n'apportaient pas de casse-croûte s'asseyaient pour regarder leurs camarades grignoter une portion de semoule de maïs froide ou un morceau de citrouille.

— Après la pause, cours d'éducation physique, annonça le maître d'école.

Concert de cris de plaisir. Tous adoraient ces exercices qui avaient lieu dans les espaces poudreux entre les bâtiments. Pas d'équipement sportif, pas de barres, ni de cheval d'arçons, ni de cordes à nœuds, ni de tapis sur lesquels s'étendre. Les maîtres s'en chargeaient à tour de rôle.

Les deux hommes se ruèrent dans la maison du prêtre, ce dernier juste sur leurs talons.

— Je ne vous ai pas vu à l'école, observa Mr Phiri.

— Je ne pense pas que vous ayez inspecté la troisième rangée de classes. C'est là où j'étais.

— J'apprends que vous enseignez à nos élèves. Comment cela se fait-il ?

— Je donne des cours de rattrapage.

— Je ne savais pas qu'il existait des cours de rattrapage.

— Je m'occupe d'enfants qui ont trois ou quatre ans de retard par rapport à leur niveau normal, à cause du piètre état de leur école. J'appelle ça du rattrapage. Et c'est bénévole. Il n'y a pas de salaire joint. Je ne coûte rien au gouvernement.

— Et ces religieuses que j'ai vues ! Pourquoi ne font-elles pas la classe ?

— Elles n'ont aucune qualification professionnelle, pas même pour cet établissement...

Mr Phiri eût aimé jeter feu et flammes – peut-être taper sur quelque chose ou sur quelqu'un –, mais il sentait sa tête enfler et lui élancer ; le médecin lui avait recommandé de ne pas s'énerver. Il regarda le déjeuner disposé sur la table : des tranches de viande froide et quelques tomates. Un pain frais dégageait une odeur délicieuse. Il pensa à la *sadza*. Voilà ce qu'il lui fallait ! Si seulement il avait le poids et la chaleur réconfortante d'une bonne assiettée de *sadza* pour caler son mauvais estomac qui bouillonnait sous l'effet d'une centaine d'émotions...

— Peut-être aimeriez partager notre humble repas ? proposa le père.

Rebecca entra avec un plat de pommes de terre bouillies.

— As-tu de la *sadza* de prête ?

— Non, monsieur, je ne savais pas que vous étiez attendu à déjeuner.

Le père McGuire intervint aussitôt :

— Malheureusement, ainsi que nous le savons tous, une bonne *sadza* demande une demi-heure de préparation, et nous ne vous voudrions pas vous insulter en vous servant de la *sadza* de médiocre qualité. Mais du bœuf, peut-être ? Je suis au regret de vous dire qu'il ne manque pas de bœuf dans le coin, avec ces pauvres bêtes qui meurent de la sécheresse...

L'estomac de Mr Phiri, qui s'était détendu dans l'espoir de sa semoule de maïs, se noua de plus belle.

— Allez voir si ma voiture est réparée, cria-t-il à Mr Mandizi.

Mr Mandizi lorgnait le pain et jeta un regard de protestation à son chef. Il avait droit à son repas ; il ne bougea pas.

— ... et revenez me dire si elle n'est pas prête. Je peux toujours retourner à votre bureau avec vous.

— Le mécanicien doit avoir déjà fini, il a eu trois bonnes heures ! répliqua Mr Mandizi.

— Comment se fait-il que vous osiez me défier, monsieur Mandizi ? Suis-je votre supérieur ou non ? Et cela venant après l'incompétence dont j'ai été témoin aujourd'hui. Vous êtes censé garder un œil sur les écoles locales et nous signaler les dysfonctionnements.

Il criait, mais sa voix était faible et tendue. Il était prêt à fondre en larmes d'impuissance, de rage et de honte devant ce qu'il avait vu ce jour-là. Le père McGuire vint juste à temps à sa rescousse, grâce à la même impulsion qui avait poussé plus tôt Mr Phiri à détourner les yeux des larmes de Pyne sur ses veaux.

— Allez, je vous en prie, asseyez-vous, monsieur Phiri. Je suis si heureux de vous avoir chez moi, parce que je suis un vieil ami de votre père... le saviez-vous ?... Il a été mon élève... oui, cette chaise-là, et Mr Mandizi...

— Il va faire ce qu'on lui dit, aller se renseigner sur ma voiture.

Sans un regard pour Mr Phiri, Rebecca s'approcha de la table, coupa deux grosses tranches de pain, mit de la viande au milieu et proposa le tout à Mr Mandizi, avec une petite révérence, qui était loin d'être ironique.

— Vous n'êtes pas bien, lui dit-elle. Oui, je vois que vous n'êtes pas bien.

Il ne répondit pas, mais resta planté, son sandwich à la main.

— Et qu'est-ce que vous avez, monsieur Mandizi ? s'enquit Mr Phiri.

Sans répondre, Mr Mandizi sortit sur la véranda, où Sylvia le croisa en remontant de l'hôpital.

Elle lui posa la main sur le bras et lui parla à voix basse, avec des accents persuasifs.

De l'intérieur de la pièce, les trois autres l'entendirent répondre :

— Oui, je suis malade, et ma femme aussi est malade.

Sylvia, un bras autour des épaules de Mr Mandizi – il avait perdu tant de poids que ce n'était pas difficile –, l'accompagna jusqu'à la voiture.

Le père McGuire n'arrêtait pas de parler, en poussant vers son invité le plat de viande, les pommes de terre, les tomates.

— Oui, vous devez remplir votre assiette, vous devez avoir faim. Le petit déjeuner est loin et moi aussi j'ai faim. Votre père, alors... La santé est bonne ? C'était mon élève préféré quand j'enseignais à Guti. Quel petit garçon intelligent c'était !

Mr Phiri se ressaisissait, les yeux clos. Quand il les rouvrit, une femme brune et menue était assise en face de lui. Était-elle de couleur ? Non, c'était le coloris que prenait la peau des Blancs quand ils s'exposaient trop au soleil. Ah, oui ! c'était la femme qui était tout à l'heure avec Mr Mandizi. Elle souriait à Rebecca. Ce sourire était-il un commentaire sur lui ? La rage, qui l'avait quitté sous l'effet de ce régal de rôti froid et de pommes de terres, le reprit.

— Êtes-vous celle dont on me dit qu'elle a pris notre matériel scolaire pour ses leçons ? ses prétendues leçons ?

Sylvia regarda le père, qui lui enjoignit, d'un mouvement des lèvres, de ne pas répondre.

— Le Dr Lennox a acheté des cahiers et un atlas sur ses propres deniers, vous n'avez rien à voir là-dedans.

Et maintenant si vous me donniez des nouvelles de votre mère... Elle a été ma cuisinière un temps, et je peux vous dire bien sincèrement que je vous envie d'avoir un tel cordon-bleu pour mère...

— Et qu'est-ce que c'est que ces leçons que vous donnez à nos élèves ? Êtes-vous enseignante ? Vous avez un certificat d'aptitude au professorat ? Vous êtes médecin, pas enseignante.

Une fois encore, le père McGuire empêcha Sylvia de répondre.

— Oui, c'est notre bon docteur. Elle est médecin et pas enseignante, mais on n'a pas besoin de certificat d'aptitude pour faire la lecture aux enfants ou pour leur apprendre à lire.

— O.K., concéda Mr Phiri.

Il mangeait avec la rapidité et la nervosité de celui qui se sert de la nourriture comme d'un calmant. Il tira le pain à lui et se coupa une énorme tartine. Pas de *sadza*. Mais une quantité suffisante de pain avait le même effet.

Brusquement, Rebecca se mêla à la conversation :

— Le camarade inspecteur désire peut-être descendre voir comment notre peuple apprécie les efforts du Dr Sylvia, comment elle nous aide...

Le père McGuire parvint à dominer sa vive irritation.

— Oui, oui, dit-il. Oui, oui, oui. Mais par une journée torride comme celle-ci, je suis sûr que Mr Phiri préfèrerait rester ici avec nous, au frais, et prendre une bonne tasse de thé fort. Rebecca, s'il te plaît, fais du thé pour l'inspecteur. (Rebecca sortit. Sylvia s'apprêtait à entreprendre Mr Phiri sur l'absence de cahiers et de manuels scolaires, et le prêtre qui le savait la devança :) Sylvia, je suis certain que l'inspecteur aimerait entendre parler de la bibliothèque que vous avez ouverte au village.

— Oui, acquiesça Sylvia. Nous avons déjà une centaine d'ouvrages.

— Et m'est-il permis de demander qui les a payés ?

— C'est le Dr Lennox qui a eu l'extrême gentillesse de les payer.

— En effet. Alors nous devons en être reconnaissants au docteur, je suppose.

Il soupira, puis murmura « O.K. ». Et c'était comme un nouveau soupir.

— Sylvia, vous n'avez rien mangé.

— Je crois que je prendrai juste une tasse de thé.

Rebecca entra avec le plateau à thé, disposa les soucoupes et les tasses, le tout avec des gestes délibérément très lents, et arrangea la petite émouchette avec sa bordure de perles bleues sur le pot à lait, puis poussa la grosse théière vers Sylvia. En temps normal, c'était Rebecca qui servait le thé. Mais elle retourna à la cuisine. L'inspecteur fronça le sourcil dans son dos, conscient qu'il y avait là une insolence, mais sans parvenir à mettre le doigt dessus.

C'est donc Sylvia qui se chargea de servir, sans lever une seule fois les yeux de ce que faisaient ses mains. Elle posa une tasse devant l'inspecteur, poussa le sucrier de son côté et resta assise, à rouler son pain en petits tas de miettes. Un silence. Dans la cuisine, Rebecca fredonnait un des chants de la guerre de libération, censé contrarier Mr Phiri, mais il n'avait pas l'air d'entendre.

Par bonheur, à ce moment-là, le bruit d'une voiture retentit. Puis celle-ci s'était arrêtée, soulevant des nuages de poussière à la ronde. Le mécanicien en descendit avec son élégante combinaison bleue. Mr Phiri se leva.

— Je vois que ma voiture est prête, dit-il vaguement, comme quelqu'un qui aurait perdu quelque chose, mais sans savoir quoi ni où.

Mr Phiri avait l'impression de s'être conduit de manière inconvenante, mais ce n'était pas possible, puisqu'il était dans le vrai sur tout.

— J'espère vraiment que vous direz à vos parents que nous nous sommes rencontrés et que je prie pour eux.

— Je n'y manquerai pas quand je les verrai. Ils vivent dans la brousse, plus loin que le Growth Point de Pambili. Ils sont âgés maintenant.

Il sortit à son tour sur la véranda. Les hibiscus étaient entièrement couverts de papillons. Un touraco lançait son cri, à un kilomètre de là. L'inspecteur se dirigea vers sa voiture, monta à l'arrière. Le véhicule s'éloigna dans des flots de poussière.

Rebecca entra et, chose inhabituelle pour elle, s'assit à table avec eux. Sylvia lui servit du thé. Personne ne souffla mot pendant un moment. À la fin, Sylvia prit la parole :

— J'entendais brailler cet imbécile de l'hôpital. Si j'ai jamais vu un candidat à la congestion cérébrale, c'est bien le camarade inspecteur...

— Oui, oui, dit le père.

— C'est scandaleux, reprit Sylvia. Ces enfants, ils rêvent de l'inspecteur depuis des semaines. L'inspecteur fera ceci, fera cela, il nous donnera des livres...

— Sylvia, la coupa le père McGuire, il ne s'est rien passé.

— Quoi ? Comment pouvez-vous dire... ?

— Une honte, c'est une honte, renchérit Rebecca.

— Comment pouvez-vous être si raisonnable sur cette question, Kevin ? (Sylvia n'appelait pas souvent le prêtre par son prénom.) C'est un crime. Cet homme est un criminel.

— Oui, oui, oui, murmura le père, qui observa un assez long silence, avant de reprendre : N'avez-vous jamais songé que c'est là la morale de notre Histoire ?

Les puissants ôtent le pain de la bouche des *povos*... Les *povos*, eux, se contentent de se débrouiller.

— Et les pauvres sont toujours de notre côté ? lança Sylvia, sarcastique.

— Avez-vous observé une différence ?

— Et il n'y a rien à faire et tout continuera comme avant ?

— Probablement, répondit le père McGuire. Ce qui m'intéresse, c'est votre façon de voir les choses. Vous êtes toujours surprise face à l'injustice. Or il en est toujours ainsi.

— Mais on leur a promis tant de choses ! À la libération, on leur a promis... enfin, tout !

— Alors les politiciens font des promesses et ne les tiennent pas.

— J'ai cru à tout ça, déclara Rebecca. J'ai été une vraie idiote de crier et d'applaudir à l'indépendance, je pensais qu'ils étaient sérieux...

— Bien sûr qu'ils étaient sérieux ! s'exclama le prêtre.

— D'après moi, tous nos dirigeants ont mal tourné parce que nous sommes maudits.

— Ah ! que Dieu nous garde ! dit le prêtre, élevant la voix à la fin. Je ne resterai pas assis à écouter de telles bêtises.

Mais il ne se leva pas de table.

— Si, insista Rebecca. C'était la guerre. C'est parce que nous n'avons pas enterré les morts de la guerre. Saviez-vous qu'il y a des squelettes là-bas, dans les grottes des montagnes ? Vous le saviez ? C'est Aaron qui me l'a dit. Et vous savez que si nous n'enterrons pas nos morts selon la coutume, alors ils reviendront nous maudire...

— Rebecca, tu es une des femmes les plus intelligentes que je connaisse et...

— Et maintenant il y a le sida. Ça aussi, c'est un mauvais sort. Qu'est-ce que ça peut être d'autre ?

— C'est un virus, Rebecca, pas le mauvais sort, la corrigea Sylvia.

— J'ai eu six enfants, maintenant j'en ai trois et bientôt je n'en aurai plus que deux. Et tous les jours il y a une nouvelle tombe au cimetière.

— As-tu déjà entendu parler de la peste noire ?

— Comment en aurais-je entendu parler ? Je ne suis pas allée plus loin que l'école primaire.

Ce qui signifiait qu'elle en avait entendu parler, qu'elle en savait plus qu'elle ne voulait le laisser entendre et souhaitait en apprendre davantage.

— Il y a eu une épidémie en Asie, en Europe et en Afrique du Nord, expliqua Sylvia. Un tiers de la population a péri.

— Les rats et les puces, ajouta le prêtre. C'est eux qui ont apporté le mal.

— Et qui a dit aux rats où aller ?

— Rebecca, c'était une épidémie. Comme le sida, comme Slim...

— Dieu est en colère contre nous, s'entêta Rebecca.

— Que Dieu nous préserve tous, soupira le prêtre. Je suis trop vieux, je rentre en Irlande, je rentre chez moi...

Il était acariâtre, comme un vieil homme, en réalité. Et il n'avait pas bonne mine non plus. Dans son cas, au moins, ce ne pouvait pas être le sida. Récemment, il avait eu une nouvelle crise de paludisme. Il était épuisé.

Sylvia fondit en larmes.

— Je vais m'étendre quelques minutes, dit le père. Je sais bien que ce n'est pas la peine de vous conseiller de m'imiter.

Rebecca s'avança vers Sylvia, la souleva de sa chaise et toutes les deux se dirigèrent ensemble vers la chambre de Sylvia. Rebecca laissa la jeune femme s'affaler sur son lit, où celle-ci resta allongée, une main sur les yeux. Rebecca s'agenouilla près d'elle et glissa un bras sous sa tête.

— Pauvre Sylvia, murmura Rebecca.

Elle fredonna une chanson d'enfants, une berceuse. La tunique de Rebecca avait des manches amples. Entre ses doigts, Sylvia avait juste sous les yeux son bras noir décharné et, sur ce bras, une plaie du type de celles qu'elle ne connaissait que trop bien. Le matin même, elle les avait pansées sur une patiente d'en bas, à l'hôpital. La petite fille en pleurs qu'avait été Sylvia jusqu'à cet instant disparut : le médecin reprit sa place. Rebecca avait le sida. Maintenant que Sylvia le savait, c'était évident et, sans se l'avouer, elle le savait déjà depuis longtemps. Rebecca avait le sida et Sylvia n'y pouvait rien. Elle ferma les yeux, feignant de sombrer dans le sommeil. Elle sentit Rebecca dégager doucement son bras et sortir de la pièce.

Étendue à plat sur le dos, Sylvia écoutait le toit métallique craquer sous l'effet de la chaleur. Elle contempla le crucifix où était cloué le Rédempteur. Elle contempla les différentes Vierges dans leurs robes bleues, détacha un chapelet de verre de son crochet près du lit et le laissa couler entre ses doigts : les perles de verre étaient chaudes comme la chair humaine. Elle le raccrocha.

En face d'elle, les madones de Leonard de Vinci occupaient la moitié du mur. Les mites avaient attaqué leurs beaux visages, les bords de la reproduction ressemblaient à de la dentelle, les membres potelés des enfants étaient marbrés.

Sylvia s'arracha de son lit et descendit au village, où l'attendaient beaucoup de gens déçus.

« Petite-fille d'une nazie notoire, fille d'un communiste de carrière, Sylvia Lennox se cache dans la campagne zimlienne, où elle possède un hôpital privé, équipé avec du matériel volé à l'hôpital public local. »

Le problème, c'est que ce pays ignorant n'était pas encore au courant que le communisme était politiquement incorrect. Et puis le mot nazi n'y suscitait pas les mêmes réactions qu'à Londres. Ici, beaucoup de gens aimaient les nazis. Deux épithètes seulement étaient susceptibles de provoquer une réaction garantie : la première était « raciste », la deuxième « agent sud-africain ».

Rose savait que Sylvia n'était pas raciste, mais, comme elle était blanche, les trois quarts des Noirs seraient prêts à jurer qu'elle l'était. Cependant, il suffisait d'une seule lettre d'un Noir au *Post* affirmant que Sylvia était une amie des Noirs... Non, mais « espionne » ? C'était délicat aussi. Pendant cette période, juste avant l'effondrement de l'apartheid, l'espionnite avait déferlé chez les voisins de l'Afrique du Sud. Tous ceux qui étaient nés en Afrique du Sud ou y avaient vécu, ceux qui étaient allés récemment là-bas en vacances, ceux qui y avaient de la famille, tous ceux qui critiquaient la Zimlie pour une raison ou une autre ou qui suggéraient que la situation pourrait être meilleure, les gens qui « sabotaient » une entreprise ou un commerce en perdant ou en endommageant du matériel, par exemple une boîte d'enveloppes ou une demi-douzaine de vis, la moindre personne qui était devenue l'objet d'une désapprobation même anodine, pouvait être – et l'était en général – cataloguée comme un agent de l'Afrique du Sud, laquelle, bien entendu, tentait tout son possible pour déstabiliser ses voisins. Dans un tel contexte, il était donc facile pour Rose de se persuader que Sylvia était une espionne sud-africaine. Mais, à une époque où tant d'autres l'étaient, ce n'était pas suffisant.

À ce moment-là, la chance sourit à Rose. Un coup de téléphone des bureaux de Franklin l'invita à une réception donnée en l'honneur de l'ambassade de Chine, où le Leader serait présent. Au *Butler's Hotel*, le meilleur établissement. Rose enfila une robe et s'y rendit de bonne heure. Au bout de quelques semaines à peine, si elle allait à une soirée en l'honneur de ce qu'elle appelait intérieurement la « clique alternative », elle les connaissait déjà tous, au moins de vue. Journalistes, directeurs de rédaction, les écrivains, les universitaires, les expatriés, les ONG... Un monde mélangé, retors, qualité dont elle se méfiait, étant donné qu'elle s'imaginait toujours qu'on se moquait d'elle, et qui était encore proportionnellement plus blanc que noir. Ils étaient anticonformistes, irrévérencieux, travailleurs, et la plupart d'entre eux croyaient encore dans l'avenir de la Zimlie, même si certains étaient aigris et avaient perdu la foi. L'autre bande, celle qu'elle devait côtoyer ce soir-là, était celle avec qui elle se sentait à l'aise : chefs d'État et patrons, dirigeants et ministres, ceux qui détenaient le pouvoir et étaient en majorité noirs plutôt que blancs.

Postée dans un coin du grand salon, dont le style général et l'élégance l'apaisaient, l'assurant qu'elle se trouvait au bon endroit, Rose guettait l'entrée de Franklin. Elle veillait à ne pas trop boire. C'était trop tôt. Elle se rattraperait plus tard. Le salon se remplissait, puis il fut bondé. Toujours pas de Franklin. Elle était à côté d'un individu dont la tête lui était familière grâce au *Post*. Elle n'allait quand même pas dire qu'elle était une journaliste londonienne, une engeance si honnie de ce gouvernement.

— Camarade ministre, lança-t-elle, c'est un honneur de découvrir votre magnifique pays. Je suis en visite ici.

— O.K., répondit-il, ravi, mais certainement pas prêt à perdre son temps avec cette Blanche peu attrayante, qui était sans doute l'épouse d'un autre.

— Est-ce que je me trompe ou vous êtes le ministre de l'Éducation ? demanda Rose, sachant que ce n'était pas lui.

— Non, répondit-il, aimable mais indifférent. Pour être précis, le sous-secrétaire d'État à la santé. Oui, j'ai cet honneur.

Il tendait le cou au-dessus des têtes qui se dressaient devant lui ; il souhaitait attirer l'attention du Leader au moment de son entrée, lequel Leader, alors qu'il était connu dans le monde entier pour être un homme du peuple, réservait à ses ministres peu de chances de le voir. Il apparaissait aux rares réunions de son gouvernement, donnait à connaître ses vues et repartait. Pas très liant, le camarade Leader. Depuis quelque temps, le sous-secrétaire recherchait une occasion d'aborder certains sujets avec le Grand Chef, espérait même quelques mots ce soir-là. En outre, il était secrètement amoureux de la fascinante Gloria. Qui ne l'était pas ? Cette grande femme sexy, pétillante, exubérante, au minois qui était déjà en soi une invite... où était-elle donc ? Mais où étaient-ils, le camarade Président et la Mère de la nation ?

— Je me demande si vous avez entendu parler d'un hôpital de Kwadere ? disait ou plutôt répétait Rose, car il ne l'avait pas entendue la première fois.

Maintenant, c'était vraiment une faute de goût. D'abord, à son niveau, il n'était pas tenu de connaître les hôpitaux privés, et puis c'était une soirée officielle, ce n'était ni l'heure ni le lieu. Mais, justement, il connaissait Kwadere. Les dossiers avaient atterri sur son bureau le jour même : trois hôpitaux commencés mais inachevés, parce que les fonds avaient été, pour le dire tout cru, détournés. (Nul plus que lui ne pouvait regretter que de telles choses arrivent, mais enfin, il fallait s'attendre à des erreurs !) Pour deux de ces établissements, des donateurs irrités et déjà cyniques avaient présenté un plan selon lequel, si eux, les bienfaiteurs d'origine, réunissaient la moitié des fonds nécessaires, le gouvernement devrait alors faire une offre équivalente. Sinon dommage, pas question, adieu les hôpitaux ! À Kwadere, le donateur de départ avait dépêché une délégation à l'hôpital abandonné, puis s'était rétracté : il ne proposait plus aucun financement. L'ennui, c'est que cet hôpital était cruellement nécessaire. Le gouvernement n'avait tout simplement pas l'argent. Il y avait bien un embryon d'hôpital, à la mission Saint-Luc, avec un médecin, mais un rapport d'enquête n'avait guère été encourageant. Le fait est que cet hôpital, si pauvre, si arriéré, était gênant : la Zimlie attendait mieux. Et puis il y avait eu un autre rapport, émanant des services de la Sécurité, qui disait que le nom du médecin figurait sur une liste de possibles agents sud-africains. Son père, un communiste connu, était comme cul et chemise avec les Russes. Or la Zimlie n'aimait pas les Russes, qui avaient tourné le dos au camarade Matthew quand il combattait, ou plutôt quand ses troupes combattaient dans la brousse. C'étaient les Chinois qui avaient soutenu le camarade Matthew. Et voici l'ambassadeur de Chine à présent, accompagnée de son épouse, un petit bout de femme. Tous deux souriaient et serraient des mains. Il lui fallait vite s'avancer à présent, parce que le Leader ne pouvait être que là où était l'ambassadeur de Chine.

— Je vous prie de m'excuser, dit-il à Rose.

— Me permettez-vous de venir vous voir... à vos bureaux, peut-être ?

— Et pour quelle raison, si je peux me permettre de vous poser la question ? répondit-il, assez grossièrement.

Rose improvisa :

— Le médecin de l'hôpital de Kwadere est... Bon, c'est une cousine à moi et j'ai appris...

— Ce que vous avez appris est exact. Votre cousine devrait être plus prudente dans ses fréquentations. Je tiens de source sûre qu'elle travaille pour... Enfin, peu importe qui !

— Et... je vous en prie, un instant encore. Qu'est-ce que c'est que cette histoire de vol de matériel à laquelle elle serait mêlée ?

Il n'était au courant de rien et en voulait à ses conseillers de cet état de fait. Toute cette affaire était agaçante et il ne voulait pas y penser. Il ne savait pas comment résoudre le problème de l'hôpital de Kwadere.

— Qu'est-ce que c'est ? répéta-t-il, se retournant vers elle, au moment de se faufiler dans la foule. Si c'est vrai, alors elle sera punie, je peux vous l'assurer, et je suis désolé d'apprendre que c'est une parente à vous.

Le sous-secrétaire d'État se dirigea vers le coin du salon où la charmante Gloria était apparue en mousseline de soie écarlate et parure de diamants. Mais où était le Leader ? Il s'avéra qu'il n'était pas venu. C'était sa femme qui faisait les honneurs de la soirée.

Rose partit discrètement et se réfugia dans un bar qui fourmillait toujours de ragots et d'informations. Là, elle rédigea son papier sur la soirée officielle, l'absence du Leader, la mousseline de soie rouge et les diamants de la Mère de la Nation et les remarques du sous-secrétaire d'État sur l'hôpital de Kwadere. Il y avait là un haut fonctionnaire nigérian, une femme, de passage à Senga pour la conférence sur la Richesse des nations. Interrogée sur l'espionne de Kwadere, cette femme déclara qu'elle n'entendait parler que d'espions et d'espionnes depuis son arrivée en Zimlie et, d'après son expérience dans son propre pays, les espions et les guerres étaient bien utiles quand la situation économique n'était pas saine. Ses propos suscitèrent un débat animé, auquel ne tardèrent pas à prendre part tous les clients. Un homme, un journaliste, avait été arrêté comme espion, mais relâché. D'autres connaissaient des gens qui étaient soupçonnés d'être des agents et... Rose comprit qu'ils allaient désormais parler d'agents sud-africains toute la soirée et s'éclipsa pour aller dans un petit restaurant au coin de la rue. Deux individus, qui l'avaient suivie depuis le bar sans qu'elle s'en aperçût, lui demandèrent si cela l'ennuyait de partager sa table avec eux : l'établissement était comble. Rose était affamée, un peu pompette, et elle n'avait rien contre les deux hommes, qu'elle trouvait imposants d'une manière indéfinissable. Au premier coup d'œil, n'importe quel Zimlien eût sans doute vu que c'était la police secrète, mais, pour recourir à cette formule si utile, l'invasion de la Grande-Bretagne remontait à si longtemps que ses citoyens avaient une certaine candeur. Ce soir-là, Rose croyait vraiment être en beauté. Dans les trois quarts des pays du monde, c'est-à-dire ceux dotés de services secrets actifs, il eût été immédiatement évident qu'avec ce genre de personnes, il fallait savoir tenir sa langue. De leur côté, ils voulaient se renseigner sur elle. Pourquoi avait-elle quitté le bar si précipitamment, alors qu'on commençait à parler d'espions ?

— Je me demande si vous connaissez l'hôpital de la mission de Kwadere ? jacassa-t-elle. J'ai une cousine qui y travaille, un médecin. Je viens de parler au sous-secrétaire d'État à la Santé et il m'a dit qu'il la soupçonnait d'être une espionne.

Les deux autres échangèrent un regard. Ils connaissaient le médecin de Kwadere, pour la simple raison qu'ils avaient son nom sur leur liste. Ils n'avaient pas pris l'affaire particulièrement au sérieux. D'abord, quel mal pouvait-elle faire, coincée là-bas, en pleine cambrousse ? Mais si le sous-secrétaire d'État en personne...

Il n'y avait pas longtemps que ces deux-là étaient dans les services secrets. On leur avait trouvé une place parce que c'étaient des parents du ministre. Ils n'étaient pas de la période d'avant l'indépendance.

La plupart des nouveaux États, même après avoir complètement changé de régime, gardent les services secrets du gouvernement précédent, en partie parce qu'ils sont impressionnés par le choix et l'étendue des connaissances de ces gens qui les espionnaient encore récemment, en partie aussi parce que pas mal d'entre eux ont des secrets qu'ils ne souhaitent pas voir divulguer. Ces hommes devaient encore se faire un nom et avaient besoin d'impressionner leurs supérieurs.

— La Zimlie a-t-elle déjà eu à expulser un individu pour ses activités d'agent ?

— Ah, oui ! plusieurs fois.

Ce n'était pas vrai, mais cela leur donnait un sentiment d'importance d'appartenir à un service si strict et si compétent.

— Oh ! vraiment ? s'écria Rose avec excitation, flairant la matière d'un papier.

— Il y en a un qui s'appelait Matabele Smith. (Son comparse rectifia :) Matabele Bosman Smith.

Un soir, dans le bar que Rose venait de quitter, quelques journalistes avaient plaisanté sur les rumeurs d'agents secrets et avaient inventé un espion dont le nom incarnait le plus de traits déplaisants possibles – aux yeux de l'actuel gouvernement. (Ils avaient opposé leur veto à Whitesmith, par analogie avec Blacksmith[1].) Ce personnage fictif, un Sud-Africain qui séjournait fréquemment en Zimlie pour affaires, aurait tenté de faire sauter les mines de charbon de Hwange, la résidence du gouverneur, le nouveau stade et l'aéroport. Il avait amusé la clientèle du bar quelques soirs, mais celle-ci s'en était vite désintéressée. Entre-temps, il avait atterri dans les dossiers de la police. Dans le bar, le nom de Matabele Bosman Smith était devenu une abréviation pour désigner l'espionnite ambiante et les agents qui fréquentaient ce

1. En anglais, équivalent du doublet Leblanc/Lenoir.

lieu l'entendaient prononcer sans jamais pouvoir réellement en savoir plus.

— Et vous l'avez expulsé ? s'enquit Rose.

Les deux hommes gardèrent le silence, échangèrent un nouveau regard, puis l'un répondit :

— Oui, nous l'avons expulsé.

Et l'autre d'ajouter :

— Nous l'avons rapatrié en Afrique du Sud.

Le lendemain, Rose concluait son paragraphe sur Sylvia par cette indication :

« Sylvia Lennox est connue pour avoir été une amie intime de Matabele Bosman Smith, qui fut banni par les autorités zimliennes au titre d'agent sud-africain. »

L'agressivité et le ton général de cet article étaient parfaits pour les feuilles qu'elle aimait prendre pour réceptacle de ses inspirations en Grande-Bretagne, mais elle décida de le montrer à Bill Case, puis à Frank Diddy. Les deux hommes connaissaient l'origine du fameux banni, mais se gardèrent de rien lui dire. Ils ne l'aimaient pas. Elle était devenue indésirable depuis longtemps. Au reste, l'idée d'injecter une nouvelle vie à ce Smith mythique, de quoi égayer une soirée ou deux des habitués du bar, leur plaisait bien.

Le papier parut dans *The Post*, où il y avait peu de chances pour qu'on remarquât un entrefilet incendiaire parmi tant d'autres. Mais elle l'envoya au *World Scandals*, et il parvint jusqu'à Colin, en vertu de la règle selon laquelle, si l'on imprimait quoi que ce soit de désagréable sur quelqu'un, alors le texte incriminé devait lui être communiqué par un sympathisant. Immédiatement, Colin entama une action contre le journal pour obtenir un gros dédommagement et des excuses, mais comme cela se passe avec ce genre de périodiques, le rectificatif fut publié en caractères minuscules, à un endroit où peu de lecteurs étaient susceptibles de le voir. Julia était de nouveau stigmatisée comme nazie ; l'insinuation que Sylvia était une espionne semblait à Colin trop grotesque pour l'inquiéter.

Le père McGuire lut l'entrefilet dans *The Post*, mais ne le montra pas à Sylvia. Il atterrit sur le bureau de Mr Mandizi, qui le rangea dans le dossier sur la mission Saint-Luc.

Il se passa alors un événement que Sylvia avait redouté durant toutes les années qu'elle avait passées à la mission. Une jeune fille qui souffrait d'une appendicite aiguë lui fut amenée du village par Clever et Zebedee. Le père McGuire avait pris la voiture pour se rendre à l'ancienne mission. Sylvia ne réussit pas à joindre les Pyne ; leur téléphone ou celui de la mission était coupé. La jeune fille avait besoin d'un intervention immédiate. Sylvia avait souvent imaginé ce cas d'urgence, ou quelque chose d'approchant, et avait décidé qu'elle n'opèrerait pas. Elle en était incapable. Des interventions simples – et réussies –, oui, elle pourrait toujours s'en tirer. Mais un accident mortel, non, on lui tomberait aussitôt dessus.

Les deux adolescents, avec leurs chemises blanches et raides (repassées pour eux par Rebecca), leurs cheveux impeccablement coiffés et leurs mains lavées à la brosse, s'agenouillèrent de part et d'autre de la petite patiente, à l'intérieur de la cabane couverte de chaume baptisée salle d'hôpital, et la regardèrent, les yeux remplis de larmes qu'ils ne pouvaient retenir.

— Elle est brûlante, Sylvia, dit Zebedee. Touche-la.

— Pourquoi n'est-elle pas arrivée plus tôt ? s'écria Sylvia. Si nous avions pris les choses en main hier seulement... Pourquoi n'est-elle pas venue ? Cela se produit sans arrêt. (Elle avait la voix rauque et tendue, c'était la peur.) Vous comprenez à quel point c'est sérieux ?

— Nous lui avons dit de venir, nous le lui avons dit et redit.

Ce ne serait pas leur faute si la jeune fille décédait, mais si elle, le Dr Sylvia, opérait et que la jeune fille meure, alors on jugerait que ce serait sa faute. Les deux jeunes visages, baignés de larmes, la suppliaient. S'il te plaît, s'il te plaît. La jeune fille était une cousine, et aussi une parente de Joshua.

— Vous savez bien que je ne suis pas chirurgien. Je te l'ai dit, Clever, tu sais ce que ça signifie.

— Mais tu dois essayer, insista Clever. Oui, Sylvia, s'il te plaît, s'il te plaît...

La petite patiente remonta ses genoux sur son ventre et gémit.

— Très bien, procurez-moi nos couteaux les plus pointus. Et de l'eau chaude. (Elle se pencha pour approcher sa bouche de l'oreille de la jeune fille.) Prie, souffla-t-elle, prie la sainte Vierge.

Elle savait que la petite était catholique ; elle l'avait vue à la chapelle. Son système immunitaire allait avoir besoin de toute l'aide possible.

Les adolescents apportèrent les instruments. La jeune fille n'était pas sur la « table d'opération », parce qu'on ne devait pas la bouger, mais sous le chaume, proche de la poussière du sol. Les conditions pour une intervention n'eussent pas pu être pires.

Sylvia recommanda à Clever de tenir le chiffon qu'elle avait trempé dans le chloroforme (économisé pour une urgence) aussi loin que possible de sa figure, qu'il devait tourner de côté. Puis elle ordonna à Zebedee de lever la cuvette avec les instruments aussi haut que possible et se mit à l'œuvre dès que cessèrent les gémissements de la petite. Elle ne tenta pas la chirurgie endoscopique, qu'elle avait pourtant décrite aux garçons.

— Je vais pratiquer une incision à l'ancienne mode, leur dit-elle. Mais quand vous ferez vos études, ce type de grande incision sera devenu obsolète, je pense. Personne n'en pratiquera plus.

Dès l'incision terminée, Sylvia sut que c'était trop tard. L'appendice avait éclaté ; du pus et des matières infectes s'étaient répandues dans tout l'abdomen. Elle n'avait plus de pénicilline. Toutefois, elle tamponna et nettoya, puis referma et recousit la longue entaille. À la fin, elle murmura aux garçons :

— Je pense qu'elle va mourir.

Ils pleurèrent bruyamment, Clever la tête sur les genoux, Zebedee la tête enfouie dans le dos de Clever.

— Je vais devoir faire un rapport sur mon acte médical.

— Nous ne te dénoncerons pas, chuchota Clever, nous ne te dénoncerons pas.

Zebedee lui saisit les mains, qui étaient ensanglantées.

— Oh ! Sylvia, oh ! Sylvia... Tu vas avoir des ennuis ?

— Si je ne rédige pas mon rapport et qu'on découvre que vous étiez au courant, vous aurez aussi des ennuis. Je dois faire ce rapport.

Sylvia rabaissa la jupe et le corsage de la petite fille. Elle était morte. Elle avait douze ans.

— Dites au menuisier qu'il nous faut un cercueil vite vite.

Elle remonta à la maison, y trouva le père McGuire qui venait de rentrer et lui raconta ce qui s'était passé.

— Je dois en informer Mr Mandizi.

— Oui, je pense que vous le devez. Je ne me souviens pas vous avoir dit que cela pouvait arriver ?

— Si, vous me l'avez dit.

— Je vais téléphoner à Mr Mandizi et lui demander de se déplacer.

— Le téléphone ne marche pas.

— Je vais envoyer Aaron à vélo.

Sylvia retourna à l'hôpital, aida à mettre la jeune fille en bière, trouva Joshua endormi sous son arbre, lui annonça la mort de sa petite parente. Maintenant, le vieil homme mettait du temps à assimiler les informations ; elle n'avait pas envie d'attendre pour l'écouter la maudire, ce dont il ne se priverait pas – il ne s'en privait jamais, aucune nécromancie n'était nécessaire pour le prédire –, ordonna aux garçons de prévenir le village qu'elle ne viendrait pas cet après-midi, mais qu'eux, Clever et Zebedee, s'occuperaient de la leçon de lecture et corrigeraient leurs exercices d'écriture.

À la maison, le prêtre prenait un thé.

— Ma chère Sylvia, je pense que vous devriez prendre un peu de vacances.

— Et quel effet cela aurait-il ?

— De laisser le temps aux choses de se tasser.

— Croyez-vous que les choses se tasseront ?

Il demeura silencieux.

— Où irai-je, mon père ? Je me sens chez moi ici maintenant. Jusqu'à ce que le nouvel hôpital soit construit, ces pauvres gens ont besoin de moi.

— Voyons ce que Mr Mandizi va nous dire quand il sera là.

À cette époque, Mr Mandizi était un ami. Il y avait belle lurette qu'il ne s'était pas montré grossier et soupçonneux. Mais, ce jour-là, celui qui était en chemin était un fonctionnaire dans l'accomplissement de son devoir.

À son arrivée, il était méconnaissable. C'était bien Mr Mandizi, il répéta son nom, mais il était terriblement malade, en réalité.

— Monsieur Mandizi, vous ne devriez pas être dans votre lit ?

— Non, docteur. Je peux assumer mes fonctions. Dans mon lit, il y a déjà ma femme. Elle est très mal. Nous deux, côte à côte, non merci. Je ne pense pas que cette situation me plairait.

— Avez-vous les résultats des tests de dépistage ?

Il garda le silence, puis soupira.

— Oui, docteur Sylvia, répondit-il enfin. Nous avons les résultats.

Rebecca, qui apportait la viande, les tomates et le pain pour le déjeuner, vit le fonctionnaire.

— Quelle honte ! s'exclama-t-elle, bouleversée. Oh, quelle honte, monsieur Mandizi !

Étant donné que Rebecca avait toujours été maigre et menue, et son visage osseux sous son foulard, il ne s'aperçut pas qu'elle aussi était malade. Il était donc assis là, tel le condamné à la table du banquet, entouré de bien portants.

— Je suis désolée, monsieur Mandizi, reprit Rebecca, qui repartit en pleurs dans sa cuisine.

— Alors vous devez maintenant tout me raconter, docteur Sylvia.

Elle lui raconta.

— Serait-elle morte si vous ne l'aviez pas opérée ?

— Oui.

— Y avait-il une chance de la sauver ?

— Une toute petite chance. Pas une grande. Je n'ai pas de pénicilline, voyez-vous, on est à court et...

Il ébaucha le geste de la main qu'elle connaissait si bien : Ne me critiquez pas pour des choses auxquelles je ne peux rien.

— Il va falloir que j'informe le centre hospitalier.

— Bien sûr.

— Ils vont sans doute demander une autopsie.

— Il leur faudra aller vite. Elle est dans son cercueil. Pourquoi ne leur dites-vous pas que c'est ma faute ? Parce que je ne suis pas chirurgien...

— Est-ce une intervention difficile ?

— Non, une des plus simples.

— Un véritable chirurgien aurait-il eu un résultat différent ?

— Pas très différent, non, pas vraiment.

— Je ne sais pas quoi dire, docteur Sylvia.

Il était visible qu'il brûlait d'en dire plus. Il garda les yeux baissés, les leva vers elle, d'un air dubitatif, puis reporta son regard sur le prêtre. Sylvia comprit que tous deux savaient quelque chose qu'elle ignorait.

— Qu'est-ce qu'il y a ?

— Qui est donc cet ami à vous, Matabele Bosman Smith ?

— Qui ?

Mr Mandizi poussa un nouveau soupir. Son assiette était toujours intacte devant lui, celle de Sylvia aussi. Le père mangeait posément, les sourcils froncés. Mr Mandizi prit son front dans sa main.

— Docteur Sylvia, murmura-t-il, je sais qu'il n'existe pas de *muti* pour ce que j'ai, mais je souffre de maux de tête, de tels maux de tête ! Je ne savais pas qu'il pouvait y en avoir de pareils...

— J'ai quelque chose pour vos maux de tête. Je vous donnerai des comprimés avant que vous partiez.

— Merci, docteur Sylvia. Mais je dois vous annoncer quelque chose... il y a quelque chose... (Il jeta un nouveau coup d'œil au père, qui inclina la tête pour l'encourager.) Les autorités vont fermer votre hôpital.

— Mais la population a besoin de cet hôpital !

— Il y aura bientôt notre nouvel hôpital. (Sylvia s'anima, vit alors que le fonctionnaire se donnait seulement du courage et hocha la tête.) Oui, il y en aura un, j'en suis sûr, affirma Mr Mandizi. Oui, voilà la situation !

— O.K., articula Sylvia.

— O.K., répéta Mr Mandizi derrière elle.

Une semaine après arrivait un bref courrier, tapé à la machine et adressé au père McGuire, mettant ce dernier en demeure de fermer l'hôpital « à dater de ce jour ». Le même matin, un policier débarquait à moto. C'était un jeune Noir, de vingt ans peut-être, ou de vingt et un, mal à l'aise dans l'exercice de ses fonctions. Le père McGuire le pria de s'asseoir et Rebecca leur fit du thé.

— Bon alors ! que puis-je pour toi, mon fils ?

— Je recherche des objets volés.

— Je comprends maintenant. Eh bien ! tu ne trouveras rien sous mon toit...

Rebecca se tenait devant le buffet, sans dire mot. Le policier se tourna vers elle.

— Je vais peut-être t'accompagner à ta maison et jeter moi-même un œil, lui proposa le policier.

— Nous avons vu le nouvel hôpital, rétorqua Rebecca. Il y a des phacochères qui vivent dedans.

— Moi aussi j'ai visité le nouvel hôpital. Oui, des phacochères, ainsi que des babouins, à mon avis. (Il rit, se calma et poussa un soupir.) Mais il y a un hôpital ici, je crois, et j'ai pour ordre de le voir.

— L'hôpital est fermé.

Le père poussa la lettre officielle dans sa direction. Le policier la lut.

— S'il est fermé, alors je ne vois plus de problème, dit-il.

— C'est également mon avis.

— Je pense que je dois débattre de la situation avec Mr Mandizi.

— C'est une bonne idée.

— Mais il n'est pas bien. Mr Mandizi n'est pas bien et je pense que nous aurons bientôt un remplaçant.

Il se leva sans regarder Rebecca, dont il savait qu'il aurait dû perquisitionner l'habitation, et repartit. Sa moto vrombit et crachota à travers la brousse paisible.

Dans l'intervalle, Sylvia était censée fermer son hôpital.

Les lits étaient encore occupés par des patients, et Clever et Zebedee distribuaient des médicaments au compte-gouttes.

— Je vais à Senga voir le camarade ministre Franklin, annonça-t-elle au prêtre. C'était un ami. Il venait chez nous pour les vacances. C'était l'ami de Colin.

— Oh ! Rien de plus fâcheux que quelqu'un qui vous connaissait avant que vous ne soyez camarade ministre...

— Mais je vais essayer quand même.

— Vous viendrait-il peut-être à l'esprit de mettre une jolie robe propre ?

— Oui, oui.

Elle alla dans sa chambre et réapparut avec son tailleur citadin en lin vert.

— Peut-être devriez-vous prendre aussi une chemise de nuit ou votre nécessaire de voyage ?

Elle retourna dans sa chambre et en ressortit avec un sac fourre-tout.

— Dois-je maintenant appeler les Pyne et leur demander s'ils comptent se rendre à Senga ?

Edna Pyne déclara qu'elle serait ravie d'avoir une excuse pour quitter cette maudite ferme et fut là en moins d'une demi-heure. Sylvia sauta sur le siège à côté d'elle, fit au revoir de la main au père McGuire.

— À demain !

Et c'est ainsi que Sylvia partit pour ce qui devait être une absence de plusieurs semaines.

Edna n'arrêta pas de se plaindre tout le long du chemin, puis confia qu'elle avait quelque chose d'affreux à raconter, elle n'aurait pas dû en parler, mais il le fallait. Cedric avait été approché par un de ces escrocs : en échange de sa décision de renoncer à ses fermes « maintenant maintenant », une somme équivalant au tiers de leur valeur serait virée sur son compte bancaire londonien.

Sylvia assimila la nouvelle, puis éclata de rire.

— Exactement. Rire, c'est tout ce que nous pouvons faire. Je répète à Cedric : « Accepte et quittons le pays. » Lui dit qu'il n'est pas question d'accepter un tiers du prix. Il veut tenir bon pour obtenir le montant juste. Il affirme que le barrage seul augmentera la valeur de sa nouvelle ferme de cinquante pour cent. Moi, je ne veux qu'une chose, partir. Ce que je ne peux plus supporter, c'est leur fichue hypocrisie. Ces gens me rendent malade.

Edna jacassa donc pendant tout le trajet jusqu'en ville, où elle déposa Sylvia devant les bureaux du gouvernement.

Lorsque Franklin fut informé que Sylvia Lennox désirait le voir, il fut pris de panique. Même s'il s'était dit qu'elle « ferait peut-être la maligne », il ne s'y attendait pas aussi tôt. En effet, il avait signé l'ordre de fermer l'hôpital la semaine d'avant. Il chercha donc à gagner du temps.

— Dites-lui que je suis en réunion.

Assis derrière son bureau, les mains à plat devant lui, il fixait avec des yeux mornes le mur auquel était accroché le portrait du Leader qui ornait tous les bureaux de Singa.

Quand il repensait à cette demeure où il allait passer ses vacances dans le nord de Londres, il avait le sentiment d'avoir côtoyé un endroit béni, tel un arbre plein d'ombre, qui n'avait aucun rapport avec ce qui avait précédé ou suivi. Ç'avait été son foyer quand il se sentait déraciné, un monde de gentillesse au moment où il en avait ardemment besoin. Quant à la vieille dame, s'il l'avait bien vue entrer et sortir à la manière d'un vieux serpentaire, il l'avait à peine remarquée, cette terrible nazie. Mais il était sûr et certain de ne jamais avoir entendu aucun nazi parler sous ce toit. Et puis il y avait la petite Sylvia, avec ses mèches brillantes et dorées, son visage angélique. Pour ce qui était de Rose Trimble, en pensant à elle, il se surprit à sourire : une vrai petite gredine. Bon, il en avait profité, donc il ne devait pas se plaindre. Et aujourd'hui elle avait pondu ce tissu de méchancetés... Comme lui, elle avait été l'hôte de cette maison, non ? Toutefois, elle y avait habité beaucoup plus longtemps que lui ; ce qu'elle écrivait devait donc être pris au sérieux. Mais ce dont il se souvenait, c'était de l'accueil, des rires, des bons repas et surtout de Frances, une seconde mère. Par la suite, quand c'était chez Johnny qu'il avait logé, alors là c'était différent. L'appartement n'était pas spacieux, rien de comparable à cette grande maison où Colin avait été si gentil, n'empêche qu'il était toujours bourré de gens venus des quatre coins du monde : Américains, Cubains, ressortissants d'autres pays d'Amérique du Sud, d'Afrique... C'était l'« éducation révolutionnaire », l'appartement de Johnny. Il se rappelait au moins deux Noirs (avec de faux noms), originaires de ce pays-ci, qui avaient été formés à la guérilla à Moscou. Et la guérilla avait triomphé et il devait sa position à ce bureau, son titre de ministre, à des hommes comme ceux-là. Bien qu'il les eût guettés à des meetings ou à de grands rassemblements, il ne les avait jamais revus. Ils étaient probablement morts. En ce moment, il se passait quelque chose de déroutant. Il savait ce qu'on racontait sur l'Union soviétique, il n'était pas un de ces innocents qui n'étaient jamais sortis de Zimlie. Le mot de communiste devenait une sorte d'insulte : ailleurs, pas ici, où l'on n'avait qu'à prononcer « marxisme » pour sentir que les ancêtres vous décernaient une bonne note. (Et eux, où étaient-ils dans tout ce chambardement ?) Le plus rigolo, c'est qu'il trouvait que cette maison londonienne avait plus de choses en commun avec la tranquillité et la cordialité des huttes de ses grands-parents au village que tout ce qu'il avait connu depuis. Et pourtant ce tissu de méchancetés se trouvait dans le dossier posé sur son bureau. À chaque instant il nourrissait une rancune grandissante à l'encontre de Sylvia. Pourquoi donc avait-elle commis ces méfaits ? Elle avait volé des marchandises du nouvel hôpital, elle avait réalisé des interventions alors qu'elle n'aurait pas dû et avait tué une patiente. Qu'espérait-elle de lui maintenant ? Enfin ! qu'escomptait-elle ? Son fameux hôpital n'avait jamais eu de véritable existence légale. La mission décide d'ouvrir un hôpital, d'introniser un médecin, or rien dans les dossiers n'attestait une demande ou un accord d'autorisation... Ces Blancs, ils viennent ici, ils font ce qui leur chante, ils n'ont pas changé, toujours ils...

Il envoya chercher des sandwichs pour déjeuner, au cas où Sylvia rôderait quelque part dans le coin en attendant de le coincer, et après l'arrivée de la deuxième requête de Sylvia (« S'il te plaît, Franklin, il faut que je te voie »), griffonnée sur une enveloppe – pour qui se prenait-elle pour le traiter ainsi ? –, il donna ordre de lui dire qu'il avait été obligé de s'absenter pour une affaire pressante.

Il s'approcha de la fenêtre et souleva les lamelles du store : Sylvia faisait les cent pas en bas. Les reproches passionnés qu'il eût pu raisonnablement adresser à la Vie en soi convergèrent vers le dos de Sylvia, avec une intensité qu'elle ne pouvait pas ne pas ressentir. La petite Sylvia, ce cher ange, aussi fraîche et éclatante dans sa mémoire que les saintes des cartes pieuses. Mais c'était maintenant une femme mûre, aux cheveux ternes et secs, attachés par un ruban noir, guère différente de n'importe laquelle de ces bourgeoises blanches ridées dont il s'efforçait de détourner ses regards, tant il les haïssait ! Il avait le sentiment que Sylvia l'avait trahi. Il pleura même un peu, toujours posté à la même place, à écarter les lamelles du store pour voir la tache verte qu'était Sylvia se fondre dans la foule du trottoir.

Sylvia se trouva nez à nez avec un grand monsieur distingué qui la prit dans ses bras en s'écriant :

— Chère Sylvia !

C'était Andrew, accompagné d'une jeune femme embusquée derrière ses lunettes noires, avec une bouche très rouge, qui lui souriait. Italienne ? Espagnole ?

— Je te présente Mona, dit Andrew. Nous nous sommes mariés. J'ai bien peur que les rues délabrées de Senga ne soient un choc pour elle.

— Ne dis pas de bêtises, chéri, je les trouve pittoresques.

— Américaine, précisa Andrew. Et c'est un célèbre mannequin. Belle comme le jour, comme tu peux voir.

— Seulement quand je suis fardée, dit Mona, qui s'excusa en disant qu'elle devait s'étendre et était sûre que tous les deux avaient beaucoup de choses à se raconter.

— L'altitude la fatigue, commenta Andrew en l'embrassant avec sollicitude, puis en lui adressant des petits signes de la main jusqu'à ce qu'elle eût disparu dans le *Butler's Hotel*, à quelques pas de là.

Sylvia était surprise d'entendre que mille huit cents mètres étaient considérés comme de l'altitude, mais elle s'en moquait bien. C'était son Andrew. Et maintenant elle allait s'asseoir pour parler avec lui, c'est ce qu'il disait, dans ce café, là-bas. Et ils y allèrent et se tinrent les mains, pendant qu'arrivaient des boissons gazeuses et qu'Andrew lui demandait de lui parler d'elle.

Elle avait à peine ouvert la bouche, persuadée que c'était un homme important dans le monde entier et qu'un seul mot de lui pouvait résoudre ce menu problème de fermeture de l'hôpital Saint-Luc, quand un groupe de gens très chic envahit le café. Il les salua et vice-versa, puis tous se mirent à badiner sur ce congrès, ici, à Senga, à laquelle ils assistaient tous.

— C'est l'endroit le plus cool pour les congrès, mais ce n'est quand même pas les Bermudes ! lança quelqu'un.

Sylvia n'ignorait pas que les autorités essayaient de vendre la ville de Senga comme le lieu idéal pour toutes sortes de réunions internationales. En voyant ces gens intelligents, brillants, élégants, elle comprit combien elle s'était marginalisée insensiblement, sous l'effet des dures réalités de Kwadere, et se révélait incapable de prendre part à ces papotages.

Andrew continuait de lui tenir la main et lui souriait souvent, puis il déclara que ce n'était peut-être pas l'endroit pour bavarder. Une foule d'autres délégués débarqua en blaguant sur l'exiguïté du café, qui était plus ou moins mise sur le même pied que l'absence de sophistication de la Zimlie. Ces experts en tout ce qui est possible et imaginable, en l'occurrence « l'éthique de l'aide internationale », ressemblaient un peu à des enfants en train de comparer les mérites des fêtes données récemment par leurs parents respectifs. Le vacarme, les rires et l'amusement étaient tels que Sylvia supplia Andrew de la laisser partir. Mais il insista pour qu'elle assistât au banquet de ce soir-là :

— Il y a le grand dîner de clôture du congrès, et tu dois venir.

— Je n'ai même pas de robe !

Il la jaugea d'un coup d'œil franc, plein d'indulgence.

— Mais la tenue de soirée n'est pas exigée, cela ira.

À présent, il lui fallait trouver un endroit où passer la nuit. Elle était partie sans se munir d'une somme suffisante. Partie à la légère, elle s'en apercevait maintenant, d'une manière imprévue et irréfléchie. Tout était un peu brumeux : elle revoyait le père McGuire prendre les commandes. Aurait-elle été un peu souffrante ? L'était-elle actuellement ? Elle ne se sentait pas elle-même, quel que soit le sens de ces mots, car si elle n'était pas le Dr Sylvia que tout le monde connaissait à son hôpital, qui était-elle alors ?

Elle téléphona à sœur Molly, qui était là, et lui demanda l'hospitalité pour la nuit. Sylvia prit un taxi pour aller chez elle, fut fêtée à son arrivée et en entendit des vertes et des pas mûres sur toute cette mascarade bien intentionnée du congrès sur l'Éthique de l'aide internationale et autres manifestations similaires.

— Ils parlent, trancha sœur Molly. Ils sont payés pour aller dans un site touristique et débiter des idioties que vous ne croiriez pas...

— J'aurais du mal à appeler Senga un site touristique !

— C'est vrai, mais ils partent tous les jours voir les lions, les girafes et les chers petits singes. Je ne pense pas qu'ils remarquent que la terre est en train de mourir de la sécheresse...

Sylvia parla du dîner à Molly, confia n'avoir que ce qu'elle avait sur elle et s'entendit dire que c'était dommage que son hôtesse fît au moins quatre tailles de plus, que Sylvia aurait pu sinon lui emprunter sa seule et unique robe, mais qu'elle veillerait personnellement à ce que le tailleur de lin fût nettoyé et prêt pour six heures. Ayant oublié ces agréments de la vraie civilisation, Sylvia fut peut-être exagérément émue et ôta son tailleur, s'étendit sur son petit lit de fer, identique à celui qu'elle avait à la mission, et s'endormit. Sœur Molly se pencha un moment sur elle, le costume vert plié sur le bras, le visage rayonnant de bienveillance et de curiosité experte et sensée : après tout, elle passait sa vie à évaluer les populations et les situations d'un bout de la Zimlie à l'autre. Ce qu'elle voyait ne lui plaisait pas. Se penchant davantage, elle contrôla tel paramètre et tel autre, front en nage, lèvres sèches, visage en feu, et prit la main de Sylvia pour lui examiner le poignet où le pouls battait visiblement trop fort.

Quand Sylvia se réveilla, son tailleur, joliment épinglé et présenté, était pendu à la porte. Sur la chaise se trouvait tout un choix de petites culottes et une combinaison en soie. « Il y a des années que je suis trop grosse pour les porter. » Sans oublier une paire d'élégants escarpins. Sylvia se lava les cheveux, s'habilla, enfila les escarpins, avec l'espoir de ne pas avoir perdu l'habitude des talons hauts, et prit un taxi pour se rendre au *Butler's Hotel*. Elle se sentait vaguement fiévreuse, mais comme c'eût été trop compliqué d'être malade, décida qu'elle ne l'était pas.

Devant le *Butler's*, une foule cosmopolite bavardait, échangeait des signes de main, reprenait des conversations qui avaient peut-être été interrompues à Bogota ou à Bénarès. Andrew attendait Sylvia sur le perron. Mona se tenait à ses côtés, dans une robe rose flottante qui la faisait ressembler à l'une de ces variétés de tulipes aux pétales dentelés, l'air d'avoir été découpée dans de la lumière cristallisée. Sylvia se doutait qu'Andrew était inquiet pour son apparence, car si la tenue de soirée n'était pas de rigueur, aucune des femmes présentes n'était moins élégante que Mona. Mais son sourire l'assura qu'elle était très bien, et Andrew lui prit le bras. Le trio se dirigea vers l'escalier, qui était assez pharaonique pour remplacer un décor de cinéma, bien que du meilleur goût possible, et conduisit leurs pas à une terrasse, où de petits arbustes en fleur et une fontaine emplissaient l'obscurité de leur fraîcheur. L'éclairage intérieur isolait un visage, l'éclat d'un costume blanc, le reflet d'un collier. Les gens saluaient Andrew. Comme il était populaire, ce beau monsieur distingué aux cheveux gris, qui devait mériter la jeune femme glamour qui l'accompagnait, puisque *le fait accompli** de leur mariage le prouvait !

Ils rentrèrent pour dîner dans un salon particulier, toutefois assez spacieux pour la centaine de convives présents. Et quel espace ravissant c'était ! digne du but que s'étaient fixé ses concepteurs, à savoir que les privilégiés qui en profitaient devaient être incapables de dire s'ils se trouvaient à Bénarès, à Bogota ou à Senga...

Sylvia reconnaissait certains visages, qu'elle avait aperçus au bar le matin même, mais dut en regarder d'autres à deux fois... Oui, mon Dieu ! il y avait Geoffrey Bone, toujours aussi beau garçon, et à côté de lui, la tête flamboyante – aujourd'hui atténuée en un brun roux et bien lissée – de Daniel, son ombre. Et puis il y avait aussi James Patton. Pour certains, il faut attendre des décennies avant de comprendre ce que la Nature leur a réservé depuis le début : dans son cas, il était à son top niveau en tant qu'homme du peuple, affable et gentil, confortablement rondelet, la main droite toujours prête à se tendre pour serrer toute chair humaine qui se présentait. Désormais membre du Parlement britannique, occupant un siège sûr du parti travailliste et, en cette occasion, l'hôte de Caring International, sur invitation de Geoffrey. Et Jill... oui, Jill, une femme plantureuse, à la coiffure grisonnante, conseillère municipale dans un arrondissement de Londres tristement célèbre pour sa mauvaise gestion des fonds publics, même si on ne pourrait jamais, n'est-ce pas, associer le terme de « corrompu » à cette solide citoyenne, dont la période d'occupation de l'ambassade américaine, de manifestations et de critiques systématiques à l'égard de la police était si loin derrière elle qu'on pouvait être sûr qu'elle l'avait oubliée ou se justifiait par un simple : « Ah ! oui, j'ai été vaguement communiste dans le temps. »

Sylvia n'avait pas été placée à côté d'Andrew, qui présidait au haut bout de la table, flanqué de deux importants Sud-Américains, mais près de Mona, à quelques chaises de lui. Sylvia était consciente d'être aussi invisible qu'un anonyme petit oiseau brun, voisin d'un paon en train de se pavaner, car les gens regardaient souvent Mona, que tout le monde connaissait de nom, à condition de suivre la mode. Et pourquoi Mona était-elle présente ? Elle expliqua qu'elle assistait au congrès en tant qu'assistante personnelle de son mari et, avec un gloussement, félicita Sylvia de sa nouvelle qualité de secrétaire adjointe d'Andrew, qui était le titre avancé quand on la présentait. Sylvia était en position d'observer en silence et s'imaginait l'air qu'auraient Clever et Zebedee sous ces charmants uniformes rouge et blanc, si saisissants sur la peau noire des serveurs tout sourires. Elle était bien placée pour savoir combien ces jeunes avaient dû travailler, se démener, mendier pour obtenir ces places ! combien aussi leurs parents s'étaient sacrifiés pour eux, afin qu'ils puissent servir à ces stars internationales des mets dont la plupart d'entre eux n'avaient jamais entendu parler avant d'arriver dans cet hôtel...

Sylvia eut droit à de la queue de crocodile sauce américaine, garnie de cœurs de palmier importés d'Asie du Sud-Est. Et pendant tout ce temps-là son cœur saignait, oui, il saignait. Une plainte muette et continue montait en elle, qui était assise là, aux côtés de la superbe nouvelle mariée d'Andrew. Il ne durerait pas, ce mariage ; il suffisait de regarder sous quel jour tous deux se présentaient, avec la doucereuse suffisance de chats bien nourris, pour savoir qu'elle avait dit oui à Andrew probablement pour nulle autre meilleure raison que le plaisir qu'elle prenait à dire : « J'ai toujours aimé les hommes plus âgés », afin de mortifier les plus jeunes. Lui, qui ne s'était jamais marié et avait dû subir les rumeurs habituelles, même s'il avait été l'« ami » d'une dizaine de dames connues, avait dû finalement hisser ses couleurs et se déclarer. Il avait sa femme-enfant, car c'est bien ce qu'elle était.

Sylvia regardait autour d'elle et se désespérait en réfléchissant à son hôpital fermé, alors que des villageois étaient malades ou souffraient de fractures ou... Il n'y avait jamais moins de trente ou quarante personnes par jour à avoir besoin d'être secourues. Elle songeait à la pénurie d'eau, à la poussière, au sida, elle ne parvenait pas à chasser toutes ces vieilles pensées rances qui avaient été ressassées trop souvent, et en vain. Elle se représenta les visages de Clever et de Zebedee, inconsolables parce qu'ils avaient rêvé d'être médecins... Comme elle avait mal géré la situation ! C'était obligatoire pour que tout se terminât ainsi.

Mona entretenait son voisin de gauche de ses origines pauvres dans un bas quartier de Quito : elle avait été remarquée par un délégué d'une conférence sur les Costumes du monde en visite. Elle lui confia que la Zimlie était « l'enfer », elle voyait trop de choses dans les rues qui lui rappelaient ce à quoi elle avait échappé.

— Au fond, ce qui me plaît, c'est Manhattan. On y trouve tout, n'est-ce pas ? Je ne vois pas comment on peut habiter ailleurs...

À présent, tout le monde parlait du congrès annuel prévu sous peu, avec deux cents délégués venus du monde entier, qui devait durer une semaine, et dont le discours-programme portait sur « Les perspectives et les conséquences de la pauvreté ». Où devait-il se tenir ? La représentante de l'Inde, une jolie femme en sari rouge, suggéra le Sri Lanka, même s'il leur faudrait se montrer prudents à cause des terroristes, mais il n'y avait pas de plus bel endroit au monde. Geoffrey Bone raconta qu'il avait passé trois nuits à Rio pour un colloque sur « L'écosystème mondial en danger », et il y avait un hôtel là-bas... Mais, intervint un monsieur japonais, le dernier congrès avait eu lieu en Amérique du Sud, or il y avait un superbe hôtel à Bali, cette partie du monde devait à son tour avoir les honneurs. La conversation sur les hôtels et leurs diverses attractions occupa la majeure partie du repas, et un consensus se dessina selon lequel il était temps d'avantager l'Europe, par exemple l'Italie, même si un strict maintien de l'ordre devait être probablement indispensable, parce qu'ils étaient tous des cibles alléchantes pour les kidnappeurs.

Finalement, ils tombèrent tous d'accord pour aller au Cap, parce que l'apartheid de l'Afrique du Sud était sur le point de disparaître et qu'ils souhaitaient montrer leur soutien à Nelson Mandela.

Le café fut servi dans un salon adjacent, où Andrew prononça un discours qui leur donnait en quelque sorte congé à tous, mais exprimait à la fois son impatience de les revoir le mois prochain à New York... lors d'un nouveau congrès. Et puis Geoffrey, Daniel, Jill et James s'avancèrent vers Sylvia pour lui dire qu'ils ne l'avaient pas reconnue et que c'était merveilleux de la retrouver. Leurs figures souriantes apprirent à Sylvia combien ils étaient atterrés par ce qu'ils avaient sous les yeux.

— Tu étais une si belle petite créature, confia Jill. Oh ! non, je ne dis pas... mais je te voyais comme une petite fée.

— Regarde ce que je suis devenue.

— Et moi donc ! Enfin, les congrès ne sont pas terribles pour la silhouette.

— Tu pourrais toujours essayer un régime, lança Geoffrey, qui était plus mince que jamais.

— Ou un centre de remise en forme, proposa James. Moi j'y vais tous les ans. J'en ai besoin. Trop de tentations à la Chambre des communes !

— Nos ancêtres bourgeois allaient bien à Baden Baden ou à Marienbad pour perdre la graisse accumulée en une année d'excès de table, pontifia Geoffrey.

— Vos ancêtres, rectifia James. Moi, je suis petit-fils d'épicier.

— Oh ! bravo, dit Geoffrey.

— Et moi, mon grand-père était commis de géomètre, précisa Jill.

— Le mien était ouvrier agricole dans le Dorset, ajouta James.

— Félicitations, reprit Geoffrey. Tu as gagné. Aucun de nous ne peut rivaliser avec toi.

Et il s'éclipsa, avec un signe de la main à Sylvia, Daniel sur ses talons.

— Il a toujours été un tel poseur, persifla Jill.

— J'aurais dit une tapette, renchérit James.

— Allons, allons, le moins qu'on puisse espérer ici, c'est la correction politique...

— Tu peux espérer ce que tu veux. En ce qui me concerne, la correction politique n'est qu'un nouveau petit échantillon de l'impérialisme américain, déclara l'homme du peuple.

— Ça se discute, dit Jill.

Et ils s'en allèrent en pleine discussion.

Sur le perron du *Butler's*, Rose Trimble rôdait fébrilement, dans un tailleur élégant acheté avec l'espoir qu'Andrew l'inviterait au banquet, mais il n'avait pas répondu à ses messages.

Jill apparut et ignora Rose, qui avait qualifié son conseil municipal de honte pour les principes et les idéaux de la démocratie.

— Je n'ai fait que mon boulot de journaliste, dit Rose à l'adresse du dos de Jill.

Suivait le cousin James, dont les traits se durcirent :

— Que diable fais-tu ici ? Londres est à court de scandales ?

Et il l'écarta pour passer.

Quand il descendit les marches en compagnie de Mona et de Sylvia, Andrew s'exclama aussitôt :

— Oh ! Rose ! comme c'est merveilleux de te voir !

— Tu n'as pas eu mes messages ?

— Tu m'as laissé des messages ?

— Livre-moi un commentaire à chaud, Andrew. Comment le congrès s'est-il passé ?

— Tout sera demain dans les journaux, j'en suis certain.

— Alors, voici Mona Moon... Oh ! une déclaration, Mona. Quelles sont vos impressions de femme mariée ?

Mona ne daigna pas répondre et continua à avancer avec Andrew. Rose ne reconnut pas Sylvia ou plutôt ne s'avisa que beaucoup plus tard que ce devait être elle.

Laissée en plan, elle lança avec amertume aux flots de délégués qui passaient :

— Ces sales Lennox ! Dire que c'était ma famille...

Après avoir été serrée dans les bras d'Andrew, puis embrassée gentiment par Mona, Sylvia fut mise dans un taxi : eux se rendaient à une réception.

La maison de sœur Molly était obscure et fermée à clé. Sylvia dut sonner plusieurs fois. Claquement des serrures, grincement des chaînes, cliquetis des clés : Molly se tenait dans l'encadrement de la porte, avec une nuisette baby et sa croix d'argent qui lui glissait sur les seins.

— Désolée, il nous faut tous vivre dans un bunker de nos jours.

Sylvia gagna précautionneusement sa chambre, comme si elle risquait de s'étaler à la façon d'une gelée de fruit. Elle avait l'impression d'avoir trop mangé et savait que le vin ne lui réussissait pas. Elle avait des vertiges, tremblait. Sœur Molly la regarda se baisser pour s'asseoir sur son lit, puis s'affaler.

— Il vaut mieux retirer tout ça. (Et Molly d'enlever une première couche de lin, de chaussures et de bas.) Voilà. Je me demandais. Quand avez-vous eu du palu pour la dernière fois ?

— Oh ! Il y a un an... je crois.

— Vous en avez en ce moment, alors. Restez tranquille. Vous avez une fièvre de cheval.

— Ça passera.

— Non, pas tout seul.

Sylvia eut donc droit à son accès de paludisme. Ce n'était pas la forme méchante, neurologique, qui est si dangereuse, mais c'était quand même assez grave. Elle frissonna, grelotta même, prit ses cachets – retour à la bonne vieille quinine, étant donné qu'elle ne réagissait pas aux nouveaux médicaments –, et quand elle reprit enfin conscience, sœur Molly déclara :

— C'était une crise, si on veut. Mais je vois que vous êtes revenue parmi nous.

— Je vous en prie, téléphonez au père McGuire pour le prévenir.

— Pour qui nous prenez-vous ? Je l'ai appelé il y a quelques semaines, bien sûr.

— Quelques semaines ?

— Vous avez été bien secouée. Remarquez, je dirais que ce n'était pas que le paludisme, une sorte de collapsus général. Et puis vous êtes anémique, pour commencer. Vous devez vous alimenter.

— Qu'a dit le père McGuire ?

— Oh ! ne vous inquiétez pas. Tout est comme d'habitude.

En réalité, Rebecca était morte, ainsi que son petit garçon malade, Tenderai. La belle-sœur que Rebecca soupçonnait de l'empoisonner avait recueilli les deux enfants qui restaient en vie. Il était trop tôt pour annoncer ces mauvaises nouvelles à Sylvia.

Sylvia se restaura. Elle but des litres et des litres d'eau, lui sembla-t-il, et alla à la salle de bains, où elle se purifia enfin des sueurs de la fièvre. Bien que faible, elle avait les idées claires. Étendue à plat sur son petit lit de fer, elle songeait que les frissons de fièvre avaient chassé les bêtises dont elle pouvait très bien se passer.

D'abord, il y avait le père McGuire : dans les moments difficiles, elle s'était répété que le père était un saint, comme si cela justifiait tout, mais elle se disait à présent : Pour qui je me prends, moi, Sylvia Lennox, pour discourir sans cesse sur qui est un saint et qui ne l'est pas ?

— J'ai compris que je n'étais pas une bonne catholique et que je ne l'ai sans doute jamais été, confia-t-elle à sœur Molly.

— C'est vrai ? On l'est ou on ne l'est pas. Alors vous êtes protestante, après tout ? Enfin, je dois vous confesser qu'à mon point de vue, le bon Dieu a autre chose à faire que se soucier de nos petites querelles, mais ne leur racontez jamais que je vous ai dit ça, à Belfast... Je n'ai pas envie de me retrouver avec les rotules brisées la prochaine fois que j'y retournerai en congé !

— J'ai souffert du péché d'orgueil, j'en ai conscience.

— C'est bien possible. N'en souffrons-nous pas tous ? Mais je suis surprise que Kevin ne me l'ait jamais dit. Il est très fort pour le péché d'orgueil !

— J'espère pour lui.

— Eh bien, alors ! Ne vous fatiguez pas maintenant. Quand vous aurez assez de force, réfléchissez à ce que vous allez faire après. Nous avons des propositions pour vous.

Sylvia resta donc couchée et comprit que son retour n'était pas souhaité à la mission. Qu'étaient donc devenus Clever et Zebedee ?

Elle leur téléphona. Leurs voix, si jeunes, désespérées : Aide-moi, aide-nous.

— Quand tu reviens ? S'il te plaît, reviens.

— Bientôt, dès que je peux.

— Maintenant que Rebecca n'est plus là, c'est si dur...

— Comment ?

Voilà comment elle apprit la nouvelle. Elle resta sur son lit, sans une larme. C'était trop cruel.

Adossée au chevet de son lit, Sylvia ingurgitait des potions nutritives, pendant que sœur Molly, debout, souriante, les poings sur les hanches, la surveillait pour la forcer à manger. Toute la journée, et le plus avant possible dans la nuit pour des citoyens lève-tôt de Zimlie, défilaient des personnalités du genre de Johnny Lennox, ou les touristes, les parents en visite, ou encore des gens qui n'avaient pas été les bienvenus sous le régime blanc, sans jamais se connaître. Et Sylvia ne les connaissait pas non plus jusque-là.

Elle fut amenée à penser qu'alors qu'il existait en Zimlie des localités comme Kwadere, et ce en bien trop grand nombre, son expérience avait été peut-être aussi étroite, à sa manière, que celle de ceux qui n'auraient pas cru qu'il pouvait exister justement des villages comme la mission Saint-Luc. Après tout, il y avait bien des écoles qui formaient vraiment leurs élèves et leur fournissaient au moins des cahiers et des manuels, des hôpitaux qui disposaient de matériel, de chirurgiens et même de laboratoires de recherche. C'était à son tempérament qu'elle devait de s'être retrouvée dans le trou le plus misérable possible : elle le comprenait aussi clairement qu'elle comprenait que se tourmenter sur les degrés de sa foi ou la perte de celle-ci était absurde.

À un niveau bien éloigné des ambassades, des salons du *Butler's Hotel*, des foires commerciales ou des dirigeants corrompus (rebaptisés la « crème chocolat » par sœur Molly), il y avait des gens qui géraient des associations avec de petits budgets, parfois financés par de simples particuliers, qui menaient à bien plus de projets avec leur argent que Caring International ou Global Money pouvaient rêver de le faire, et qui se démenaient en des lieux difficiles pour monter une bibliothèque, un foyer pour femmes battues, le financement d'une petite entreprise, ou encore accordaient des prêts mineurs d'une importance tenue pour négligeable par les banques ordinaires. Blancs et Noirs, citoyens zimliens ou expatriés, ils formaient une chaîne d'optimisme énergique qui allait jusqu'à englober menus employés et petits fonctionnaires, car il n'a jamais existé de pays qui dépendît autant de ses petits fonctionnaires, lesquels étaient compétents, non corrompus et travailleurs. Ils étaient méconnus et passaient en général inaperçus. Mais tous ceux qui comprenaient devaient se porter au secours d'une de ces organisations relativement modestes, gérées par un homme ou une femme qui, s'il y avait une justice, auraient dirigé le pays à visage découvert et qui, en réalité, constituaient le socle sur lequel toutes choses reposaient. Ainsi la maison de sœur Molly et une douzaine d'autres semblables formaient-elles une toile ou un réseau d'acteurs sensés. On ne discutait pas de politique, non par principe, mais en raison de la nature des personnes concernées : dans certains pays, la politique est l'ennemie du bon sens. Si d'aventure on citait le camarade Leader ou ses copains corrompus, c'était comme on parle du temps : une réalité qu'on doit supporter. Une grande déception, le camarade Président ! Mais quoi de neuf sous le soleil ?

Sylvia se trouvait devant un choix d'une douzaine de possibilités pour son avenir. Elle était médecin, on savait qu'elle avait créé un hôpital au fin fond de la brousse. Quel dommage qu'elle se soit mis les autorités à dos ! mais la Zimlie n'était pas le seul pays d'Afrique.

Une phrase de nos manuels scolaires dit à peu près ceci : « Dans la dernière partie du XIXe siècle et jusqu'à la Première Guerre mondiale, les grandes puissances se sont disputées l'Afrique tel des chiens un os. » Ce qu'on lit moins souvent, c'est que l'Afrique, envisagée comme un os, n'a pas été moins disputée pendant le reste du XXe siècle, même si les meutes de chiens avaient changé.

Un médecin assez jeune, un Blanc originaire de Zimlie, était revenu récemment de la guerre de Somalie. Il s'assit sur la chaise droite de la chambre de Sylvia, et écouta celle-ci parler de manière compulsive (sœur Molly dit que c'était de l'automédication) du destin des fidèles de la mission Saint-Luc qui se mouraient du sida, apparemment invisibles aux yeux des autorités. Elle parla des heures durant et lui écouta. Ensuite ce fut à son tour à lui de parler, de manière aussi compulsive, et à elle d'écouter.

La Somalie avait fait partie de la zone d'influence de l'Union soviétique, qui avait créé son habituel dispositif de prisons, salles de torture et escadrons de la mort. Puis, par un habile petit tour de prestidigitation international, la Somalie était devenue américaine, troquée contre un autre bout d'Afrique. Les citoyens, naïfs, espéraient et attendaient que les Américains démantèlent le dispositif de sécurité et les libèrent, mais ils n'avaient pas compris la leçon, si capitale pour notre époque, qui voulait qu'il n'y eût rien de plus stable que ce dispositif. Les marxistes et les communistes de diverses obédiences qui avaient fleuri sous les Russes, torturant, emprisonnant et massacrant leurs ennemis, se virent alors à leur tour torturer, emprisonner et massacrer. L'État de Somalie, jadis assez raisonnable, ressembla dès lors à une fourmilière dans laquelle on aurait versé de l'eau bouillante. Les structures normales de vie furent anéanties. C'étaient désormais les chefs de guerre et les bandits, les chefs de tribu et de clan, les criminels et les voleurs qui commandaient. Ayant atteint leurs limites, les organisations d'aide internationale étaient incapables de faire face, en particulier parce que de grandes portions du territoire leur étaient interdites par la guerre.

Le médecin resta des heures assis sur sa chaise à monologuer, parce qu'il avait vu des gens s'entretuer pendant des mois. Juste avant son départ, planté sur le bas-côté d'une piste qui courait dans un paysage desséché et poussiéreux, il avait regardé défiler les réfugiés de la famine. C'est une chose de le voir à la télévision, comme il disait (dans un effort pour justifier sa volubilité) en la fixant comme si elle était transparente, obnubilé par ce qu'il décrivait, et c'en était une autre de le vivre. Sylvia était peut-être aussi armée que la majorité pour visualiser ce qu'il lui relatait, puisqu'elle n'avait qu'à suivre en imagination cette piste poudreuse sur trois mille kilomètres, du village moribond de Kwadere aux populations du Nord. Mais il avait vu également des réfugiés fuir les troupes meurtrières de Mengistu[1], certains mutilés à la machette et en sang, d'autres mourants, d'autres encore qui portaient des enfants assassinés : il avait contemplé ce spectacle pendant des jours et, l'expérience de Sylvia n'étant pas comparable, c'était inimaginable pour elle. D'ailleurs, il n'y avait pas de télévision dans la maison du père McGuire.

Il était médecin et il avait vu, impuissant, des populations ayant besoin de médicaments, d'un refuge, d'interventions chirurgicales. Tout ce qu'il avait dans les mains pour les aider se limitait à un petit nombre de cartons d'antibiotiques, qui avaient disparu en quelques instants.

Le monde est aujourd'hui plein de gens qui ont survécu à des guerres, à des génocides, à la sécheresse, aux inondations, et aucun d'entre eux n'oubliera ce qu'il a subi. Mais il y a aussi ceux qui ont été témoins :

---

1. Le colonel Haile Mariam Mengistu, qui renversa le Négus d'Éthiopie en 1974 au nom d'une idéologie marxiste révolutionnaire, est accusé de génocide pendant la période de la « Terreur rouge » et celle de la guerre. Depuis sa chute en 1991, il est réfugié au Zimbabwe où son extradition a été refusée.

voir pendant des jours passer des flots de gens par milliers, centaines de milliers, un million de personnes, sans avoir rien dans les mains... Eh bien, ce médecin avait été sur place et avait vécu cela. Son regard était hanté, son visage ravagé, et il ne pouvait pas s'arrêter de parler.

Une femme médecin des États-Unis voulait bien de Sylvia pour le Zaïre, mais demanda si celle-ci était d'attaque ; c'était plutôt dur là-bas, et Sylvia répondit qu'elle allait bien, qu'elle était très solide. Elle dit aussi qu'elle avait pratiqué une intervention sans être chirurgien, mais les deux femmes rirent de l'incident : sur le terrain, les médecins qui n'étaient pas chirurgiens tentaient ce qu'ils pouvaient. « S'il manquait de transplantations cardiaques, je ne serais pas vraiment candidate ! »

À la fin, elle accepta d'aller en Somalie, dans le cadre d'une équipe financée par la France. Dans l'intervalle, elle devait retourner à la mission voir Zebedee et Clever, dont les voix, quand elle leur parlait au téléphone, sonnaient à ses oreilles comme des cris d'oiseaux pris dans un orage. Elle ne savait pas quoi faire. Elle décrivit ces deux garçons, qui n'étaient plus des enfants mais des adolescents, à sœur Molly et aux autres médecins, consciente que la première, qui voyait des enfants semblables tous les jours de sa vie active, pensait que tous deux étaient destinés à devenir de futurs chômeurs (mais elle pouvait toujours garder l'œil ouvert, peut-être trouveraient-ils une place de domestique...), et que les autres, dont l'esprit était plein de milliers de personnes affamées, de files interminables de malheureuses victimes, avaient du mal à imaginer deux petits infortunés qui avaient rêvé de devenir médecins mais à présent...

Alors quoi de neuf ?

*

Pour reprendre son travail, interrompu par la maladie de Sylvia, sœur Molly devait descendre en voiture quatre-vingts kilomètres plus bas que Kwadere. Elle s'était arrangée pour qu'Aaron vînt chercher Sylvia à l'embranchement de la mission. La vue de six grands silos à grains le long de la route, dont le contenu – le maïs de la dernière récolte – avait été vendu à bas prix par un ministre important à un autre pays africain frappé par la sécheresse coupa court à ses récriminations contre le pape et la hiérarchie masculine ecclésiastique. Elles roulaient dans une contrée aride ; sur des kilomètres, dans chaque direction, s'étendait une savane sèche et assoiffée à cause du retard de la saison des pluies.

— Je n'aimerais pas être sa conscience, commenta Sylvia.

Sœur Molly répliqua que certaines n'avaient apparemment pas encore compris qu'il y avait des gens qui n'avaient pas de conscience. Après cette remarque, Sylvia s'était lancée dans son monologue sur le village de la mission, et sœur Molly l'avait écoutée.

— Oui, c'est ainsi, dit-elle. Là-dessus vous avez raison.

À l'embranchement, Aaron les attendait dans la voiture de la mission.

— Eh bien, vous y voilà ! À un de ces jours, j'espère.

— Très bien, répondit Sylvia. Je n'oublierai jamais ce que vous avez fait pour moi.

— Ce n'est rien.

Sœur Molly redémarra, avec un geste de la main qui était comme une porte qui se refermait.

Aaron était animé, passionné, au seuil d'une nouvelle vie : il allait à l'ancienne mission poursuivre ses études pour devenir prêtre. Le père McGuire partait. Tout le monde partait, d'ailleurs. Et la bibliothèque ?

— Je crains que les livres ne soient plus très nombreux aujourd'hui, parce que, voyez-vous, avec Tenderai mort, Rebecca disparue aussi et vous absente, qui pouvait s'en occuper ?

— Et Clever et Zebedee ?

Aaron ne les avait jamais beaucoup aimés, et vice-versa.

— O.K., fut sa seule réponse.

Il gara la voiture sous les gommiers et s'en fut. C'était la fin de l'après-midi ; le jour qui filtrait des nuées roses et dorées déclinait vite. À l'autre bout du ciel, une demi-lune, une simple trace blanche, attendait de retrouver son rang avec la venue de l'obscurité.

À l'instant où elle posait le pied sur la véranda, les deux jeunes accoururent. Ils s'immobilisèrent, le regard fixe. Sylvia ne comprenait pas ce qui n'allait pas. Pendant sa maladie, elle avait perdu son hâle pour redevenir d'une blancheur laiteuse, et ses cheveux, coupés à cause de la transpiration, formaient des mèches et des boucles blondes. Or eux l'avaient toujours connue avec la peau brune, familière et rassurante.

— C'est merveilleux de vous revoir !

Ils se précipitèrent vers la nouvelle venue et Sylvia les prit dans ses bras. Elle les trouva bien plus fluets que d'habitude.

— Personne ne vous nourrit ?

— Si, si, docteur Sylvia !

Ils s'accrochaient à elle en pleurant. Elle savait pourtant qu'ils avaient été mal nourris. Et leurs chemises blanches immaculées étaient grises de poussière parce que Rebecca n'était plus là pour s'en occuper. Leurs yeux l'imploraient à travers les larmes.

Le père McGuire arriva, leur demanda s'ils avaient mangé et ils répondirent que oui. Mais il sortit un pain du buffet, et ils le coupèrent en deux et le dévorèrent sur le chemin du village : ils devaient revenir au lever du soleil.

Sylvia et le père prirent leurs places habituelles à table ; l'unique ampoule électrique apprit au père combien Sylvia avait été malade, et à elle qu'il était un vieil homme.

— Vous verrez les nouvelles tombes sur la montagne, et il y a de nouveaux orphelins aussi. Le père Thomas et moi – c'est le prêtre noir de l'ancienne mission –, nous allons ouvrir un foyer pour les orphelins du sida. Nous avons reçu des fonds du Canada, que Dieu les en remercie ! Mais Sylvia, avez-vous songé qu'il y aura peut-être un million d'enfants privés de parents, au train où nous allons ?

— La peste noire a anéanti des villages entiers. Quand on prend des photos aériennes de l'Angleterre, on voit encore l'emplacement de ces villages...

— Celui-ci va bientôt disparaître. Ses habitants partent parce qu'on raconte que le lieu a le mauvais œil.

— Et pourtant vous leur apprenez ce qu'ils devraient savoir, mon père ?

— Oui, je le leur apprends.

La lumière électrique s'éteignit brusquement. Le prêtre alluma deux bougies de secours, et c'est à leur lueur qu'ils dînèrent, servis par une nièce de Rebecca, une jeune femme robuste et en bonne santé – enfin, pour le moment –, qui était venue aider sa tante mourante et devait repartir après le départ du père.

— J'entends dire qu'il y a enfin un nouveau directeur d'école ?

— Oui, mais voyez-vous, Sylvia, les citadins n'aiment pas venir dans ces trous perdus, et celui-ci a déjà eu des problèmes d'alcoolisme.

— Je vois.

— Mais il a une famille nombreuse et disposera de cette maison.

Tous deux savaient qu'il restait un non-dit.

— Et maintenant quel sort allez-vous réserver à ces gamins ? s'enquit-il à la fin.

— Je n'aurais pas dû susciter leurs attentes et je l'ai fait. Même si je ne leur ai jamais vraiment rien promis...

— Oh ! mais c'est le fameux et magnifique monde riche qui est la promesse !

— Que dois-je décider, alors ?

— Vous devez les emmener à Londres avec vous, les mettre dans une bonne école et leur laisser suivre leurs études de médecine. Dieu sait que ce pays démuni aura besoin de médecins !

Elle resta muette.

— Sylvia, ils sont en bonne santé. Leur père est décédé avant l'apparition du sida. Les vrais enfants de Joshua mourront, mais pas ces deux-là. Il espère vous voir, à propos.

— Je suis surprise qu'il soit encore en vie.

— Il n'est en vie que pour vous voir. Mais il a perdu complètement la tête à présent. Vous devez vous y préparer.

Avant de lui donner une bougie à emporter dans sa chambre, il leva la sienne pour la regarder dans les yeux.

— Sylvia, mon enfant, dit-il, je vous connais bien. Vous vous accusez de tout.

— Oui.

— Vous m'avez demandé de vous confesser, il y a longtemps, mais je n'ai nul besoin d'entendre ce que vous avez à me dire. Dans l'état d'esprit qui est le vôtre, quand vous êtes affaiblie par la maladie, vous devez vous méfier de l'image que vous avez de vous-même.

— Le démon rôde en l'absence des globules rouges...

— Le démon rôde là où règne la mauvaise santé. Vous prenez vos comprimés de fer, j'espère.

— Comme je compte sur vous pour prendre les vôtres...

Ils s'étreignirent, tous deux au bord des larmes, et se détournèrent pour gagner chacun leur chambre. Le père partait de bonne heure. Il lui dit qu'il ne la reverrait probablement pas, entendant par là qu'il n'avait aucune envie d'une nouvelle scène d'adieux. Ce n'était pas le genre à dire « À un de ces jours ! », comme sœur Molly.

Le lendemain matin, il était parti ; Aaron l'avait conduit à l'embranchement, où la voiture de l'ancienne mission devait passer le prendre.

Zebedee et Clever attendaient Sylvia sur le sentier du village. La moitié des habitations étaient vides. Un chien famélique fouinait dans la poussière. La case où Tenderai gardait les livres était ouverte, et les livres avaient disparu.

— Nous avons essayé de les garder, nous avons bien essayé...

— Ce n'est pas grave.

Avant le départ de Sylvia, le village était touché, menacé, mais il était vivant. Désormais, il avait perdu son âme : Rebecca. Dans les institutions, les villages, les hôpitaux et les établissements scolaires, c'est souvent une personne qui incarne l'âme du lieu, même si celle-ci peut être concierge, P.-D.G. ou.... domestique d'un prêtre. Le village était mort avec Rebecca.

Tous les trois montèrent dans la brousse jusqu'à l'emplacement des tombes, qui approchaient déjà la cinquantaine ; celles de Rebecca et de son fils Tenderai se trouvaient parmi les plus récentes. Deux rectangles de poussière rouge sous un grand arbre. Sylvia les contempla, immobile. Voyant son visage, les garçons s'approchèrent. Elle les serra dans ses bras et laissa couler ses pleurs, sa tête calée sous les deux leurs. Ils étaient déjà plus grands qu'elle.

— Et maintenant tu dois voir notre père.

— Oui, je sais.

— S'il te plaît, ne sois pas fâchée contre nous. La police est venue et a emporté les médicaments et les pansements. Nous leur avons pourtant répété que c'est toi qui les avais payés, avec ton argent...

— Ce n'est pas grave.

— Nous leur avons dit que c'était du vol, c'étaient tes médicaments.

— Vraiment, ce n'est pas grave.

— Les grand-mères se servent de l'hôpital pour les enfants malades.

Partout en Zimlie, des femmes âgées et, parfois, des hommes, dont les enfants étaient morts à l'âge adulte, se retrouvaient dans l'obligation de nourrir et d'élever des tout-petits.

— Mais comment les nourrissent-ils ?

— Le nouveau directeur de l'école a promis de leur donner à manger.

— Mais ils sont si nombreux ! Comment pourra-t-il les nourrir tous ?

Ils se tenaient sur une petite hauteur, face à celle où se dressait la maison du père de la mission, et dominaient l'hôpital de Sylvia. Trois vieilles femmes étaient assises à l'ombre, sous les abris de paille, entourées d'une vingtaine de petits enfants. Vieilles, c'est-à-dire selon les normes du tiers monde : dans des pays plus fortunés, ces femmes de cinquante ans suivraient un régime et trouveraient des amants.

Sous le grand arbre de Joshua gisait un tas de guenilles, ou quelque chose de voisin d'un gros python, moucheté d'ombre. Sylvia s'agenouilla près de lui en murmurant : « Joshua. » Il ne bougea pas. Il y a des gens qui, au moment de mourir, ont déjà l'aspect qu'ils auront une fois morts, si proche est le squelette sous la peau. Le visage de Joshua était tout osseux, avec des plis de peau sèche affaissés dans les creux. Il ouvrit les yeux, puis humecta ses lèvres écumeuses d'une langue craquelée.

— Il y a de l'eau ? s'enquit Sylvia.

Zebedee courut vers les vieilles, qui eurent l'air de protester. Pourquoi gaspiller de l'eau pour un moribond ? Mais Zebedee, à l'aide d'une tasse en plastique, puisa de l'eau dans un seau ouvert à la poussière et aux feuilles mortes, l'apporta à son père, puis se mit à son tour à genoux et tint la tasse à hauteur des lèvres crevassées. Brusquement, le vieillard (sur la fin de l'âge mûr, selon d'autres normes) revint à la vie et but désespérément. Les tendons de sa gorge se contractèrent. Puis il tendit une main squelettique et saisit Sylvia par le poignet. Elle eut l'impression d'être retenue par un cercle d'os. Incapable de s'asseoir, il leva pourtant la tête et se mit à marmonner ce qu'elle savait être des malédictions, des imprécations, ses yeux enfoncés brûlant de haine.

— Il ne le pense pas, souffla Clever.

— Non, il ne le pense pas, plaida Zebedee.

À ce moment-là, Joshua murmura :

— Tu emmènes mes enfants, tu dois les emmener en Angleterre...

Sylvia avait mal au poignet à cause de l'étroit bracelet osseux.

— Joshua, lâche-moi, tu me fais mal.

Au contraire, sa prise se resserra.

— Tu dois me le promettre, tout de suite tout de suite, tu dois promettre.

Sa tête était levée au bout de son corps à demi-mort, tel un serpent qui dresse la tête quand il a le dos brisé.

— Joshua, lâche mon poignet...

— Tu vas me le promettre, tu vas...

Il marmonnait ses imprécations, son regard impitoyable planté dans celui de Sylvia, et puis sa tête retomba en arrière. Mais ses yeux ne se fermèrent pas, pas plus qu'il ne cessa ses marmonnements haineux.

— Très bien, je te le promets, Joshua. Maintenant lâche-moi.

Mais sa prise ne se relâchait pas : elle eut cette pensée folle qu'il allait expirer et qu'elle serait menottée à un squelette.

— Ne crois pas ce qu'il dit, docteur Sylvia, chuchota Zebedee.

— Il ne pense pas ce qu'il dit, ajouta Clever.

— C'est peut-être aussi bien que je ne comprenne pas ses paroles.

La menotte osseuse se détacha de son poignet. Sylvia avait la main engourdie. Elle s'accroupit au chevet du moribond, en secouant encore sa main.

— Qui va s'occuper de lui ?

— Les anciennes s'occupent de lui.

Sylvia s'approcha des femmes pour leur donner de l'argent, presque tout ce qu'elle possédait, gardant juste de quoi regagner Senga. Cela permettrait de nourrir ces enfants un mois, peut-être.

— Maintenant, allez chercher vos affaires. Nous partons.

— Maintenant ?

Sous le choc, ils reculèrent. Ce dont ils avaient rêvé était à leur portée, tout proche. Mais c'était la coupure avec tout ce qu'il connaissait.

— Je vous achèterai des vêtements à Senga.

Ils descendirent en courant au village, tandis qu'elle remontait entre les lauriers-roses et le plumbago, en direction de la maison, où tout ce qu'elle allait prendre était déjà rangé dans son petit sac fourre-tout. Elle dit à la nièce de Rebecca que si elle voulait les livres, elle pouvait se servir, prendre tout ce qu'elle voulait. Mais ce que la jeune fille demanda, c'était l'image des dames épinglée au mur. Elle aimait leurs visages, disait-elle.

Les garçons réapparurent, chacun avec un sac en plastique : toutes leurs possessions.

— Avez-vous mangé quelque chose ?

Non, visiblement pas. Elle les fit asseoir à la table, coupa du pain et posa le bocal de confiture entre eux. Toujours debout, la nièce de Rebecca et elle les regardèrent manier gauchement leurs couteaux pour étaler la confiture. Ils avaient tout à apprendre. Sylvia ne pouvait pas avoir le cœur plus gros : ces deux orphelins – car ils n'étaient pas autre chose – allaient devoir s'acclimater à Londres, tout assimiler, depuis l'usage des couteaux et des fourchettes jusqu'à leur cursus de médecine.

Sylvia téléphona à Edna Pyne, qui lui dit que Cedric était malade. Elle ne pouvait pas le laisser, pensait à la bilharziose.

— Ce n'est pas important. Nous prendrons le car de Senga.

— C'est impossible de voyager dans ces cars indigènes, ce sont des cercueils ambulants !

— Les gens le font bien !

— Je vous laisse ma place.

— Je vous dis au revoir, Edna.

— O.K. Ne vous tourmentez pas. Sur ce continent, nos actes sont des coups d'épée dans l'eau. Oh, mon Dieu ! qu'est-ce que je raconte ? Dans le sable, alors. C'est ce que dit Cedric, il a le blues, il a attrapé mon chien noir. « Nos actes sont éphémères », répète-t-il. Il est en train de se convertir. Bon, il ne manquait plus que ça ! Au revoir, alors. À bientôt.

Notre trio se trouvait à l'endroit où le chemin des Pyne et de la mission rejoignait une des grandes routes du Nord. C'était un simple ruban de goudron, plein de nids-de-poule et aussi rongé sur les bords que la reproduction détachée du mur par la nièce de Rebecca le matin même. L'autocar devait passer, mais aurait du retard : il en avait toujours. Ils attendirent debout, puis s'assirent sur des pierres prévues à cet effet sous un arbre.

Pas fameuse, penserait-on, cette route qui s'enfonçait par une courbe dans la brousse et dont l'éclat gris était terni aux endroits où elle était recouverte de sable. Mais un cortège des véhicules les plus élégants du pays l'avait parcourue à toute allure, il n'y avait pas si longtemps, pour assister au mariage du camarade Leader avec sa nouvelle femme – la Mère du pays ayant décédé. Tous les dirigeants du monde entier avaient été invités, camarades ou non, et on les avait transportés sur cette route de brousse ou par hélicoptère jusqu'à un Growth Point voisin du lieu de naissance du camarade Leader. À proximité, au milieu des arbres, on avait dressé deux grands chapiteaux. À l'intérieur du premier, des tables sur tréteaux proposaient des petits pains et du Fanta aux habitants du coin, tandis que l'autre avait tout un festin étalé sur des nappes blanches, réservé à l'élite. Mais le service religieux de l'endroit où le mariage était célébré avait été trop long. Les *povos* ou les simples mortels, après avoir consommé leurs petits pains, s'étaient rués dans la tente destinée à leurs supérieurs et avaient englouti tous les mets malgré les vaines protestations des garçons. Puis ils s'étaient évanouis dans la brousse pour rentrer chez eux. Il fallut rapporter du ravitaillement de Senga par hélicoptère. Cet événement, si justement édifiant... Mais on dirait tellement un conte de fées que tout commentaire est inutile.

Sur cette même route, une dizaine d'années plus tard à peine, allaient se ruer les durs et les casseurs du parti du Leader, armés de machettes, de couteaux et de gourdins, pour tabasser les ouvriers agricoles qui voulaient voter pour ses adversaires politiques. Parmi eux se trouvaient les jeunes gens – les anciens jeunes gens auxquels le père McGuire avaient donné des médicaments pendant la guerre. Une partie de cette armée avait quitté cette grande artère pour s'engager sur la petite route menant à la ferme des Pyne, ignorant apparemment que Mr Phiri se l'était déjà appropriée, bien que les Pyne ne fussent pas encore partis. Environ deux cents ivrognes avaient envahi la pelouse de devant et exigé de Cedric Pyne qu'il abatte une bête pour eux. Il avait donc abattu un bœuf gras – la sécheresse avait relâché son emprise ; un grand feu avait été allumé sur la pelouse et le bœuf mis à rôtir. Les Pyne descendirent de force de leur véranda et reçurent l'ordre de scander des slogans à la louange du Leader. Edna refusa. « Que je sois pendue si je dois dire des mensonges rien que pour vous faire plaisir ! » s'était-elle écriée. Alors ils l'avaient frappée jusqu'à ce qu'elle répétât après eux : « Vive le camarade Matthew ! » Lorsque Mr Phiri était arrivé pour prendre possession des deux propriétés, le jardin de la maison était noirci et souillé, le puits de la maison bourré d'ordures.

Sur cette route aussi, huit ans plus tôt, Sylvia avait roulé, abasourdie et éblouie par l'étrangeté de la brousse, cette magnificence inconnue, en écoutant sœur Molly la mettre en garde contre l'intransigeance de l'univers masculin : « Ce Kevin, il n'a pas encore saisi que le monde avait changé autour de lui. »

Près de cette route, non loin de là, dans une région accidentée, pleine de grottes, de crevasses rocheuses et de baobabs, il y a un endroit où, de temps à autre, le camarade Leader était convié par les guérisseurs (les *n'ganga*, les sorciers des tribus, les chamans) à des séances nocturnes, où des hommes (plus une ou deux femmes), qui travaillaient peut-être en cuisine ou en usine, le corps peint, affublés de peaux de bête et de poils de singe, dansaient jusqu'à entrer en transe et l'avertissaient qu'il devait massacrer et jeter dehors les Blancs, sinon il offenserait les ancêtres. Il s'aplatissait, pleurait, promettait de s'amender, puis se faisait ramener en ville pour se réinstaller dans sa forteresse et préparer un nouvel entretien avec la Banque mondiale, ou son prochain voyage en vue de rencontrer les autres dirigeants mondiaux.

Le car arrivait. Antique, il ferraillait, bringuebalait et émettait des nuages de fumée noire graisseuse, qui traînaient dans son sillage durant des kilomètres, souillant la route. Il était bondé. Pourtant, un espace apparut pour laisser monter Sylvia et ses deux... Qu'est-ce que c'était ? des domestiques ? Mais les passagers, prêts à dénigrer cette Blanche qui voyageait en leur compagnie – c'était la seule Blanche parmi eux –, la virent prendre dans ses bras les garçons qui se pressaient contre elle comme des enfants. Ils étaient malheureux et retenaient leurs larmes, terrifiés par ce qui les attendait. Quant à Sylvia, elle était paniquée. Que faisait-elle là ? Qu'eût-elle pu faire d'autre ?

— Que seriez-vous devenus si je n'étais pas revenue ? leur demanda-t-elle à voix basse, malgré le vacarme du car.

À quoi Clever répondit :

— Je ne sais pas, nous n'avons nulle part où aller.

— Merci d'être venue nous chercher, murmura Zebedee. Nous avions trop trop peur que tu ne reviennes plus.

De la gare routière, ils gagnèrent à pied le vieil hôtel qui avait été tellement déprécié par le *Butler's*. Elle prit une chambre pour trois, s'attendant à des commentaires, mais il n'y en eut pas : les chambres des hôtels zimliens pouvaient contenir jusqu'à une demi-douzaine de lits afin de loger une famille entière.

Elle les entraîna à l'ascenseur, sachant qu'ils n'en avaient jamais vu ni entendu parler, leur expliqua comment la cabine fonctionnait, longea un couloir où un soleil poudreux dessinait des motifs. Une fois dans la chambre, elle leur montra la salle de bains, les toilettes : comment actionner les robinets et la poignée de la chasse d'eau, ouvrir et fermer les fenêtres.

Ensuite, elle les emmena au restaurant et leur commanda de la *sadza*, qu'elle leur interdit de manger avec les doigts, et puis un pudding. Avec l'aide d'un serveur compréhensif, ils vinrent également à bout de cette épreuve.

Il était déjà deux heures. Elle les fit remonter et téléphona à l'aéroport afin de réserver des places pour le lendemain soir. Elle dit qu'elle allait leur procurer des passeports, expliqua ce qu'était un passeport et leur proposa de dormir s'ils voulaient. Mais ils étaient trop excités quand elle partit et sautaient sur les lits, poussant des cris qui pouvaient être de joie ou d'angoisse.

Elle se rendit à pied au siège du gouvernement et, alors qu'elle s'attardait sur le perron en s'interrogeant sur la marche à suivre, Franklin descendit de sa Mercedes. Elle le prit par le bras et murmura :

— J'entre avec toi et ne t'avise pas de me dire que tu as une réunion !

Il tenta de se dégager et se préparait à appeler au secours quand il s'aperçut que c'était Sylvia. Il était si stupéfait qu'il resta immobile, sans plus résister, alors elle le lâcha. Quand il l'avait revue, quelques semaines plus tôt, c'était une menteuse qui prétendait s'appeler Sylvia, mais ce qu'il avait là, sous les yeux, était fidèle à son souvenir : une créature menue, dont la blancheur semblait miroiter, avec de doux cheveux dorés et d'énormes yeux bleus. Elle portait un chemisier immaculé, pas cet horrible tailleur vert de bourgeoise blanche, et donnait une impression de complète transparence. Comme un esprit, ou une vierge à la chevelure d'or de ses lointaines années de collège.

Désarmé et sans défense, il répondit :

— Entrons.

Ils gravirent les marches, arpentèrent les allées du pouvoir, montèrent l'escalier et pénétrèrent dans son bureau, où il s'assit avec un soupir, mais en souriant. D'un signe de main, il lui indiqua un fauteuil.

— Qu'est-ce que tu veux ?

— J'ai avec moi deux jeunes garçons de Kwadere, de onze et treize ans. Ils n'ont plus de famille. Tout le monde est mort du sida. Je les ramène à Londres et j'aimerais que tu leur prépares des passeports.

Il rit.

— Mais je ne suis pas le bon ministre ! Ce n'est pas mon rayon.

— Je t'en supplie, accepte. Tu en as le pouvoir.

— Et pourquoi devrais-tu voler nos enfants ?

— Voler ! Ils n'ont plus personne, aucun avenir. Ils n'ont rien appris dans vos prétendues écoles où il n'y a pas de livres. J'ai été leur professeur. Ce sont des enfants très brillants. Avec moi, ils seront instruits. Et puis ils veulent être médecins...

— Et pourquoi ferais-tu tout ça ?

— Je l'ai promis à leur père. Il est en train d'agoniser du sida. Je pense même qu'il doit être mort à l'heure actuelle. J'ai promis de m'occuper de l'éducation de ses fils.

— C'est ridicule. C'est hors de question ! Dans notre culture, quelqu'un va s'occuper d'eux...

— Tu ne sors jamais de Senga, tu ne sais donc pas quelle est la situation. Le village se meurt. Il y a plus de monde au cimetière qu'au village désormais.

— Est-ce ma faute si leur père a le sida ? Ce terrible fléau est-il notre faute ?

— Enfin ! ce n'est pas la nôtre non plus, contrairement à ce que vous ne cessez de répéter. Et puis je pense que tu devrais savoir que dans les provinces, les gens disent que c'est la faute du gouvernement parce que vous vous êtes montrés une telle bande de brigands...

Franklin laissa errer son regard. Il avala une gorgée d'eau, s'essuya le visage.

— Je suis surpris que tu écoutes ces ragots. Ce sont des rumeurs répandues par des agents sud-africains.

— Nous perdons du temps. Franklin, j'ai réservé des places sur le vol Senga-Londres de demain soir. (Elle poussa vers lui une feuille de papier où étaient écrits les noms des garçons, le nom de leur père, leur date et lieu de naissance.) Voilà ! Tout ce qu'il me faut, c'est un document pour les sortir du pays. Et je m'arrangerai pour qu'ils obtiennent des passeports britanniques dès notre arrivée à Londres.

Franklin contempla le papier. Puis il leva prudemment les yeux ; ils étaient pleins de larmes.

— Sylvia, tu as dit une chose terrible.

— Tu dois savoir ce que raconte ton peuple.

— Dire une chose pareille à un vieil ami !

— Hier, j'écoutais... le vieil homme m'a maudite, pour m'obliger à emmener ses fils à Londres. Il m'a maudite... je suis si pleine de mauvais sorts que je dois en déborder.

À présent il était réellement mal à l'aise.

— Sylvia, qu'est-ce que tu dis ? Tu me maudis aussi ?

— Je t'ai dit ça ? (Mais, sous l'effet de la tension, entre ses yeux s'était creusé le profond sillon qui lui donnait un air de petite sorcière.) Franklin, t'es-tu déjà assis au chevet d'un vieillard en train de mourir du sida pendant qu'il te maudissait aux quatre vents ? C'était si horrible que ses fils ne veulent même pas me répéter ce qu'il a dit.

Elle tendit son poignet qui présentait une ecchymose noire circulaire, semblable à un bracelet.

— Qu'est-ce que c'est ?

Sylvia se pencha au-dessus du bureau et lui saisit le poignet dans une étreinte aussi forte que celle qu'elle-même avait subie la veille. Elle la resserra d'un cran pendant qu'il tentait de se libérer, puis lâcha prise.

Il garda la tête baissée, en lui jetant de temps en temps des regards affolés.

— Si ton fils voulait aller demain soir à Londres et avait besoin d'un passeport, ne me dis pas que tu ne pourrais pas lui en procurer un...

— O.K., articula-t-il à la fin.

— J'attendrai les papiers des garçons au *Selous Hotel*.

— As-tu été malade ?

— Oui, du paludisme, pas du sida.

— C'est censé être une blague ?

— Désolée. Merci, Franklin.

— O.K., répéta-t-il.

Quand Sylvia téléphona à la maison de l'aéroport, avant d'embarquer, elle annonça qu'elle arrivait le lendemain matin avec deux jeunes garçons. Oui, des Noirs, et elle avait promis de se charger de leur éducation, ils étaient très intelligents, l'un s'appelait d'ailleurs Clever, elle espérait que la température ne serait pas trop basse parce que, bien sûr, les jeunes n'y seraient pas habitués, et elle continua à parler jusqu'au moment où Frances dit que l'appel allait coûter une fortune.

— Oui, désolée, oh ! je suis tellement désolée, s'excusa Sylvia, avant de raccrocher enfin, en disant qu'elle leur raconterait tout le lendemain.

Colin apprit la nouvelle et conclut qu'à l'évidence Sylvia avait dans l'idée que les garçons habiteraient là.

— Ne sois pas bête. Comment pourraient-ils ? D'ailleurs, elle part pour la Somalie, m'a-t-elle dit.

— Eh bien, voilà !

Après réflexion, comme c'était son habitude, Rupert émit la remarque qu'il espérait que William ne serait pas perturbé. Ce qui signifiait que lui aussi pensait que les garçons leur resteraient sur les bras.

Ni Rupert ni Frances ne pourraient être là pour accueillir Sylvia, ils seraient au bureau, mais Frances suggéra un dîner en famille. Le manque d'informations pesait sur cette réunion familiale.

— Elle avait l'air dingue, résuma Frances.

Ce fut Colin qui vint ouvrir à Sylvia et à ses protégés. Dans ses bras était perchée sa fille et celle de Sophie, Celia, un bébé adorable, avec des boucles noires, des yeux également noirs et charmeurs, et des fossettes, le tout mis en valeur par une petite robe rouge. Elle jeta un regard aux visages sombres et se mit à hurler.

— Ne sois pas bête, lui dit son père.

Colin serra fermement les mains des garçons, qui étaient froides et tremblantes, remarqua-t-il.

C'était un jour glacial de novembre.

— C'est la première fois qu'elle voit des visages noirs de près, leur expliqua Sylvia. Ne vous occupez pas d'elle !

Ils se retrouvèrent à la cuisine, puis autour de la fidèle table. Les garçons était visiblement en état de choc ou quelque chose d'approchant. Si des Noirs pouvaient être pâles, alors eux l'étaient ! Ils avaient le teint gris et n'arrêtaient pas de frissonner, bien que chacun eût un gros pull neuf. Ils ne se sentaient pas à leur place, Sylvia le savait parce que c'était aussi son cas : la transition avec les cases de paille, les volutes de poussière et les tombes récentes de la mission était trop brutale.

Une jolie jeune femme en jean, avec un amusant tee-shirt rayé, entra.

— Salut, je m'appelle Marusha, lança-t-elle, avant de se planter devant la bouilloire pendant qu'elle chauffait.

La jeune fille au pair. Peu après de grosses tasses de thé apparaissaient devant Sylvia et les garçons, puis Marusha disposa des biscuits sur une assiette qu'elle poussa vers eux, en souriant poliment. Elle était Polonaise et avait l'esprit et l'imagination remplis de la désagrégation de l'Union soviétique, alors activement en cours. Après avoir juché Celia sur une hanche, elle annonça son intention d'aller « voir les informations à la télé » et monta à l'étage en chantant. Les garçons regardèrent Sylvia poser des biscuits sur sa propre assiette. Et comment elle mettait du lait dans son thé, puis du sucre. Ils l'imitèrent en tous points, les yeux rivés sur son visage et ses gestes, tout comme ils l'avaient observée pendant les années de l'hôpital.

— Clever et Zebedee, les présenta Sylvia. Ils m'aidaient à l'hôpital. Je vais les inscrire à l'école le plus tôt possible. Ils seront médecins. Ils sont malheureux parce que leur père vient de mourir. Ils n'ont plus de famille.

— Ah ! s'exclama Colin, avec un signe de tête de bienvenue aux garçons, dont le sourire triste et terrifié semblait définitivement figé. Je suis désolé. Je comprends que tout cela doit être terriblement difficile pour vous. Vous vous y habituerez.

— Sophie est au théâtre ?

— Sophie est avec Roland par intermittence... Non, en fait, elle ne m'a pas quitté. Elle vit avec nous deux, dirais-je.

— Je vois.

— Oui, c'est ainsi.

— Pauvre Colin !

— Il lui envoie quatre douzaines de roses rouges au moindre prétexte ou d'éloquents messages composés de pensées ou de myosotis. Moi, je ne pense jamais à ce genre de choses. Cela m'apprendra...

— Pauvre Colin !

— Et vu la mine que tu as, pauvre Sylvia !

— Elle est malade, glissèrent les garçons. Sylvia est très malade...

La nuit dernière, dans l'avion, ils avaient eu peur, non seulement de l'univers inconnu de l'avion, mais parce que Sylvia n'arrêtait pas de vomir, puis se rendormait pour se réveiller avec un cri et des larmes.

Quant à eux, elle leur avait montré comment on utilisait les toilettes et ils croyaient avoir compris, mais Clever avait dû pousser le bouton qu'il ne fallait pas, parce que la fois suivante où il y était retourné, le panneau « hors service » était accroché à la porte. Tous les deux avaient l'impression que les hôtesses de l'air les regardaient de travers et que, s'ils faisaient une autre bêtise, l'appareil pourrait s'écraser à cause d'eux.

À ce moment-là, quand Sylvia les prit par les épaules, comme elle était assise entre eux, ils sentirent à travers ses vêtements qu'elle avait froid et qu'elle frissonnait. Ils n'en étaient pas surpris. Sur le trajet de l'aéroport à la maison, la vue par la vitre de toutes ces nuées grises suintantes, de ces innombrables immeubles et de tant de gens enveloppés comme des paquets avait donné envie aux deux frères d'enfouir leurs têtes sous une couverture.

— Je parie qu'aucun de vous n'a fermé l'œil dans l'avion, si ? s'enquit Colin.

— Pas souvent, avoua Sylvia. Et puis les garçons étaient ébahis par tout ce qu'ils vivaient. Ils viennent d'un village, voyez-vous. Tout est nouveau pour eux.

— Je comprends, acquiesça Colin.

Et il comprenait, autant que c'était possible pour quelqu'un qui n'avait pas vu les choses par soi-même.

— L'ancienne chambre d'Andrew est-elle occupée ?

— J'y travaille.

— Et la tienne ?

— C'est maintenant celle de William.

— Et la petite chambre au même étage ? On peut y mettre deux lits.

— Un peu encombrée avec deux lits, non ?

— Il y avait cinq personnes qui vivaient dans notre case avant la mort de ma sœur, protesta Zebedee.

— Ce n'était pas vraiment notre sœur, précisa Clever. C'était notre cousine, selon votre conception. Nous avons un système de parenté différent. Elle est morte, ajouta-t-il. Elle est tombée malade et elle est morte.

— Je sais que ce n'est pas pareil. Il me tarde que vous m'expliquiez ça.

Colin commençait tout juste à distinguer les deux frères l'un de l'autre. Clever était le maigre, le passionné aux yeux énormes et pathétiques. Zebedee était plus costaud, avec les épaules larges et un sourire qui lui rappelait celui de Franklin.

— Nous pouvons regarder le frigo ? Nous n'en avons jamais vu d'aussi gros.

Colin leur montra donc le frigo, avec ses multiples étagères, son éclairage intérieur, ses compartiments de congélation. Ils s'exclamèrent et secouèrent la tête d'admiration, puis restèrent debout à bâiller.

— Venez, dit Colin, qui s'engagea dans l'escalier en les tenant par les épaules, Sylvia sur leurs talons.

Des escaliers, encore des escaliers. Les garçons n'avaient pas vu d'escalier avant le *Selous Hotel*. Et ils montaient toujours, plus haut que le palier du grand salon, plus haut même que celui de Frances et Rupert, et le petit salon où Sylvia avait vécu autrefois, jusqu'à l'étage qui avait abrité l'enfance de Colin et d'Andrew. Dans la petite chambre, il y avait déjà un grand lit et, à l'instant précis où Colin disait : « On va vous trouver quelque chose de mieux », les deux frères se jetèrent dessus et s'endormirent comme des masses.

— Pauvres gosses, murmura Colin.

— Ils seront paniqués au réveil...

— Je vais dire à Marusha d'ouvrir l'œil... Et toi, où dors-tu ? Tu y as réfléchi ?

— Je peux camper dans le salon jusqu'à...

— Sylvia, tu ne penses pas sérieusement te décharger de ces gamins sur nous et t'envoler pour... où as-tu dit ?

— La Somalie.

Sylvia n'avait pas réfléchi. Elle avait été emportée par un flot de démarches depuis sa promesse à Joshua, et ne s'était pas permis de méditer ou d'ajuster les deux faits : qu'elle était responsable des enfants et, d'autre part, qu'elle avait promis d'être en Somalie dans trois semaines.

Ils redescendirent, se rassirent à la table de cuisine et échangèrent un sourire.

— Sylvia, tu te souviens que Frances commence à n'être plus très jeune, qu'elle a soixante-dix ans passés ? Nous avons organisé une grande fête pour son anniversaire. Non qu'elle paraisse son âge ou s'en plaigne...

— Et elle a déjà Margaret et William.

— Juste William.

Alors, à tête reposée – ils avaient tout le temps du monde –, il lui raconta l'histoire. Sans s'en ouvrir à personne, Margaret avait choisi d'aller vivre chez sa mère. Elle ne lui en avait pas non plus parlé, mais avait débarqué chez Phyllida et annoncé à Meriel :

— Je viens habiter avec toi.

— Il n'y a pas la place, avait objecté Meriel sans hésiter. Pas tant que je n'aurai pas trouvé un appartement.

— Alors tu dois en trouver un, lui avait ordonné sa fille. Nous avons assez d'argent, non ?

Le problème était le suivant : Meriel avait décidé d'aller à l'université et de passer un diplôme de psychologie. Frances était furieuse : elle avait espéré que Meriel commencerait à gagner un peu d'argent, mais Rupert, lui, n'était pas étonné.

— J'ai toujours dit qu'elle n'avait aucune intention de gagner sa vie un jour, non ?

— Si, tu l'as dit.

— Personne ne le croirait à la voir, mais c'est une femme très dépendante.

— Allons-nous devoir l'entretenir à perpétuité ?

— Je n'en serais pas surpris.

C'était la raison pour laquelle Meriel n'avait, en réalité, aucune envie de quitter Phyllida : elle ne voulait pas vivre toute seule. En attendant, Phyllida, elle, désirait le départ de Meriel. Le fait d'avoir l'ancienne femme de Rupert ici, chez elle, comme une extension de la famille Lennox, lui avait procuré une obscure satisfaction, jamais vraiment analysée, mais cela suffisait comme cela ! Meriel ne lui inspirait pas de réelle antipathie, mais ses manières incisives et tranchantes pouvaient être déprimantes. Quand Margaret vint s'installer, Phyllida eut l'impression de revivre un vieux cauchemar en se revoyant en Meriel face à l'adolescente. Mère et fille qui se parlaient mal, se chipotaient, puis s'embrassaient et se raccommodaient, bruyantes, si bruyantes : larmes, disputes et cris, suivis des longs silences des réconciliations.

Meriel eut alors une rechute et fut hospitalisée. Phyllida et Margaret se retrouvèrent toutes les deux. À présent que sa mère n'était plus là, Phyllida suggéra à Margaret de réintégrer la maison des Lennox, mais la jeune fille lui assura qu'elle préférait rester avec elle.

— Frances est une vieille vache, déclara-t-elle. Il n'y a que Rupert qui l'intéresse, en réalité. Je trouve ça dégoûtant, des vieilles personnes qui se tiennent par la main comme eux deux ! Et puis j'aime vraiment mieux être avec toi. (Elle proféra cette dernière phrase timidement, en hésitant, de peur d'une rebuffade, s'offrant pour ainsi dire à ce substitut maternel.) Je veux rester avec toi.

À vrai dire, Phyllida fut émue d'entendre que la jeune fille l'aimait bien. Comme cela ne ressemblait pas à cette sournoise, cette fourbe de Sylvia, qui était toujours si pressée de lui échapper !

— Très bien, mais quand ta mère ira mieux, je pense que vous devriez prendre un appartement.

L'état de Meriel ne montrait aucun signe d'amélioration. Margaret refusait de lui rendre visite ; elle prétendait que cela la déstabilisait trop, mais William, lui, y allait presque tous les soirs et s'asseyait auprès de la femme roulée en boule sur son lit, dans la morne absence qui définit la dépression, pour lui parler de sa journée, de ce qu'il avait fait, à la manière minutieuse et réservée qui était la sienne. Mais elle ne répondait pas, pas plus qu'elle ne bougeait ni ne le voyait.

Et après que Colin eut fini d'exposer le cas Meriel, il y eut Sophie et puis Frances, auteur d'ouvrages, en partie histoire et en partie sociologie, qui marchaient très bien. Sans oublier Rupert, dont Colin dit que c'était la meilleure chose qui fût arrivée dans cette maison.

— Imagine-toi, quelqu'un de vraiment sensé, enfin !

Colin et Sylvia passèrent l'après-midi à bavarder, tandis que la petite fille faisaient de charmantes apparitions dans les bras de Marusha, qui jubilait de plus en plus, à chaque instant, avec les derniers rebondissements des informations, de l'humiliation totale de l'ancien ennemi de la Pologne. Et puis Frances était rentrée, les bras chargés de provisions, exactement comme à la grande époque. Tous trois mirent les rallonges à la table de la cuisine, comme s'ils montaient le décor des fêtes passées.

Pendant que Frances était aux fourneaux, William était arrivé, à l'instant précis où les deux jeunes Noirs descendaient l'escalier. On les lui présenta.

— Clever et Zebedee vont rester ici un moment, expliqua Colin.

Sans dire mot, Frances commença à mettre le couvert pour neuf personnes. Sophie devait les rejoindre dans la soirée.

Frances prit sa place à un bout de la table, face à Colin qui occupait l'autre. Près de lui était assise Sophie, puis Marusha, flanquée de la chaise haute de la petite. Ils étaient dix, en comptant Celia. Frances était entourée, d'un côté par Rupert et de l'autre par William. Sylvia et ses deux protégés étaient au milieu. Sylvia leur parla du banquet au *Butler's Hotel,* et de tous les convives qui menaient grand train et dont certains avaient siégé autrefois autour de cette table, puis de la jeune épouse d'Andrew, disant tout net que cela ne durerait pas. Elle s'exprimait d'une voix absente et donnait des informations sur les rouages improbables de la vie, qui n'avaient rien du charme des potins. Les jeunes Noirs n'arrêtaient pas de la regarder pour voir comment elle se sentait, puisque sa voix semblait déterminée à ne rien laisser passer : ce fut leur malaise qui prévint les autres qu'ils devaient s'inquiéter pour Sylvia. En fait, elle avait l'impression de planer, et ce n'était pas seulement le manque de sommeil. Elle était fatiguée, oui, si fatiguée ! au point d'avoir du mal à fixer son attention, et pourtant elle savait qu'elle le devait, parce que les garçons dépendaient d'elle et qu'elle était la seule personne à pouvoir comprendre combien c'était difficile pour eux. En bon journaliste, Rupert posait des questions, mais c'était parce qu'il sentait qu'elle avait besoin d'être ramenée sur terre, comme un cerf-volant trop léger : il était sensible à sa détresse, à cause de sa longue attention pour William, qui souffrait tellement et avait besoin de lui, Rupert, pour le comprendre. Et pendant tout ce temps la petite fille babillait et gazouillait, en leur faisant à tous les yeux doux, même aux jeunes Noirs, maintenant qu'elle s'était habituée à eux.

Sophie entra en coup de vent, dans un sillage de parfum. Elle était plus plantureuse qu'avant, « plus Madame Bovary que la Dame aux camélias », selon ses propres mots. Elle portait du blanc, une tenue ample et chic, et avait les cheveux relevés en chignon. Elle jeta à Colin des regards ardemment coupables jusqu'à ce qu'il l'eût embrassée et réduite au silence :

— Allons, Sophie, tais-toi donc. Ce soir, tu ne peux pas être le point de mire.

— Pour l'amour de Dieu ! Qu'est-ce que tu as, Sylvia ? s'écria Sophie. Tu as une mine de déterrée...

Ces mots jetèrent un froid, mais Sophie ne pouvait pas deviner que le père des garçons venait de mourir et que, depuis des mois déjà, ils passaient leurs samedis après-midi à enterrer des gens qu'ils avaient connus toute leur vie.

— Je crois que je vais aller m'étendre un peu, dit Sylvia en s'arrachant de sa chaise. Je me sens... – elle embrassa Frances. Frances chérie, me retrouver ici avec toi, si seulement tu savais... chère Sophie... (Elle sourit vaguement à tout le monde, posa une main tremblante sur l'épaule de Clever, puis sur celle de Zebedee.) À tout à l'heure.

Elle sortit de la pièce, en se cramponnant au bord de la porte et puis au chambranle.

— Ne vous inquiétez pas, dit Frances aux jeunes Noirs. Nous allons nous occuper de vous. Dites-nous un peu ce qu'il vous faut, parce que nous ne sommes pas aussi au courant que Sylvia.

Mais ils ne quittaient pas Sylvia des yeux. Il était facile de voir que tout cela les dépassait. Ils voulaient remonter se coucher et ils y allèrent, accompagnés de Marusha, avec Celia. Puis Sophie les suivit : elle avait l'intention de passer la nuit ici, apparemment.

Frances, Colin et Rupert firent face à William, sachant ce qui allait venir.

C'était maintenant un beau jeune homme blond, grand et mince, mais son visage au teint clair était tendu, et il avait souvent les yeux creux. Il adorait son père, se tenait toujours aussi près de lui que possible, même si Rupert avait confié à Frances qu'il n'osait pas le prendre dans ses bras, le serrer contre lui : ces démonstrations semblaient déplaire à William. Et puis, toujours d'après Rupert, il était secret, ne livrait ses pensées à personne.

— C'est peut-être tout aussi bien que nous ne les connaissions pas ! s'exclama Frances.

Par expérience, elle avait appris que William, qui pouvait la consulter pour de menus problèmes, était un bloc d'angoisse contrôlée, dont elle ne pensait pas qu'une accolade ou un baiser pourrait l'atteindre. Et puis il travaillait si dur, devait être le premier à l'école, semblait toujours aux prises avec des anges invisibles.

— Ils vont vivre ici ?

— Il semble que oui, répondit Colin.

— Et pourquoi ?

— Allez, vieux, ne sois pas comme ça, tenta son père.

Le sourire de William à Colin, dont on devait conclure qu'il l'aimait bien, était comme une plainte.

— Ils n'ont plus de parents, reprit Colin. Leur père vient de mourir. (Il appréhendait de dire du sida, à cause de la terreur inspirée par ce mot, même si, dans cette maison, le sida était aussi abstrait que la peste noire.) Ils sont orphelins et très pauvres... Je ne crois pas que des gens comme nous puissions comprendre. Et ils n'ont pas eu d'autre école que les leçons de Sylvia...

Dans leur esprit surgit l'image fugitive d'une salle de classe, avec des bureaux, un tableau noir et un professeur en train de discourir.

— Mais pourquoi ici ? Pourquoi faut-il que ça tombe sur nous ?

Cette réaction habituelle – « Mais pourquoi moi ? » – ne peut trouver de réponse que dans l'invocation des royales injustices de l'univers.

— Il faut bien que quelqu'un les accueille, remarqua Frances.

— D'ailleurs, Sylvia sera là, elle saura quoi faire, renchérit Colin. Je suis d'accord que nous en serions incapables.

— Mais comment pourra-t-elle être là ? Quelle chambre va-t-elle prendre ? Où va-t-elle dormir ?

Si la panique brouillait l'esprit de Sylvia, à cause de l'impossibilité d'être en Somalie et à Londres en même temps, alors ces trois adultes étaient dans un état voisin : William avait raison.

— Oh ! nous trouverons bien une solution, répondit Frances.

— Nous devrons tous y mettre du nôtre, ajouta Colin.

Ce qui signifiait, comme William le savait fort bien : Nous attendons de toi que tu y mettes aussi du tien. Ils étaient plus jeunes que lui, mais ce fait objectif rendait encore plus probable qu'ils dépendraient de lui.

— S'ils ne s'adaptent pas ici, est-ce qu'ils partiront ?

— Nous pourrions les renvoyer, reprit Colin. Mais si je comprends bien, tous les habitants de leur village sont morts du sida ou presque.

William blêmit.

— Du sida ? Ils ont le sida ?

— Non, et ils ne peuvent pas l'avoir, d'après Sylvia.

— Comment le sait-elle ? Enfin, d'accord, elle est médecin. Mais pourquoi a-t-elle l'air si malade, alors ? Elle a une mine épouvantable.

— Elle va aller mieux. Quant aux jeunes, il leur faudra prendre des cours particuliers d'abord, pour se mettre à niveau, mais je suis sûr qu'ils seront trop contents.

— Ils ne peuvent pas s'appeler Clever et Zebedee, pas ici. Ils se feront tuer, avec des noms pareils ! J'espère qu'ils ne seront pas dans le même établissement que moi.

— On ne peut quand même pas leur retirer leurs vrais noms...

— Eh bien, je ne me battrai pas pour eux !

William prétendit qu'il devait monter : il avait des devoirs. Il sortit de la cuisine ; avant les devoirs, ils le savaient, il allait jouer un peu avec le bébé, si elle ne dormait pas. Il l'adorait.

Sylvia ne reparut pas. Elle s'était jetée dans le creux du vieux canapé rouge, les bras tendus : elle s'endormit comme une masse. Elle sombra dans son passé, dans des bras qui l'appelaient.

Rupert et Frances étaient en train de se déshabiller dans leur chambre quand Colin entra leur dire qu'il avait jeté un coup d'œil sur Sylvia, qui était morte de fatigue. Plus tard, vers quatre heures du matin, une vague angoisse tira Frances du sommeil. Elle descendit à pas de loup et revint dire à Rupert, qui avait été réveillé par son escapade, que Sylvia était dans les limbes. Elle allait se fourrer au lit, mais réalisa alors ce qu'elle avait dit et, rétrospectivement, ce qu'avait dit aussi Colin.

— Je n'aime pas ça, chuchota-t-elle. Il y a quelque chose qui cloche.

Rupert et Frances descendirent ensemble et entrèrent au salon où Sylvia, en effet, était dans les limbes : plus rien ne la réveillerait, elle était morte.

Les garçons pleuraient au fond de leur lit. L'instinct de Frances, qui la poussait à les prendre dans ses bras, fut contrarié par la plus ancienne des inhibitions : les bras qu'ils cherchaient n'étaient pas les siens. Comme les heures passaient et que les pleurs, eux, ne cessaient pas, Colin et elle montèrent dans la petite chambre et les obligèrent à s'asseoir, elle avec Clever et lui avec Zebedee. Ils restèrent près d'eux, à les tenir dans leurs bras et à les bercer, en leur répétant qu'ils devaient arrêter de pleurer, qu'ils allaient se rendre malades, qu'ils devaient descendre prendre une boisson chaude et que personne ne leur en voudrait d'être tristes.

Les premiers mauvais jours furent surmontés, puis les obsèques, où Zebedee et Clever tinrent le rôle important de proches de la défunte. Plusieurs tentatives pour téléphoner à la mission se succédèrent, mais une voix inconnue des garçons répondait à chaque fois que le père McGuire avait emporté toutes ses affaires et que le nouveau directeur d'école n'était pas encore arrivé. Ils laissèrent des messages. Sœur Molly, qui avait trouvé aussi un message, rappela aussitôt avec une voix claire et vibrante, alors qu'elle se trouvait à des kilomètres de tout. Elle demanda immédiatement si la famille avait songé au sort futur des garçons. Elle croyait qu'ils pourraient sans doute trouver du travail à l'ancienne mission, s'occuper des orphelins du sida. Lorsque le prêtre avait rappelé, la liaison était si mauvaise que son affection pour Sylvia ne leur était parvenue que par intermittence :

— Pauvre petite, il fallait qu'elle se tue à la tâche... Si vous pouviez trouver moyen de garder les garçons, ce serait mieux... C'est une triste affaire ici...

Le chagrin des garçons était terrible, dévastateur. Il effrayait leurs nouveaux amis, qui tombèrent d'accord pour dire que c'en était trop pour eux : après tout, ces enfants – car ils n'étaient pas autre chose – avaient été arrachés à leur monde pour être jetés dans... Mais « choc des cultures » n'était guère le mot approprié, quand cette expression utile peut décrire l'agréable dépaysement qu'on ressent en voyageant entre Londres et Paris. Non, c'était impossible d'imaginer la profondeur du choc subi par Clever et Zebedee. Et il fallait donc ignorer leurs visages pareils à des masques tragiques, à leurs regards eux aussi tragiques. Leurs regards HANTÉS ?

Il y avait autre chose, dont leurs nouveaux amis n'avaient aucune idée et qu'ils n'auraient pas pu comprendre : les garçons étaient sûrs que Sylvia était morte à cause de la malédiction de Joshua. Si elle avait été encore là pour se moquer d'eux et s'écrier : « Oh ! comment pouvez-vous penser de telles bêtises ! », ils ne l'auraient peut-être pas crue, mais leur sentiment de culpabilité eût été moindre. Les choses étant ce qu'elles sont, ils étaient accablés de culpabilité et ne pouvaient pas le supporter. Aussi, comme nous faisons tous face à la pire et à la plus profonde des douleurs, commencèrent-ils à oublier.

La moindre minute des journées interminables où ils avaient attendu que Sylvia revînt de Senga pour les secourir, pendant que Rebecca se mourait et que Joshua guettait lui aussi le retour de Sylvia pour mourir à son tour, étaient gravées dans leur mémoire. Les longues affres de l'angoisse. Ils ne les avaient pas oubliées, pas plus qu'ils n'avaient oublié le moment où Sylvia était réapparue, tel un petit fantôme blanc, pour les embrasser et les emporter à toute vitesse avec elle. Après, tout se brouillait : la main osseuse de Joshua sur le poignet de Sylvia et ses paroles meurtrières, l'avion terrifiant, l'arrivée dans cette étrange maison, la mort de Sylvia... Non, tout cela s'estompait et Sylvia était vite devenue une présence bienveillante et protectrice, qu'ils revoyaient à genoux dans la poussière pour poser une attelle à une jambe ou assise entre eux au bord de la galerie pour leur apprendre à lire.

Pendant ce temps, Frances n'arrêtait pas de se réveiller, le ventre noué par l'angoisse, et Colin aussi se plaignait de mal dormir. Rupert leur dit qu'ils n'avaient pas suffisamment réfléchi à leur décision, que c'était là le problème.

S'étant réveillée une fois de plus en sursaut avec un cri, Frances se retrouva dans les bras de Rupert.

— Viens, descends. Je vais te faire du thé.

Mais quand ils arrivèrent à la cuisine, Colin était déjà assis à la table, une bouteille de vin devant lui.

Derrière les carreaux se pressaient les ténèbres d'une nuit d'hiver à quatre heures du matin. Rupert tira les rideaux, s'assit à côté de Frances, mit un bras autour de ses épaules.

— Maintenant à vous deux de décider ! Et quelle que soit votre décision, alors vous devez absolument chasser l'autre solution de votre esprit. Sinon vous allez vous rendre malades tous les deux...

— D'accord, dit Colin, en tendant une main tremblante pour prendre la bouteille de vin.

— Voyons, écoute, vieux, reprit Rupert. Arrête de boire, tu seras gentil.

Frances ressentit cette appréhension que toute femme peut avoir quand son homme, pas le père de son fils, endosse le rôle paternel : Rupert avait parlé comme si c'était William qui était assis là.

Colin repoussa sa bouteille.

— Merde ! c'est une situation impossible...

— Oui, tu l'as dit, approuva Frances. Dans quelle aventure nous lançons-nous ? Êtes-vous conscients que je serai morte quand ils obtiendront leurs diplômes ?

Rupert resserra l'étreinte de son bras.

— Mais nous devons les garder, bredouilla Colin, agressif, en larmes, les implorant. Si deux chatons cherchent à sortir du seau où on essaie de les noyer, on ne les remet pas dedans. (Le Colin qui parlait en ce moment, Frances ne le connaissait plus depuis des années ; Rupert, de son côté, découvrait ce jeune homme passionné.) On ne fait pas ça, insista Colin, se penchant en avant, ses yeux rivés sur ceux de sa mère, puis sur ceux de Rupert. On ne les remet pas dedans, point.

Un hurlement jaillit alors de sa poitrine. Il y avait longtemps que Frances n'avait pas entendu ce hurlement. Il laissa sa tête tomber au creux de ses bras posés sur la table. Rupert et Frances communièrent en silence.

— À mon avis, il n'y a qu'un choix possible, déclara Rupert.

— Oui, acquiesça Colin, relevant la tête.

— Oui, murmura Frances.

— Alors, voilà ! Et maintenant ne pensez plus à l'autre. Maintenant, je répète.

— Qui a été une famille des années soixante le sera toujours, je suppose, médita Colin. Non, ce n'est pas mon *petit aperçu**, c'est celui de Sophie. Elle trouve tout cela charmant. Je ne lui ai pas signalé que ce n'est pas elle qui se taperait le travail. Elle m'a promis de mettre la main à la pâte. Pour tout, elle m'a dit !

Il rit.

— Je ne pense pas que je pourrais le supporter si tu mourais, dit Rupert, une fois recouché. Mais, heureusement, les femmes vivent plus longtemps que les hommes.

— Moi non plus, je ne peux pas m'imaginer sans toi.

Ces deux spécialistes des mots étaient rarement allés plus loin que ce genre de déclaration. « On ne s'en sort pas trop mal, non ? » était à peu près la limite. Être si déphasé par rapport à son époque requiert un certain cran : un homme et une femme qui osent s'aimer si profondément... Eh bien, c'est difficile à avouer, même l'un à l'autre.

— Qu'est-ce que c'était que cette histoire de chatons ? s'enquit-il soudain.

— Je n'en ai aucune idée. Cela ne vient pas de cette maison, et je suis certaine que cela ne vient pas non plus de son école. Les écoles alternatives ne noient pas les chatons. Enfin, pas devant leurs élèves...

— Où qu'il l'ait vu, cela l'a marqué.

— Et c'est la première fois qu'il en parle.

— Quand j'étais petit, j'ai vu une bande de jeunes torturer un vieux chien. Cette scène m'a plus appris sur la nature du monde que tout le reste...

Les leçons particulières débutèrent. Rupert prit en main Clever et Zebedee pour les maths : au-delà de leurs tables de multiplication, ils étaient comme des pages vierges, selon lui, mais les deux frères étaient si éveillés qu'ils étaient capables de combler leur retard. Frances trouva que leurs lectures avaient été extraordinaires : leurs mémoires conservaient des passages entiers du *Livre de la jungle* et d'Enid Blyton, de *La Ferme des animaux* et de Thomas Hardy, mais ils ne connaissaient pas Shakespeare. Elle se proposait de remédier à cette lacune ; ils dévoraient déjà tout le contenu des rayonnages du salon. Alors Colin entra en scène avec l'histoire et la géographie. Le petit atlas de Sylvia avait rendu de bons et loyaux services : la connaissance du globe par les gamins était étendue, sinon approfondie ; quant à l'histoire, ils ne savaient pas grand-chose en dehors des *Papes de la Renaissance,* titre d'un ouvrage de la bibliothèque du père McGuire. Sophie, elle, devait les emmener au théâtre. Et puis, sans qu'on lui eût rien demandé, William commença à leur donner des cours à l'aide de vieux manuels scolaires, et c'est cette initiative qui leur fut vraiment bénéfique.

William déclara être déconcerté par leur application ; lui-même marchait bien en classe, mais comparé à eux...

— On pourrait croire que leur vie en dépend. Après tout, moi, je peux toujours partir et être...

— Être quoi ? demandèrent les adultes, sautant sur cette occasion d'avoir un aperçu de ce qu'il avait vraiment dans la tête.

— Jardinier, je pourrais être jardinier à Kew[1], répondit gravement William. Oui, c'est ce que j'aimerais vraiment. Ou alors je pourrais être comme William Thoreau et vivre seul, au bord d'un lac, et écrire sur la nature.

Sylvia était décédée intestat ; d'après les notaires, son argent devait donc revenir à sa mère, sa plus proche parente. Cela représentait une somme coquette, tout à fait propre à financer les études des garçons. On fit appel à Andrew, en tant que vieil allié de Phyllida. De passage à Londres, il se rendit donc chez Phyllida, où se déroula cette conversation :

— Sylvia aurait voulu que son argent serve aux études des deux petits Africains qu'elle semble avoir adoptés.

— Ah, oui ! les petits Noirs ! j'ai entendu parler d'eux.

— Je suis venue te voir pour te demander officiellement de renoncer à cet argent, parce que nous savons que c'est ce qu'elle aurait souhaité.

— Je ne me souviens pas qu'elle m'en ait parlé.

— Mais, Phyllida, comment eût-elle pu ?

Phyllida eut un petit mouvement brusque de la tête, avec un sourire légèrement triomphant, qui était amusé aussi, comme quelqu'un qui applaudit aux caprices du destin, après avoir empoché une fortune, à la loterie peut-être.

— Celui qui le trouve le garde, cita-t-elle. De toute façon, on me doit un geste, voilà comment je vois les choses.

Il y eut un conseil de famille.

Rupert, bien que grand rédacteur de son journal et convenablement rétribué, savait que, même après avoir fini d'acquitter les frais de scolarité de Margaret

---

1. Partie de l'arrondissement du grand Londres de Richmond-on-Thames, site des Jardins royaux britanniques.

(c'était Frances désormais qui payait pour William), il aurait toujours à entretenir Meriel.

Les brillants petits livres de Colin, catalogués par Rose Trimble comme des « romans élitistes pour intellos », lui permettaient seulement d'assurer l'avenir de son enfant et de Sophie, qui, en tant que comédienne, était souvent sans engagement. Il dépensait si peu pour lui qu'il tenait à peine les comptes.

Frances se retrouvait dans une situation bien connue. On lui avait proposé un job, aider à gérer un petit théâtre d'avant-garde : le désir de son cœur, de quoi s'amuser, mais pas beaucoup d'argent. Or ses ouvrages solides et sérieux, achetés par toutes les bibliothèques du pays, lui rapportaient énormément. Il lui faudrait donc dire non au théâtre et continuer à écrire des livres. Elle offrit de prendre Clever en charge, et c'est Andrew qui paierait les frais de Zebedee.

Andrew avait le projet de fonder une famille, mais il gagnait si bien sa vie qu'il était sûr de pouvoir gérer Zebedee. Les choses ne tournèrent pas comme il le croyait. Son mariage, qui branlait déjà, n'allait pas tarder à être dissous au bout d'un peu plus d'un an, alors que Mona était enceinte. Des années de procédures devaient suivre, mais quand Andrew réussissait à arracher la garde de son enfant à la mère jalouse, la petite fille était la plupart du temps avec sa cousine Celia, à se partager la fille au pair du moment, ainsi que l'attention du papa de Celia. Comme Sophie s'en plaignait souvent, Colin était un père si merveilleux et elle une mère si indigne ! (« C'est pas grave, gazouillait Celia, t'es une maman si belle et délicieuse que ça nous est égal ! »)

Où tout ce monde allait-il se caser ?

Clever prendrait l'ancienne chambre d'Andrew, Zebedee celle de Colin. Colin, lui, garderait le salon pour travailler. William avait une chambre sur le palier de son père et de Frances. La fille au pair occupait l'ancienne chambre de Sylvia.

Et l'appartement du sous-sol ? Il y avait quelqu'un dedans, Johnny.

Frances se dirigeait vers un arrêt de bus quand elle avait entendu des pas pressés derrière elle, puis une voix qui l'appelait : « Frances, Frances Lennox... » En se retournant, elle vit une femme dont les cheveux blancs volaient en tous sens, tandis qu'elle tâchait de maintenir son foulard. Frances ne la connaissait pas... Si, elle la connaissait, justement. C'était Jinny, une camarade du bon vieux temps.

— Oh ! je n'étais pas certaine, mais oui, c'est bien toi, caquetait-elle. Enfin, nous prenons tous de l'âge, non ? Oh, mon Dieu ! Il fallait simplement que je... C'est ton mari, tu vois, je suis si inquiète pour lui...

— J'ai laissé mon mari en pleine forme il n'y a pas cinq minutes.

— Oh là là ! Oh mon Dieu ! suis-je bête ! Je parlais de Johnny, du camarade Johnny. Si seulement vous vous doutiez tous deux ce que vous représentiez pour moi quand j'étais jeune ! Une telle source d'inspiration, le camarade Johnny et la camarade Frances Lennox...

— Écoute, je suis désolée, mais...

— J'espère ne pas être indiscrète.

— Alors dis-moi. Qu'y a-t-il ?

— Il est si âgé maintenant. Pauvre vieux...

— On a le même âge.

— Oui, mais certains portent mieux leur âge que d'autres. Je pensais simplement que tu devais être au courant, lança-t-elle en se sauvant, avec des gestes de la main à la fois affolés et agressifs.

Frances informa Colin, qui déclara qu'en ce qui le concernait, son père n'avait qu'à se débrouiller tout seul. De son côté, Frances déclara qu'elle s'était juré de ne pas recoller les morceaux à la place de Johnny.

Cela ne laissait plus qu'Andrew, qui avait débarqué de Rome pour l'après-midi. Il trouva Johnny dans une chambre plutôt agréable, à Highgate, dans la maison d'une dame qu'il qualifiait de sel de la terre. C'était un vieil homme frêle, avec de longues mèches de cheveux argentés autour d'une tonsure d'un blanc luisant, complètement pathétique et vulnérable. Il était ravi de voir Andrew, mais n'allait pas le montrer.

— Assieds-toi, proposa-t-il. Sœur Meg va nous faire du thé, j'en suis sûr.

Mais Andrew resta debout.

— Je suis venu te voir parce que nous avons su que tu avais quelques revers de fortune.

— Ce qui est plus que ce que tu n'as jamais eu, à ce qu'on m'a raconté.

— Je suis content de dire que tout ce que tu entends est vrai.

Peu de gens au monde verraient le sort de Johnny comme ingrat. Somme toute, il avait passé probablement les deux tiers de son existence dans de luxueux et fraternels hôtels d'Union soviétique, de Pologne, de Chine, de Tchécoslovaquie, de Yougoslavie, du Chili, d'Angola et de Cuba... Partout où il se tenait un congrès de camarades, Johnny était présent. Le monde avait été sa bourriche d'huîtres, son pot de miel, sa boîte de caviar Beluga toujours ouverte. Et le voilà cantonné dans une seule pièce. Un bel espace, mais une seule pièce. Vivant de sa pension de retraite.

— Bien sûr, la carte de bus du troisième âge m'aide bien.

— Enfin un bon membre du prolétariat, dit Andrew, en souriant avec bienveillance à son père démuni du haut de sa bonne planque.

— J'ai appris que tu t'étais marié. Je commençais à me demander si tu n'étais pas pédé...

— Qui sait, de nos jours ? Mais au diable tout cela ! Nous avons pensé que tu aimerais peut-être venir habiter l'appartement du sous-sol.

— C'est ma maison, de toute façon. Alors ne prétends pas me rendre service...

Mais c'était un beau deux-pièces, tous frais payés. Il était ravi.

Colin descendit pour l'aider à emménager et lui dit qu'il ne devait pas s'attendre à ce que Frances soit à son service.

— Première nouvelle ! Elle a toujours été une mauvaise maîtresse de maison...

Mais Johnny était loin de dépendre des siens pour avoir de la compagnie. Ses visiteurs lui apportaient des cadeaux et des fleurs, comme pour lui dresser un autel. Johnny était en train de devenir un saint homme, l'adepte d'un grand gourou indien, et désormais on l'entendait souvent dire : « Oui, j'ai été un peu communiste autrefois. » Il restait assis en tailleur au milieu de ses oreillers, sur son lit, et son ancien geste de tendre les paumes vers le ciel, comme s'il s'offrait à un public, s'intégrait parfaitement à son nouveau personnage. Il avait des disciples, à qui il enseignait la méditation et la Quadruple Voie sacrée. En échange, ceux-ci tenaient son appartement en ordre et lui préparaient des petits plats où les lentilles jouaient le premier rôle.

Mais c'était son nouveau soi, que l'on pouvait peut-être voir aussi comme un rôle, dans une comédie où les sœurs, les frères et les saintes mères avaient remplacé les camarades. Son ancien soi refaisait en effet parfois surface, quand d'autres visiteurs, de vieux camarades justement, passaient évoquer leurs souvenirs comme si l'Union soviétique ne s'était jamais écroulée, comme si cet empire existait toujours. De vieux messieurs, de vieilles dames, dont la vie avait été illuminée par ce grand rêve, se réunissaient pour boire du vin, dans une atmosphère guère différente de ces lointaines soirées de lutte, à une exception près : ils ne fumaient plus, alors qu'il eût été jadis difficile de voir à travers la pièce, à cause de la fumée rejetée par leurs poumons.

Tard, avant le départ de ses hôtes, Johnny baissait la voix, levait son verre et proposait un toast :

— À Lui.

Et avec une tendre admiration, tous buvaient au meurtrier peut-être le plus cruel qui eût jamais existé.

On raconte que, des décennies après la mort de Napoléon, de vieux grognards se retrouvaient toujours au gré des tavernes et des bars et, secrètement, dans les taudis des uns et des autres, trinquaient à L'Autre. Ils étaient les rares survivants de la Grande Armée (dont les exploits héroïques n'étaient arrivés à rien de précis, mis à part l'anéantissement d'une génération), des hommes estropiés, à la santé délabrée, qui avaient réchappé de souffrances indicibles.

Johnny avait une autre visiteuse, Celia, qui descendait, cramponnée à la main de Marusha, de Bertha ou de Chantal, et trottait vers lui.

— Pauvre petit Johnny !

— Mais c'est ton grand-père ! Tu ne peux pas l'appeler comme ça...

Sans tenir aucun compte de ce qu'on lui disait, la petite fée caressait la vieille tête assagie, l'embrassait et chantait sa comptine préférée :

— C'est mon petit grand-père, c'est mon pauvre petit Johnny...

La conjonction de Colin et de Sophie avait produit un être rare : tout le monde le sentait. Les grands garçons, William, Clever et Zebedee, jouaient avec elle délicatement, presque humblement, comme si c'était un privilège, une faveur, qu'elle leur accordait.

Ou bien ils s'asseyaient tous autour de la table – Rupert et Frances, Colin et William, Clever et Zebedee, et assez souvent aussi Sophie – pour le dîner, qui pouvait alors s'éterniser, et puis l'enfant entrait à toutes jambes dans la cuisine, retardant ainsi l'heure du coucher. Elle voulait être avec eux, mais pas question d'être prise dans les bras, tenue ou assise sur un genou. Absorbée dans son jeu ou son manège, elle parlait toute seule, doucement, d'un air confidentiel, avec des voix qu'ils avaient appris à connaître : « Celia est ici, oui, elle est ici, voici Celia, et là, c'est ma Frances, et là, c'est mon Clever... » La petite, avec son brin de robe colorée, qui gazouillait toute seule dans la cuisine, en se servant peut-être d'un bout de chiffon, d'une fleur ou d'un jouet pour représenter une personne, un personnage ou un camarade de jeux imaginaire... Elle était si incroyablement belle qu'elle les réduisait tous au silence. Ils restaient assis à la regarder, charmés, intimidés...

— Et voilà mon William... – elle tendait la main pour le toucher, pour être sûre de sa présence, mais ce n'était pas lui qu'elle regardait, peut-être la fleur ou le jouet –... et mon Zebedee... (Colin se leva, ce grand dadais, si fruste et si lourd à côté d'elle, et garda les yeux baissés.) Et voilà... mon Colin, oui, c'est mon papa...

Ruisselant de larmes, Colin se baissait à sa hauteur, dans une sorte de vague hommage de tout son être, et tendait les bras en gémissant :

— Oh, Frances ! Oh ! Sophie ! Avez-vous déjà vu rien de...

Mais la petite fille ne voulait pas se laisser attraper. Elle tournoyait sur elle-même et chantonnait toute seule :

— Oui, mon Colin, oui, ma Sophie, oui, et voilà mon pauvre petit Johnny...

Remerciements

Avec ma vive reconnaissance à mon éditeur chez Flamingo, Philip Gwyn Jones, et à mon agent Jonathan Clowes, pour ses critiques et ses conseils avisés, ainsi qu'à Anthony Chennells, pour son aide dans les passages de mon livre ayant trait au catholicisme.

Dans la même collection

Doris Lessing
Les grand-mères

Sur la terrasse d'un café dominant la baie de Baxter's Teeth, deux familles, qui semblent n'en former qu'une, se prélassent au soleil. Roz et Lil, les grand-mères, restées belles, entourées de Tom et Ian, leurs fils, et de leurs petites-filles, semblent filer le parfait bonheur. Depuis toujours, Roz et Lil sont aussi inséparables que des sœurs jumelles, et l'affection qu'elles se portent s'est doublée peu à peu d'un amour pour le moins trouble de chacune pour le fils de l'autre. Mais, quand Mary, la femme de Tom, surgit, pleine de colère, l'ombre débarque dans ce tableau idyllique...

Grâce à la légèreté de son écriture, Doris Lessing signe avec *Les grand-mères* un roman décapant sur les non-dits et la dissimulation.

JL 8515

8607

Composition Nord Compo
Achevé d'imprimer en France (La Flèche)
par Brodard et Taupin le 30 avril 2008. 47278
Dépôt légal avril 2008. EAN 9782290008805
1er dépôt légal dans la collection : février 2008

Éditions J'ai lu
87, quai Panhard-et-Levassor, 75013 Paris
Diffusion France et étranger : Flammarion